本书获

2024年度贵州省出版传媒事业发展专项资金资助
2022年贵州出版集团有限公司出版专项资金资助

中國改革開放

孙晓云

第一卷

（1978—1989）

沈传亮／主编　　陈　述／著

贵州出版集团
贵州人民出版社
北京出版集团
北京出版社

图书在版编目（CIP）数据

中国改革开放. 第一卷, 1978—1989 / 沈传亮主编 ; 陈述著. -- 贵阳 : 贵州人民出版社 ; 北京 : 北京出版社, 2025. 3. -- ISBN 978-7-221-18046-9

Ⅰ. D61

中国国家版本馆CIP数据核字第20252YW002号

ZHONGGUO GAIGE KAIFANG　DI-YI JUAN（1978—1989）

中国改革开放　第一卷（1978—1989）

沈传亮　主编　陈　述　著

出 版 人　朱文迅
出版统筹　谢丹华　戴　俊　王显永
策划编辑　田　军　王　娜　丁林枫
特邀编辑　陶宇辰　白　云　王　娜
责任编辑　刘　妮　徐小凤　刘旭芳
封面设计　田　晗

出版发行　贵州出版集团　贵州人民出版社
地　　址　贵阳市观山湖区中天会展城会展东路SOHO公寓A座
印　　刷　唐山才智印刷有限公司
版　　次　2025年3月第1版
印　　次　2025年3月第1次印刷
开　　本　710毫米×1000毫米　1/16
印　　张　29
字　　数　435千字
书　　号　ISBN 978-7-221-18046-9
定　　价　89.00元

编写说明

自1978年12月启动的中国改革开放，至今已经走过45年风云激荡的壮阔征程。改革开放是中国人民和中华民族发展史上的一次伟大革命，正是这个伟大革命推动了中国特色社会主义事业的伟大飞跃。在2023年改革开放45周年之际，为了记录中国改革开放的光辉历程，总结改革开放的伟大成就和宝贵经验，我们策划编写了四卷本的《中国改革开放》。

本套书以习近平总书记关于党的历史的系列重要论述为指导，遵循党的第三个历史决议的权威判断，紧紧围绕改革开放这一主题展开，全面展示了45年来改革开放进程中的重大事件、重要人物、重大决策和重要思想。和过去很多中共党史、新中国史、改革开放史著作不同，本套书更加聚焦改革开放本身，从改革开放的进程和特点出发划分历史阶段，同时兼顾中国共产党执政的重要历史节点。

本套书共分为四卷。其中，第一卷主体为1978年至1989年的改革开放，第二卷主体为1989年至2002年的改革开放，第三卷主体为2002年至2012年的改革开放，第四卷主体为2012年至2023年的改革开放。前三卷属于改革开放和社会主义现代化建设新时期的时间范畴，全面记录和深刻分析了改革开放的起步、拓展、深化过程及其成就；第四卷属于中国特色社会主义新时代的时间范畴，全面记录和深刻分析了全面深化改革开放从布局到展开的过程及其成就。

本套书因跨度时间长，行政区划、党和国家机构名称几经变化，历史沿革较复杂，相关表述均按当时的名称，不作统一。特此说明。

改革开放与中国特色社会主义

——《中国改革开放》序

以党的十一届三中全会为标志，中国实行改革开放已经40多年了。这是中国共产党带领中国人民高举改革开放旗帜、成功开创并坚持和发展中国特色社会主义的40多年，是中华民族沿着中国特色社会主义道路迎来从站起来、富起来到强起来伟大飞跃的40多年。40多年最鲜明的特征是改革开放，40多年党和国家全部理论和实践的主题是中国特色社会主义。改革开放的成就彰显了中国特色社会主义的巨大优越性和旺盛生命力，中国特色社会主义检验和证明了改革开放的历史必然性和强大推动力。40多年实践充分证明：只有改革开放才能坚持和发展社会主义，只有中国特色社会主义才能发展和复兴中国。

在中国这样的东方大国建设社会主义是一项全新的伟大事业，无论是在人类社会发展史上还是在世界社会主义发展史上都没有先例，只能在实践中艰辛探索。中国共产党在探索中取得了理论和实践上的许多重大成果，也不可避免地走了一些弯路。

以党的十一届三中全会为标志开始的改革开放，就是在坚持党的领导和社会主义基本制度的前提下，全面纠正“文化大革命”及之前“左”的错误，自觉调整和改革生产关系同生产力、上层建筑同经济基础之间不相适应的方面和环节，解放和发展社会生产力，解放和增强社会活力，推动社会主义制度自我完善和发展，建设中国特色社会主义。40 多年来，改革从农村到城市，从试点到推广，从经济体制改革到各方面体制改革再到全面深化改革，从对内搞活到对外开放，从部分地区和领域对外开放到全方位、多层次、宽领域对外开放，走过了波澜壮阔的不平凡历程，创造了人类发展史上的奇迹，书写了国家和民族发展史上的壮丽篇章，不仅深刻改变了中国，也深刻影响了世界。特别是党的十八大以来，以习近平同志为核心的党中央以巨大的政治勇气全面深化改革，坚持目标引领，突出问题导向，敢于突进深水区，敢于啃硬骨头，敢于涉险滩，敢于面对新矛盾、新挑战，坚决破除各方面体制机制弊端，以前所未有的力度打开了崭新局面。新时代推动的改革是全方位、深层次、根本性的，取得的成就是历史性、革命性、开创性的，由此推动党和国家事业取得历史性成就、发生历史性变革。改革开放对于中国、中华民族、中国共产党的重大意义，对于马克思主义和科学社会主义的重大意义，对于当今世界的重大意义，可以说出很多很多。归结到一点就是：开创并坚持和发展了中国特色社会主义。

第一，40 多年改革开放开辟和拓展了中国特色社会主义道路。道路问题至关重要，道路决定命运。改革开放前我们之所以出现这样或那样的失误，走过这样或那样的弯路，关键就在于对社会主义建设道路问题没有完全搞清楚。邓小平在党的十二大上第一次明确提出：“把马克思主义的普遍真理同我国的具体实际结合起来，走自己的道路，建设有中国特色的社会主义，这就是我们总结长期历史经验得出的基本结论。”[①] 党的十二大以来，中国共产党共召开了 9 次党的全国代表大会，每次党代会政治报告的主题词都有“中国特色社会主义”。

40 多年来，随着改革开放的逐步展开和不断深化，我们对什么是中国特色社会主义道路的认识也不断深入。从“以阶级斗争为纲”到以经济建设为中心，从封闭半封闭到对外开放，从社会主义计划经济到社会主义市

① 邓小平：《邓小平文选》第三卷，人民出版社 1993 年版，第 2—3 页。

场经济，从单一公有制经济到公有制为主体、多种所有制经济共同发展，从单一按劳分配到按劳分配为主体、多种分配方式并存，从社会主义物质文明、精神文明“两手抓”到“五位一体”总体布局，从提出和平与发展两大时代主题到建设持久和平、共同繁荣的和谐世界再到构建人类命运共同体，从坚持和完善党的领导到坚持和加强党的全面领导，如此种种，都有力地推动了中国特色社会主义实践不断深入、中国特色社会主义道路不断拓展。

经过改革开放40多年的探索和实践，中国特色社会主义道路越来越清晰，这就是：在中国共产党领导下，立足基本国情，以经济建设为中心，坚持四项基本原则，坚持改革开放，解放和发展社会生产力，巩固和完善社会主义制度，建设社会主义市场经济、社会主义民主政治、社会主义先进文化、社会主义和谐社会、社会主义生态文明，促进人的全面发展，逐步实现全体人民共同富裕，建成富强民主文明和谐美丽的社会主义现代化强国。这条道路是历史的选择，反映了人民的意愿，也体现了人类文明进步的趋势，是经过实践检验完全正确的道路。

第二，40多年改革开放创立和发展了中国特色社会主义理论体系。中国特色社会主义是在有着5000多年文明史、14亿多人口、960万平方公里土地上展开的极为宏大的社会实践，必须以科学理论为指导。40多年来，中国共产党坚持把马克思主义基本原理同改革开放实践和时代特征结合起来，同中华优秀传统文化结合起来，坚持解放思想和实事求是的统一，大力发扬求真务实精神，不断深化对共产党执政规律、社会主义建设规律、人类社会发展规律的认识，自觉把思想认识从那些不合时宜的观念、做法和体制的束缚中解放出来，从对马克思主义错误的和教条式的理解中解放出来，从主观主义和形而上学的桎梏中解放出来，不仅创造性地探索和回答了什么是社会主义、怎样建设社会主义，建设什么样的党、怎样建设党，实现什么样的发展、怎样发展，而且创造性地探索和回答了新时代坚持和发展什么样的中国特色社会主义、怎样坚持和发展中国特色社会主义等重大时代课题。正是在带领中国人民不断回答中国之问、世界之问、人民之问、时代之问的过程中，中国共产党取得了邓小平理论、“三个代表”重要思想、科学发展观、习近平新时代中国特色社会主义思想等重大理论成果。这一系列重大理论成果坚持和发展了马克思列宁主义、毛泽东思想，凝结了几代中国共产党人带领人民不懈探索实践的智慧和心血，是中国共产党最宝贵的政治和精神财富，是全国各族人民团结奋斗的共同思想基础。

习近平新时代中国特色社会主义思想是一个系统全面、逻辑严密、内涵丰富、内在统一的科学理论体系，涉及改革发展稳定、内政外交国防、治党治国治军，从理论上对中国特色社会主义作出了全方位、多角度、体系化、系统化的创新发展。这一重要思想，深刻体现中国特色社会主义道路、理论、制度、文化的内在统一，深刻反映中国特色社会主义理论逻辑、历史逻辑、实践逻辑的内在统一，对马克思主义哲学、政治经济学、科学社会主义作出了重大创新发展。毫无疑问，习近平新时代中国特色社会主义思想是当代中国马克思主义、二十一世纪马克思主义，是中华文化和中国精神的时代精华，实现了马克思主义中国化时代化新的飞跃。

第三，40多年改革开放健全和完善了中国特色社会主义制度。中国特色社会主义制度是在马克思主义指导下，立足中国国情、吸收和借鉴古今中外人类创造的优秀制度文明成果、经过长期探索和实践形成发展起来的，是具有鲜明中国特色、明显制度优势、强大自我完善能力的先进制度。人民代表大会制度作为根本政治制度，体现着中国特色社会主义制度的本质，是中国人民当家作主的根本途径，也是中国共产党在国家政权中充分发扬民主、贯彻群众路线的最好实现形式。中国共产党领导的多党合作和政治协商制度、民族区域自治制度以及基层群众自治制度等基本政治制度，公有制为主体、多种所有制经济共同发展的基本经济制度，规定着国家政治生活、经济生活的基本原则。建立在根本政治制度、基本政治制度和基本经济制度基础之上的经济体制、政治体制、文化体制、社会体制、生态文明体制和党的建设制度等，以及中国特色社会主义法律体系，在我国经济建设、政治建设、文化建设、社会建设、生态文明建设和依法治国等各个方面发挥着举足轻重的作用，推动着我国经济社会全面协调可持续发展。

40多年改革开放，既是开创并坚持和发展中国特色社会主义的过程，也是完善和发展中国特色社会主义制度、彰显这一制度独特优势的过程。中国共产党作为国家最高政治领导力量的优势，中国特色社会主义制度自我完善的优势、高效运转的优势和集中力量办大事的优势，等等，在改革开放中得到充分体现，有力地促进了中国特色社会主义经济、政治、文化、社会、生态文明等协调发展。

习近平总书记指出："中国特色社会主义制度是特色鲜明、富有效率的，但还不是尽善尽美、成熟定型的。中国特色社会主义事业不断发展，中国特色社会主义制度也需要不断完善。"[①]在新时代，中国特色社会主义制度建设的根本任务，就是在习近平新时代中国特色社会主义思想指引下，推进国家治理体系和治理能力现代化，通过实践基础上的体制创新、制度创新，构建系统完备、科学规范、运行有效的制度体系，使各方面制度更加完善、更加成熟、更加定型、更加管用，为坚持和发展中国特色社会主义提供根本制度保障。

第四，40多年改革开放发展和繁荣了中国特色社会主义文化。文化是民族的精神血脉、国家的精神世界、人民的精神生活，体现的是深层次的精神追求和精神坚守，在推动人类社会发展中具有不可替代的重要作用。中国连续几千年发展至今的历史从未中断，形成了独具特色、博大精深的中华文化，这在世界上是独一无二的。中华民族之所以成为世界上伟大的民族，就在于它创造了灿烂的中华文化。中华民族之所以是中华民族，就在于它是以中华文化为精神标识和身份标签的。实现中华民族伟大复兴，一定是包括文化复兴在内的全面复兴。如果没有文化的繁荣兴盛，就不可能有中华民族的伟大复兴。

---

① 中共中央文献研究室编《十八大以来重要文献选编》（上），中央文献出版社2014年版，第75页。

40 多年改革开放的一个重大成果，就是发展和繁荣了中国特色社会主义文化。中国特色社会主义文化以中华优秀传统文化为根基，以马克思主义为指导，以社会主义核心价值观为灵魂，以中国共产党领导人民在革命、建设、改革和新时代伟大实践中创造的革命文化和社会主义先进文化为主体内容，以中国特色社会主义伟大实践为现实舞台，吸收和借鉴人类文化优秀成果，是面向现代化、面向世界、面向未来的，民族的科学的大众的社会主义文化。在这一强大精神力量的凝聚和激励下，中国共产党带领人民团结奋进，在改革开放中创造了中国特色社会主义事业的辉煌成就。习近平总书记指出："文化自信是一个国家、一个民族发展中最基本、最深沉、最持久的力量。"[①] 中国特色社会主义是生长在中国大地上的，大力弘扬中国特色社会主义文化，增强对中华文化的认同，才能更好地坚定中国特色社会主义道路自信、理论自信、制度自信、文化自信，走我们自己的路才具有深厚历史底蕴和强大前进动力。改革开放 40 多年，正是基于中国特色社会主义文化自信，巩固了党和人民团结奋斗的思想基础，在全社会形成了奋发向上的精神力量，构筑起了实现中华民族伟大复兴的精神家园，使中华民族以更加自信、更加自强的姿态屹立于世界民族之林。

总体来说，改革开放 40 多年来，中国共产党在社会主义道路、理论、制度、文化上进行了一系列革命性变革，开创了中国特色社会主义的崭新天地。道路、理论、制度、文化相互贯通、相互作用，构成中国特色社会主义大厦的四根坚实支柱。中国特色社会主义道路是实现社会主义现代化、创造人民美好生活的必由之路，中国特色社会主义理论体系是指导党和人民实现中华民族伟大复兴的正确理论，中国特色社会主义制度是当代中国发展进步的根本制度保障，中国特色社会主义文化是激励全党全国各族人民奋勇前进的强大精神力量。在以中国式现代化全面推进中华民族伟大复兴的新时代新征程上，伴随着全面深化改革开放的不断推进和发展，中国特色社会主义道路必将越走越宽广，中国特色社会主义理论体系必将越来

① 习近平：《习近平著作选读》第二卷，人民出版社 2023 年版，第 350 页。

越丰富，中国特色社会主义制度必将越来越成熟定型，中国特色社会主义文化必将越来越繁荣兴盛。

历史是最好的教科书，是最好的老师。在 2023 年改革开放 45 周年之际，沈传亮同志主编出版这部《中国改革开放》，很有意义。一部改革开放史，就是一部中国特色社会主义形成和发展史；一部中国特色社会主义形成和发展史，也是一部改革开放史。相信这部《中国改革开放》对于广大读者全面理解和系统掌握改革开放史，进一步坚定中国特色社会主义道路自信、理论自信、制度自信、文化自信，从历史中汲取实现中华民族伟大复兴的磅礴伟力，坚定不移将改革开放伟大事业推向前进，一定会大有帮助。

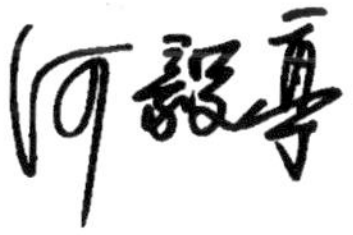

十三届全国人大常委会委员、社会建设委员会主任委员
中央党校（国家行政学院）原分管日常工作的副校（院）长

目录

引　言

中共十一届三中全会前的体制沿革与对外开放

从1949年新中国成立到中共十一届三中全会决定实行改革开放之前，对建设社会主义实行什么样的经济、政治、科技、教育等方面的体制这一重大问题，中国共产党带领全国各族人民进行了长期探索和实践。

以1949年10月1日毛泽东宣布中华人民共和国中央人民政府成立为标志，中国人民推翻了帝国主义、封建主义、官僚资本主义的统治，建立了人民民主专政的国家；以1954年9月召开第一届全国人民代表大会一次会议通过《中华人民共和国宪法》为标志，中国社会主义政治制度基本建立；以1956年基本完成社会主义改造为标志，中国建立起社会主义经济制度。

这个时期的中国共产党主要是向苏联学习，开始逐步建立起传统的社会主义经济、政治、文化等方面的体制。这种体制在新中国运行，推动国家经济、政治、文化和社会快速发展并取得巨大进步。但在前进的过程中，这种体制也逐渐显露出若干弊端。以毛泽东在1956年发表《论十大关系》为标志，中国共产党人认识到苏联高度集中管理的体制有若干问题，下决心要走自己的路。与此同时，为更好地建设社会主义，中国共产党人在经济、政治、文化等方面开始探索适应中国国情的体制，力图完善社会主义制度。这年9月召开了中共八大，之后决定进行经济、政治、文化等方面的体制改革，由于没有在理论上实现根本性的突破，又缺少社会主义建设的经验以及其他方面的原因，这时期的探索和实践也呈现出曲折发展的态势。

关于对外开放，新中国成立之初，中国政府就依据中共七届二中全会、《中国人民政治协商会议共同纲领》中规定的方针政策实行对外开放。当时只要承认新中国，中国政府就可以与这些国家在平等互惠的基础上进行通商贸易。然而，当时世界上以美国为首的西方国家对新中国实行封锁、包围的敌视政策。特别是1950年朝鲜战争爆发后，美国等西方国家强化了对中国的包围和封锁，拒绝向中国开放。当时的中国只能向以苏联为首的社会主义国家开放，开展贸易往来，引进资金、技术和人才，并派出大量留学生、实习生去学习与考察。

在 20 世纪五六十年代，中国积极开展与毗邻国家和民族独立国家的经贸往来，并开辟中国和日本的民间贸易。1972 年，中美关系缓和后，西方国家逐步放松了对新中国的封锁，中国同以美国为首的西方国家的经贸关系得到发展，“四三方案”[①] 就是当时中国同西方发达国家发展经贸关系的一个成果。

一、传统经济体制的形成与改革尝试

从新中国成立到 1978 年改革开放前，中国共产党人在治国理政的实践中对实行适合中国情况的经济体制进行了伟大实践和艰辛探索。

（一）建立公有制经济与实行计划经济体制

中国是何时建立公有制经济，包括国营经济（国有经济）和集体所有制经济的，又是何时开始确立并实行计划经济体制的？这是应该首先搞清楚的问题。

1. 新中国国营经济（国有经济）及其体制的形成

新中国国营经济（国有经济）主要是在新中国成立前后没收官僚资本的基础上建立的。随着解放战争的胜利推进，人民解放军陆续解放大中城市。中国共产党领导的各级军管会和政府开始接收大中城市中国民党的官僚资本。属于工矿系统的有：控制全国资源和重工业生产的前国民党政府资源委员会，垄断全国纺织业的中国纺织建设公司，兵工系统和军事后勤系统及旧政府各部门所办的企业，国民党“CC”系的“党营”企业，以及

---

① “四三方案”是中华人民共和国 20 世纪 70 年代初向美国、联邦德国、法国、荷兰、瑞士、意大利等西方国家及日本大规模引进成套技术设备的计划。因引进设备总金额达到 43 亿美元，所以也被称为“四三方案”。

各省地方官僚所属的企业等，合计2858个工矿企业，职工总数为129万人，其中产业工人75万人。[①]接管金融系统的官僚资本包括中央银行、中国银行、交通银行、中国农民银行、邮政储金汇业局、中央信托局、中央合作金库，即“四行二局一库”系统的金融企业2400余家，垄断性贸易公司十几个，以及国民党政府所控制的全部铁路、航运及其所属企业。计有铁路2.18万余公里，机车4000多台，客车4000辆，货车约4.6万辆，各种船舶20多万吨。原中国、中央两航空公司被劫持到香港的飞机12架，由于职工起义，于1949年11月9日飞回新中国。“据有关部门事后按固定资产原值估算，当时没收的官僚资本财产约为人民币150亿元。”[②]

在没收官僚资本的基础上，建立和发展了社会主义性质的国营经济。国营工业的固定资产占全国工业固定资产的80%，掌握了整个国民经济的命脉。以此为主要基础，具有社会主义性质的国营经济迅速建立起来。它一经建立，就成为整个社会经济的领导力量和新中国初期发展生产、繁荣经济的主要物质基础，为以后的社会主义改造做了重要的物质准备。

国营经济还有一个重要来源是在民主革命时期产生的解放区中国共产党领导的公营经济组织、商业和银行，如1944年毛泽东亲自题词“埋头苦干”的“功臣油矿”延长油田、1946年在东北解放区成立的东北铁路总局（中央政治局委员陈云任局长）、1948年在香港建立的华润公司[③]、1948年12月1日在河北石家庄宣告正式成立的中国人民银行等。

新中国成立初期，主要是从1953年实行中国共产党在过渡时期的总路线，国家开始对资本主义工商业、农业、手工业进行社会主义改造。这项工作在1956年基本完成，在中国基本上建成了公私合营经济、合作社等经济形式。这标志着中国基本上完成了对生产资料私有制的社会主义改造，

① 《当代中国》丛书编辑部编《当代中国经济》，中国社会科学出版社1987年版，第62—63页。

② 《当代中国》丛书编辑部编《当代中国经济》，中国社会科学出版社1987年版，第63页。

③ 华润公司创始于1938年，前身是中共为抗日战争在香港建立的地下交通站。1948年改组更名为华润公司，1952年隶属关系由中共中央办公厅变为中央人民政府贸易部（现为中华人民共和国商务部）。

基本上实现了生产资料公有制和按劳分配，建立起了社会主义经济制度和体制。这是中国历史上的一场伟大的变革。

2. 关于建立国营经济与计划经济体制的方针政策

1945 年，中共七大明确提出了中国共产党的经济、政治、文化纲领，提出了实现中国工业化的宏伟任务。随着民主革命的胜利推进，从 1948 年春开始，中国共产党就为如何搞和怎样搞好新中国的经济进行了慎重考虑。在 9 月召开的中央政治局会议上，毛泽东发表讲话阐述新民主主义经济成分和结构等主要问题。1949 年 3 月召开的中共七届二中全会通过毛泽东的《在中国共产党第七届中央委员会第二次全体会议上的报告》。这个报告提出了新中国将要实行的基本经济方针和政策。毛泽东在报告中强调主要是帮助国营企业的发展，指出："第一是国营工业的生产，第二是私营工业的生产，第三是手工业生产。"① "占国民经济总产值百分之九十的分散的个体的农业经济和手工业经济，是可能和必须谨慎地、逐步地而又积极地引导它们向着现代化和集体化的方向发展的，任其自流的观点是错误的。""为了整个国民经济的利益，为了工人阶级和劳动人民现在和将来的利益，决不可以对私人资本主义经济限制得太大太死，必须容许它们在人民共和国的经济政策和经济计划的轨道内有存在和发展的余地。"②在这些话里，可以看到毛泽东提到了"国营工业""经济计划""现代化""集体化"等概念，实际上这是毛泽东、刘少奇、周恩来、陈云、张闻天等在中共七届二中全会前就郑重地调查和研究的问题。

3. 在国家法律上规定计划经济体制的地位

1949 年 9 月，中国人民政治协商会议通过的《中国人民政治协商会议共同纲领》中规定："制定恢复和发展全国公私经济各主要部门的总计

---

① 毛泽东：《毛泽东选集》第四卷，人民出版社 1991 年版，第 1428 页。
② 毛泽东：《毛泽东选集》第四卷，人民出版社 1991 年版，第 1432 页。

划。”[1]由于中国人民政治协商会议第一届全体会议执行全国人民代表大会的职权，其通过的《中国人民政治协商会议共同纲领》具有临时宪法的地位，这实际上是以国家最高权力机关通过国家根本法的形式，确定了要在中国实行计划经济体制。

1954 年 9 月，第一届全国人民代表大会第一次会议制定并通过《中华人民共和国宪法》。这部宪法的第 15 条规定：国家用经济计划指导国民经济的发展和改造，使生产力不断提高，以改进人民的物质生活和文化生活，巩固国家的独立和安全。第 27 条关于全国人民代表大会行使的职权中第 9 款规定：决定国民经济计划。在第 49 条关于国务院行使下列职权第 7 款规定：执行国民经济计划和国家预算。[2]

这标志着中国的最高权力机关和立法机关——全国人民代表大会，通过国家根本大法确立了计划经济体制在中国经济建设过程中的地位。1955 年，一届全国人大二次会议通过第一个五年计划，则标志着中国国家最高权力机关和立法机关批准在中国实行有计划的经济建设和计划经济体制。

4. 设立领导实行计划经济的政府部门

1949 年 7 月，中共中央决定成立中央财政经济委员会，由陈云任主任。10 月 19 日，中央人民政府任命国家领导计划经济的部门即政务院财经委员会的人员，陈云为主任。这标志着政务院财经委员会的成立。中财委下设财经计划局，有综合计划处等近 10 个计划处，对国民经济建设实施领导。

随着 1952 年国民经济恢复任务的基本完成，国家即将进入大规模经济建设之时，这年的 11 月中央人民政府决定成立与政务院并行的中央人民政府国家计划委员会（简称国家计委），由高岗出任该委员会的主席。随后，

---

① 《中国人民政治协商会议共同纲领》（1949 年 9 月 29 日中国人民政治协商会议第一届全体会议通过），《人民日报》1949 年 9 月 30 日。

② 《中华人民共和国宪法》（1954 年 9 月 20 日第一届全国人民代表大会第一次会议通过），《人民日报》1954 年 9 月 21 日。

全国各大行政区，各省、市级政府都陆续建立了计划委员会。国家计划委员会及地方各级计划委员会成为领导计划经济的专门机构。

1954 年，第一届全国人民代表大会第一次会议依据宪法等国家法律决定设立国务院，同时设立隶属国务院领导的国家计划委员会。1956 年，第一届全国人民代表大会常务委员会第四十一次会议通过国务院组织机构改革的决议，决定把中央计划机构划分为国家计划委员会和国家经济委员会。计划委员会负责国家中长期计划的编制，经济委员会负责国家年度计划的制订和实施。这两个委员会成为规划和领导中国实行计划经济的专门机构。

5. 逐步在全国实行集中统一的计划经济体制

1950 年 3 月，中央人民政府政务院颁布《关于统一国家财政经济工作的决定》，实行全国财政统一收支，统一全国物资调度和统一全国现金管理，从而“奠定了以集中统一为基础的财政经济管理体制的雏形”①。1950 年 6 月，毛泽东在中共七届三中全会的书面报告中指出：“特别是在东北，已经开始了有计划的经济建设。”②1950 年 8 月，中财委召开计划工作会议，讨论编制 1951 年计划和三年奋斗目标等事项，强调主要任务是搞好经济的调整和恢复，同时进行一些必要的建设，为将来大规模的经济建设做好准备。③

经过 1949 年至 1952 年的三年准备，新中国从 1953 年开始贯彻实行中国共产党在过渡时期的总路线和第一个国民经济五年计划。贯彻过渡时期总路线，推进对生产资料的社会主义改造，这进一步加快了计划经济的全面实施。

1955 年 7 月，时任国务院副总理兼国家计委主任的李富春在一届全国

---

① 薄一波:《若干重大决策与事件的回顾》（上），中共党史出版社 2008 年版，第 60 页。

② 中共中央文献研究室编《毛泽东文集》第六卷，人民出版社 1999 年版，第 69 页。

③ 中共中央文献研究室编《陈云年谱（1905—1995）》（中卷），中央文献出版社 2000 年版，第 88 页。

人大二次会议的报告中提出，“从一九五三年起我们已经能够每年编制和执行发展国民经济的年度计划”[①]，并开始实施国民经济发展第一个五年计划。这标志着中国已经开始在全国实行计划经济体制。这次会议审议通过了《中华人民共和国发展国民经济的第一个五年计划》。1956 年，中共八大通过了《关于发展国民经济的第二个五年计划的建议》，计划于 1958 年开始实行第二个五年计划。1961 年至 1965 年按计划实行国民经济调整，1966 年至 1970 年实行第三个五年计划，1971 年至 1975 年实施第四个五年计划，等等。虽然在实行这几个五年计划的过程中存在若干问题，但我国还是逐步建立起独立的比较完整的工业体系和国民经济体系，为中国的社会主义建设奠定了物质基础。这是改革开放前中国实行计划经济体制的基本情况。

（二）建立农村社会主义集体经济体制

在农村建立适应生产力发展的经济体制，中国共产党经过长期的探索和实践，领导广大农民建立了社会主义集体经济所有制及经济体制。

1. 为完成民主革命反封建的任务进行土地改革

实行土地改革，消灭封建剥削制度，是解放农村生产力的具有决定意义的步骤，也是建立社会主义集体经济所有制及经济体制的前提条件。

1950 年 6 月，中共七届三中全会通过了在新解放区开展土地改革的决议。30 日，中央人民政府颁布《中华人民共和国土地改革法》。这个土地改革法成为指导土地改革的基本法律依据。从这一年冬天开始，一场空前规模的土地改革运动在拥有 3.1 亿人口的新解放区开展起来。在土地改革中，中国共产党和人民政府坚持依靠贫雇农，团结中农，中立富农，有步骤、有分别地消灭封建剥削制度，发展农业生产的路线和放手发动群众的方针，组成广泛的反封建的统一战线，集中打击和消灭地主阶级。

---

① 李富春：《关于发展国民经济的第一个五年计划的报告——在 1955 年 7 月 5 日至 6 日的第一届全国人民代表大会第二次会议上》，《人民日报》1955 年 7 月 8 日。

经过这次中国历史上规模最大的土地改革运动，彻底消灭了延续千年之久的封建土地所有制。全国共有3亿多无地少地的农民（包括老解放区的农民），分得约7亿亩的土地和其他生产资料，免除了每年向地主交纳700亿斤以上粮食的沉重地租。① 这是中国共产党领导下的一个伟大的历史性胜利。这一胜利不仅实现了中国农民之前没有实现的“耕者有其田”的夙愿，为国家财政经济的恢复和发展奠定了基础，也有力地支援了抗美援朝、保家卫国的斗争，同时也为进行全面的现代化建设创造了基本条件。

2. 建立多种经济成分、多种互助合作形式并存的农业体制

1951年9月，中共中央召开第一次农业互助合作会议，制定了《关于农业生产互助合作的决议（草案）》，要求各级党委在完成土地改革的地区，要把生产互助合作当作一件大事去做。当时建立的互助合作形式主要有：临时互助组、常年互助组、初级农业生产合作社和高级农业生产合作社。

到1952年底，全国已有4242万农户参加了农业生产互助合作组织，约占全国总农户的40%，共组织了800多万个互助组（其中有8万个常年互助组）、3000多个初级农业生产合作社、若干高级农业生产合作社，以及大批供销合作社和信用社。

3. 农业社会主义改造的基本完成与集体经济体制的建立

从1953年开始，国家开始实行中国共产党提出的在过渡时期的总路线，在进行工业化建设的同时，对农业、手工业和资本主义工商业的社会主义改造全面展开。

1953年2月，中共中央把1951年以草案形式发给各级党委试行的《关于农业生产互助合作的决议》做了修改，通过为正式决议并下达实行。1953年10月至11月，中共中央召开第三次农业互助合作会议后，中国农村互助合作由普遍发展互助组试办初级社的阶段进入到普遍发展初级社试

① 胡绳主编《中国共产党的七十年》，中共党史出版社1991年版，第326页。

办高级社的阶段。12 月，中共中央作出《关于发展农业生产合作社的决议》。随后一场全国规模的农业合作化运动开始展开，到 1954 年底，互助组增加到近 1000 万个，初级社发展到 48 万个。80%以上已成立的合作社都增产增收，受到广大贫苦农民的欢迎。

1955 年 4 月 21 日至 5 月 6 日，中共中央农村工作部召开第三次全国农村工作会议，提出对农业生产合作社的总方针：区别不同地区的情况，停止发展，全力巩固，秋后看情况再定；对数量大问题多，超过主观力量的，要适当收缩一部分；或者在巩固中继续发展。按照这个简称为“停、缩、发”的方针，全国的农业生产合作社缩减 2 万个，巩固了 65 万个，使农业合作化稳步地向前发展。

6 月 14 日，刘少奇主持中央政治局会议，批准农村工作部关于全国第三次农村工作会议的报告中提出的下一年度农业合作社发展到 100 万个的计划。7 月 31 日，毛泽东在省、市、自治区党委书记会议上作题为《关于农业合作化问题》的长篇报告。10 月，中共七届六中全会（扩大）通过《关于农业合作化问题的决议》，农业合作化运动形成了高速发展的势头。

1956 年，中国农业合作化已经基本完成。“这些农业生产合作社中，高级社的入社农户达到 1 亿多户，占全国农户总数的 88%。”“在没有受灾和受灾较轻的许多地区，同上年比较，约有 80%的农业生产合作社在不同程度上增加了产量，约有 75%的农户在不同程度上增加了收入。在灾情较重的地区，农业生产合作社在集体救灾和生产互助等方面也起了显著的作用。”[①]农业合作化的完成，确实是一个伟大的胜利，也标志着中国农村集体经济体制的初步建立。

4. 建立农村人民公社体制

1958 年春夏，全国各地掀起了合并高级社办大社的高潮。1958 年七八

---

① 中华人民共和国国家统计局：《关于 1956 年度国民经济计划执行结果的公报》（1957 年 8 月 1 日），《人民日报》1957 年 8 月 2 日。

月间，《红旗》杂志、《人民日报》公开宣传毛泽东关于“还是办人民公社好，它的好处是，可以把工、农、商、学、兵合在一起，便于领导”[①]的讲话。由于毛泽东的威望和巨大影响，河南、山东等许多地方闻风而动，人民公社开始在农村建立。

1958年8月，中共中央政治局在河北省北戴河举行了扩大会议。各省、市、自治区党委第一书记和政府各有关部门党组的负责人参加了这次会议。会议通过《中共中央关于在农村建立人民公社问题的决议》，决定在全国农村普遍建立人民公社，规定人民公社实行政社合一、工农商学兵相结合的原则。[②]北戴河会议以后，到1958年底，在没有经过试验的情况下，全国74万个农业合作社合并为2.6万个人民公社，参加公社的农户占全国农户的99%以上。

人民公社的特点叫“一大二公”。所谓大，就是将原来一二百户的合作社合并成为四五千户以至一二万户的人民公社。一般是一乡一社。所谓公，就是将几十上百个经济条件、贫富水平不同的合作社合并后，一切财产上交公社，多者不退，少者不补，在全社范围内统一核算、统一分配，实行部分的供给制，包括大办公共食堂、吃饭不要钱等。“造成原来的各个合作社（合并后叫大队或小队）之间、社员与社员之间严重的平均主义。”[③]同时，社员的自留地、家畜、果树等也都被收归社有。

人民公社大力推行组织军事化、行动战斗化、生活集体化，将劳动力按军队编制组成班排连营，采取大兵团作战的方法从事工农业生产，还强调公社生产自给，努力扩大公社内部的产品分配。有的公社提出“八包”“十包”，即包吃、穿、住、教、治病、死葬、理发、看戏、烤火费和结婚费等。[④]这些情况表明，初期的人民公社带有浓厚的平均主义和军事共产

---

① 《毛主席视察山东农村》，《人民日报》1958年8月13日。

② 《中共中央关于在农村建立人民公社问题的决议》（1958年8月29日），《人民日报》1958年9月10日。

③ 胡绳主编《中国共产党的七十年》，中共党史出版社1991年版，第366页。

④ 《从人民公社看共产主义》，《人民日报》1958年10月1日。

主义色彩。由于脱离实际、急于求成，很快就带来了严重的后果。

5. 农村人民公社体制的调整

在国民经济出现严重困难的情况下，1959 年 2 月中共中央政治局在郑州召开扩大会议（即第二次郑州会议），主要讨论人民公社的分配制度问题，规定了以队为基础、等价交换、按劳分配为主要内容的整顿和建设人民公社的基本政策。1960 年 6 月，中共中央在上海召开政治局会议，毛泽东在会上宣读了《十年总结》一文，初步总结了经验，并提出要进行调查研究。11 月，中共中央发出周恩来主持制定的《关于农村人民公社当前政策问题的紧急指示信》，规定：人民公社实行三级所有，队为基础（队相当于原高级农业生产合作社），至少七年不变。彻底纠正“一平二调”的错误。允许社员经营少量的自留地和家庭副业。坚持按劳分配原则和认真实行劳逸结合。从各方面节约劳动力，加强农业生产第一线等。

1961 年 3 月，中共中央在广州召开工作会议，讨论和通过《农村人民公社工作条例（草案）》（即“农业六十条”），对农村政策进行调整。

人民公社与合作社、高级合作社相比，性质发生很大变化。人民公社实行“政社合一”体制，即把基层政权和集体经济组织合为一体。它既是我国社会结构的工农商学兵相结合的基层单位，同时又是社会主义政权组织的基层单位，还是劳动农民联合的集体经济组织。这一点在 1975 年 1 月通过的《中华人民共和国宪法》第一章总纲第七条中做了明确的规定：“农村人民公社是政社合一的组织。现阶段农村人民公社的集体所有制经济，一般实行三级所有、队为基础，即以生产队为基本核算单位的公社、生产大队和生产队三级所有。在保证人民公社集体经济的发展和占绝对优势的条件下，人民公社社员可以经营少量的自留地和家庭副业，牧区社员可以有少量的自留畜。”[①]在“文化大革命”期间，虽然有些人民公社出现生产队

① 《中华人民共和国宪法》（1975 年 1 月 17 日中华人民共和国第四届全国人民代表大会第一次会议通过），《人民日报》1975 年 1 月 20 日。

所有向生产大队所有过渡等情况，但全国基本保持了“三级所有，队为基础”的体制。但从 10 多年的实践来看，人民公社这种体制束缚了生产力的发展，农民的生活水平没有多大提高。

（三）建立手工业合作经济体制

新中国成立初期，中国的手工业工人近 1000 万人，手工业在国民经济中、在供应城乡生产资料和生活资料方面占有重要地位。1951 年 6 月和 1952 年 8 月至 9 月，中华全国合作社联合总社召开第一次手工业生产工作会议和第二次手工业生产合作会议，部署对手工业的社会主义改造工作。到 1952 年，共建立了手工业生产合作社 3280 个，从业人员有 21.8 万人，产值 2.46 亿元。

中国共产党在过渡时期总路线提出后，1953 年 11 月至 12 月，中华全国合作社联合总社召开第三次全国手工业生产合作会议。会议指出，实现对手工业的社会主义改造，必须坚持“积极领导，稳步前进”的方针，从供销入手，实行生产改造。根据生产发展的需要和手工业劳动群众的觉悟程度，采取手工业生产小组、手工业供销合作社、手工业生产合作社等三种组织形式，由小到大，由低级到高级，逐步进行。会后，手工业合作化有了比较快的发展。到 1954 年底，手工业合作组织发展到 4.1 万个，参加手工业合作组织的手工业者有 113 万人。

1954 年 12 月至 1955 年 1 月召开第四次全国手工业生产合作会议，确定 1955 年手工业社会主义改造工作的方针是：统筹兼顾、全面安排、积极领导、稳步前进。会议指出当年工作的中心任务是：把手工业主要行业的基本情况继续摸清楚，分别轻重缓急，按行业拟定供销和手工业劳动者的安排计划；整顿、巩固和提高现有社（组）；在此基础上，从供销入手，适当发展新社（组）。5 月 16 日，中共中央批准了这次会议的报告。

1955 年下半年，农业合作化的迅猛发展也影响了手工业的合作化速度。1955 年 12 月召开的第五次全国手工业生产合作会议，要求在两年内基本完成对手工业的社会主义改造。1956年，出现了整个行业、整个地区手工业合作化的浪潮。到1956年底，全国手工业生产合作组织达到10万多个，人数达到500多万人，占手工业者总数的92%，[①]基本上完成了对手工业的社会主义改造。同时，渔业、盐业、民间运输业中的个体经济和小商小贩的社会主义改造也宣告完成。此外，还有一部分手工业者已经参加了农业生产合作社、国营和公私合营企业。由于手工业合作化的基本完成和国家对手工业的大力援助，1956年手工业的总产值比上年增长了约16%。

（四）若干重要经济管理体制的建立

新中国成立后，在治国理政的过程中，若干重要部门的管理体制也先后建立起来。总体来说，这些体制是适合中国当时的实际的，为新中国的经济社会发展起到了积极作用。但随着国家经济规模的扩大，其体制僵化等若干弊端也开始凸显。

1. 主要农产品统购统销体制的建立

新中国成立后，经过土地改革，农业生产力得到了大解放，1952年的粮食产量已经超过历史最高年产量的9.3%，比1949年增长44.8%。但由于旧中国的粮食生产能力太低，全国平均每人粮食占有量只有570斤。[②]从1953年开始，国家进行大规模的经济建设的同时，城镇人口、工矿企业迅速增长，对商品粮的需求日益增加，而当时的粮食情况却极不适应。这种状况引起中共中央和中央人民政府的高度关注。

1953年10月，中共中央作出《关于实行粮食的计划收购与计划供应的决议》。11月15日，中共中央又作出《关于在全国实行计划收购油料的决定》。19日，政务院第一百九十四次政务会议通过《政务院关于实行粮

① 中华人民共和国国家统计局：《关于1956年度国民经济计划执行结果的公报》（1957年8月1日），《人民日报》1957年8月2日。

② 《当代中国》丛书编辑部编《当代中国的粮食工作》，中国社会科学出版社1988年版，第68页。

食的计划收购和计划供应的命令》。23 日，周恩来签署《关于实行粮食的计划收购与计划供应的命令》，确定在 11 月底以前完成各级的动员和准备，12 月初开始在全国范围内实行粮食计划收购、计划供应政策，简称“统购统销”[①]。具体政策是：在农村实行粮食计划收购，对城市居民实行粮食计划供应，由国家严格控制粮食市场，由中央对粮食实行统一管理。中央指出，这四项政策互相关联，缺一不可。

粮食统购统销以后，随即又实行了油料、棉花的统购和食油、棉布的统销，从而使粮、棉、油等主要农产品脱离自由市场，通过发放票证购买而纳入国家计划管理的轨道，由此逐渐形成集中统一调配国家经济资源的计划管理体制。原来城乡经济中的市场调节因素日益缩小，计划手段越来越多地扩大到经济生活的各个领域。

实行粮食统购统销政策是中国工业化初创阶段的一项重大决策和体制变革。它初步缓解了当时粮食供应紧张的状况，保持了市场物价的稳定，在不高的水准上基本满足了工业化建设对粮食的需要。尽管在统购统销政策的实行中，国家与农民的关系曾因此而一度紧张，发生过强迫命令等现象，但在当时可供选择的诸多方案中，这是一个能较快解决需要又比较可行的办法。

2. 财政管理体制的建立

财政体制是经济体制的重要组成部分。新中国成立到 1978 年改革开放前，我国的财政体制经过几次变动，大体经历了如下过程。

新中国成立初期，1950 年 3 月，中央人民政府政务院发布《关于统一国家财政经济工作的决定》，主要内容有：①统一国家财政收支，使国家财政收入的主要部分集中到中央。除批准征收的地方税外，所有关税、盐税、货物税、工商税、国营企业的收入等，全部归中央统一调度使用。②统一

---

① 中共中央文献研究室编《周恩来年谱（1949—1976）》（上卷），中央文献出版社 1997 年版，第 331 页。

全国物资调度，重要物资由国家统一掌握，合理使用。③统一发行货币，统一全国的现金管理，所有分散在各个企业、机关、部队的现金，由中国人民银行统一管理，集中调度。[①]这个决定发布在《人民日报》1950 年 3 月 4 日第 1 版，由政务院部署落实。这种高度集中、统收统支的体制，改变了过去长期实行分散管理的局面，平衡了财政收支，稳定了市场物价，保证了军事上消灭残敌、经济上重点恢复的资金需要。

1953 年，我国进入有计划的大规模的经济建设和社会主义改造时期，即第一个五年计划时期（1953—1957 年）。这个时期实行“划分收支、分级管理、侧重集中”的财政体制。

1958 年是我国实施第二个五年计划的第一年，即进入“大跃进”时期。这个时期下放财权，进行了一次全面改革财政体制的尝试，实行分散管理的体制。

20 世纪 50 年代末至 60 年代初，由于三年“大跃进”中经济工作指导思想上的失误，加上连年严重的自然灾害和苏联政府撕毁援建合同等原因，我国国民经济出现了严重困难。为克服困难，中共中央决定对国民经济实行“调整、整顿、充实、提高”的方针。1961 年，中共中央批转了财政部《关于改进财政体制和加强财政管理的报告》，这个时期开始实行比较集中统一的财政体制。

“文化大革命”时期，财政体制出现几次波动。1966 年，“文化大革命”爆发，在生产不稳、财政收入不稳定的情况下，财政体制几经变化。1968 年，实行收支两条线的办法，即收入全部上缴，支出全由中央分配。1971 年至 1973 年，在经济体制“大下放”“大包干”的情况下，财政上实行收支包干的体制。1974 年、1975 年，实行“收入按固定比例留成，超收另定分成比例，支出按指标包干”的体制。1976 年，又实行“收支挂钩、总额分

① 《中央人民政府政务院关于统一国家财政经济工作的决定》，《人民日报》1950 年 3 月 4 日。

成”的体制。[①] 这种体制虽然保证了当时在困难中勉强维持过日子，但出现了资金分散、盲目建设的严重情况。

总之，当时建立的统购统销体制和不断变动的财政体制等经济体制不健全，需要进行改革和完善，以利于国家经济社会的发展。

（五）注意到计划经济体制的缺欠与提出改革的若干理论观点

1956 年初，新中国生产资料的社会主义改造基本完成，国家进入了新的社会发展阶段，中国共产党探索社会主义建设道路成为紧迫的课题。当时以毛泽东同志为主要代表的中国共产党人对苏式计划经济体制有了新认识，注意到其存在的若干弊端，并开始初步总结经济建设经验，对经济体制改革进行探索和研究，提出诸如关于利用价值规律、商品生产、关于商品生产的性质、关于改变计划方法等观点。可以说，这起到了解放人们思想的作用，为中共十一届三中全会后的改革提供了重要的理论资源。

1956 年召开中共八大，陈云在大会发言时提出“三个主体，三个补充”的主张，在中国经济建设中产生了重要影响。1957 年 10 月，在中国共产党扩大的八届三中全会上，基本上通过了由陈云主持起草的《关于改进工业管理体制的规定（草案）》《关于改进商业管理体制的规定（草案）》《关于改进财政管理体制的规定（草案）》。随后，这三个规定于 1957 年 11 月经国务院第 61 次全体会议通过，又经全国人民代表大会常务委员会第 84 次会议原则批准，以国务院名义正式公布下达。这些规定的正式通过并公布施行，说明中国经济体制在中共八大之后曾进行过改革或称改进的尝试。

中国共产党内有一批著名的经济学家和经济理论工作者，他们在这期间也对经济体制进行了理论研究和探索，并提出了若干重要观点。如 1956 年 10 月 28 日，经济学家薛暮桥在《人民日报》上发表题为《计划经济和价值规律》的文章。经济学家孙冶方在《经济研究》1956 年第 6 期上发表题

① 《当代中国》丛书编辑部编《当代中国的经济体制改革》，中国社会科学出版社 1984 年版，第 455 页。

为《把计划和统计放在价值规律的基础上》的文章，明确提出诸如“把计划和统计放在价值规律的基础上”，让市场价格的自发涨落调节生产的观点和主张，等等。[①]1956 年，经济学家顾准（笔名吴绛枫）在中央党校学习，写下了《试论社会主义制度下的商品生产和价值规律》的初稿，后经修改正式发表于《经济研究》1957 年第 2 期。他在这篇文章中强调：“社会主义必须自觉地运用价值规律。”[②]

这些经济学家在探索研究的过程中，曾不同程度地受到过批评或者批判，但他们不计个人得失，敢于坚持自己的观点。他们的理论观点应该看成是那一代共产党理论家对社会主义经济建设规律和理论的探索，是对传统经济理论观点的突破。

（六）实行计划经济取得重大成就与计划体制的弊端

新中国成立初期，中国实行计划经济期间，国民经济取得巨大发展成就，人民生活也得到了非常大的改善。但在实行计划经济的过程中，其缺陷也逐渐显露出来。

1. 实行计划经济取得重大成就

客观地说，在实行计划经济期间，中国经济、文化、社会得到了比较快的发展，计划经济也体现出集中力量办大事的优势。正如 1981 年 6 月中共中央通过的《关于建国以来党的若干历史问题的决议》所总结的那样：“我们现在赖以进行现代化建设的物质技术基础，很大一部分是这个期间建设起来的；全国经济文化建设等方面的骨干力量和他们的工作经验，大部分也是在这个期间培养和积累起来的。”[③]就是在“文化大革命”时期，“我国国民经济虽然遭到巨大损失，仍然取得了进展。粮食生产保持了比较稳

① 孙冶方：《社会主义经济的若干理论问题》，人民出版社 1979 年版，第 1 页。

② 顾准：《顾准文集》，贵州人民出版社 1994 年版，第 45 页。

③ 《关于建国以来党的若干历史问题的决议》（1981 年 6 月 27 日中国共产党第十一届中央委员会第六次全体会议一致通过），《人民日报》1981 年 7 月 1 日。

定的增长。工业交通、基本建设和科学技术方面取得了一批重要成就”[①]。中国仅用不到30年的时间基本建立了独立的工业体系和国民经济体系，完成了初步工业化的任务，为中国改革开放和现代化建设奠定了物质基础。正如中共十九届六中全会通过的《中共中央关于党的百年奋斗重大成就和历史经验的决议》中所指出的：“经过实施几个五年计划，我国建立起独立的比较完整的工业体系和国民经济体系，农业生产条件显著改变，教育、科学、文化、卫生、体育事业有很大发展。‘两弹一星’等国防尖端科技不断取得突破，国防工业从无到有逐步发展起来。”[②]这是中国历史上前所未有的伟大成就，这个成就举世公认，已载入中国历史和世界历史。

2. 计划经济体制的弊端

但是，无论是苏联等国家还是中国，在长期实行计划经济体制的实践过程中，也确实暴露严重的弊端和问题。在中国主要是：第一，政企职责不分，条块分割，国家对企业统得过多过死，忽视商品生产、价值规律和市场的作用。第二，分配中平均主义严重，压抑了企业和广大职工群众的积极性、主动性、创造性，使本来应该生机盎然的社会主义经济在很大程度上失去了活力。第三，导致长期以来物资短缺，人们必需的主要消费品如粮、油、布等在城镇都实行票证供应。从1957年开始，人民的生活水平在20年左右都没有多大变化。第四，高度集中的计划经济不符合中国国家大、人口多、底子薄、资源少、发展不平衡的国情，特别是随着世界新技术革命的出现及发达国家对经济体制调整后其经济的稳定发展，相比之下，中国经济体制的弊端就更加明显。

1978年9月，邓小平曾一针见血地指出：“总的说来，我们的体制不适

① 《关于建国以来党的若干历史问题的决议》（1981年6月27日中国共产党第十一届中央委员会第六次全体会议一致通过），《人民日报》1981年7月1日。

② 《中共中央关于党的百年奋斗重大成就和历史经验的决议》（2021年11月11日中国共产党第十九届中央委员会第六次全体会议通过），《人民日报》2021年11月17日。

应现代化，上层建筑不适应新的要求。”[①]1978 年 12 月，邓小平指出，如果现在再不实行改革，我们的现代化事业和社会主义事业就会被葬送。这个观点被中共十一届三中全会所确认，全会公报指出：“对经济管理体制和经营管理方法着手认真的改革，在自力更生的基础上积极发展同世界各国平等互利的经济合作，努力采用世界先进技术和先进设备，并大力加强实现现代化所必需的科学和教育工作。”[②]

以中共十一届三中全会为标志，中国共产党作出伟大决策，一场伟大的经济体制改革和对外开放正式起步。

二、政治体制的建立与沿革

中国社会主义的政治制度和政治体制是新中国成立以来，主要经过从新民主主义政治体制向社会主义政治体制过渡的过程中逐渐建立并在实践中不断改进的。

（一）建立新民主主义的政治制度和政治体制

随着人民解放战争开始转入战略反攻特别是战略决战取得胜利，筹备建立新中国的工作被直接提上日程。毛泽东等中共中央领导人一面运筹帷幄，在军事上决胜于千里；一面综观全局，开始筹划建立新中国，研究并提出夺取全国政权后中国共产党在政治、经济、文化、军事、外交等方面应当采取的基本方针政策。

1. 中共七届二中全会提出了建立新中国各项方针

1949 年 3 月，中共七届二中全会在河北省平山县西柏坡召开。全会听取了毛泽东所作的《在中国共产党第七届中央委员会第二次全体会议上的

---

① 中共中央文献研究室编《邓小平年谱（1975—1997）》（上），中央文献出版社 2004 年版，第 376 页。

② 《中国共产党第十一届中央委员会第三次全体会议公报》（1978 年 12 月 22 日通过），《人民日报》1978 年 12 月 24 日。

报告》。毛泽东在该报告中指出，在全国胜利以后，党在政治、经济、文化科技、外交国防等方面应当采取的基本政策，指出了中国由农业国转变为工业国、由新民主主义社会转变为社会主义社会的发展方向。在政治方面，报告提出在革命胜利以后，必须实行无产阶级领导的以工农联盟为基础的人民民主专政。该报告指出要有步骤地彻底地摧毁帝国主义在中国政治、经济和文化方面的控制权。① 中共七届二中全会所确定的理论、路线、方针和政策，不仅为促进革命迅速取得全国胜利，而且对建立新中国及新中国的经济建设和对外开放，都起着巨大的指导作用。

1949年6月30日，毛泽东发表的《论人民民主专政》② 进一步论述了即将成立的中华人民共和国的性质、各阶级在国家政权中的地位以及国家的前途，即新中国的国体、政体等根本性的问题，阐述人民民主专政的理论。

毛泽东的《在中国共产党第七届中央委员会第二次全体会议上的报告》和《论人民民主专政》，为随后召开的中国人民政治协商会议第一届全体会议制定《中国人民政治协商会议共同纲领》奠定了理论和政策基础。

2. 筹备中国人民政治协商会议

1948年4月30日，中共中央发布《纪念“五一”劳动节口号》（简称“五一口号”），号召各民主党派、各人民团体、各社会贤达迅速召开政治协商会议，讨论并实现召集人民代表大会，成立民主联合政府！③ 得到各民主党派、人民团体、海外华侨团体和无党派民主人士的响应，他们明确表示了参加新民主主义革命的立场。

1949年6月，新政协筹备会在北平中南海勤政殿举行。参加会议的有中国共产党和各民主党派、无党派民主人士、人民团体、国内少数民族、海外华侨等共23个单位134人。会议讨论关于新政协筹备会的任务是：拟

① 毛泽东：《毛泽东选集》第四卷，人民出版社1991年版，第1424—1439页。
② 毛泽东：《毛泽东选集》第四卷，人民出版社1991年版，第1468—1482页。
③ 《中共中央发布纪念“五一”劳动节口号》，《人民日报》1948年5月2日。

定参加新政协的单位及其代表名额；起草新政治协商会议组织条例；起草共同纲领；拟定中央人民政府组织大纲；起草会议宣言；拟定国旗、国徽及国歌方案。总之，就是要通过多方协商和酝酿，事先把所有开国的大政方针、法律文件全部准备好，再拿到正式会议上去讨论和通过。为此，新政协筹备会成立六个工作小组，每组均由参加筹备会的代表自愿报名参加。[①] 第一小组负责拟定参加新政治协商会议的单位及其代表人数，第二小组负责起草新政治协商会议组织条例，第三小组负责起草共同纲领，第四小组负责拟定中华人民民主共和国政府方案，第五小组负责起草宣言，第六小组负责拟定国旗、国徽、国歌方案。[②] 由于当时还没有条件召开全国人民代表大会，所以新政协实际上是代表全中国人民执行全国人民代表大会的职权，决定关于成立中华人民共和国的一切事宜，最终完成建立新国家的必要的法律程序。

3. 召开中国人民政治协商会议第一届会议：建立新中国的历史盛会

1949 年 9 月 21 日，中国人民政治协商会议第一届全体会议在北平中南海怀仁堂隆重举行。出席大会开幕式的代表 634 人，被邀来宾 300 人。

毛泽东致开幕词。这个开幕词充满了民族自信心和民族自豪感，表达了近百年来所有为民族复兴而英勇奋斗的先进中国人的心声。在中国共产党的领导下，会议开成一个民主团结胜利的大会。

经过热烈的民主协商，9 月 27 日全体会议通过下列重要议案：①全体一致通过《中国人民政治协商会议组织法》；②全体一致通过《中华人民共和国中央人民政府组织法》；③全体一致通过中华人民共和国的国都定于北平，即日起改名北平为北京；④全体一致通过中华人民共和国的纪年采用公元，今年为一九四九年；⑤通过在中华人民共和国的国歌未正式制定前，以《义勇军进行曲》为国歌；⑥通过中华人民共和国的国旗为五星红旗，

① 胡乔木：《胡乔木回忆毛泽东》（增订本），人民出版社 2014 年版，第 559 页。

② 《新政协筹备会各小组名单》，《人民日报》1949 年 6 月 21 日。

象征中国革命人民大团结。“上述各议案的草案在会前都经过了参加人民政协的各单位周密协商，大会进行期间又组织了专门委员会广泛收集意见，审慎研究修改，所以今日大会的讨论，大部分的发言都是属于个别文字上的修改。每一个议案的通过，都引起全场长时间的热烈鼓掌。”[①]29日，全体会议通过《中国人民政治协商会议共同纲领》。30日，通过《中国人民政治协商会议第一届全体会议宣言》。会议选举毛泽东为中央人民政府主席，朱德、刘少奇、宋庆龄、李济深、张澜、高岗为副主席，陈毅等56人为委员，组成中央人民政府委员会。会议通过给中国人民解放军的致敬电；通过竖立“为国牺牲的人民英雄纪念碑”的决定和纪念碑的碑文，并决定在天安门广场举行人民英雄纪念碑奠基典礼。

历时10天的盛会，完成了创建中华人民共和国的伟大历史使命，也标志着新中国政治制度与体制的初步确立。新中国的成立，实现了中国从2000多年封建专制政治向人民民主的伟大飞跃，是近代以来实现中华民族伟大复兴的重要里程碑，从此开启了中华民族发展进步的新纪元。

4. 新中国成立时的政治体制

依据中国人民政治协商会议通过的三个历史性的法律文件，即《中国人民政治协商会议共同纲领》《中华人民共和国中央人民政府组织法》《中国人民政治协商会议组织法》的规定，新中国建立了初期的政治体制。

《中国人民政治协商会议共同纲领》规定，中华人民共和国的国体是工人阶级领导的、以工农联盟为基础的人民民主专政，政体是实行民主集中制的人民代表大会制度。新中国不实行资产阶级国家的议会制，不搞“三权分立”的制度。关于新中国的国家结构形式，决定实行单一制的共和国国家结构，不搞联邦制。同时在少数民族集聚地方实行民族区域自治。各下级人民政府均由上级人民政府加委并服从上级人民政府。全国各地方人

① 《中国人民政协全体会议重大决议　通过中国人民政协组织法　通过中央人民政府组织法　国都定于北平改名为北京　国旗国歌及纪年均已确定》，《人民日报》1949年9月28日。

民政府均服从中央人民政府。[①]

按照《中华人民共和国中央人民政府组织法》第一章第五条的规定："中央人民政府委员会组织政务院，以为国家政务的最高执行机关；组织人民革命军事委员会，以为国家军事的最高统辖机关；组织最高人民法院及最高人民检察署，以为国家的最高审判机关及检察机关。"[②]同时，对这些机关的组成作出明确规定。

按照《中国人民政治协商会议组织法》的规定，在普选的全国人民代表大会召开以前，执行全国人民代表大会的职权："甲、制定或修改中华人民共和国中央人民政府组织法；乙、选举中华人民共和国中央人民政府委员会，并付之以行使国家权力的职权；丙、就有关全国人民民主革命事业或国家建设事业的根本大计或重要措施，向中华人民共和国中央人民政府委员会提出决议案。"还规定："在普选的全国人民代表大会召开以后，就有关国家建设事业的根本大计或重要措施，向全国人民代表大会或中央人民政府委员会提出建议案。"[③]

（二）建立社会主义政治制度与政治体制

1953 年，新中国进入了大规模现代化建设时期。同时，民主政治建设的任务也提到日程上来，任务主要是两项：一是召开全国人民代表大会和地方各级人民代表大会，选举中央和地方的人民政府。二是制定和通过《中华人民共和国宪法》，以进一步健全国家的人民民主制度，更好地为建立社会主义经济基础服务。

1954 年 9 月 15 日，第一届全国人民代表大会第一次会议在北京召开。经大会审议，通过了《中华人民共和国宪法》和《中华人民共和国全国人

---

① 《中国人民政治协商会议共同纲领》（1949 年 9 月 29 日中国人民政治协商会议第一届全体会议通过），《人民日报》1949 年 9 月 30 日。

② 《中华人民共和国中央人民政府组织法》，《人民日报》1949 年 9 月 30 日。

③ 《中国人民政治协商会议组织法》，《人民日报》1949 年 9 月 30 日。

民代表大会组织法》《中华人民共和国国务院组织法》《中华人民共和国人民法院组织法》《中华人民共和国人民检察院组织法》《中华人民共和国地方各级人民代表大会和地方各级人民委员会组织法》等5部国家机构组织法。

《中华人民共和国宪法》规定了中华人民共和国的国体是："中华人民共和国是工人阶级领导的、以工农联盟为基础的人民民主国家。"[①] 政体是："中华人民共和国的一切权力属于人民。人民行使权力的机关是全国人民代表大会和地方各级人民代表大会。全国人民代表大会、地方各级人民代表大会和其他国家机关，一律实行民主集中制。"[②]依照宪法规定，我国的全国人民代表大会代表全国人民统一行使最高国家权力；我国的国家行政机关，从国务院到地方各级人民委员会，都由全国人民代表大会和地方各级人民代表大会选举产生，受它们的监督，并可由它们罢免。国家行政机关不能脱离人民代表大会或者违背人民代表大会的意志而进行活动。一切重大问题都应当经过人民代表大会讨论，并作出决定。全国性的重大问题，经过全国人民代表大会讨论和决定，在它闭会期间，经过它的常务委员会讨论和决定；地方性的重大问题，经过地方人民代表大会讨论和决定。

这种区别于西方国家"三权分立"的人民代表大会制，既有利于人民切实行使自己的权利，又便于人民经常参加国家的管理，有助于充分发挥人民群众参与管理国家政治事务和社会经济文化事务的积极性和创造性。

大会依据宪法和有关组织法，选举和决定了国家领导机构人员。毛泽东当选为中华人民共和国主席，朱德当选为中华人民共和国副主席。刘少奇当选为全国人民代表大会常务委员会委员长，宋庆龄等13人当选为副委员长；选举董必武为最高人民法院院长，张鼎丞为最高人民检察院检察长。根据中华人民共和国主席毛泽东的提名，大会决定以周恩来为国务院总理。[③]28

① 《中华人民共和国宪法》（1954年9月20日第一届全国人民代表大会第一次会议通过），《人民日报》1954年9月21日。

② 《中华人民共和国宪法》（1954年9月20日第一届全国人民代表大会第一次会议通过），《人民日报》1954年9月21日。

③ 《全国人民代表大会第一次会议选举和决定国家领导工作人员》，《人民日报》1954年9月28日。

日，根据周恩来的提名，大会决定任命陈云等 10 位国务院副总理。

这次大会是新中国民主政治建设的一个里程碑。《中华人民共和国宪法》及 5 部国家机构组织法的通过和实施，标志着新中国的民主政治建设与法制建设进入一个新的阶段。人民民主专政制度、人民代表大会制度、共产党领导的多党合作和政治协商制度、民族区域自治制度的建立，标志着新中国建立了社会主义政治制度。

（三）国家政治体制的建立与调整

1954 年召开的第一届全国人民代表大会第一次会议通过《中华人民共和国宪法》及 5 部国家机构组织法，标志着新中国政治制度和体制的形成。

1. 国家行政体制的调整与改革

1954 年 9 月，全国人大通过的《中华人民共和国宪法》确定了国务院即中央人民政府的体制。这就改变了原来中央人民政府委员会下辖政务院的两级政府的过渡状态。国务院作为最高国家行政机关，统一领导地方各级国家行政机关的工作。全国地方各级人民委员会作为国务院统一领导下的国家行政机关，都对本级人民代表大会和上级国家行政机关负责并报告工作；其所属各工作部门都受该级人民委员会的统一领导，并受上级人民委员会（直至国务院）主管部门领导。这种严格统一的行政领导关系，是建立严密有效的行政管理体系所必需的。根据宪法和国务院组织法的规定，国务院实行由总理主持国务院全体会议或常务会议讨论决定政府日常事务的制度；国务院各部、各委员会实行最高行政首长负责管理本部门工作的制度。国家主席在其认为有必要的时候，有权召开最高国务会议，并将该会议对于国家重大事务的意见提交全国人大及其常委会、国务院或其他有关部门讨论并作出决定。上述领导关系的调整，总的来说有利于减少行政层次，提高行政效率，加强国家行政工作的集中统一领导。

一届全国人大一次会议召开和《中华人民共和国宪法》颁布后，人民民主专政的政权即从新中国成立初的新民主主义政治基础上转变到建立在社会主义政治基础之上。根据宪法的原则和精神，在国家业已全面开展社会主义改造的情况下，工人阶级在工农联盟的基础上，仍需保持同民族资产阶级在经济上和政治上的历史联盟关系；在工人阶级领导的国家政权中，仍需吸收一定数量的民主人士参加对国家事务的管理。这表明，一届全国人大召开后的中华人民共和国政府，仍是中国共产党领导下的多党合作的统一战线性质的政府。这不是取决于任何党派或个人的主观意志，而是由中国特定的历史条件以及社会主义建设和改造的现实要求所决定的。

直至 1965 年的第三届全国人民代表大会，国家保持着 1954 年通过的《中华人民共和国宪法》规定的政治制度和政治体制。

2.“文化大革命”期间政治体制的变化

“文化大革命”期间，“我国社会主义制度的根基仍然保存着，社会主义经济建设还在进行，我们的国家仍然保持统一并且在国际上发挥重要影响”①。这就是说，虽然受到“文化大革命”的影响，但我国社会主义制度的根基和体制还保持着。

从 1966 年至 1974 年，全国人大和地方各级人大就停止工作了。特别是从 1967 年所谓的上海“一月革命风暴”开始，全国省、市、自治区开始建立“三结合”的革命委员会。所谓的“三结合”是指“革命群众组织负责人、驻军负责人和革命领导干部”相结合。这种“三结合”的革命委员会，“实行一元化的领导”，是“临时权力机构”。它实际上替代了地方各级党委、地方各级人民代表大会和人民政府的作用，成了兼具这三者总和性质的权力机关。实行这种带有临时性和不健全的政治体制，总的说来影响了国家各方面的发展。

1975 年 1 月，第四届全国人民代表大会通过的《中华人民共和国宪法》

---

① 《关于建国以来党的若干历史问题的决议》（1981 年 6 月 27 日中国共产党第十一届中央委员会第六次全体会议一致通过），《人民日报》1981 年 7 月 1 日。

规定："地方各级革命委员会是地方各级人民代表大会的常设机关，同时又是地方各级人民政府。"①

3. 全国政协二届一次会议与中国共产党领导的多党合作和政治协商制度

1954 年 12 月，中国人民政治协商会议第二届全国委员会第一次会议在北京举行。这次全国政协会议明确了在全国人民代表大会召开的情况下，人民政协的性质、任务和共同遵循的原则以及各项基本组织原则。会议通过的《中国人民政治协商会议章程》在总纲部分指出，中国人民政治协商会议全体会议代行全国人民代表大会职权的任务已经结束，但是它作为人民民主统一战线的组织在我国政治生活中仍将发挥重大的作用。中国人民政治协商会议的性质是"团结全国各民族、各民主阶级、各民主党派、各人民团体、国外华侨和其他爱国民主人士的人民民主统一战线的组织"②。它的基本任务是在中国共产党的领导下，继续通过各民主党派、各人民团体的团结，更广泛地团结全国各族人民，为贯彻宪法的实施，建设一个伟大的社会主义国家而奋斗。

全国政协二届一次会议，在人民政协发展史上有着特殊的意义。它的召开标志着有中国特色的政治制度和政治体制的逐渐形成。这种体制力图解决全国人民代表大会召开后人民政协的性质、地位、作用和任务的问题，解决了政协与人大、政府机关之间相互配合的关系问题，解决了加强统一战线、人民政协工作的必要性和重要性的问题，为长期坚持中国共产党领导的多党合作和政治协商制度奠定了思想基础、政治基础和组织基础。

4. 党和国家领导体制的调整

结合召开全国人民代表大会和酝酿新的国家机构组成方案，中央对党

① 《中华人民共和国宪法》（1975 年 1 月 17 日中华人民共和国第四届全国人民代表大会第一次会议通过），《人民日报》1975 年 1 月 20 日。

② 《中国人民政治协商会议章程》（1954 年 12 月 25 日中国人民政治协商会议第二届全国委员会第一次全体会议通过），《人民日报》1954 年 12 月 26 日。

和国家的领导体制做了若干重要调整，其总的特点是坚持中国共产党的集中统一领导。

（1）中共中央的领导制度和体制

为适应日益繁重的工作需要，1954年4月，中共中央政治局扩大会议决定建立中央秘书长工作会议，任命邓小平为中共中央秘书长，谭震林等为中央副秘书长，负责协助中央政治局和书记处研究、处理有关方面的日常事务。

1956年9月，中共八大通过的党章规定：党的中央委员会全体会议选举中央政治局、中央政治局的常务委员会和中央书记处。中央书记处在中央政治局和它的常务委员会领导之下，处理中央日常工作。① 这样就形成中央政治局、中央政治局常委会、中央书记处这样的领导机构。

1956年10月，中共中央书记处召开会议讨论中央书记处的工作范围和分工问题。会议确定：中央书记处在中央政治局和政治局常委会领导下进行工作，一切原则、方针、政策和重大政治问题由政治局和政治局常委会决定，书记处按照这些决定处理中央的日常工作。中央书记处在自己的工作中，既要能够尽到“挡风”的责任，又要不犯越权的错误，并且必须尽可能做到使政治局和政治局常委各同志能够及时了解各方面的工作情况。同时，中央书记处应该同国家机关各党组和军委取得经常联系。

1958年6月8日，中共中央决定成立财经、政法、外事、科学、文教各小组。毛泽东在通知稿中加写的各小组职权划分是：“这些小组是党中央的，直隶中央政治局和书记处，向它们直接作报告。大政方针在政治局，具体部署在书记处。只有一个‘政治设计院’，没有两个‘政治设计院’。大政方针和具体部署，都是一元化，党政不分。具体执行和细节决策属政府机构及其党组。对大政方针和具体部署，政府机构及其党组有建议之权，

① 《中国共产党章程》（1956年9月26日中国共产党第八次全国代表大会通过），《人民日报》1956年9月27日。

但决定权在党中央。政府机构及其党组和党中央一同有检查之权。”[①]随后，中共中央依据这些意见发出《关于成立财经、政法、外事、科学、文教各小组的通知》，形成当时的这种高度集中统一的党的一元化领导体制。

（2）国务院、中央军委等领导体制

在政府工作方面，建立由国务院总理主持的国务院全体会议和常务会议负责政府方面的日常领导工作的制度，而政府工作的主要方针、主要政策和重大事项，则需提到中央政治局（书记处）讨论和决定。

在国家军事工作方面，鉴于第一届全国人民代表大会后的国家机构中撤销了中央人民军事委员会的设置，改设不具有国家军事统辖职能的国防委员会，中共中央决定设立中共中央军事委员会来负担整个国家军事工作的领导。

上述党政军领导体制的调整，进一步加强了党中央的集中统一领导，特别是加强了执政党在国家生活中的一元化领导。

（四）实行民族区域自治，建立多民族的统一共和国

根据中国是个多民族国家的实际，中国共产党提出了正确处理民族和宗教问题的政策，并作出具有战略意义的决策。《中国人民政治协商会议共同纲领》第51条规定：“各少数民族聚居的地区，应实行民族的区域自治，按照民族聚居的人口多少和区域大小，分别建立各种民族自治机关。”[②]为坚持和实行民族区域自治，中国共产党还提出了坚持民族平等、民族团结、共同进步、共同繁荣的民族政策。

① 中共中央文献研究室编《毛泽东年谱（1949—1976）》第三卷，中央文献出版社2013年版，第368页。

② 《中国人民政治协商会议共同纲领》（1949年9月29日中国人民政治协商会议第一届全体会议通过），《人民日报》1949年9月30日。

1. 实行民族区域自治制度

1952 年 8 月，中央人民政府委员会第十八次会议批准《中华人民共和国民族区域自治实施纲要》(以下简称《纲要》)。[①]《纲要》明确规定："各民族自治区统为中华人民共和国领土的不可分离的一部分。各民族自治区自治机关统为中央人民政府领导下的一级地方政权，并受上级人民政府的领导。"[②]《纲要》还规定：自治区的建立，依据当地民族关系，经济发展条件，并参酌历史情况而定。对民族自治机关、自治权利、自治区内的民族关系、上级人民政府的领导原则等问题做了具体规定。关于民族自治区自治机关的自治权，《纲要》规定：可在国家法令规定的范围内制定本自治区单行法规；依照本民族大多数人民和与人民有联系的领袖人物的志愿决定内部改革事务；依据中央有关权限划分的规定来管理本自治区的财政；在国家统一的经济制度和计划下自由发展本自治区的经济事业；采取适当办法发展各民族的文化、教育、艺术和卫生事业；等等。

《纲要》是根据中国少数民族的特点而制定的具有全国指导意义的实施办法。它将民族自治与区域自治正确地结合，充分尊重各少数民族的民主权利，既有利于保证国家的完整和统一，又有利于在中央人民政府领导下，发挥各自治地方少数民族管理自己事务的积极性，促进各民族间的平等、团结、互助关系，推进各民族的共同发展和共同繁荣，受到各少数民族的欢迎。《纲要》实行后，全国民族区域自治工作取得较大进展。

2. 民族区域自治制度与自治区的建立

内蒙古自治区是中国共产党领导建立的第一个省一级的民族自治区。1947 年 4 月 23 日，在王爷庙（今乌兰浩特市）举行内蒙古人民代表会议。会议通过决议，成立了内蒙古自治政府，决定每年的 5 月 1 日为内蒙古自治政府成立纪念日。

---

① 毛泽东：《中央人民政府命令》，《人民日报》1952 年 8 月 13 日。

② 《中华人民共和国民族区域自治实施纲要》(1952 年 2 月 22 日政务院第 125 次政务会议通过）(1952 年 8 月 8 日中央人民政府委员会第十八次会议批准)，《人民日报》1952 年 8 月 13 日。

依据《共同纲领》和《纲要》的规定，到1953年3月新中国已建立起相当于县级和县级以上的民族自治区47个，还有一定数量的民族自治乡。这些自治地方内的少数民族人口大约为1000万人。经过三年多的努力，民族区域自治已成为国家的一项重要国策和基本制度，对祖国统一、民族平等、民族团结和民族发展具有重大的意义。

1954年召开的第一届全国人民代表大会，把民族区域自治制度载入了《中华人民共和国宪法》。这个时期，民族区域自治制度建设在稳步地推进，先后成立了四个省级自治区。

1955年9月，新疆省第一届人民代表大会第二次会议胜利闭幕，中华人民共和国新疆维吾尔自治区宣告成立。1955年10月1日，为新疆维吾尔自治区成立日。[①]1958年3月5日，广西壮（僮）族自治区第一届人民代表大会第一次会议在南宁隆重开幕，中华人民共和国广西壮（僮）族自治区宣告成立。[②]1958年10月24日，宁夏回族自治区第一届人民代表大会第一次会议在银川市隆重开幕，宣布中华人民共和国宁夏回族自治区成立。[③]1965年9月1日，西藏自治区第一届人民代表大会第一次会议召开，中华人民共和国西藏自治区宣告正式成立。

根据1954年《中华人民共和国宪法》的规定，具有中国特色的民族区域自治制度已形成。中国的民族自治地方分为自治区、自治州、自治县三级，划分三级行政地位的依据是少数民族聚居区人口的多少、区域面积的大小。各民族自治地方都是中华人民共和国领土不可分割的部分。民族自治地方的自治机关必须维护国家的统一，保证宪法和法律在本地方的遵守和执行。上级国家机关和民族自治地方的自治机关都要维护和发展平等、团结、互助的民族关系。

---

① 《新疆维吾尔自治区介绍》，《人民日报》1955年10月1日。

② 《我国第三个自治区今天成立》，《人民日报》1958年3月5日。

③ 《党的民族政策又一重大胜利　宁夏回族自治区成立》，《人民日报》1958年10月26日。

（五）国家行政区划的建立与变动

行政区划即国家各级行政区域的划分，在国家政治经济活动和人民生活中占有十分重要的地位，对国家行政管理、民主政治建设、国防巩固、经济发展及民族团结有着广泛而深刻的影响。

1. 新中国成立初期的国家行政区划的变动

在 1948 年至 1949 年，随着中国共产党领导的人民解放战争的胜利，先后成立了东北、华北人民政府，华东、中南、西南、西北军政委员会，实际上形成了六大行政区。

中华人民共和国成立初期，即 1949 年至 1952 年，中华人民共和国的行政区域实际上分为：大行政区（既是中央人民政府的派出机构，又是地方一级政府）、省（直辖市）、县（市）等级别。

为了适应即将开始的全国大规模的有计划的经济建设与文化建设的新形势和新任务，中央人民政府对行政区域又进行了部分调整。1952 年 4 月 18 日，中央人民政府委员会第十四次会议通过决议：批准成立中央人民政府政务院华北行政委员会。①

1952 年 11 月 15 日，中央人民政府委员会第十九次会议通过《中央人民政府关于改变大行政区人民政府（军政委员会）机构与任务的决定》②。据此，中央人民政府政务院分别设立东北、华北、华东、中南、西南、西北六个行政委员会，作为中央人民政府的派出机构，不作为一级政府。

2. 大区行政机构的撤销

中共中央为切实加强党对国家事务的集中统一领导，采取了一些重大步骤和措施。1954 年 4 月，中央政治局决定撤销大区一级行政机构。6 月

---

① 《中央人民政府委员会举行第十四、十五次会议》，《人民日报》1952 年 4 月 22 日。
② 《中央人民政府委员会召开第十九次会议》，《人民日报》1952 年 11 月 17 日。

19日，中央人民政府委员会第32次会议通过《中央人民政府关于撤销大区一级行政机构和合并若干省、市建制的决定》（以下简称《决定》），由中央人民政府下达予以执行。《决定》提出："国家计划经济的建设，要求进一步加强中央集中统一的领导。为了中央直接领导省市以便于更能切实地了解下面的情况，减少组织层次，增加工作效率，克服官僚主义；为了节约干部加强中央和供给厂矿企业的需要，并适当地加强省、市的领导，撤销大区一级的行政机构，是完全必要的和适时的。"①原作为中共中央派出机构的东北、华北、华东、中南、西南、西北六个中央局及一级行政机构即行撤销。

同时，对国家的行政区域进行了调整与合并：辽东、辽西两个省的建制均撤销，合并改为辽宁省。松江省建制撤销，与黑龙江省合并为黑龙江省。宁夏省建制撤销，与甘肃省合并为甘肃省。沈阳、旅大、鞍山、抚顺、本溪、哈尔滨、长春、武汉、广州、西安、重庆等十一个中央直辖市，均改为省辖市。沈阳、旅大、鞍山、抚顺、本溪五市并入辽宁省的建制；哈尔滨市并入黑龙江省的建制；长春市并入吉林省的建制；武汉市并入湖北省的建制；广州市并入广东省的建制；西安市并入陕西省的建制；重庆市并入四川省的建制。②

经过这次调整，国家的行政区划为北京、天津、上海3个直辖市，河北、山西、辽宁、吉林、黑龙江、热河、陕西、甘肃、青海、新疆、山东、江苏、安徽、浙江、福建、台湾、河南、湖北、湖南、江西、广东、广西、四川、贵州、云南、西康26个省及内蒙古自治区、西藏地方和昌都地区。

行政区划的调整，体现了中国共产党和中央人民政府对处理中央和地方关系的战略思考，也体现了当时中央领导集体对国家管理体制的探索。

---

① 《中央人民政府关于撤销大区一级行政机构和合并若干省、市建制的决定》，《人民日报》1954年6月20日。

② 《中央人民政府关于撤销大区一级行政机构和合并若干省、市建制的决定》，《人民日报》1954年6月20日。

（六）国家立法体制与司法体制的建立和形成

立法体制和司法体制也是国家政治体制的主要内容。随着党和国家领导制度和体制的建立，国家立法体制和司法体制也迅速建立起来。

1. 国家立法体制的形成

中国人民政治协商会议第一届全体会议通过的《中国人民政治协商会议共同纲领》，标志着新中国废除了国民党统治时期的所谓的旧法统，开始由人民自己建立新的立法体制。1949 年 9 月，第一届中国人民政治协商会议执行全国人民代表大会的最高立法职权，制定了《中国人民政治协商会议共同纲领》《中华人民共和国中央人民政府组织法》等。

一届全国人大一次会议审议通过的《中华人民共和国宪法》第 22 条规定："全国人民代表大会是行使国家立法权的唯一机关。"全国人民代表大会负责"修改宪法"和"制定法律"；全国人大常委会负责"解释法律"和"制定法令"。1955 年 7 月，一届全国人大二次会议通过《中华人民共和国第一届全国人民代表大会第二次会议关于授权常务委员会制定单行法规的决议》，"授权常务委员会依照宪法的精神、根据实际的需要，适时地制定部分性质的法律，即单行法规"。1959 年，二届全国人大一次会议又进一步确定："为了适应社会主义改造和社会主义建设事业发展的需要，大会授权常务委员会，在全国人民代表大会闭会期间，根据情况的发展和工作需要，对现行法律中一些已经不适用的条文，适时地加以修改，作出新的规定。"

2. 国家司法体制的形成

新中国的司法体制是在废除旧中国主要是国民党统治时期的旧法统的基础上建立起来的。1949 年 9 月通过的《中国人民政治协商会议共同纲领》第 17 条规定："废除国民党反动政府一切压迫人民的法律、法令和司法制度，制定保护人民的法律、法令，建立人民司法制度。”[①]这标志着新中国开始建立新的司法制度和司法体制。

1949年10月1日，中华人民共和国中央人民政府宣告成立。下午2时，中央人民政府召开第一次会议，一致决议接受《中国人民政治协商会议共同纲领》为施政纲领，任命沈钧儒为中央人民政府最高人民法院院长，罗荣桓为中央人民政府最高人民检察署检察长。

1949年10月19日，中央人民政府举行第三次会议，根据《中华人民共和国中央人民政府组织法》，任命董必武为中央人民政府政务院政治法律委员会主任、谭平山为人民监察委员会主任、谢觉哉为内务部部长、罗瑞卿为公安部部长、史良为司法部部长、陈绍禹为法制委员会主任。政治法律委员会负责指导政务院内务部、公安部、司法部、法制委员会和民族事务委员会的工作。10月22日，中央人民政府最高人民法院、中央人民政府最高人民检察署成立。11月5日，中央人民政府公安部、中央人民政府司法部成立。

1954年，第一届全国人民代表大会第一次会议通过《中华人民共和国宪法》，政务院政治法律委员会撤销，中央人民政府最高人民法院更名为中华人民共和国最高人民法院，中央人民政府最高人民检察署更名为中华人民共和国最高人民检察院。1968年12月，最高人民检察院撤销；1978年5月，重新设置人民检察院。1954年9月，中央人民政府公安部更名为中华人民共和国公安部，中央人民政府司法部更名为中华人民共和国司法部。1959年4月，二届全国人大一次会议决定撤销司法部；1979年9月，五届全国人大常委会第十一次会议决定设立司法部。1954年9月，根据《中华人民共和国宪法》，国务院设立中华人民共和国检查部，此前设立的政务院人民监察委员会撤销。

---

① 《中国人民政治协商会议共同纲领》（1949年9月29日中国人民政治协商会议第一届全体会议通过），《人民日报》1949年9月30日。

为加强党中央对国家法律部门的统一领导，1955 年 12 月 7 日，董必武写信给刘少奇并报毛泽东，建议在党中央设立法律委员会。1956 年 7 月，中共中央法律委员会成立，其主要任务是：办理中央交办的工作，研究法律工作的方针政策和法律部门的分工制约等问题。1958 年 6 月，中共中央发出《关于成立财经、政法、外事、科学、文教小组的通知》。这些小组直属中央政治局和书记处，彭真为中央政法小组组长。

1978 年 6 月，中共中央决定成立中央政法领导小组，协助中央管理最高人民法院、最高人民检察院、公安部、民政部四个部门的工作。1980 年 1 月，中共中央决定成立中央政法委员会，原中央政法小组及其办公室撤销。

三、教育、科技、文化和国防军队体制的建立与改革尝试

新中国成立以来，在国家经济、政治体制建立的同时，国家教育、科技和文化体制也迅速建立起来。这些体制的建立，在推动经济建设取得举世瞩目成就的同时，中国的教育、科技、文化事业也以前所未有的速度和规模发展起来。

（一）教育体制的形成与变动

新中国成立之初，中国共产党和中央人民政府把旧中国的半殖民地半封建教育体系转变成社会主义教育事业。“依靠广大教育工作者的辛勤努力，教育事业取得了中国历史上从来没有过的巨大的发展，成绩是显著的。”[①]但在“文化大革命”期间，教育事业受到冲击，体制也频繁变动，使我国教育事业同发达国家之间在许多方面本来已经缩小的差距又拉大了。

1. 新型文化教育制度与体制的建立

旧中国文化教育极其落后。1949 年，文盲占全国人口的 80% 以上，学

① 《中共中央关于教育体制改革的决定》（1985 年 5 月 27 日），《人民日报》1985 年 5 月 29 日。

龄儿童入学率仅有 20%，无法适应新社会建设和发展的需要。新中国成立后，依照《共同纲领》关于“中华人民共和国的文化教育为新民主主义的，即民族的、科学的、大众的文化教育。人民政府的文化教育工作，应以提高人民文化水平、培养国家建设人才、肃清封建的、买办的、法西斯主义的思想、发展为人民服务的思想为主要任务”的规定，国家依法改革旧的教育制度，开始建立新型文化教育制度和体制。

人民政府对旧有文化教育制度实行了一系列改革，并逐步建立起新型文化教育制度。

第一，接管整顿各级各类学校。对旧有教育事业，不是采取像摧毁反动政权机构那样的做法，而是采取先妥善接收，然后再逐步改造的政策。对原国民党政府办的各类公立学校，一律实行接管，废除原有法西斯式的训导制度、特务统治和反动的政治教育，废止国民党政府颁布的“党义”“公民”等带有反动性内容的课程；开设对学生进行正确世界观、人生观教育为主的政治理论课；实行民主管理。这为建设新中国的教育事业创造了基础条件。

第二，贯彻“教育为工农服务，学校向工农开门”的教育方针。大力发展小学和中学，吸收工农子弟入学。1950 年 12 月，在北京等地开办 22 所工农速成中学，为工农干部补习文化，入学的工农干部 3700 多人。1950 年，开始实行高等学校有计划的统一招生和毕业生统一分配，同时允许各校自行招生，毕业生也可以自谋职业。

第三，收回帝国主义手中的文化教育权。新中国成立之初，中央人民政府允许教会学校在遵守政府政策法令的原则下继续办学。但有些外国教会却藐视这一原则，甚至出现利用教会学校暗中进行反动宣传和敌对活动的现象。在这种情况下，人民政府决定接管教会学校。1950 年 10 月，政务院下令接收辅仁大学。1951 年 1 月，教育部召开处理接受外国津贴的高等学校会议，确定燕京大学等 11 所高校改为公立学校，沪江大学等 9 校改为中国人自办的私立学校，政府予以补助。此外，还接收了接受外国津贴的中学 544 所和小学 1133 所。

第四，改革旧有课程和学制。1951 年 10 月，政务院颁布《关于改革学制的决定》，小学改行 5 年一贯制；中等教育分初高两级，各为 3 年；技术学校、专科学校列入正规的学校教育，以适应国家建设对各级技术人才的需要；高等学校学制多样化。各类学校互相衔接，形成了从初等教育到高等教育的新的教育体系。同时，创办许多工农速成中学、工农干部文化补习班和技术进修班，成人教育得到发展。1953 年，政务院提出整顿巩固、重点发展、提高质量、稳步前进的文教工作方针，重点发展高等教育，学制一般改为 4 年。

第五，调整高等院校院系。调整方针是：以培养工业建设人才和师资为重点，发展专门学院和专科学校，整顿和加强综合性大学，逐步创办函授学校和夜大。教育部从 1951 年底开始，拟定了全国工学院的调整方案。1952 年下半年，全国各地高校开始分期分批进行院系调整和专业设置。1953 年"一五"计划建设开始后，在北京建立了航空、钢铁、矿业、石油、地质、农业、林业、医学等八大学院和中央财政金融学院、北京政法学院。1955 年，经国务院批准，将沿海地区一些高等院校的系、专业迁至内地组建新校，将少数学校全部或部分迁至内地建校，同时加强内地原有学校的建设。经过调整，1956 年，全国高等院校发展到 227 所，各类专业齐全，形成比较完整的高等教育体系。高等学校在校生达到 40.3 万人，各类中等学校在校生达到 600.9 万人，小学在校生增加到 6346.6 万人。成人教育、职工教育、工农群众业余文化教育都有很大发展。高等学校院系调整，加快了对国家急需建设人才的培养，使我国高等学校布局不合理的状况有所改善。但也存在由于缺乏经验而机械地照搬苏联教育模式的现象，不适当地撤并和取消了一些学科专业。

第六，大规模开展扫除文盲工作。新中国成立后，扫盲成为新政权面临的亟待解决的难题。1952 年，中国开始了第一次大规模的扫盲运动。扫盲班遍布工厂、农村、部队、学校。1956 年以后，扫盲运动又掀起两次高潮。从 1949 年至 1960 年，约有 1.5 亿人参加了扫盲和各级业余学校的学习。

以上各项改革，从根本上改变了半殖民地半封建的教育制度，清除了帝国主义、封建买办势力在教育领域的影响，为新中国教育事业的发展奠定了重要基础，为培养国家急需的建设人才作出了重要贡献。

2.“文化大革命”时期的“教育改革”

教育、科技、文化领域是受“文化大革命”摧残的重灾区，从良好愿望出发，本来要进行改革的所谓“教育改革”，结果却走向反面，这方面的教训非常深刻。

（1）教育系统出现混乱局面

由于动乱局面仍在发展，各地学校迟迟不能开学。开学的学校，由于许多学校领导和教师处于被批判的境地，又由于几乎所有的教材都不再使用，新教材又没有编出来，因此即使复课的学校，也无法正常进行文化课的教学。有的学校长期大打派仗，秩序混乱。这种情况一直持续到 1968 年下半年。

（2）工人宣传队、贫下中农管理学校委员会进驻管理学校

1968 年 8 月 25 日，中共中央、国务院、中央军委、中央文革小组联合发出《关于派工人宣传队进学校的通知》。工人宣传队被赋予的任务是，“在学校长期留下去，永远领导学校”①。此后，由工人和解放军组成的“毛泽东思想宣传队”进驻大中学校。在农村，则由贫下中农的代表管理学校。但由于教育本身有其自身的规律，这种体制影响着教育的发展。随着“文化大革命”的结束，1977 年 11 月，中共中央批转教育部《关于工宣队问题的请示报告》，工宣队、贫管会管理学校的不正常情况结束。

---

① 姚文元：《工人阶级必须领导一切》，《人民日报》1968 年 8 月 26 日。

（3）“上山下乡”

由于“文化大革命”期间的1966年、1967年、1968年的初、高中毕业生既无大学可考，又无法在城镇安排就业，“上山下乡”就成为特殊时期的毕业分配制度。1968年开始到1976年，1000多万被称为“知识青年”的城镇初、高中毕业生，被派往农村和山区参加劳动。这就使中国本来就不发达的教育受到又一次巨大冲击，至少一代人的文化教育受到严重影响，对急需各方面建设人才的国家来说，无疑是重大的损失。

（4）招收“工农兵学员”制度

“文化大革命”时期，高等学校停止招生长达四年。1970年6月，中共中央批准《北京大学、清华大学关于招生（试点）的请示报告》，决定在部分高等学校进行试点、恢复招生，明令废除历来实行的统一考试、择优录取的招生办法，改为“实行群众推荐、领导批准和学校复审相结合的办法”。用这种办法招收的学生被称为“工农兵学员”。其学制缩短为二至三年，学习过程中文化课程大量减少，教学质量严重下降，后来还造成“走后门”上大学成风。虽然大多数教师能恪尽职守，不少工农兵学员也能经过努力取得较好的学习成绩，但总的来说，这种所谓的“教育改革”是失败的。

（5）“两个估计”的出台

1971年4月至7月，全国教育工作会议在北京召开。会议通过的由张春桥、姚文元修改定稿的《全国教育工作会议纪要》提出了所谓“两个估计”，即新中国成立后17年“毛主席的无产阶级教育路线基本上没有得到贯彻执行”，“资产阶级专了无产阶级的政”；大多数教师的“世界观基本上是资产阶级的”。[①] 这两个完全错误的估计，长时期成为广大教师以至广大知识分子的沉重精神枷锁。

---

① 中共中央党史研究室编《中国共产党历史大事记（1919.5—2005.12）》，中共党史出版社2006年版，第263页。

整个“文化大革命”期间，保守估计中国少培养了100万大学生和200万以上的中专生。由于长时间没有规范的文化课教材，工宣队工人和贫下中农驻校代表大多不熟悉教育，基础教育受到的影响更大。这给人们一个基本的教训，教育是有规律的，教育改革决不能违反规律，更不能瞎指挥、瞎折腾。

（二）科技体制的建立发展和初步改革

新中国成立后，随着经济建设高潮的兴起，科学技术事业也迅速发展起来，并建立起新体制和机制，促进了科学技术的迅速发展。

1. 建立科技体制发展自然科学

按照1949年中国人民政治协商会议第一届全体会议通过的《中国人民政治协商会议共同纲领》的规定，中国共产党和人民政府积极推进科学技术和文化工作。

1949年10月19日，中央人民政府委员会第三次会议通过中国科学院院长、副院长人选，郭沫若为院长，李四光、陶孟和、竺可桢等为副院长。①11月1日，新中国成立刚刚一个月就在中央人民政府政务院下成立了中国最高学术研究机构——中国科学院。中国科学院制定了“人民科学”的总方针，有计划地利用近现代科学成就服务于国家的工业、农业、保健和国防建设，组织指导全国的科学研究，提高中国的科学研究水平。同时，根据科学研究为人民服务的方向，学术研究与实际需要密切配合的方针，培养与合理地分配科学人才，调整与充实科学研究机构。科研队伍的组织建设为中国科学事业由近代落伍逐渐走向振兴打下了初步基础。

大规模工业化建设开始后，科学技术的作用愈益突出，党和政府加强了对科研工作的领导。1954年3月，中共中央对中国科学院党组《关于目前科学院工作的基本情况和今后的工作任务》的报告做了重要批示，强调

---

① 《政务院各部、会、院、署、行负责人员名单》,《人民日报》1949年10月20日。

科学工作在国家建设中的战略地位，指出要把中国建设成为生产高度发达、文化高度繁荣的社会主义国家，一定要发展自然科学和社会科学；科学家是国家和社会的宝贵财富，必须争取和团结一切科学家为人民服务；大力培养新生的科研力量，扩大科研队伍，是发展中国科研事业的重要环节；科学院是全国科学研究的中心，是国家最高学术机关。

1954 年第一届全国人民代表大会后，中国科学院的组织形式做了相应改变。中国科学院迅速发展，同时在各地建立分院，拥有 120 多个研究所。中央决定成立学科性的学部，以便更好地团结全国科学家，领导并推进中国的科学事业。经过积极筹备，1955 年 6 月，中国科学院学部成立，经国务院批准，聘任 233 位学部委员，分别建立了数理化学部、生物地学部、技术科学部、哲学社会科学部，并逐渐形成科学研究体系，为全面发展科学事业、制订科学长远规划奠定了基础。到 1955 年底，全国科学技术人员已达 40 万人，专门的科学研究机构超过了 800 个。这支力量在经济恢复和第一个五年计划的建设中起了积极作用，特别是在建设新的工业基地和消化、使用当时从苏联引进的技术和设备方面做了大量工作。

20 世纪 50 年代中期到 60 年代中期，广大科技工作者自力更生，艰苦奋斗，克服重重困难，制定并全面实施《一九五六——一九六七年科学技术发展远景规划纲要》。虽然同其他行业一样也受到了“大跃进”的干扰，但很快就得到了及时的调整，中国的科学技术得到了快速发展。经过全国广大科技人员的努力，到 1962 年基本上完成了《一九五六——一九六七年科学技术发展远景规划纲要》规定的任务。中国的科技实力显著增强。

1966 年至 1976 年，虽然受到“文化大革命”的干扰，但在广大干部群众特别是科技人员的努力下，中国科学技术取得一批重要成果。

2. 科学技术体制等方面存在的问题

20 世纪 60 年代和 70 年代，正是国际上科学技术突飞猛进的年代，不仅发达的老牌资本主义国家经过各方面调整，科学技术继续处于领先地位，中国周边的一些原本不太发达国家和地区的科学技术也有了飞速的发展。中国在这个时期正处于国家的内乱之中，新中国成立后辛辛苦苦建立起来的科技体系受到严重的冲击。“文化大革命”期间，整个科技系统被视为“资产阶级的世袭领地”和执行“修正主义路线”而受到批判。其中，许多有成就的国内外知名专家被当成反动学术权威对待，许多著名科学家被迫离开科研岗位，“下放”到工厂、农村或者“五七干校”接受工农兵的“再教育”和从事繁重的体力劳动，以改造“资产阶级的世界观”。这期间，许多科学家和科技领域领导干部遭受迫害。

正如《中共中央关于科学技术体制改革的决定》中所指出的，中国的科技体制存在如下主要问题：“在运行机制方面，要改革拨款制度，开拓技术市场，克服单纯依靠行政手段管理科学技术工作，国家包得过多、统得过死的弊病；在对国家重点项目实行计划管理的同时，运用经济杠杆和市场调节，使科学技术机构具有自我发展的能力和自动为经济建设服务的活力。在组织结构方面，要改变过多的研究机构与企业相分离，研究、设计、教育、生产脱节，军民分割、部门分割、地区分割的状况；大力加强企业的技术吸收与开发能力和技术成果转化为生产能力的中间环节，促进研究机构、设计机构、高等学校、企业之间的协作和联合，并使各方面的科学技术力量形成合理的纵深配置。在人事制度方面，要克服‘左’的影响，扭转对科学技术人员限制过多、人才不能合理流动、智力劳动得不到应有尊重的局面，造成人才辈出、人尽其才的良好环境。”①

（三）国防军队现代化、正规化建设过程中的体制建设和调整

新中国刚刚成立，中共中央和中央人民政府就从保卫国家安全、巩固国防，特别是从抗美援朝这场现代国际局部战争的复杂性、艰巨性出发，提出加快中国军队的现代化建设，建立适合应对各种复杂战争情况的现代化国防的任务。

① 《中共中央关于科学技术体制改革的决定》（1985 年 3 月 13 日），《人民日报》1985 年 3 月 20 日。

1. 调整领导体制和编制

1949 年 10 月 19 日，中央人民政府委员会举行第三次会议，决定组成人民革命军事委员会。毛泽东为主席，朱德、刘少奇、周恩来、彭德怀、程潜为副主席。1954 年 9 月 28 日，中共中央政治局作出成立中国共产党中央军事委员会的决议。同时决定军事委员会由毛泽东、朱德、彭德怀、林彪、刘伯承、贺龙、陈毅、邓小平、罗荣桓、徐向前、聂荣臻、叶剑英等 12 人组成，毛泽东任主席，彭德怀主持军委日常工作。

1955 年 6 月，形成了人民解放军“八总部”的体制，即总参谋部、总政治部、总后勤部、总干部部、总财务部、总军械部、训练总监部、武装力量监察部。

1955 年 2 月，国务院和中央军委决定把 6 个大军区改划为 12 个大军区（1956 年又增加福州军区，共 13 个大军区），即北京军区、沈阳军区、济南军区、南京军区、广州军区、武汉军区、昆明军区、成都军区、兰州军区、新疆军区、西藏军区、内蒙古军区、福州军区（1956 年 4 月增加）。至 1956 年底，全国共设立 13 个大军区，全军形成三级军区体制，即军区、省军区、军分区。

1949 年 10 月 25 日，人民革命军事委员会任命刘亚楼为空军司令员，肖华为政委。11 月 11 日，中国人民解放军空军司令部宣布成立（中央军委批准 11 月 11 日为空军成立日）。中国人民解放军华东海军于 1949 年 4 月 23 日宣告成立（中央军委批准 4 月 23 日为海军诞生日）。1950 年 1 月 12 日，萧劲光任中国人民解放军海军司令员。1950 年 4 月，人民解放军海军领导机关成立。

根据人民革命军事委员会命令，1950 年 8 月 1 日，中国人民解放军炮兵领导机关成立；1950 年 9 月 1 日，中国人民解放军摩托化装甲兵领导机关成立；1950 年 10 月 23 日，中国人民解放军防空部队司令部成立；1950 年 11 月 8 日，中国人民解放军公安部队领导机关成立；1950 年 12 月 25 日，中国人民解放军工兵领导机关成立。

从 1954 年 2 月至 1955 年底，全军进行了精简整编。全军总员额减为 350 万人。[①] 兵力比 1952 年减少了 43.5%，陆军减少了 54.8%。[②]

2. 实行军衔制、薪金制、义务兵役制

军衔制是为明确军中指挥关系、激励士气而采用的一种管理制度。军衔既可以明确军人在军队中的地位、责任和相互关系，也是国家给予军人的荣誉。1955 年 2 月 8 日，第一届全国人大常委会第六次会议通过《中国人民解放军军官服役条例》，规定了解放军采用国际通用的军衔体制。1955 年的军衔等级是在中国传统军衔等级体系的基础上，参照了苏联等国的军衔制而设定的。军官军衔设置分 5 等 15 级，即大元帅（大元帅实际未授予）、元帅，大将、上将、中将、少将，大校、上校、中校、少校，大尉、上尉、中尉、少尉，后来又增加了准尉军衔。士兵军衔设置为 2 等 5 级，即上士、中士、下士，上等兵、列兵。1955 年 9 月 27 日，中国人民解放军首次授衔授勋典礼在北京中南海怀仁堂隆重举行。中华人民共和国主席毛泽东在中南海怀仁堂将“授予中华人民共和国元帅军衔的命令状”授予朱德、彭德怀、林彪（缺席）、刘伯承（缺席）、贺龙、陈毅、罗荣桓、徐向前、聂荣臻、叶剑英（缺席）10 人。同日，国务院举行授予将官军衔的典礼。中华人民共和国国务院举行授予中国人民解放军军官将官军衔典礼。周恩来总理代表国务院授予粟裕、徐海东、黄克诚、陈赓 、谭政、萧劲光、张云逸、罗瑞卿、王树声、许光达 10 人中国人民解放军大将军衔。同时，还授予了在京的上将、中将、少将将官军衔。授予 55 人上将军衔，授予 175 人中将军衔，授予 801 人少将军衔。各大军区也先后举行了授衔典礼。1956 年、1958 年又分别授予王建安、李聚奎上将军衔。1956 年至 1965 年，共授予将官以上军衔 1614 人。

---

① 军事科学院军事历史研究部：《中国人民解放军的七十年》，军事科学出版社 1997 年版，第 457 页。

② 《当代中国》丛书编辑部编《中国人民解放军》，当代中国出版社 1994 年版，第 155 页。

实行薪金制。1955 年 2 月，第一届全国人大常委会第六次会议通过的《中国人民解放军军官服役条例》，标志着人民解放军干部制度的完善。按照国防部颁布的《中国人民解放军薪金、津贴暂行办法》，从 1955 年 1 月起，全军干部由供给制改为薪金制。薪金制度的实行，对于改善军官的物质生活待遇，鼓励军官积极上进，具有重要意义。

实行义务兵役制。1955 年 7 月，根据《中华人民共和国宪法》第 103 条的规定，第一届全国人民代表大会第二次会议通过《中华人民共和国兵役法》。这项法律规定中国人民解放军由志愿兵役制改为义务兵役制。这一制度的实行，使人民解放军有了可靠的常备兵源，积蓄大量训练有素的后备兵员，既加强了军队建设，增强了国防力量，又有利于国家的经济建设。

3. 加强军事训练，改善武器装备，决策研制“两弹”

这期间，人民解放军加强了军政训练。中央军委在 1953 年底至 1954 年初召开的全国军事系统党的高级干部会议上强调，军事训练工作是全军的工作中心；提出了军事训练的方针和原则，以指导军事训练工作的展开；突出干部训练，着力提高干部现代作战的指挥能力。为了提高诸兵种协同作战能力，1955 年 11 月，由叶剑英任总导演，在辽东半岛举行陆、海、空军参加的抗登陆演习。这是人民解放军历史上第一次大规模的诸兵种实兵合成演习，是 20 世纪 50 年代人民解放军军事训练高潮的重要标志。强调训练的正规化和制度化。1954 年，人民解放军总参谋部参照苏联军队的做法，统一规定了 8 种训练制度。

为了尽快提高人民解放军的武器装备水平，实现武器装备的现代化，解放军一方面购买苏联武器装备，一方面着手建立自己的军事技术研究机构，抓紧兵工建设及武器装备生产。这期间，中国建成一批包括兵器、航空、船舶、电子等的大中型军工骨干企业，初步形成了自己的国防工业体系。

1955 年 1 月，中共中央书记处扩大会议在毛泽东的主持下，作出了发展中国原子能事业，研制核武器的战略决策。[①]1956 年 3 月，周恩来主持召开中央军委会议，作出发展中国导弹事业的决策，决定由周恩来、聂荣臻、钱学森筹备组建导弹航空科学研究机构——航空工业委员会。[②]中国国防建设的两大标志性工程开始启动。

四、反封锁与主要对社会主义国家的开放

中国共产党和新中国政府是主张对外开放的。1949 年 2 月 16 日，中共中央发出《关于对外贸易的决定》。这个决定共有 13 条措施，提出“我们应该立即开始进行新中国的对外贸易”[③]。同日，中共中央还发出《关于对外贸易基本方针的指示》。1949 年 3 月 5 日，毛泽东在中共七届二中全会的报告中说：“关于同外国人做生意，那是没有问题的，有生意就得做，并且现在已经开始做，几个资本主义国家的商人正在互相竞争。我们必须尽可能地首先同社会主义国家和人民民主国家做生意，同时也要同资本主义国家做生意。”[④]1956 年，毛泽东在著名的《论十大关系》中说过：“外国资产阶级的一切腐败制度和思想作风，我们要坚决抵制和批判。但是，这并不妨碍我们去学习资本主义国家的先进的科学技术和企业管理方法中合乎科学的方面。工业发达国家的企业，用人少，效率高，会做生意，这些都应当有原则地好好学过来，以利于改进我们的工作。”[⑤]这表明了中国共产党和新中国政府的对外开放态度。

---

① 中共中央文献研究室编《周恩来年谱（1949—1976）》（上卷），中央文献出版社 1997 年版，第 441 页。另参见王焰主编《彭德怀年谱》，人民出版社 1998 年版，第 587 页。

② 中共中央文献研究室编《周恩来年谱（1949—1976）》（上卷），中央文献出版社 1997 年版，第 557 页。另参见王焰主编《彭德怀年谱》，人民出版社 1998 年版，第 618 页。

③ 中共中央文献研究室、中央档案馆编《建党以来重要文献选编（1921—1949）》第二十六册，中央文献出版社 2011 年版，第 133 页。

④ 毛泽东：《毛泽东选集》第四卷，人民出版社 1991 年版，第 1435 页。

⑤ 中共中央文献研究室编《毛泽东文集》第七卷，人民出版社 1999 年版，第 43 页。

（一）主要争取苏联援助与签订《中苏友好同盟互助条约》

新中国成立前夕，1949年6月至8月，刘少奇率中共代表团秘密访问苏联，会见联共（布）领导人斯大林等，双方就外交关系、苏联对中国经济和国防建设的援助等问题交换意见，初步达成部分协议。根据这些协议，新中国既引进了外资，又引进了人才和技术，刘少奇在回国时就带回了200多名苏联专家。

1949年12月，毛泽东主席出访苏联。中苏就签订《中苏友好同盟互助条约》举行会谈。会谈的结果是：苏联同意放弃在中国的特权，以平等的原则对待中华人民共和国；形成了《中苏友好同盟互助条约》《关于中国长春铁路、旅顺口及大连的协定》《关于贷款给中华人民共和国的协定》等重要文件；苏联政府贷款3亿美元给中国政府（年利率1%）。这是新中国成立以后毛泽东亲自领导的第一次重大外交活动。在这次活动中，毛泽东在成功地维护了国家主权的同时，加强了全方位的中苏关系。中苏两个大国的结盟，有利于世界和平和稳定。

在中国制订和实施“一五”计划期间，周恩来总理等人代表中国政府与苏联政府具体商谈，从苏联引进了156项大中型项目①，也从东欧国家引进一些成套项目。这些项目多数都达到当时世界上的先进水平。从1949年至1960年，中国聘请来华的专家共有2万多人，这是新中国成立后第一次大规模地引进先进技术和人才，派出去留学生、实习生1万多人，为新中国打下工业化的初步基础起到了重要作用。

---

① 156项大中型项目是指1950年至1955年，苏联答应帮助中国建设的一批工业项目。这些项目是经过多次研究商谈陆续定下来的。1950年确定了50项，1953年商定增加91项，1954年商定增加15项，总数达到156项，被列入“一五”计划。1955年，又同苏联商定增加16项，后又口头商定再增加2项。5次商谈共确定174项。经过反复核查调整后，有的项目取消，有的推迟建设，有的项目合并，有的项目分开，有的项目不列入限额以上项目，最后确定为154项。见刘国光主编《中国十个五年计划研究报告》，人民出版社2006年版，第75页。

（二）发展对外关系和经济交往

新中国在确定向社会主义阵营“一边倒”的原则时，并不是排除与西方国家建立外交关系，更不拒绝同它们发展经济关系。由于帝国主义在政治上采取敌视中国的政策，不以平等的态度对待中国，中国政府主张同它们有所区别地建立外交关系。但是，对于平等互利的经济往来，中国并不拒绝。经过努力，新中国在成立初期，已同46个国家和地区建立了贸易关系，对外贸易的主要对象仍然是资本主义国家，同它们的贸易量在1950年占中国进出口总额的2/3。但是帝国主义的封锁禁运，阻碍了中国的对外开放。1950年12月，美国宣布对中国实行全面禁运，不久又宣布禁止一切在美注册的船只驶入中国大陆港口。1951年5月，美国又操纵联合国通过对中国实行禁运的提案。在这种情况下，中国把外贸重点转向苏联和东欧人民民主国家。同时采取灵活政策，利用香港的自由港地位，坚持易货贸易等方式，争取同资本主义国家做生意。1952年2月，中国在苏联莫斯科国际经济会议上直接与西欧资本主义国家签订巨额贸易协议，又于4月签订中日贸易协定。这对当时经济的内外交流、互通有无、活跃市场起了重要作用。1957年，中国与68个国家和地区进行了外贸往来。

（三）积极发展同各种社会制度国家的友好关系和对外开放

中国积极发展同各种社会制度国家的友好关系。这期间亚非拉国家的民族解放运动迅猛发展，对于亚非拉各国的民族解放斗争，中国都给予声援和支持。与此同时，中国注意加强与亚非国家的友谊与合作。1963年12月13日至1964年2月5日，周恩来总理和陈毅副总理兼外交部长先后访问亚非13国，成为中国同亚非国家建立友好关系的重要里程碑。中国也同这些国家积极发展经贸往来。

20世纪60年代初期，中苏关系恶化，苏联单方面撕毁合同，撤回专家。中国在这期间加强了同西方对华友好国家的交往。1962年至1966年，中国从西方一些国家谈判成交大小设备20多套，合同金额3亿多美元，包括冶金、石化、电子、精密机械等。[①]

五、中美关系缓和与对发达国家的经济交往

毛泽东、周恩来作为世界杰出的外交战略家，即使是在国内进行“文化大革命”的混乱时期，他们仍然关注着整个国际局势的变化，并作出缓和中美关系的决策，促成了新中国成立后的第二次建交高潮，为中国后来的改革开放创造了有利条件。

（一）缓和中美关系的决策与中国的联合国合法席位的恢复

毛泽东、周恩来审时度势，适时地作出重新开启中美关系大门的富有远见和胆略的重大决策。新中国成立以后，美国对中国采取敌视政策长达20年。在变化了的国际形势下，从各自的战略利益考虑，中美两国领导人都认为有必要也有可能改善两国关系。经过包括“乒乓外交”等试探，1971年7月，美国总统特使、国家安全事务助理基辛格秘密访华。1972年2月，美国总统尼克松访华。中美双方经过坦率会谈，于27日签署了《中美联合公报》即《上海公报》。这标志着中美经过20多年冲突对抗，开始走向关系正常化，为两国建交奠定了基础。

1971年10月25日，第二十六届联合国大会以76赞成、35票反对、17票弃权的压倒多数，通过阿尔巴尼亚、阿尔及利亚等23国关于恢复中华人民共和国的合法席位和驱逐蒋介石的代表的第2758号决议，恢复了中华人民共和国在联合国的合法席位，并立即把国民党集团的代表从联合国的一切机构中驱逐出去。这是中国外交方面的一个重大胜利。

中国恢复在联合国的合法席位，中美关系的缓和，为中国的对外开放创造了有利的条件。

---

① 李岚清：《突围——国门初开的岁月》，中央文献出版社2008年版，第15页。

（二）新一轮建交高潮与经贸关系的发展

西欧国家战后随着自身经济恢复，希望同中国发展合作关系。中国也重视与这些国家在和平共处五项原则的基础上发展友好合作关系。在中美关系缓和的背景下，通过中国政府的积极工作，中国与西欧等其他发达国家的关系也得到改善，出现了新的一轮建交高潮，并同这些国家发展在经济、贸易、科技、文化等方面的合作。

日本政府曾长期跟随美国采取敌视中国的政策，致使两国邦交迟迟不能恢复正常。当美国先采取外交步骤同中国进行和解后，日本政府出于自身经济和政治利益的考虑，开始寻求日中关系的正常化。1972 年 9 月 25 日，日本首相田中角荣等来中国进行访问。毛泽东会见了田中角荣。周恩来同田中角荣进行会谈。中日双方于 9 月 29 日签署了建立外交关系的联合声明。随后，日本同中国台湾当局断绝所谓的“外交关系”。中日陆续签订贸易、航空、海运、渔业和科技文化等一系列协定，使两国在这些方面的关系得到发展。

（三）抓住机遇扩大与欧美国家的经济交往

1972 年 1 月，经毛泽东、周恩来批准，国家计委决定从法国和日本进口急需的化纤新技术成套设备 4 套、化肥设备 2 套等。这是在“文化大革命”特殊时期对外引进先进技术的重要举措。1973 年 1 月，国家计委向国务院报送一个较大规模技术引进方案。这个方案计划在 3 至 5 年内，从美国、联邦德国、法国等西方发达国家引进价值 43 亿美元的成套设备，史称“四三方案”。周恩来、毛泽东先后批准了这个方案。后来又追加了一批项目，总额达到 51.4 亿美元。这是新中国继 20 世纪 50 年代引进苏联援助的“156 项工程”之后，第二次大规模的技术引进。通过“四三方案”，中国利用引进的设备结合国产设备配套，兴建了 26 个大型工业项目，总投资约 200 亿元人民币，至 1982 年实现了全部投产。这标志着中国对外经济和技术交流有了新的发展。

这个时期对外开放总的情况正如邓小平所说："比如毛泽东同志在世的时候，我们也想扩大中外经济技术交流，包括同一些资本主义国家发展经济贸易关系，甚至引进外资、合资经营等等。但是那时候没有条件，人家封锁我们。后来'四人帮'搞得什么都是'崇洋媚外''卖国主义'，把我们同世界隔绝了。毛泽东同志关于三个世界划分的战略思想，给我们开辟了道路。"①

① 邓小平：《邓小平文选》第二卷，人民出版社 1994 年版，第 127 页。

第一章

伟大觉醒
与改革开放的酝酿

改革开放和社会主义现代化建设新时期，党面临的主要任务是，继续探索中国建设社会主义的正确道路，解放和发展社会生产力，使人民摆脱贫困、尽快富裕起来，为实现中华民族伟大复兴提供充满新的活力的体制保证和快速发展的物质条件。

“文化大革命”结束以后，在党和国家面临何去何从的重大历史关头，中共中央深刻认识到，只有实行改革开放才是唯一出路，否则我们的现代化事业和社会主义事业就会被葬送。中国共产党的使命意识和执政意识的伟大觉醒，为实现党和国家工作中心战略转移，开启改革开放和社会主义现代化建设新时期，实现新中国成立以来党的历史上具有深远意义的伟大转折做了充分准备。

第一节　结束“文化大革命”与恢复正常的政治经济秩序

由于“文化大革命”这场内乱给党和人民造成了巨大灾难，不结束这场灾难，共和国就无法快速前进。但是，想迅速摆脱“文化大革命”时期形成的思想理论、指导方针、思维方式、体制机制等方面的影响又十分艰难。以邓小平同志为代表的中国共产党人解放思想、开动脑筋，纠正“文化大革命”的错误，为实现伟大的历史转折而奋力前行。

一、揭批查“四人帮”运动的开展与邓小平重返领导岗位

粉碎江青反革命集团标志着长达10年的“文化大革命”的结束，为中国的社会秩序得以恢复正常，党和国家的工作得以重新走上健康发展的轨道，为共和国历史进入一个新的发展时期创造了条件。中国进入了一个重要的历史关头。为了中国人民的根本利益，这期间党和国家为摆脱由于“文化大革命”内乱造成的困境做了一系列的工作。

（一）粉碎“四人帮”结束“文化大革命”的内乱

1976年10月6日晚，华国锋、叶剑英等代表中央政治局，执行党和人民的意志，对“四人帮”及其在北京的帮派骨干实行隔离审查。7日凌晨，中共中央政治局在北京玉泉山召开会议，会议一致通过华国锋任中共中央主席、中央军委主席，将来提请中共中央全会追认。①10月7日至14日，中共中央政治局在北京分批召开了中央党、政、军机关，各省、市、自治区，各大军区负责人参加的打招呼会议，通报了王洪文、张春桥、江青、

① 中共中央党史研究室编《中国共产党历史大事记（1919.5—2005.12）》，中共党史出版社2006年版，第287页。

姚文元反党集团事件，提出了“既要解决问题，又要稳定局势”的方针等。[①]18 日，中共中央将江青反党集团（史称“四人帮”）事件通知全国各级党组织，传达到全党和全国人民。与此同时，做了如下主要工作。

一是稳定局势。对“四人帮”实行隔离审查后，一个非常紧迫的任务就是要清除其帮派残余势力，防止出现动乱，稳定全国局势，保持社会的安定。中共中央迅速对张春桥、姚文元、王洪文长期控制的上海采取了果断有力的措施。上海局势的稳定，在全国产生了积极影响。与此同时，中共中央还对全国其他地方“四人帮”的骨干分子采取撤换、清查等果断措施，不但结束了长年不断的动乱和武斗，还实现了全国政局的稳定、社会秩序的初步好转。

二是揭批查“四人帮”。在稳定全国局势的同时，1976 年 10 月 20 日，中共中央决定成立专案组，审查“四人帮”的反党罪行，在全国开展揭批“四人帮”运动。12 月 10 日，中共中央向全党全国批发了王、张、江、姚集团罪证之一，以后又下发罪证材料之二、之三，在全国掀起揭批“四人帮”运动。这个运动经历了三个阶段，当时也称为“三大战役”。同时，对“四人帮”帮派体系也做了清查。还连带清查了“文化大革命”中的“打、砸、抢”等问题，使揭批“四人帮”运动继续深入。到 1978 年底，全国性的清查工作基本结束。

三是调整领导班子。在稳定全国局势后，从 1977 年 1 月起，中共中央还陆续对一些党政军重要领导机构、主要负责人，以及对受“四人帮”影响较深、问题较多的省份和部门的领导班子进行了调整。中共中央采取的一系列稳定大局的措施，使许多地区长时期的社会动乱得到平息，出现了人民群众渴望已久的社会安定局面。

随着揭批查“四人帮”等工作的进行，全国各地的武斗动乱被制止。

---

① 中共中央党史研究室编《中国共产党历史大事记（1919.5—2005.12）》，中共党史出版社 2006 年版，第 287 页。

党政军各方面的工作和各项事业初步恢复正常，国民经济倒退停滞局面逐步扭转，财政收入增加。全国出现了一个初步安定团结的政治局面，为之后工作重点的转移准备了条件。

（二）邓小平重返领导岗位

揭批“四人帮”运动开展后，广大干部群众普遍要求纠正“文化大革命”中造成的冤假错案。当时集中在两个问题上：一是要求尽快让邓小平出来工作；二是要求为 1976 年的天安门事件平反。华国锋在 1977 年 1 月 6 日中共中央政治局会议上提出邓小平复出问题要解决，但要经过适当步骤做到“瓜熟蒂落，水到渠成”。

1977 年 1 月周恩来逝世一周年前后，全国人民又一次自发地举行各种形式的纪念活动，北京等一些大城市出现了“强烈要求党中央恢复邓小平职务”“为天安门事件平反”的特大标语。叶剑英、陈云、李先念等一些老同志也提出尽快让邓小平出来工作的建议。

3 月 10 日至 22 日，中共中央召开工作会议，华国锋在会上希望各组讨论时不要触及邓小平出来工作和天安门事件平反这两个敏感问题。尽管如此，陈云、王震等老一辈革命家还是在发言中指出：天安门事件，是首都人民自发的对周总理的大规模悼念活动，是对“四人帮”罪行的群众性声讨；邓小平同志与天安门事件是无关的，他是同“四人帮”作斗争的先锋，让他重新参加党中央的领导工作是完全正确、完全必要的。陈云、王震等人的发言，得到广泛支持和响应。华国锋采纳了党内外的意见。3 月 14 日，他在中央工作会议全体会议上明确宣布：“中央政治局的意见是，经过党的十届三中全会和党的第十一次代表大会，正式作出决定，让邓小平同志出来工作。”①

4 月 10 日，邓小平给中共中央写信指出：“我们必须世世代代地用准确

① 中共中央文献研究室编《邓小平年谱（1975—1997）》（上），中央文献出版社 2004 年版，第 156 页。

的完整的毛泽东思想来指导我们全党、全军和全国人民，把党和社会主义的事业，把国际共产主义运动的事业，胜利地推向前进。”[①]5月3日，中共中央将这封信连同1976年10月10日邓小平致党中央表示拥护粉碎“四人帮”的信一起转发至县团级，实际上向全党通报了邓小平即将复出的信息。

1977年7月，中共十届三中全会在北京召开。会议通过追认华国锋为中共中央主席、中央军委主席的决定；通过《关于王洪文、张春桥、江青、姚文元反党集团的决议》，开除四人党籍，撤销党内外一切职务。这次会议最重要的成果就是通过《关于恢复邓小平同志职务的决议》，邓小平恢复担任中共中央政治局常委、中共中央副主席、中共中央军委副主席、国务院副总理、中国人民解放军总参谋长的职务。7月23日，中共十届三中全会公报向全国和世界公布了邓小平复出的决定。

邓小平的复出及发挥领导作用，对中国改革开放具有决定性意义。他的复出不仅是中国共产党之幸、中国之幸，也是世界之幸。

二、国内政治生活恢复正常与政治体制开始正常运转

粉碎“四人帮”后，中共中央采取坚决果断的措施，恢复党和国家政治生活的正常秩序，政治体制也正常运转。人民群众期盼已久的安定的政治局面开始形成。

（一）召开中共十一大

1977年8月12日至18日，中国共产党第十一次全国代表大会在北京举行。华国锋在中共十一大政治报告中宣布，以粉碎“四人帮”为标志，“文化大革命”宣告结束。报告强调，要调动党内外、国内外一切积极因素，团结一切可以团结的力量，为在本世纪把中国建设成为伟大的社会主

---

① 中共中央文献研究室编《邓小平年谱（1975—1997）》（上），中央文献出版社2004年版，第157页。

义的现代化强国而奋斗。华国锋在报告中提出："全党全军和全国各族人民，要团结一致，共同努力，使党中央抓纲治国的战略决策，今年初见成效，三年内大见成效。做到了这一步，就为实现中国工人阶级和中国人民在本世纪内的历史使命，把我国建设成为社会主义现代化强国，打下坚实的基础。"①

华国锋在报告中进一步阐明了中国共产党在一个时期内抓纲治国的八项主要战斗任务：①一定要把揭批"四人帮"的伟大斗争进行到底；②一定要搞好整党整风，加强党的建设；③一定要把党的各级领导班子整顿好、建设好；④一定要抓革命促生产，把国民经济搞上去；⑤一定要搞好文化教育领域的革命，大力发展社会主义的文化教育事业；⑥一定要强化人民的国家机器；⑦一定要发扬民主，健全民主集中制；⑧一定要贯彻执行统筹兼顾、全面安排的方针，调动一切积极力量，建设社会主义。

邓小平在大会闭幕词中指出：一定要恢复和发扬毛泽东树立的群众路线、实事求是、批评与自我批评、谦虚谨慎、戒骄戒躁、艰苦奋斗和民主集中制等优良传统和作风，营造良好的政治局面。

大会审议并通过了华国锋所作的政治报告，通过了经过修改的《中国共产党章程》，选举了新一届中央委员会。8 月 19 日，中共十一届一中全会选出中央领导机构，华国锋为中央委员会主席，叶剑英、邓小平、李先念、汪东兴为中央委员会副主席，并由他们组成中央政治局常委会。

大会决定，在适当的时候召开第五届全国人民代表大会，并同时召开中国人民政治协商会议第五届全国委员会大会。

中共十一大在揭批"四人帮"和动员全国人民进行现代化建设方面起了积极的促进作用，但限于历史条件，大会未能承担起纠正"文化大革命"的错误，为实现历史转折制定正确的路线方针这一历史任务。

---

① 华国锋：《在中国共产党第十一次全国代表大会上的政治报告》（1977 年 8 月 12 日报告，8 月 18 日通过），《人民日报》1977 年 8 月 23 日。

（二）召开五届全国人大一次会议

鉴于国家形势发生的重大变化，五届全国人大一次会议、全国政协五届一次会议提前两年召开。1978 年 2 月 18 日至 23 日，中共十一届二中全会在北京举行。全会讨论了《政府工作报告》《一九七六年至一九八五年发展国民经济十年规划纲要（草案）》《中华人民共和国宪法修改草案》《关于修改宪法的报告》，决定提请五届全国人大一次会议审议。

1978 年 2 月 26 日至 3 月 5 日，五届全国人大一次会议在北京召开。华国锋作政府工作报告。会议重申到 20 世纪末实现农业、工业、国防和科学技术现代化的奋斗目标，通过了重新修订的《中华人民共和国宪法》。这部宪法虽然基本恢复了 1954 年宪法中一些好的原则和制度，以根本大法的形式确定了实现四个现代化、建设社会主义现代化强国的目标，但未能彻底纠正 1975 年宪法中的错误，仍然把“坚持无产阶级专政下的继续革命”列入历史新时期的总任务。从总体上看，五届人大一次会议推进了拨乱反正，对国家工作正常秩序的恢复起到了推动作用。会议决定恢复“文化大革命”期间被撤销的最高人民检察院，从而使社会主义法制建设开始得到恢复。大会还通过了聂耳作曲的《义勇军进行曲》为中华人民共和国国歌的决定。

会议选举叶剑英为全国人大常委会委员长，宋庆龄等 20 人为副委员长；决定华国锋为国务院总理，邓小平、李先念等 13 人为副总理。

（三）召开全国政协五届一次会议

1978 年 2 月 24 日至 3 月 8 日，中国人民政治协商会议第五届全国委员会第一次会议在北京举行。政协组织在“文化大革命”期间基本停止活动。这次大会的召开，对于加强中国共产党和各民主党派及无党派人士的合作，巩固人民民主统一战线，恢复和健全中国共产党领导的多党合作和政治协商制度，具有重要意义。

会议期间，全体委员列席了第五届全国人民代表大会第一次会议。会议总结了政协第四届全国委员会的工作，认真地讨论了新的政协章程。会议开得生动活泼，委员们心情舒畅，各抒己见，一致表示热烈拥护政府工作报告、新宪法和关于修改宪法的报告。

大会一致通过了《中国人民政治协商会议章程》，一致通过了《中国人民政治协商会议第五届全国委员会第一次会议决议》。会议选举邓小平为第五届全国政协主席，乌兰夫等22人为副主席。

（四）召开共青团、工会和妇联的全国代表大会

1978年9月，中国妇女第四次全国代表大会在北京举行。大会总结21年来的妇女工作经验，讨论和确定新时期妇女运动的新任务，通过中华妇联会的新章程，选出新的领导机构。10月，中国工会第九次全国代表大会在北京举行，与会代表通过学习、讨论，明确了新时期工人阶级的历史使命和工会工作的基本方针、任务。大会一致通过了中华全国总工会第八届执行委员会向大会所作的工作报告的决议，一致通过了关于修改中国工会章程的决议。大会选举产生了中华全国总工会第九届执行委员会。同月，中国共产主义青年团第十次全国代表大会在北京举行。大会通过关于工作报告的决议和新的共青团章程，选出新的委员会。10月，共青团中央十届一中全会通过决议，恢复了停止活动11年的中国少年先锋队组织，红小兵组织即行撤销。

（五）军队建设与调整

与此同时，军队建设采取了一系列重要措施。一是对中央军委和总部领导班子进行调整。1977年3月7日，叶剑英恢复主持中央军委日常工作。8月19日，中共十一届一中全会通过由63人组成的中共中央军委。华国锋为主席，叶剑英、邓小平、刘伯承、徐向前、聂荣臻为副主席，罗瑞卿为秘书长。1978年3月5日，五届全国人大一次会议决定徐向前为国务院副总理兼国防部部长。二是进行体制编制的调整改革。1978年1月18日，中央军委下发《关于军队体制编制的调整方案》，要求精简总部、军兵种、大

军区、省军区领导机关，并根据装备发展和部队任务需要，重点保证航空、舰艇、导弹、电子对抗等技术兵种部队的发展，加强学校、科研机构，充实东北、华北、西北地区坚守要点的守备部队。三是重新强调要把人民解放军建设成为一支革命化、现代化的军队。四是全军开展了学习雷锋、学习“硬骨头六连”和航空兵一师党委的活动。部队的军事训练得到加强，政治素质、军事技术和战斗力得到提高。

虽然“两个凡是”方针的推行，使拨乱反正的开展遭遇到严重的阻碍，党和国家工作总体上还处于在徘徊中前进的局面，但是这一时期拨乱反正也取得了局部进展，使国家政治生活的秩序逐步得到恢复，为中共十一届三中全会后开展全面深入的拨乱反正奠定了基础。

三、国民经济的恢复发展与对外经济关系的加强

“文化大革命”十年中，中国经济虽有一定发展，但破坏十分严重。“文化大革命”结束后，中共中央、国务院立即着手恢复经济秩序，进行经济建设。

（一）国民经济的恢复和发展

从 1976 年末开始，中共中央和国务院先后召开一系列全国性会议，对各部门的生产建设作出部署；采取许多措施，使各工业部门生产秩序、工作秩序开始恢复，工业生产走上增长、发展的轨道。

第一，针对经济困难局面，采取了紧缩开支、压缩投资、减轻资金和物资压力、保证有限的资金投向生产建设等措施。1976 年 10 月，由于“四人帮”的干扰和唐山大地震等灾害，工业生产、交通运输和财政收入都受到很大影响，国家财政状况极为困难，因此，国务院决定压缩基本建设投资。1977 年 3 月 28 日，国务院转发了国家计委等部门《关于坚决压缩和严格控制社会集团购买力的请示报告》，随后又陆续批准了有关部门采取的

其他紧缩和控制资金流通的措施。这些措施的贯彻，为扭转财政混乱局面，促进生产建设的恢复起到了一定作用。

第二，提出要大抓经济建设，加快发展生产力。1976 年 12 月和 1977 年 4 月至 5 月，中共中央先后召开第二次全国农业学大寨会议和全国工业学大庆会议，号召全国人民“抓革命、促生产”，努力把国民经济搞上去。华国锋在这两次大会上都强调：革命就是解放生产力；努力发展社会主义经济，是无产阶级专政的基本任务之一。1976 年 12 月 26 日，《人民日报》发表了毛泽东的《论十大关系》。这篇文章的公开发表和广泛学习，对于调整经济关系、整顿经济秩序、发动广大群众努力搞好生产、为实现现代化的目标而奋斗起了动员作用。

第三，进行铁路和煤炭运输的整顿。针对铁路运输堵塞、电厂断煤、工厂断电等严重影响国民经济正常运行的局面，1976 年 11 月，国务院提出要采取果断措施，解决郑州、兰州、成都、南昌、太原、昆明等铁路枢纽的堵塞问题。随后，开始大力整顿铁路治安秩序，切实保障铁路运输的安全正点、畅通无阻，并明确了当年铁路运输的任务。经过整顿，铁路的混乱状况逐步得到改善，日平均装车量逐月增加，从 1977 年 1 月的 3.8 万车到 4 月达到 5.51 万车，超过历史最高水平，到 6 月达到 5.7 万车；平均日卸车和煤炭运量也达到历史最高水平。①

第四，针对当时经济领域存在的思想混乱，强调要澄清被“四人帮”搞乱了的思想界限，分析和解决国民经济中的主要矛盾。《人民日报》先后发表《贯彻执行按劳分配的社会主义原则》《驳斥“四人帮”诋毁社会主义商品生产的反动谬论》《按照经济规律办事，加快实现四个现代化》等文章，澄清了理论是非，解除了人们的精神枷锁。从 1976 年末起，中共中央和国务院先后召开了农业、计划、铁路、工业、财贸、煤电、运输、粮食等一系列全国性会议，对各部门的生产建设作出部署，推动了各工业部门生产

---

① 《国务院关于今年上半年工业生产情况的报告》，1977 年 7 月 30 日。

秩序、工作秩序的恢复，工业生产走上发展的轨道。

第五，整顿工业企业。华国锋在 1977 年 4 月至 5 月召开的全国工业学大庆会议上说：一定要把中国的工业搞上去，在本世纪内实现四个现代化。中央要求，所有企业都要认真地学大庆，在第五个五年计划期间，全国至少要把 1/3 的企业办成大庆式企业。随后，全国各企业，特别是一些重点企业，加快了领导班子和生产秩序的整顿，广泛开展劳动竞赛和增产节约运动，努力使各项技术指标在短期内达到历史最好水平和国内先进水平，有力地促进了整个工业生产的恢复和发展。1978 年 4 月 20 日，中共中央颁发《关于加快工业发展若干问题的决定（草案）》（简称“工业三十条”），文件是在 1975 年根据邓小平指示起草的《关于加快工业发展的若干问题》基础上修订而成的，对企业整顿提出了具体标准。

第六，采取促进农业生产的一系列措施。1977 年底，国家开始解决农村增产不增收的问题。在工农业产品的交换中，逐步缩小剪刀差，贯彻等价交换原则。适当提高粮食价格和农副产品收购价格，降低工业品特别是支农产品的销售价格；实行开展多种经营和发展集体副业的政策，以及农副产品的收购奖售政策，允许农民经营少量自留地和家庭副业、牧民可以有少量自留畜的政策；允许正当的集市贸易的政策等，做到在正常年景下 90% 的农民收入逐年有所增加。继续实行粮食征购“一定五年不变”的政策；对人均口粮在起征点以下的低产缺粮生产队，免征农业税；对新办社队企业和边境、民族地区的社队企业免征工商税、所得税两三年或五年，并提高起征点；社队企业的产品和国营工业的产品实行同质同价。

通过上述工作，国民经济生产和秩序逐步走上正轨，一批企业的混乱状况有所好转，工业生产有了较快回升。全国钢铁生产到 1977 年 10 月已超过历史最高水平。全国工业总产值从 1977 年 3 月起逐月增加，到 1977 年五六月份绝大多数主要工业产品的产量已高于上年同期水平。1977 年的工业总产值比上年增长 14.6%，财政收入扭转了连续三年完不成计划的状况。1978 年的工业总产值又比上年增长 13.5%。1978 年，农业生产获得丰收，粮食产量突破6000亿斤，超过历史最高水平。整个经济形势在摆脱急剧滑坡的危险后，开始逐步好转。

随着国民经济的恢复、发展，1977年全国财政收支平衡并略有积余，财政收入实现“两超”：超过年初预算指标6%，超过历史最高的年收入水平。1978年，工农业总产值和财政收入又有较大幅度增长。国家在追加能源、交通和农业投资的同时，采取了若干改善民生的措施：比原计划增拨经费，使部分中、小学校舍得到修缮；从1977年10月1日起调整职工工资，使60%以上全民所有制企事业单位的职工增加了工资，3000多万名职工的生活得到改善；1978年4月全国教育工作会议后，普遍提高了中小学教师的工资；5月，国务院又决定实行奖金和计件工资制度；1978年6月，国务院下发文件，提高退休退职工人和老弱病残干部的福利待遇；1978年3月，国务院召开城市工作会议，决定加速住宅和城市公共设施建设，改善城市环境和解决职工住宅困难问题。

（二）对外经济工作的加强

在恢复、发展国民经济的同时，对外经济交往迈开新的步伐。1977年7月26日，中共中央政治局原则批准了国家计委呈报的《关于引进新技术和进口成套设备规划的请示报告》（通称《八年引进规划》），同意在“五五”计划后三年和“六五”计划期间，再进口一批成套设备、单机和技术专利，解决国民经济中的关键问题。

从1977年上半年起，轻工、地质、农业、冶金、兵器工业等部和国家经委派团出国参观访问。1977年冬，中共中央陆续派出高级别的代表团到发达国家和地区考察访问。1978年3月13日，中共中央政治局听取和讨论国家计委《关于一九七八年引进新技术和进口成套设备计划的报告》。4月19日，中共中央政治局会议讨论《今后八年发展对外贸易，增加外汇收入的规划要点》。5月，国务院成立由副总理余秋里任组长的引进新技术领导小组。

1978 年 5 月 2 日，国务院副总理谷牧率领高级代表团访问法国、瑞士、比利时、丹麦、联邦德国五国。6 月 30 日，中共中央政治局听取考察团汇报。华国锋、叶剑英、李先念、聂荣臻等在会上表示，该是下决心采取措施实行对外开放的时候了。邓小平听取汇报后指出：引进这件事要做，下决心向国外借点钱搞建设，要抓紧时间。在此期间，国家计委副主任段云还率团赴港澳考察，考察团返回途经广州，向广东省党政领导建议：将宝安、珠海两县改为省辖市，改革农业，发展加工业和旅游业。1978 年 6 月 3 日，中共中央政治局听取考察团汇报，原则同意把宝安、珠海划为出口基地、加工基地和旅游区的建议，为日后创办经济特区提供了重要条件。

（三）急于求成思想的出现与经济比例关系的失调

但是，在政治局面初步安定和经济形势逐渐好转的过程中，由于对过去经济建设的经验教训没有进行认真总结，对经济好转的形势估计过高，使经济工作指导思想上的急于求成情绪再度滋长起来。1978 年 1 月，中共中央政治局批准了《一九七六年至一九八五年发展国民经济十年规划纲要（草案）》，并将其写进了五届全国人大一次会议的政府工作报告。这个纲要提出，到 1985 年以前，在基本建设方面，全国要新建和续建 120 个大型项目，主要包括：30 个大水电站和 8 个大坑口火电站、8 个大煤炭基地、10 个大油气田和 1 条输气管道、10 个大钢铁基地、9 个大有色金属基地、10 多个大化肥厂，基本建设投资将接近过去 28 年的总和。到 2000 年以前，全面实现农业、工业、国防和科学技术的现代化。在讨论政府工作报告时，一些领导人对上述计划指标提出了不同意见。会后，《一九七六年至一九八五发展国民经济十年规划纲要（草案）》虽然没有公布和下达，但其中的主要内容却通过宣传对当时的经济工作产生了较大影响。在国民经济刚刚经历十年内乱的大破坏亟须休养生息的时候，发动这样的“新跃进”，尤其是片面突出钢铁、石油、煤炭等重工业部门，追求高投资、高积累，只能进一步加剧已经相当严重的国民经济各方面比例关系的失调。

第二节　历史使命意识和执政意识的新觉醒

中国共产党执政就是通过掌握全国政权发展经济、政治、文化、社会、国防事业而实现中华民族伟大复兴这一历史使命。“文化大革命”结束后，中国的发展不但落后于老牌的资本主义发达国家，甚至落后于亚洲新兴的“四小龙”。具有强烈历史使命意识和执政责任感的中共中央领导人，在努力实现国家政局稳定的同时，开始酝酿加快发展社会生产力，提高人民生活水平，进而实现“四个现代化”。

一、中国共产党历史使命意识的新觉醒

由于客观的社会主要矛盾，即人民日益增长的物质文化需要同落后的社会生产之间的矛盾，要求党和国家把解放和发展社会生产力作为党的中心任务，而“文化大革命”时期党和国家工作的指导思想和路线却偏离了中心任务。以周恩来、邓小平等为代表的党内健康力量曾为扭转这种偏向进行了艰难的斗争，并在四届全国人大一次会议上再次强调了要实现“四个现代化”，即工业现代化、农业现代化、国防现代化和科学技术现代化。这实际上是再次提出完成历史使命的愿望，但遭到了江青、张春桥等人的激烈反对。

这种矛盾在“文化大革命”后期就以严重激化的形态表现出来。这就是 1976 年爆发的“四五运动”，人民群众再次响亮地喊出了“实现现代化”的口号。这是一场党内健康力量和人民群众为悼念周恩来、反对“四人帮”、支持邓小平而进行的斗争。但从更深的层次分析，实质是中国共产党和人民群众为尽快发展社会生产力、迅速实现现代化这个百年历史使命这一历史潮流的涌动。

党内健康力量和人民群众的斗争虽然受到压制，但党心民心却在凝聚，历史潮流是不可抗拒的。经过复杂激烈的斗争，1976 年 10 月，以华国锋、

叶剑英等为代表的中央政治局一举粉碎江青反革命集团，为中国共产党继续承担百年历史使命创造了机遇。

粉碎江青反革命集团后的1976年10月12日，胡耀邦就让人转告当时的中共中央主席华国锋和副主席叶剑英：现在我们党的事业面临着中兴的大好时期，并明确地提出“中兴伟业，人心为上”。

1977年5月，华国锋曾强调说：“把我们的国家从贫穷落后的半殖民地半封建的弱国，变成伟大的社会主义的现代化强国，这是二十世纪中国工人阶级和中国人民的历史使命。”[①]10月7日，在胡耀邦指导下由中共中央党校杨逢春等撰写的在《人民日报》发表的《把“四人帮”颠倒了的干部路线是非纠正过来》这篇影响全国的文章强调：“无产阶级的历史使命，是要逐步消灭资产阶级和一切剥削阶级，用社会主义战胜资本主义，最终实现共产主义。没有一大批德才兼备的优秀干部，就不可能完成这一伟大而艰巨的历史任务。”[②]21日，《人民日报》刊登了足以影响上百万人命运甚至国家前途的文章，向全国昭示恢复高考，而恢复高考是为了快出人才，加快完成建立无产阶级知识分子队伍的重大战略任务，完成我国工人阶级和全国人民伟大而光荣的历史使命。

1978年3月，邓小平在全国科学大会上更是明确指出：“在二十世纪内，全面实现农业、工业、国防和科学技术的现代化，把我们的国家建设成为社会主义的现代化强国，是我国人民肩负的伟大历史使命。”[③]在中国工会第九次全国代表大会上，邓小平再次强调工人阶级的历史使命。党内其他领导人也有类似的表示，如李先念在共青团第十次全国代表大会的致辞。

---

① 华国锋：《在全国工业学大庆会议上的讲话》（1977年5月9日），《人民日报》1977年5月13日。

② 杨逢春等：《把“四人帮”颠倒了的干部路线是非纠正过来》，《人民日报》1977年10月7日。

③ 邓小平：《在全国科学大会开幕式上的讲话》（1978年3月18日），《人民日报》1978年3月22日。

强调“中兴伟业”和“伟大历史使命”不是偶然的，这是中国共产党经过“文化大革命”后，其历史使命意识的伟大觉醒。

二、中国共产党执政意识的新觉醒

中国共产党执政就是通过掌握全国政权，发展经济、政治、文化、社会、国防、外交事业而实现中华民族伟大复兴这一历史使命。简略地说，就是立党为公，执政为民，全心全意为人民服务。

1978 年 7 月，当时的中共中央主席华国锋曾对胡耀邦谈过中国经济管理落后、效率低下的问题。他说：外国机械化养鸡，十五万只，只两口子（管理），加上两个上学的孩子。我们红星农场二十一万只鸡，二百八十人，保卫干部四个。我们这一套，管理水平之低！人家挖煤，美国现在一年七亿吨煤，十九万人。我们五亿吨煤，二百二十万人。1978 年 9 月 13 日，中共中央副主席邓小平从朝鲜访问回国，在东北各城市及天津、唐山等地发表了著名的“北方谈话”。13 日下午，邓小平到达辽宁本溪。在本溪，邓小平强调：现在就是要好好向世界先进经验学习。傍晚，他赶往地处黑龙江省的大庆油田。14 日，他考察大庆油田并听取油田负责人的工作汇报。傍晚，他又不顾疲劳赶赴哈尔滨。15 日在哈尔滨，邓小平与黑龙江省和大庆石油管理局的负责人见面，他强调：“我们国家的体制，包括机构体制等，基本上是从苏联来的，人浮于事、机构重叠，官僚主义发展。”“有好多体制问题要重新考虑。总的说来，我们的体制不适应现代化，上层建筑不适应新的要求。”①

15 日晚，邓小平离开哈尔滨到吉林省长春市。第二天，邓小平在长春听取吉林省领导人的工作汇报后有针对性地提出：“实事求是，开动脑筋，要来一个革命。”还明确地批评了“两个凡是”不是高举毛泽东思想的旗

---

① 中共中央文献研究室编《邓小平年谱（1975—1997）》（上），中央文献出版社 2004 年版，第 376 页。

帜。毛泽东思想的精髓是“实事求是”。邓小平还从唯物史观的高度指出：按照历史唯物主义的观点来讲，正确的政治领导的成果，归根结底要表现在社会生产力的发展上，人民物质文化生活的改善上。特别值得注意的是，邓小平从执政的高度指出：“如果在一个很长的历史时期内，社会主义国家生产力发展的速度比资本主义国家慢，还谈什么优越性？我们要想一想，我们给人民究竟做了多少事情呢？”[①]

17 日，邓小平来到辽宁省沈阳市，在会见辽宁省负责人时指出：“归根到底是要发展生产力。我们太穷了，太落后了，老实说对不起人民。”[②]

18 日，邓小平来到中国钢铁工业的主要基地鞍山钢铁公司。他强调：社会主义要表现出它的优越性，哪能像现在这样，搞了二十多年还这么穷，那要社会主义干什么？在这次“东北谈话”中，邓小平到处反复强调：“我们一定要根据现在的有利条件加速发展生产力，使人民的物质生活好一些，使人民的文化生活、精神面貌好一些。”[③]

邓小平这次北方之行的多次讲话，集中地反映了他在历史转折前夕的理论思考，其重要观点后来成为第一个解放思想、实事求是的宣言书，也就是实际成为中共十一届三中全会主题报告《解放思想，实事求是，团结一致向前看》中的主要内容。

1978 年 12 月，邓小平指出：“现在，我们的经济管理工作，机构臃肿，层次重叠，手续繁杂，效率极低。政治的空谈往往淹没一切。这并不是哪一些同志的责任，责任在于我们过去没有及时提出改革。但是如果现在再不实行改革，我们的现代化事业和社会主义事业就会被葬送。”[④]中共中央副主席叶剑英也指出许多同志对从经济基础到上层建筑的深刻革命的思想准

---

① 邓小平：《邓小平文选》第二卷，人民出版社 1994 年版，第 128 页。

② 中共中央文献研究室编《邓小平年谱（1975—1997）》（上），中央文献出版社 2004 年版，第 381 页。

③ 邓小平：《邓小平文选》第二卷，人民出版社 1994 年版，第 128 页。

④ 邓小平：《邓小平文选》第二卷，人民出版社 1994 年版，第 150 页。

备不足，说这些人前怕狼后怕虎，墨守成规，因循守旧，思想就是不解放，不敢往前迈出一步。他还指出：“为什么不怕两千多年来遗留下来的手工业生产方式继续保存下去，不怕中国贫穷落后，不怕中国人民不答应这样的现状？”[①]陈云也尖锐地指出当时的情况：“革命胜利三十年了，人民要求改善生活。有没有改善？有。但不少地方还有要饭的。这是一个大问题。”[②]革命胜利三十年，实际就是中国共产党在全国执政三十年。

以上言论，我们可以看出中国共产党对自己执政三十年的认真反省。经过这种反省，以邓小平为代表的中国共产党人执政为民的思路已经清晰。这就是要解放思想、实事求是，要加速发展生产力，要改革体制、对外开放，要提高人民的物质、文化和精神生活水平。

这标志着中国共产党执政意识的高度觉醒。

第三节　拨乱反正与凝聚改革开放的力量

中共十一届三中全会前后，在积极实行工作重心转移，实施改革开放的同时，党和国家采取积极措施调整社会关系，尽可能地调动一切积极因素进行社会主义建设，在积极推进民主政治建设、党和国家领导制度的改革的同时，积极推进文化建设和社会发展。

一、平反冤假错案与解决历史遗留问题

拨乱反正首先要进行平反冤假错案的工作，这是关系到整个国家能否实现安定团结、政治稳定的关键。对此，人们早就有强烈的要求，特别是老一辈革命家邓小平、叶剑英、陈云、胡耀邦等为此付出了极大的努力并

① 叶剑英：《叶剑英选集》，人民出版社 1996 年版，第 501 页。
② 陈云：《陈云文选》第三卷，人民出版社 1995 年版，第 250 页。

做了大量工作。

1977 年 3 月 14 日，邓小平与胡耀邦谈话，就粉碎“四人帮”后应该抓紧落实干部政策、平反冤假错案问题交换意见。[①] 胡耀邦回到中央党校后，立即精心布置中央党校的杨逢春等撰写《把“四人帮”颠倒了的干部路线是非纠正过来》的文章。10 月 7 日，粉碎江青反革命集团一周年之际，文章在《人民日报》上发表。这为在全国范围内冲破“两个凡是”，平反冤假错案和落实党的干部政策，做了重要的舆论准备。此文一发表，反响强烈，但也受到严厉指责。但是，胡耀邦等不顾压力，又于 11 月 27 日在《人民日报》发表题为《毛主席的干部政策必须认真落实》的评论员文章，强调抓紧落实干部政策是全面建设社会主义现代化强国的一个关键问题。

胡耀邦于 1977 年 12 月担任中共中央组织部部长之后，率领中组部的工作人员，把当时最敏感、最迫切需要解决的平反冤假错案工作，作为组织路线方面进行拨乱反正的突破口。但是，中央专案办的某些人为胡耀邦到中组部后所做的工作而严厉指责胡耀邦。胡耀邦顶住这种强大压力，以“我们不下油锅，谁下油锅”的精神积极开展工作，遵照实事求是、有错必纠的原则，进行大量的调查研究，有领导、有步骤地在全国范围内开始进行平反冤假错案、落实政策的工作。1978 年 1 月 28 日，中组部召开中央、国家机关 26 个部委副部长座谈会。3 月 21 日至 4 月 24 日，为了解决落实干部政策中的疑难案件，中组部又分三批召开了中央、国家机关和部分省、市、自治区研究疑难案件座谈会。胡耀邦提出当时迫切需要解决的落实干部政策的标准：一是没有结论的，应该尽快作出结论，结论不正确的，要实事求是地改正过来。二是没有分配工作的要分配适当的工作，年老体弱不能坚持正常工作的，妥善安排。三是去世的，要作出实事求是的结论，把善后工作做好。四是受株连的家属、子女问题要解决好。总的方针是实事求是，方法是群众路线。会后，各部门、各地区克服了重重困难，排除

---

① 中共中央文献研究室编《邓小平年谱（1975—1997）》（上），中央文献出版社 2004 年版，第 154 页。

层层干扰，开始进行落实干部政策、平反冤假错案的工作。在 1978 年 9 月 20 日召开的全国信访工作会议上，胡耀邦又提出："判断对干部的定性和处理是否正确，根本的依据是事实。凡是不实之词，凡是不正确的结论和处理，不管什么时候，什么情况下搞的，不管是哪一级组织、什么人定的和批的，都要实事求是地改正过来。"[①]这就打开了平反冤假错案、落实党的政策的局面。

到 1982 年中共十二大召开之前，在三年多的时间里，不仅平反了"文化大革命"中的冤假错案，而且还纠正了一批"文化大革命"前乃至新中国成立前中共党内的冤假错案。概括起来如下：

第一，为党和国家及军队各部门的一些领导人平反。继 1978 年底中央工作会议期间中共中央政治局为彭德怀、陶铸等党和国家领导人平反之后，又陆续为在"文化大革命"中遭受迫害的贺龙、乌兰夫、彭真、谭震林、罗瑞卿、陆定一、杨尚昆、萧劲光、萧华、杨成武、余立金、傅崇碧等领导人平反，还先后为在"文化大革命"前受到错误批判的谭政、习仲勋、黄克诚、邓子恢等领导人平反。一些蒙冤多年的中共早期领导人瞿秋白、张闻天、李立三等也先后得到了平反昭雪，恢复了名誉。1980 年 2 月，中共十一届五中全会决定，为刘少奇平反，纠正"文化大革命"中最大的冤案。

从 1979 年到 1982 年，中共中央及其有关部门还为周扬、夏衍、田汉、阳翰笙等领导人平反。1980 年 6 月 19 日，中共中央发出通知宣布，对"文化大革命"中在中央、地方以及军队报刊上被错误点名批判的同志，宣布一律予以平反，强加给他们的诬蔑不实之词统统予以推倒。

第二，中共中央发出通知，为"文化大革命"中受到错误批判或遭受诬陷的一些中央部门平反，主要有：撤销对中共中央对外联络部所谓实行

---

① 中共中央文献研究室编《关于建国以来党的若干历史问题的决议（注释本）》，人民出版社 1983 年版，第 474 页。

“三和一少”“三降一灭”的错误结论；为所谓“中宣部阎王殿”彻底平反；为全国统战、民族、宗教工作部门摘掉“执行投降主义路线”的帽子；为把原文化部说成是“帝王将相部”“才子佳人部”“外国死人部”的错案彻底平反；为解放军总政治部被诬为“阎王殿”冤案彻底平反；撤销1966年2月所谓林彪委托江青召开部队文艺工作座谈会的纪要；撤销1971年《全国教育工作会议纪要》，推翻了“四人帮”强加给教育战线的所谓“两个估计”，即所谓新中国17年教育战线是资产阶级专了无产阶级的政，大多数的知识分子的世界观基本上是资产阶级的，等等。

第三，对各地发生的事件、冤案进行复查平反。继为天安门事件平反之后，中央和地方又先后为武汉“七二〇事件”、宁夏青铜峡“反革命暴乱事件”、云南沙甸事件、“三家村”冤案、新“内人党”冤案、“内蒙古二月逆流”冤案等进行了复查平反。

第四，对在“文化大革命”期间被错判的反革命案件、刑事案件、冤杀错杀案件改判或平反。据不完全统计，“文化大革命”10年中，以反革命罪和其他案件冤判死刑的有2.3万多人。中共十一届三中全会以后，按照中央有关决定，各地全面复查了“文化大革命”期间判处的案件，属于冤假错案的都实事求是地予以纠正，给予平反。一批在“文化大革命”中因同林彪、“四人帮”进行斗争而惨遭杀害的共产党员如张志新等人，也得到了平反昭雪。

第五，为在历次政治运动中特别是“文化大革命”运动中受到打击、诬陷和迫害的党外人士平反和恢复名誉。从1979年至1982年，陆续被平反的著名人士有：翦伯赞、高崇民、吴晗、马寅初、曾昭伦、费孝通、黄药眠、陶大镛、钱伟长、吴景超等。

第六，根据实事求是、有错必纠的方针，中共中央对“文化大革命”前的冤假错案也进行了清理、纠正，并先后作出决定。例如，为1959年反右倾运动中被定为右倾机会主义分子的同志平反，为1955年“胡风反革命集团”一案平反，为潘汉年一案平反，为全国总工会党组第三次扩大会议被错误处理的同志平反，为1958年青海省平叛斗争扩大化而株连的人平反，为“华北山头主义”平反，等等。在基本上平反了新中国成立以来的冤假错案后，又集中精力继续对新中国成立前的20世纪30年代和40年代党内的历史遗案进行了实事求是的复查和纠正，平反了一些冤假错案，如各革命根据地的肃反过程中发生的错案等。

在平反冤假错案的过程中，各级领导根据中共中央的要求，不断排除干扰，克服各种阻力，并对有关人员采取组织措施，推动这一工作的进行。中共中央组织部还多次发布有关文件，对这项重要的工作进行指导和督促。1980年4月22日，中共中央组织部又发出《关于把落实干部政策的工作进行到底的几点意见》，要求对于应结论尚未结论、应复查尚未复查的案件，抓紧复查作出结论。1981年2月19日，中共中央组织部再次发出《关于彻底平反纠正冤假错案进一步做好落实干部政策工作的意见》，提出必须肃清“左”的思想影响，继续解放思想，坚持调查研究、实事求是等要求。

中共中央以马克思主义政党特有的宽阔胸怀，实事求是地纠正自己历史上的错误，经过大量的艰苦细致的工作，到1982年底，全国大规模的平反冤假错案工作已经基本结束。

平反冤假错案是恢复解放思想、实事求是思想路线的必然结果，是放弃“以阶级斗争为纲”政治路线的结果，是开辟新的社会主义建设道路的必然要求，也为中国共产党和国家实行改革开放，把社会主义现代化建设作为中心工作准备了最重要的力量。

二、调动一切积极因素参与改革开放和现代化建设

改革开放和社会主义现代化建设是人民的事业，必须为了人民、依靠人民才能完成。这期间，在充分依靠工人阶级、广大农民进行社会主义现代化建设和改革开放的同时，贯彻落实党的政策，充分调动最广大的人民群众的积极性和创造性来参与改革开放。

（一）调动知识分子群体的作用

中共中央把全面落实知识分子政策，创造“尊重知识，尊重人才”的良好风气，调动和发挥知识分子在社会主义建设中的作用，作为当时最重要的工作之一。在1978年3月召开的全国科学大会上，邓小平就代表中共中央和国务院再次宣布：知识分子是工人阶级的一部分。中共十一届三中全会前后，中共中央和国务院十分重视落实对知识分子的政策，认识到发挥知识分子的作用越来越紧迫和重要，并将其作为一项十分重要的战略任务来抓。1979年新年伊始，《人民日报》发表特约评论员文章《完整地准确地理解党的知识分子政策》。该文章重申了对知识分子的属性的科学判断，指出中国知识分子是从事脑力劳动的工人阶级，是党的依靠力量。中共中央和国务院又在各种会议上阐述知识分子政策。中共十一届三中全会前后造成的这种良好风气，为知识分子解除了压在心中的重负，受到广大知识分子的拥护。国家还恢复了科学技术的领导部门——科学技术委员会，恢复了评定学术和技术职称，在恢复高考制度的基础上开始恢复和建立学位制度，抓紧培养、选拔人才，并开始改善知识分子的工作条件和生活条件。

（二）全部摘掉右派分子帽子

中共中央决定全部摘掉右派分子的帽子，为1957年错划右派的人进行了改正。1978年4月，中共中央统战部、公安部在给中共中央呈送的《关于全部摘掉右派分子帽子的请示报告》中提出，全部摘掉右派分子帽子的条件已经成熟，建议全部摘掉右派分子的帽子。1978年5月，根据中共中央批转的这个报告的精神，中央组织部、中央宣传部、民政部组成了摘帽子工作办公室，负责具体落实工作。全国县以上各级党委成立了处理右派问题领导小组。同时，中央和地方财政部门都拿出一定数量的经费，解决人员的安置问题。在中共中央和各级党委的领导下，经过两年多的努力，全部摘掉右派分子的帽子，把错划的改正过来，并做好安置工作。根据中央组织部、中央宣传部、中央统战部、公安部、民政部向中共中央提交的

《关于处理反右派斗争遗留问题的工作总结报告》，全国共改正了 54 万人的右派问题，约占原划右派总数的 98%。其中，有 7% ~ 8% 的人属于可改可不改的，本着从宽精神予以改正。同时，为其中失去公职的 27 万人重新恢复或安排了工作，解决了生活问题；对一部分原来工作安排不当的人，又重新做了调整。到 1981 年底，被错划为右派分子的改正和落实政策的工作全部完成。

（三）落实《关于地主、富农分子摘帽问题和地、富子女成分问题的决定》

为了化消极因素为积极因素，鉴于新中国成立已经 30 年，绝大多数的地主、富农已经成为自食其力的劳动者。1979 年 1 月 11 日，中共中央作出《关于地主、富农分子摘帽问题和地、富子女成分问题的决定》，宣布：除极少数坚持反动立场的以外，凡是多年来遵守政府法令，老实劳动，不做坏事的地主、富农分子以及反革命分子、坏分子，一律摘掉帽子，给予农村人民公社社员待遇。地主、富农家庭出身的社员子女，他们的家庭出身一律为社员，不应再作为地主、富农家庭出身。贯彻落实这一决定之后，全国先后约有 400 万人被摘掉地主、富农的帽子，约有 2000 万人获得了正常的政治待遇。

（四）为国民党起义、投诚人员落实政策

1979 年 1 月 17 日，中共中央批转中央统战部等六部门《关于落实对国民党起义、投诚人员政策的请示报告》，并发出通知指出：爱国一家，既往不咎，一视同仁，量才录用，妥善安置，是中共对起义、投诚人员的一项重要政策。认真落实这项政策，不仅对恢复中共的优良传统是必要的，而且对台湾回归祖国，完成祖国的统一大业，有着重要的意义。从 1979 年起，为这些人员落实了政策。随后，宽大释放了原国民党县团以下党、政、军、特人员，同时落实了对居住在大陆的台湾同胞及去台人员在大陆的亲属的政策。

（五）落实原私营工商业者的政策

把原私营工商业者中的劳动者区别出来，并宣布原私营工商业者已改造为劳动者。1979年11月12日，中共中央批转中央统战部等部委的请示报告，把1956年私营工商业实行全行业公私合营时划为资产阶级工商业者的约70万小商、小贩、小手工业者及其他劳动者与本来属于资产阶级范畴的资本家、资本家代理人区别开来，恢复他们作为社会主义劳动者的成分。对于在职的原私营工商业者，宣布他们今后在政治上应与干部、工人一视同仁。

（六）调整和落实民族和宗教政策

1979年5月，国家民族事务委员会第一次（扩大）会议，讨论研究社会主义现代化建设时期民族工作的任务。10月，中共中央批转中央统战部《关于地方民族主义分子摘帽问题的请示》，规定凡是在1957年反右派斗争中和以后几年内划为地方民族主义分子的，全部摘掉帽子，确实划错了的，要实事求是地改正过来。1980年至1981年，中共中央书记处先后召开西藏、云南、新疆和内蒙古等省区有关民族问题的会议，认真解决和落实民族工作的政策问题。

落实宗教政策。1980年7月，国务院批转宗教事务局、国家建委等部门《关于落实宗教团体房产政策等问题的报告》，要求将宗教团体房屋产权全部退还给宗教团体，无法退还的折价付款。中国佛教协会、中国伊斯兰教协会、中国天主教协会、中国基督教协会等8个全国性宗教组织，以及各地宗教爱国组织相继恢复活动。1982年3月，中共中央发出关于我国社会主义时期宗教问题的文件，阐明党在宗教问题上的基本观点和基本政策。在此前后，爱国宗教组织的活动得到恢复，各地的寺堂庙观陆续恢复和开放。

（七）落实侨务政策

1978年12月，国家华侨事务委员会召开工作会议，确定侨务工作的指导思想、方针政策，使“文化大革命”中遭迫害的华侨、归侨和侨眷得到平反，恢复名誉；“文化大革命”前的一些遗留问题得到解决。重申党和国家的侨务政策，保护和褒扬侨胞爱祖国、爱故乡的热情，鼓励他们为支援祖国和家乡的建设作贡献，积极支持他们成为促进对外开放的重要力量。

落实和调整各方面的政策是中国共产党勇于改正错误，正在走向兴旺发达的体现。在这个过程中，中国共产党赢得了中国各民族、各阶层人民的信任，这为党领导社会主义现代化建设奠定了坚实的政治基础。同时，由于调整这一系列政治关系，正确地处理了一系列人民内部矛盾，有效地调动了各阶级、各阶层的积极性，对促进社会的安定团结、推动现代化建设起了重要作用。这些调整的意义重大，因为不但对被调整者本人的政治生活意义重大，而且对他们的子女的上学、招工、参军等更有直接的意义。

改革开放和现代化建设的实践也证明，只有调动各方面的积极因素，社会主义事业才能兴旺发达。

第四节　招生制度改革与召开全国科学大会

恢复高考制度和召开全国科学大会是“文化大革命”结束后中国共产党作出的关系国家前途和命运的重大决策。以邓小平同志为代表的中国共产党人十分关注国家科技和教育事业的发展。邓小平同志曾反复强调说：把我们的国家建设成为社会主义的现代化强国，是我国人民肩负的伟大历史使命。现代化，关键是科学技术的现代化。“文化大革命”结束后，以邓小平同志为代表的中国共产党人率先在教育和科技领域开始拨乱反正并取得显著成效。

一、尊重知识、尊重人才

1976 年 10 月，粉碎江青反革命集团，结束“文化大革命”，为抓科学技术和教育工作创造了有利条件。当时的中共中央已经认识到并开始抓这个关系国家和民族前途命运的战略问题。

1977 年 5 月，当时的中共中央主席、中央军委主席、国务院总理华国锋就科学技术问题发表了讲话。他说：科学要兴旺发达起来，要捷报频传。还指出：有毛泽东思想，有毛主席制定的革命路线，有社会主义制度，有现在这样一支科技队伍，有八亿勤劳勇敢的人民，我们应当有信心赶超世界先进水平。①

1977 年 5 月，还未正式恢复工作的邓小平指出："我们要实现现代化，关键是科学技术要能上去。发展科学技术，不抓教育不行。靠空讲不能实现现代化，必须有知识，有人才。没有知识，没有人才，怎么上得去？科学技术这么落后怎么行？要承认落后，承认落后就有希望了。现在看来，同发达国家相比，我们的科学技术和教育整整落后了二十年。"②邓小平从战略高度指出："抓科技必须同时抓教育。从小学抓起，一直到中学、大学。我希望从现在开始做起，五年小见成效，十年中见成效，十五年二十年大见成效。办教育要两条腿走路，既注意普及，又注意提高。""一定要在党内造成一种空气：尊重知识，尊重人才。要反对不尊重知识分子的错误思想。"③

1977 年 6 月 20 日至 7 月 7 日，中国科学院工作会议在北京召开。参加这次会议的科学家和领导干部有数百人。会议澄清了一些思想和路线是非问题。会议认为，为了努力地把中国科学研究搞上去，应当用辩证唯物主义指导科学研究，认真贯彻"百家争鸣"的方针；科学研究要走在生产建设的前面；基础科学和应用科学，近期需要和长远需要的研究工作，要统筹兼顾；在自力更生、努力独创的同时，注意学习外国的一切先进科学技术；依靠工人阶级、贫下中农、革命干部和革命知识分子，充分调动科技

---

① 《华主席语录》，《人民日报》1977 年 7 月 4 日。

② 邓小平：《邓小平文选》第二卷，人民出版社 1994 年版，第 40 页。

③ 邓小平：《邓小平文选》第二卷，人民出版社 1994 年版，第 40—41 页。

人员的社会主义积极性；在伟大的科学实验群众运动中，专业科技队伍应当起骨干作用；注意在千百万科学实验群众队伍中选拔优秀人才，努力培养工人阶级自己的又红又专的宏大的科技队伍；党的领导干部要努力学习马克思主义，同时热心科学，熟悉业务，成为内行；党要领导一切，在党的一元化领导下，要有强有力的业务行政领导机构，充分发挥专家在学术工作上的作用。会议“对今后科学工作如何大干快上的问题，提出了许多好的建议和措施。会议以极大的政治热情和跃进的姿态，认真讨论研究了中国科学院科学发展规划纲要草案”[①]。

二、决策恢复高考制度

1977年7月，在中共十届三中全会决定恢复邓小平职务后，邓小平主动要求负责科技、教育和文化工作。这些部门都是“文化大革命”的重灾区。他首先把推翻教育领域的“两个估计”及恢复事关国家和民族前途的高考制度作为打开新局面的突破口。所谓的“两个估计”，是指在“文化大革命”时期的1971年形成的《全国教育工作会议纪要》中提出的判断，即“文化大革命前十七年教育战线是资产阶级专了无产阶级的政，是‘黑线专政’；知识分子的大多数世界观基本上是资产阶级的，是资产阶级知识分子”。“两个估计”在当时像两个枷锁套在整个科技教育工作者的头上，严重束缚了广大知识分子建设社会主义的积极性。

邓小平复职刚半个月就雷厉风行地展开工作。1977年8月4日至9日，他邀请33位著名专家和教授召开了科学和教育工作座谈会，对教育的现状进行调查研究。会上，专家和教授们畅所欲言，表达对国家科学和教育事业的高度关心和深深忧虑。8月8日，邓小平作了《关于科学和教育工作的几点建议》的重要谈话。邓小平说：“应当肯定，十七年中，绝大多数知识分子，不管是科学工作者还是教育工作者，在毛泽东思想的光辉照耀下，

---

① 《我国科学工作者誓攀科学高峰》,《人民日报》1978年7月8日。

在党的正确领导下，辛勤劳动，努力工作，取得了很大成绩。特别是教育工作者，他们的劳动更辛苦。现在差不多各条战线的骨干力量，大都是建国以后我们自己培养的，特别是前十几年培养出来的。如果对十七年不作这样的估计，就无法解释我们所取得的一切成就了。”① “高等院校招收应届高中毕业生的问题，今年就要下决心恢复从高中毕业生中直接招考学生，不搞群众推荐。从高中直接招生，我看可能是早出人才、早出成果的一个好办法。”②

邓小平与以国家和民族根本利益为重的科学家、教育家一道，为了恢复从高中毕业生中直接招考大学生，妥善地将遇到的障碍一一解决。1977年9月，教育部在北京召开全国高等学校招生工作会议，决定恢复已经停止了10年的全国高等院校招生考试，按照“德、智、体全面衡量，择优录取的原则”，以“统一考试、择优录取”的方式选拔人才上大学。③

1977年，有570多万名知识青年及应届高中学生参加高考，录取了27万多人。1978年二三月，20多万新生兴高采烈地踏入大学校门。这批特殊年代的大学生，年龄大的有三十四五岁，年龄小的十六七岁。年龄相差如此之大的学生在一个课堂如饥似渴地学习科学文化知识，成为那个年代的特有景象。

恢复高考，即恢复主要从高中应届毕业生中直接招收大学生，在全国促成学习科学文化知识的高潮，改变了“文化大革命”时期“读书无用论”的社会风气，避免了中国教育遭受更大的损失。恢复高考这个果断的决策，关乎国家和民族的前途和命运，也关系到每个家庭和青年的命运。为此作出贡献的以邓小平同志为代表的中国共产党人和中国那一代的教育科技工作者的这一历史功绩，将永载中华民族伟大复兴的史册。

---

① 邓小平：《邓小平文选》第二卷，人民出版社1994年版，第49页。
② 邓小平：《邓小平文选》第二卷，人民出版社1994年版，第55页。
③ 《高等学校招生进行重大改革》，《人民日报》1977年10月21日。

三、科技领域拨乱反正与召开全国科学大会

召开全国科学大会，迎接“科学的春天”。在中共中央的领导和支持下，邓小平在抓教育领域拨乱反正的同时，也把科技领域的拨乱反正作为重点来抓。

（一）科技领域的拨乱反正

1977 年 8 月 8 日，邓小平在《关于科学和教育工作的几点意见》的谈话中就提出：要恢复国家科委（国家科学技术委员会）；针对所谓的“突出政治”干扰科研的情况，提出要“使科研工作者能把最大的精力放到科研上去”；要逐步改善科研工作的条件等主张，并提出“科学当然包括社会科学”，在学术研究上“要坚持百家争鸣的方针”等。①

1977 年 9 月 18 日晚，中共中央政治局会议讨论召开全国科学大会问题。随后，以中共中央名义发出通知，决定 1978 年春天在北京召开全国科学大会。通知中确定的大会任务是：深入揭批“四人帮”，交流经验，制订规划，表扬先进，特别要表扬有发明创造的科学技术工作者和工农兵群众，动员全党全军全国各族人民和全体科学技术工作者，向科学技术现代化进军。同时，提出了要抓紧落实党的知识分子政策，抓紧搞好领导班子整顿，在“四人帮”破坏下被撤掉的科研机构要迅速恢复，搞乱了的要迅速调整，要恢复科研人员的技术职称，要保证科研人员每周至少必须有 5/6 的业务工作时间等要求。中共中央还作出了关于成立国家科学技术委员会的决定，恢复这一统管科研工作的国家部委级领导机构。这体现了中共中央和国务院高度重视科学技术事业。

与此同时，从 9 月开始，全国自然科学学科规划会议在北京召开，制订了数学、物理学、化学、天文学、地质学、生物学等基础学科的发展规划，提出全国基础科学的规划纲要（草案）；国家邀请一些国际著名科学家

① 邓小平：《邓小平文选》第二卷，人民出版社 1994 年版，第 48—58 页。

如杨振宁、丁肇中等来华访问，华国锋、邓小平等亲自接见。各种宣传媒体纷纷对有关科技方面的事情给予较大关注，如《人民日报》1977 年 10 月 4 日第 1 版报道：根据党中央关于恢复技术职称的指示，中国科学院提升陈景润为研究员，提升杨乐、张广厚为副研究员。① 这些方面说明搞好科技工作是人民的愿望。但在“文化大革命”期间压在知识分子头上的帽子，如“反动学术权威”“臭老九”“白专”“资产阶级知识分子”等还没有根本摘掉。

1977 年 5 月 7 日，中共中央批准中国科学院哲学社会科学部改名为中国社会科学院，其地位同于中国科学院，相当于部委一级的单位。②1978 年 2 月，中国社会科学院举行座谈会，批判了“四人帮”破坏理论学术领域的罪行。与会者指出：社会科学不是可有可无，要发展马克思主义的创造性的学术研究就必须批判文化专制主义，开展百家争鸣。③

（二）召开全国科学大会

1978 年 3 月 18 日至 31 日，全国科学大会在隆重热烈的气氛中召开。3 月 18 日下午 3 时，当华国锋宣布大会开幕时，暴风雨般的掌声席卷了整个大厅。出席这次盛会的近 6000 名代表们真是百感交集、思绪万千。

邓小平在会上作了《在全国科学大会开幕式上的讲话》。邓小平在讲话中强调：“在二十世纪内，全面实现农业、工业、国防和科学技术的现代化，把我们的国家建设成为社会主义的现代化强国，是我国人民肩负的伟大历史使命。”④

随后，他主要讲了三个问题：第一，对科学是生产力的认识问题；第

① 《中国科学院提升陈景润为研究员　提升杨乐、张广厚为副研究员》，《人民日报》1977 年 10 月 4 日。

② 中国社会科学院院史研究室编《中国社会科学院编年简史》，社会科学文献出版社 2010 年版，第 1 页。

③ 《肃清“四人帮”流毒　发展哲学社会科学》，《人民日报》1978 年 3 月 1 日。

④ 邓小平：《在全国科学大会开幕式上的讲话》（1978 年 3 月 18 日），《人民日报》1978 年 3 月 22 日。

二，关于建设宏大的又红又专的科学技术队伍；第三，在科学技术部门中怎样实现党委领导下的分工负责制。

在这个影响深远的重要讲话中，邓小平针对“文化大革命”期间“左”的错误，特别是针对“四人帮”对科技工作的破坏，着重澄清当时造成思想混乱的最大、最需要迫切解决的几个问题。一是科学技术的地位。邓小平再次强调“科学技术是生产力”，并指出“科学技术作为生产力，越来越显示出巨大的作用”。[①] 这不仅仅是思想认识上的拨乱反正，而且是向着新的认识前进了。二是对知识分子社会地位的认识问题。邓小平重申为社会主义服务的脑力劳动者是劳动人民的一部分，知识分子是工人阶级的一部分。这就摘掉了“文化大革命”期间压在广大知识分子头上的种种帽子。

当天，国家科委主任方毅作工作报告。他的报告分为三大部分：一是我国社会主义科学技术事业发展的新阶段；二是树雄心，立壮志，向科学技术现代化进军；三是全党动员，大办科学。

方毅在报告中对《一九七八——一九八五年全国科学技术发展规划纲要（草案）》（以下简称《规划纲要（草案）》）做了说明。他说，我们的规划应该是一个为实现四个现代化服务的规划，一个高速度发展的规划，这个规划是经过多次讨论、反复修改形成的。

《规划纲要（草案）》中提出的科学技术工作八年奋斗目标是：一是部分重要的科学技术领域接近或达到70年代的世界先进水平；二是专业科学研究人员达到80万人；三是拥有一批现代化的科学实验基地；四是建成全国科学技术研究体系。

与会代表们以极大的热情参加大会的讨论，对邓小平的讲话和方毅的报告给予高度的评价。

---

① 邓小平：《邓小平文选》第二卷，人民出版社1994年版，第87页。

3月24日下午，时任中共中央主席、中央军委主席和国务院总理的华国锋，在全国科学大会上作了题为《提高整个中华民族的科学文化水平》的讲话。华国锋在讲话中说："提高整个中华民族的科学文化水平，是摆在全体人民面前的一项极为巨大的任务。这是一项战略任务。这个任务不解决，新时期的总任务是不可能完成的。"[①]

3月31日，全国科学大会举行闭幕会。从中华人民共和国成立以后就担任中国科学院院长的郭沫若，要求参加全国科学大会，在大会上作了激动人心的书面讲话。郭沫若的讲话是由播音员代读的。"'日出江花红胜火，春来江水绿如蓝。'这是革命的春天，这是人民的春天，这是科学的春天！让我们张开双臂，热烈地拥抱这个春天吧！"[②]参加会议的代表们为郭沫若老院长的讲话而激动。他不到2000字的讲话，一次又一次地被热烈的掌声所打断。

这次全国科学大会的召开，成为中国现代化建设历程中具有里程碑意义的大事件，标志着中国迎来了"科学的春天"。

粉碎了"四人帮"，结束"文化大革命"，举国欢腾。纠正"文化大革命"的错误，彻底扭转十年内乱造成的严重局面，使党和国家从危难中重新奋起，是人民的热切期待。在"文化大革命"结束后的两年间，党和国家工作有所前进，一些领域的拨乱反正已经开始，经济建设、社会各项事业和外交工作也有所恢复和发展。与此同时，这个时候，世界经济正快速发展，科技进步日新月异。国内外发展大势要求中国共产党尽快就关系党和国家前途命运的大政方针作出政治决断和战略抉择。人们急切地期待着党和国家迅速摆脱困境，迈开大步前进。

---

① 华国锋：《提高整个中华民族的科学文化水平》（1978年3月24日在全国科学大会上的讲话），《人民日报》1978年3月26日。

② 郭沫若：《科学的春天——在全国科学大会闭幕式上的讲话》（1978年3月31日），《人民日报》1978年4月1日。

第二章

中共十一届三中全会与改革开放的伟大决策

在中国向何处去的重大历史关头，1978 年 12 月，中共十一届三中全会在北京召开。会议作出把全党工作着重点转移到社会主义现代化建设上来、实行改革开放的历史性决策，实现了新中国成立以来中国共产党历史和中华人民共和国历史上具有深远意义的伟大转折，开启了改革开放和社会主义现代化建设新时期。这次全会标志着伟大的社会主义改革开放揭开序幕，中华民族伟大复兴的伟业也进入了新的时期。

第一节　真理标准问题大讨论为改革开放做了理论准备

1978年在中国开展起来的真理标准问题大讨论，以中央党校研究中共党史问题为开端，进而发展成为一场哲学讨论。但它实质上是一场呼唤中国社会主义新时期伟大变革的思想解放运动，为中国共产党和中华人民共和国实现伟大的历史转折、实行改革开放做了思想和理论准备。

1976年9月9日，中国人民热爱和崇敬的毛泽东主席去世。10月6日，以华国锋、叶剑英等为代表的中共中央政治局粉碎江青反革命集团，结束了长达10年的"文化大革命"内乱，标志中国的发展进入了一个重要的历史关头。中国共产党必须对如何继续前进作出明确回答！

邓小平、叶剑英、陈云、胡耀邦等人认识到中华民族面临着实现伟大中兴的新机遇。在粉碎江青反革命集团后不久的10月10日，胡耀邦就提出了著名的具有纲领性意义的"三条建言"："自古以来，有识之士总是说，大乱之后要顺民心。民心为上。根据这种远见卓识的道理，我以为当前有三件大事特别重要：一、停止批邓，人心大顺。二、冤狱一理，人心大喜。三、生产狠狠抓，人心乐开花。"[①]同时，他们也认识到中国共产党正面临着重大考验，这就是吸取"文化大革命"教训，重新认识什么是社会主义和怎样建设社会主义。围绕这个大问题，执政党高层主要形成了两种思路：一种是坚持毛泽东晚年的思想观点，基本上坚持传统的社会主义道路；第二种是解放思想，全面地纠正"文化大革命"的错误，把马克思主义、毛泽东思想的基本原理与中国当代实际相结合开辟一条新的道路。

---

① 胡耀邦：《胡耀邦文选》，人民出版社2015年版，第72页。

一、“两个凡是”与“实事求是”之争

思想路线对中国共产党这样的大党、中国这样的大国至关重要。它不仅关系到中国共产党的前途和命运，也关系到中华民族的前途和命运。

能不能科学对待毛泽东和毛泽东思想，正确认识毛泽东晚年的错误，认识历史发展趋势和时代潮流，是对政治家的考验。当时，中央的主要负责人开始有限度地纠正一些错误，努力结束“文化大革命”造成的混乱，恢复和发展国民经济，提高人民的生活水平。但是，1977 年 2 月 7 日，他们在“两报一刊”(《人民日报》、《解放军报》和《红旗》杂志）发表的社论《学好文件抓住纲》中正式提出了“两个凡是”的主张，即“凡是毛主席的决策，我们都坚决维护；凡是毛主席的指示，我们都始终不渝地遵循”[①]，并以此作为“抓纲治国”的指导方针。提出“两个凡是”实质上是一个尖锐的政治问题。如果按照“两个凡是”，将无法从根本上扭转“文化大革命”造成的混乱局面，中国将在“文化大革命”的道路上继续错下去。更重要的是，邓小平、陈云等将难以发挥领导作用，大批冤假错案难以得到平反，人心也难以凝聚到社会主义现代化建设上来。

“两个凡是”一提出，以邓小平同志为代表的中国共产党人就以其政治家的敏锐，与之展开了不屈不挠的斗争。邓小平最早指出，“两个凡是”的提法是错误的。3 月，陈云等人不顾“两个凡是”，在中共中央工作会议上提出天安门事件和邓小平重新参加党中央工作的问题。4 月 10 日，邓小平又写信给华国锋、叶剑英和党中央。邓小平在信中针对“两个凡是”，从政治和理论指导的高度指出“我们必须世世代代地用准确的完整的毛泽东思想来指导我们全党、全军和全国人民”[②]。5月 24 日，邓小平在同王震、邓力群的谈话中进一步指出，“两个凡是”不符合马克思主义。

1977 年 7 月，中共十届三中全会决定恢复邓小平党内外的所有职务。

---

① 《学好文件抓住纲》,《人民日报》1977 年 2 月 7 日。

② 邓小平:《邓小平文选》第二卷，人民出版社 1994 年版，第 9 页。

他立即排除干扰，以实事求是为指导，开始领导教育科技领域的拨乱反正。在纪念毛泽东逝世一周年之际，老一辈革命家陈云、叶剑英、徐向前、聂荣臻等纷纷发表讲话或撰写纪念文章，强调“实事求是”的原则。“实事求是”的思想符合人民的意愿和根本利益，符合历史发展的趋势，因而为人民所接受。这些老革命家强调恢复和发扬“实事求是”的原则，对拨乱反正起了很大作用，各项工作也有一定进展，但进行得十分艰难。例如，1977 年 3 月，陈云等在中央工作会议上要求为邓小平平反；8 月，邓小平恢复工作后主抓教育科技文化工作时要求恢复高考；10 月，胡耀邦组织发表关于平反冤假错案的文章，进行初步的平反冤假错案；等等。这些工作都遇到了较大阻力。可以说，当时中国的政坛存在着“两个凡是”和“实事求是”的激烈争论。

二、中共中央党校提出实践标准

谈真理标准问题大讨论不能不谈胡耀邦。他于 1977 年 3 月被中央派到中共中央党校任主持工作的副校长，12 月又担任中共中央组织部部长。这期间，他充分展现了大刀阔斧、敢于开拓创新的工作风格。由于他工作出色，中共中央党校很快出现了多年没有过的思想解放、生动活泼、科研教学和管理等各方面都蓬勃发展的新局面。

1977 年 8 月召开的中共十一大，提出要研究中共党史。10 月 9 日，中共中央党校举行了隆重的开学典礼。中共中央主席兼中共中央党校校长华国锋发表讲话，中共中央副主席叶剑英也发表重要讲话。叶剑英提出：“我希望在党校工作的同志，来党校学习的同志，都来用心研究我们党的历史。”[①]叶剑英代表中共中央要求中央党校研究和学习中共党史，并“写出一部好的党史来”。

作为主持中央党校日常工作的副校长，胡耀邦深感责任重大。开学典

---

① 《叶剑英副主席在中共中央党校开学典礼上的讲话》，《人民日报》1977 年 10 月 10 日。

礼后，他立即对如何进行中共党史研究和教学进行了认真的部署。按照中共中央党校校委的安排，中共中央党校中共党史教研室的老师们写出了一个初步的教学提纲。

12 月 2 日，中共中央党校党委专门召开了一次扩大会议，讨论上面提到的中共党史教学提纲。胡耀邦针对中共中央党校中共历史研究中提出的如何评价“路线是非”等问题，指出在研究中要坚持实事求是的原则，把实践作为检验真理、辨别路线是非的标准。这“一条原则和一个标准”是在“文化大革命”结束后的拨乱反正中，第一次明确提出以实践作为检验中共历史上路线是非的标准问题。它冲破了“两个凡是”的禁锢。会议决定对这个提纲继续进行修改。这个修改和讨论过程本身就促进了人们思想的解放。

三、为冲破“两个凡是”，多人撰写关于实践标准的文章

作为中共政治理论重要阵地的中共中央党校，历来与党和国家的政治大局紧密相连。身兼中共中央党校主持工作的副校长和中共中央组织部部长的胡耀邦，为中共中央党校中共党史教研室的老师们撰写党史教学提纲提供了指导。这个教学提纲还经当时 800 多名中央党校学员的讨论，并在学员中产生很大影响。虽然大多数学员认可实践标准，但也有些学员有一些误解。针对这一情况，当时中共中央党校内部刊物《理论动态》准备组织一篇论实践标准的文章。文章一开始就命题为《实践是检验真理的唯一标准》，由孙长江起草初稿。初稿完成后交给《理论动态》组的有关同志征求意见，随后又进行了修改。

在中共中央党校《理论动态》的同志准备《实践是检验真理的唯一标准》这篇文章的同时，部分理论和新闻工作者也在思考这一问题。1977 年 12 月，《理论动态》上发表的邵华泽写的《文风和认识路线》一文强调：“真

理的标准只能是社会的实践。”[①]1978 年 3 月 26 日，《人民日报》理论版发表了一篇题为《标准只有一个》的思想评论，作者署名张成。文章发表之后，在一个月之内，陆续收到 20 多封读者来信来稿。绝大多数来信来稿均表示不能接受或不能完全接受文中的观点。针对这种情况，《人民日报》理论部把这些来信来稿交给中国社会科学院哲学研究所的邢贲思，请他针对来信来稿提出的问题写一篇关于“真理标准问题”的文章。

1977 年 10 月，南京大学的胡福明寄了两篇文稿给《光明日报》：一篇是阐述真理标准问题的，题目是《实践是检验真理的标准》；另一篇是批江青反革命集团的。《光明日报》理论部决定采用《实践是检验真理的标准》这篇文章，并从 1978 年 1 月至 4 月进行了多次修改，准备在《光明日报》哲学版上发表。

中共中央党校《理论动态》的孙长江、中国社会科学院哲学研究所的邢贲思、南京大学哲学系的胡福明及其他理论工作者，同时期撰写了同一主题的文章。这说明当时拨乱反正是大势所趋，历史发展已经到了不但要清算林彪、江青反革命集团的谬论和罪行，从“文化大革命”灾难中摆脱出来，还必须纠正“两个凡是”，中国共产党和中华人民共和国才能继续前进的时候了。

四、《实践是检验真理的唯一标准》一文的修改和发表

《光明日报》理论部把准备发表的《实践是检验真理的标准》的文章交给总编辑杨西光。杨西光刚从中共中央党校结束学习到《光明日报》任总编辑。在中共中央党校学习期间，他参加了关于中共党史提纲的讨论，对真理标准有着高度的政治敏感。看到《实践是检验真理的标准》这篇文章，杨西光高度重视，决定将其由哲学版改为在第一版发表，但文章还需要修改。他约请吴江、孙长江、胡福明、马沛文和王强华等同志在他的办公室

---

① 邵华泽：《文风和认识路线》，《理论动态》1977 年第 31 期。

共同讨论对文章的修改。经胡福明、马沛文和王强华修改后，杨西光又将修改稿交中共中央党校《理论动态》的吴江、孙长江进一步修改。孙长江把《光明日报》题为《实践是检验真理的标准》和他本人写的《实践是检验真理的唯一标准》合在一起，形成了新的改写稿。[①] 胡耀邦再次审定后，同意在中共中央党校内部刊物《理论动态》上发表。

1978 年 5 月 10 日，中共中央党校内部刊物《理论动态》第 60 期发表了十易其稿、经胡耀邦最后审定的、具有历史意义的文章《实践是检验真理的唯一标准》。11 日，《光明日报》以“本报特约评论员”的名义在第 1 版公开发表这篇文章，当天新华社全文转发。12 日，《人民日报》《解放军报》等一些中央和地方的重要报纸均相继转载。以此为标志，一场全国性的关于真理标准问题的讨论正式拉开了序幕。

随后，中共中央党校理论研究室的理论工作者又撰写和发表了另外两篇重头文章：《马克思主义的一个最基本原则》[②]《一切主观世界的东西都要经受实践检验》[③]。一场影响中国前途和命运的伟大的思想解放运动开始了。

这场大讨论，一开始就超出了理论讨论的范围。在当时的中国政坛上，无论是支持这场讨论的一方还是反对的一方，都认识到这是一个重大的政治问题。在讨论遇到强大压力，讨论有可能夭折时，邓小平挺身而出，旗帜鲜明地给予支持，对继续并深入进行这场大讨论起到了中流砥柱的作用。这一讨论受到叶剑英、李先念、陈云、胡耀邦、罗瑞卿等多数同志的积极支持，并在全国逐步展开。甘肃省委第一书记宋平，首先在省委会议上公开表态支持实践是检验真理的唯一标准的观点。随后，各省、市、自治区和各大军区的主要负责人也先后表示了支持的态度。

这一讨论冲破了“两个凡是”的束缚，促进了全党和全国人民思想的大解放，成为中国共产党和中华人民共和国实现伟大的历史转折、开辟中

---

① 该稿件现存于中央党校校史馆。

② 《马克思主义的一个最基本原则》，《解放军报》1978 年 6 月 24 日。

③ 《一切主观世界的东西都要经受实践检验》，《人民日报》1978 年 9 月 25 日。

国特色社会主义道路、创立中国特色社会主义理论体系的先声，更突出的作用是为中国的改革开放做了理论准备。

第二节　中央工作会议凝聚改革开放的共识

1978 年 11 月 10 日至 12 月 15 日，中央工作会议在北京京西宾馆召开。参加这次会议的有中央党政军负责人，各省、市、自治区和各大军区的主要负责人，中央党政军各部门和群众团体的主要负责人，共 213 人。这次会议历时 36 天，是启动伟大的历史性转折的一次极其重要的会议。它为中共十一届三中全会作出实行改革开放的抉择做了充分的准备。

一、中央工作会议的议程

1978 年 11 月 10 日下午，中央工作会议举行开幕式，中共中央主席华国锋主持会议。他说，中共中央政治局决定这次会议的三个议题是：一是讨论如何进一步贯彻以农业为基础的方针，尽快把农业生产搞上去的问题，会上要发两个文件，一个是《关于加快农业发展速度的决定》的讨论稿，一个是《农村人民公社工作条例（试行草案）》的讨论稿。二是商定 1979 年、1980 年两年国民经济计划的安排。三是讨论李先念在国务院务虚会上的讲话。

华国锋接着说，这次会议是一次很重要的会议。中央政治局决定，在讨论上面这些议题之前，先讨论邓小平的重要提议，他提议从明年 1 月起，把全党工作的着重点转移到社会主义现代化建设上来，动员全党全军全国各族人民，同心同德，鼓足干劲，全力以赴，为加快我国社会主义现代化建设而奋斗。这是一个关系全局的问题，也是我们这次会议的中心思想。会议预计用两三天讨论工作重点转移问题，整个会议准备开 20 天。

二、会议讨论和解决历史遗留问题

华国锋讲话后，会议按照六个大区（即东北、华北、西北、华东、中南、西南）分为六个大组进行讨论。

与会人员对邓小平关于把党和国家工作重点转移到社会主义现代化建设上来的提议，意见高度一致。但是，以邓小平、陈云等为代表的大多数与会者，主张把工作重点转移与纠正党内长期以来“左”的指导思想、解决“左”倾错误的后果结合起来。用陈云的话说：不如此，就不能真正地实现工作重点的转移。这一正确主张，在会下的议论中彼此传播着，并随之在分组讨论中很快以尖锐的形式表现出来。

11月12日，陈云在东北组发言，对党的历史上的若干重大问题提出了新看法。他完全同意中央从明年起把工作着重点转到社会主义现代化建设上来，但中央应当考虑和决定一些影响大、涉及面很广的问题。随后，陈云提出了六个问题：薄一波同志等六十一人所谓叛徒集团一案，关于所谓自首分子的问题，关于陶铸同志、王鹤寿同志的所谓叛徒问题，关于彭德怀同志问题，关于天安门事件，关于康生等问题。

陈云的上述意见，引发与会同志的热烈响应，会议气氛马上活跃起来。更重要的是，陈云的发言还提示人们，要解决历史上遗留下来的重大问题，要有一种解放思想、实事求是、敢于冲破禁区的精神。这就是陈云自己经常说的并在这次会议上再次重申的“不唯上、不唯书、只唯实”“全面、比较、反复”的精神。

11月13日下午，中央工作会议召开第二次全体会议。华国锋宣布从当天下午开始，会议转入讨论农业问题，用了六天时间。会上，纪登奎还就《关于加快农业发展速度的决定》等文件做了说明。但会后的分组讨论，大多数人仍然围绕陈云提出的解决历史遗留问题进行讨论，而且越来越热烈。会议逐渐开始朝解决更重大问题的方向前进。

11月14日，邓小平从国外回到北京，参与主持会议。

在东北组，聂荣臻、康克清、萧克等老同志发言支持陈云的意见，其他同志也积极发言。他们在完全同意陈云意见的基础上，又提出了一些重要问题希望中央给予解决。

陈云的发言在其他五个组也得到了响应。在会议的继续讨论中，人们又提出：把“二月逆流”的案子翻过来；小平同志1975年主持中央日常工作搞得很好，根本不是什么右倾翻案风；所谓“批邓反击右倾翻案风”，也是颠倒了是非，应该给予平反；所谓“一月革命”风暴的是非要澄清；彭真、陆定一等人的问题，也应当重新审查，重新作结论。还有人提出一些地方上的重大冤案，要求重新作结论。

由于参加会议的大多数人强烈要求对以上提出的历史问题给予纠正，中央政治局接受大家的意见，并根据有些案子已经由中央组织部调查清楚，作出多项有关平反冤假错案、解决历史遗留问题的重要决定。

11月25日，中央工作会议举行第三次全体会议。华国锋在会上代表中央政治局宣布了几项决定。

中央政治局代表中央作出的这些决定，不仅解决了已经调查清楚的历史遗留问题，也为进一步解决更重大的问题打开了闸门。

11月26日、27日，关于真理标准问题再次引起了争论。几位著名理论家的发言，受到了与会有关人员的批评。鉴于理论问题的重要和复杂，叶剑英提议专门召开一个理论工作务虚会，解决理论上的问题。

11月27日晚，邓小平在听取中央工作会议各组召集人汇报后，有针对性地强调：毛主席的伟大功勋是不可磨灭的。党中央、中国人民永远不会干赫鲁晓夫那样的事。

由于与会者的兴奋点还停留在议论历史遗留问题方面，12月1日，中央政治局常委会召集大军区司令员和省委第一书记开会，由邓小平出面讲话。他说：第一，历史问题只能搞粗，不能搞细。算我一个请求，要以大局为重。第二，对中央的人事问题，任何人都不能下，只能上。不要给人印象是权力斗争。第三，关于上的问题，至少加3个政治局委员等。邓小平的讲话，主张团结一致向前看，意义深远。

三、会议讨论农业问题与改革开放等问题

邓小平代表中央政治局常委会讲话后，会议开始对两个关于农业问题的文件进行讨论，有三种意见：一种主张小改，一种主张大改，一种主张重写。胡耀邦、胡乔木、陈云等积极发言，陈云强调：必须既积极又稳重。他主张采取积极措施，先把农民这一“大头”稳下来，使之休养生息；工业的引进项目，要循序渐进，不能一拥而上；应给各省市一定机动的财力；等等。

会议讨论关于经济计划问题，大家指出计划存在急于求成现象，并对经济发展模式提出质疑。我们国家为什么这样穷？一个重要原因是投资效益很差。资本主义国家工业生产每年递增百分之七八，连续十几年就有明显的变化。而我们工业生产的递增率每年都在10%左右，“文化大革命”期间也不低于7%，按理说不该这样穷。这主要是管理水平问题，是管理体制问题，这必须改革。

在讨论对外开放时，邓颖超给会议提供了四个材料：苏联二三十年代是怎样利用外国资金和技术发展经济的？罗马尼亚、南斯拉夫的经济为什么能高速发展？战后日本、西德、法国经济是怎样迅速发展起来的？新加坡、韩国，以及中国香港、台湾地区的经济是怎样迅速发展起来的？这些问题引起了与会人员的极大兴趣，开阔了人们的眼界，对三中全会确定对外开放的政策起到了积极作用。

12月8日晚，中央政治局召开会议，对中央工作会议的结束和中共

十一届三中全会的召开做了安排。

随后，与会同志继续讨论进行改革和对外开放等问题。应该说，这也是一种大势所趋。

四、中央工作会议闭幕与邓小平发表的重要讲话

1978 年 12 月 13 日，中央工作会议召开第四次全体会议，这也是最后一次全体会议。邓小平、叶剑英、华国锋先后发表讲话。

邓小平在中央工作会议的闭幕会上发表了重要讲话。这篇在《邓小平文选》中题为《解放思想，实事求是，团结一致向前看》的讲话主要内容分为四大部分：解放思想是当前的一个重大政治问题；民主是解放思想的重要条件；处理遗留问题为的是向前看；研究新情况，解决新问题。

这篇讲话明确地指出：解放思想，开动机器，实事求是，团结一致向前看，首先是解放思想。只有思想解放了，我们才能正确地以马列主义、毛泽东思想为指导，解决过去遗留的问题，解决新出现的一系列问题，解决实现四个现代化的具体道路、方针、方法和措施，正确地改革同生产力迅速发展不相适应的生产关系和上层建筑。

邓小平在讲话中着重强调改革。他说："现在，我们的经济管理工作，机构臃肿，层次重叠，手续繁杂，效率极低。政治的空谈往往淹没一切。这并不是哪一些同志的责任，责任在于我们过去没有及时提出改革。但是如果现在再不实行改革，我们的现代化事业和社会主义事业就会被葬送。"①

关于对外开放，邓小平强调，我们要学会用经济方法管理经济。自己不懂就要向懂行的人学习，向外国的先进管理方法学习。不仅新引进的企业要按人家的先进方法去办，原有企业的改造也要采用先进的方法。在全

① 邓小平：《邓小平文选》第二卷，人民出版社 1994 年版，第 150 页。

国的统一方案拿出来以前，可以先从局部做起，从一个地区、一个行业做起，逐步推开。中央各部门要允许和鼓励它们进行这种试验。试验中间会出现各种矛盾，我们要及时发现和克服这些矛盾。这样我们才能进步得比较快。

邓小平说："在经济政策上，我认为要允许一部分地区、一部分企业、一部分工人农民，由于辛勤努力成绩大而收入先多一些，生活先好起来。一部分人生活先好起来，就必然产生极大的示范力量，影响左邻右舍，带动其他地区、其他单位的人们向他们学习。这样，就会使整个国民经济不断地波浪式地向前发展，使全国各族人民都能比较快地富裕起来。""这是一个大政策，一个能够影响和带动整个国民经济的政策，建议同志们认真加以考虑和研究。"①

邓小平同志的这篇讲话，提出了实现历史转变和进行现代化建设所面临的最重大、最迫切的问题，明确了党的主要任务和前进方向，是在"文化大革命"结束以后，中国面临向何处去的重大历史关头，冲破"两个凡是"的禁锢，开辟新时期改革开放新道路、开创建设有中国特色社会主义新理论的宣言书，实际上成为了中共十一届三中全会的主题报告。

叶剑英在会上也发表了重要讲话。他主要讲领导班子、民主与法制、解放思想等问题，强调要适时地注意培养接班人等重大问题。

华国锋在会上讲了话。他的讲话是这次中央工作会议的总结，应该将这次会议的主要内容进行全面概括。所以在讲话中，他无法回避这次会议上议论的中心问题，分别就"两个凡是"和"真理标准问题"的讨论讲了一段话，实际上是做了自我批评。

12月15日，中央工作会议闭幕。这次为期36天的中央工作会议，讨论了许多有关党和国家命运的大问题，可以说是新中国成立以来对"左"

---

① 邓小平：《邓小平文选》第二卷，人民出版社1994年版，第152页。

的指导思想所进行的十分清醒的反思，不仅较全面地纠正了由“左”的指导思想所造成的种种后果，而且在指导思想上实现了根本性的转变，为紧接着召开的中共十一届三中全会奠定了思想理论基础。

第三节　中共十一届三中全会作出实行改革开放的伟大抉择

1978年12月18日至22日，中国共产党第十一届中央委员会第三次全体会议在北京京西宾馆举行。出席会议的有中央委员、候补中央委员和中央有关部门负责人共290人。

12月18日，中共十一届三中全会举行开幕式。12月19日至22日，全会分六个大组审议文件和进行讨论。邓小平在中央工作会议闭幕会上作的题为《解放思想，实事求是，团结一致向前看》的讲话，实际上成为全会的主题报告。全会的具体议程是讨论通过中央政治局关于从1979年1月起，把全党工作的着重点转移到社会主义现代化建设上来的建议，同时审议通过关于农业问题的两个文件和今后两年国民经济计划安排，讨论人事问题和选举成立中央纪律检查委员会。22日晚，中共十一届三中全会举行闭幕大会，大会通过了《中国共产党第十一届中央委员会第三次全体会议公报》等文件，陈云、华国锋发表讲话。中共十一届三中全会实现了新中国成立以来党的历史上的伟大转折。这个伟大转折是全局性的、根本性的。

一、恢复和确定了党的思想路线、政治路线、组织路线

一是重新确立实事求是的思想路线。实现思想路线的拨乱反正是中共十一届三中全会的首要成果。全会否定了“两个凡是”，重新恢复和确立解放思想、实事求是的思想路线。这条思想路线是邓小平理论的精髓，也是开辟建设中国特色社会主义道路的根本指导思想。正如邓小平后来所说：

“我们总结了我国革命和建设正反两个方面的经验，从一九七八年党的十一届三中全会开始，制定了一系列新的方针政策，这些方针政策，归根到底就是恢复和坚持毛泽东同志提出的实事求是的思想路线，根据这条思想路线来探索中国怎样建设社会主义。”①

二是确定以经济建设为中心的政治路线。中共十一届三中全会果断地停止使用“以阶级斗争为纲”的口号，作出了“把全党工作的着重点和全国人民的注意力转移到社会主义现代化建设上来”的战略决策，实现了早在20世纪50年代中期已经提出却一直没有完成的工作重点的历史性转变，从而确定了党在新的历史时期以经济建设为中心的政治路线。这表明中国共产党已经走出20年“左”倾错误的误区，开始进入社会主义现代化建设的正确轨道。

三是重新恢复正确的组织路线。全会实现了组织路线上的拨乱反正，通过总结历史经验教训，坚决纠正“残酷斗争、无情打击”的那一套，恢复党在解决党内问题上的优良传统。全会决定健全党规党法，并强调实行集体领导。会议还指出，一定要保障党员向上级领导直至中央常委提出批评性意见的权利，一切不符合党的民主集中制和集体领导原则的做法应该坚决纠正。会议还要求少宣传个人，提倡党内一律称同志，不要叫官衔；任何担任领导职务的党员包括中央领导同志的个人意见，不要叫指示。这次会议实际上形成了以邓小平为核心的新的中央领导集体。为了适应社会主义现代化建设繁重任务的需要，全会决定加强党的领导机构，充实领导成员。陈云、邓颖超、胡耀邦、王震被选为中共中央政治局委员，陈云被选为中共中央政治局常委、中共中央副主席。全会决定重新建立党的纪律检查委员会，陈云被选为中央纪委第一书记，邓颖超被选为第二书记，胡耀邦被选为第三书记。“全会考虑到第十一次全国代表大会以来党的生活实际变化和目前党的工作的迫切需要，决定采取临时措施，增补黄克诚、宋任穷、胡乔木、习仲勋、王任重、黄火青、陈再道、韩光、周惠九同志为

① 邓小平：《邓小平文选》第三卷，人民出版社1993年版，第254页。

中央委员，将来提请党的第十二次代表大会对这一增补手续予以追认。”[①]

全会以后，虽然华国锋仍担任中共中央主席，但就确定党的指导思想、决定改革开放的重大方针政策来说，邓小平实际上已经成为中共中央领导集体的核心。

二、作出实行改革开放的伟大抉择

中共十一届三中全会作出了实行改革开放的伟大抉择。全会公报明确提出：“实现四个现代化，要求大幅度地提高生产力，也就必然要求多方面地改变同生产力发展不适应的生产关系和上层建筑，改变一切不适应的管理方式、活动方式和思想方式，因而是一场广泛、深刻的革命。”“对经济管理体制和经营管理方法着手认真的改革，在自力更生的基础上积极发展同世界各国平等互利的经济合作，努力采用世界先进技术和先进设备，并大力加强实现现代化所必需的科学和教育工作。”[②]

关于在哪些方面进行改革，全会公报指出：“现在我国经济管理体制的一个严重缺点是权力过于集中，应该有领导地大胆下放，让地方和工农业企业在国家统一计划的指导下有更多的经营管理自主权；应该着手大力精简各级经济行政机构，把它们的大部分职权转交给企业性的专业公司或联合公司；应该坚决实行按经济规律办事，重视价值规律的作用，注意把思想政治工作和经济手段结合起来，充分调动干部和劳动者的生产积极性；应该在党的一元化领导之下，认真解决党政企不分、以党代政、以政代企的现象，实行分级分工分人负责，加强管理机构和管理人员的权限和责任，减少会议公文，提高工作效率，认真实行考核、奖惩、升降等制度。采取这些措施，才能充分发挥中央部门、地方、企业和劳动者个人四个方面的

① 《中国共产党第十一届中央委员会第三次全体会议公报》（1978年12月22日通过），《人民日报》1978年12月24日。

② 《中国共产党第十一届中央委员会第三次全体会议公报》（1978年12月22日通过），《人民日报》1978年12月24日。

主动性、积极性、创造性，使社会主义经济的各个部门各个环节普遍地蓬蓬勃勃地发展起来。”[①]

全会公报还强调，“全党目前必须集中主要精力把农业尽快搞上去”，对于几亿农民“必须在经济上充分关心他们的物质利益，在政治上切实保障他们的民主权利”。[②]这对于启动中国农村改革起了积极作用。可以说，通过进行思想路线、政治路线、组织路线和历史是非的拨乱反正，改革开放的总方针已经确立。以中共十一届三中全会为开端，中国迈开改革开放的步伐，开始走上实现社会主义现代化的新道路。

三、解决若干重大历史是非问题

这次会议开始了系统地清理重大历史是非的拨乱反正。会议认真地讨论了“文化大革命”中发生的一些重大政治事件，也讨论了“文化大革命”前遗留下来的某些历史问题。会议指出：“一九七五年，邓小平同志受毛泽东同志委托主持中央工作期间，各方面工作取得很大成绩，全党全军和全国人民是满意的。邓小平同志和中央其他领导同志一道，按照毛泽东同志的指示，对‘四人帮’的干扰破坏进行了针锋相对的斗争。‘四人帮’硬把一九七五年的政治路线和工作成就说成是所谓‘右倾翻案风’，这个颠倒了的历史必须重新颠倒过来。”“一九七六年四月五日的天安门事件完全是革命行动。以天安门事件为中心的全国亿万人民沉痛悼念周恩来同志、愤怒声讨‘四人帮’的伟大革命群众运动，为我们党粉碎‘四人帮’奠定了群众基础。全会决定撤销中央发出的有关‘反击右倾翻案风’运动和天安门事件的文件。会议审查和纠正了过去对彭德怀、陶铸、薄一波、杨尚昆等

① 《中国共产党第十一届中央委员会第三次全体会议公报》（1978 年 12 月 22 日通过），《人民日报》1978 年 12 月 24 日。

② 《中国共产党第十一届中央委员会第三次全体会议公报》（1978 年 12 月 22 日通过），《人民日报》1978 年 12 月 24 日

同志所作的错误结论，肯定了他们对党和人民的贡献。”[①] 会议认为，解决好这些问题，对于进一步巩固安定团结的局面，实现全党工作中心的转变，使全党、全军、全国各族人民万众一心向前看，调动一切积极因素为四个现代化努力，是非常必要的。解决了历史上遗留的一批重大问题和重要领导人的功过是非问题，会议强调和提出了“实事求是，有错必纠”的原则和平反冤假错案“还要抓紧解决”的任务。会议期间中央作出的九项决定，不仅是平反几个冤假错案问题，而且是对党的历史是非的拨乱反正，不仅对“文化大革命”时期的许多历史是非进行了拨乱反正，而且对“文化大革命”前的历史是非也进行了拨乱反正。全会公报还宣布要在适当时机对“文化大革命”中的错误作为经验教训加以总结。

四、强调加强民主法制建设，恢复民主集中制的传统

全会认为社会主义现代化建设需要集中统一的领导，需要严格执行各种规章制度和劳动纪律。会议期间充分发扬党内民主，领导层中多数人的意志能够在中央会议上表达，最高领导人的错误也能够在中央会议上得到纠正。这种既有民主又有集中的制度和原则一经恢复，就为党和国家正确地进行决策提供了可靠的保障，使执政的共产党完全有能力、有希望通过民主集中制来预防错误的发生，及时纠正已经发生的错误，或避免重犯过去的错误。

全会公报强调：“为了保障人民民主，必须加强社会主义法制，使民主制度化、法律化，使这种制度和法律具有稳定性、连续性和极大的权威，做到有法可依，有法必依，执法必严，违法必究。从现在起，应当把立法工作摆到全国人民代表大会及其常务委员会的重要议程上来。检察机关和司法机关要保持应有的独立性；要忠实于法律和制度，忠实于人民利益，忠实于事实真相；要保证人民在自己的法律面前人人平等，不允许任何人

---

① 《中国共产党第十一届中央委员会第三次全体会议公报》（1978 年 12 月 22 日通过），《人民日报》1978 年 12 月 24 日。

有超越于法律之上的特权。”[①]中共十一届三中全会提出要尽快完善国家的法制，表明中国共产党对社会主义现代化建设的整体性，经济建设、政治建设和法制建设的辩证统一等多方面关系的认识提高了一大步，标志着中国社会主义民主和法制建设，也就是社会主义政治建设进入了新的发展时期。

五、肯定毛泽东的历史地位和强调发展毛泽东思想

这次全会讨论了在新时期如何对待毛泽东和毛泽东思想这一关系中国政局稳定和今后发展的问题。邓小平在讲话中深刻论述了毛泽东的历史地位，指出：“毛泽东同志在长期革命斗争中立下的伟大功勋是永远不可磨灭的。”“所以说没有毛主席就没有新中国，这丝毫不是什么夸张。毛泽东思想培育了我们整整一代人。我们在座的同志，可以说都是毛泽东思想教导出来的。没有毛泽东思想，就没有今天的中国共产党，这也丝毫不是什么夸张。毛泽东思想永远是我们全党、全军、全国各族人民的最宝贵的精神财富。”[②]

发展毛泽东思想是创造中国特色社会主义新理论的开端。这次会议廓清了粉碎“四人帮”以来束缚人们思想的重大的思想理论是非、路线是非，实现了这些方面的拨乱反正，也就为创造新理论扫清了障碍。邓小平指出：“我们要完整地准确地理解和掌握毛泽东思想的科学原理，并在新的历史条件下加以发展。”[③]中共十一届三中全会公报接受邓小平的主张，指出：“党中央在理论战线上的崇高任务，就是领导、教育全党和全国人民历史地、科学地认识毛泽东同志的伟大功绩，完整地、准确地掌握毛泽东思想的科学体系，把马列主义、毛泽东思想的普遍原理同社会主义现代化建

① 《中国共产党第十一届中央委员会第三次全体会议公报》（1978年12月22日通过），《人民日报》1978年12月24日。

② 邓小平：《邓小平文选》第二卷，人民出版社1994年版，第148—149页。

③ 邓小平：《邓小平文选》第二卷，人民出版社1994年版，第149页。

设的具体实际结合起来，并在新的历史条件下加以发展。”[①]这实际上提出了在毛泽东逝世后继续发展毛泽东思想的问题，是反对“两个凡是”的逻辑的结论。中共十一届三中全会提出的理论发展和创新，不仅体现在邓小平的主题报告中，也体现在全会提出和研究的许多新情况、新问题及中央解决这些问题的各项决定中。这说明党已经立足于新的实践，开始把马克思列宁主义同当代中国实际和时代特征相结合，在改革开放和社会主义建设的实践中发展建设有中国特色的社会主义理论体系。

六、调整外交战略和统一祖国的方针

调整外交战略和外交路线。全会公报提到了不久前缔结的中日和平友好条约和刚刚达成的中美建交公报，实际上肯定了当时确定的外交路线，标志着新时期独立自主的外交路线开始实行。由此开始进一步打开对外关系的新局面，逐步作出关于战争危险、时代主题的新判断和外交战略的新转变，并为国家集中力量进行社会主义现代化建设和实行改革开放创造有利的国际环境。

关于统一祖国的方针。全会公报提及解决台湾问题时使用了“台湾回到祖国怀抱、实现统一大业”的提法，而没有使用“解放台湾”的提法。几天后的1979年1月1日，全国人民代表大会常务委员会就发表了《告台湾同胞书》，倡议通过商谈结束海峡两岸军事对峙状态，撤除阻隔两岸同胞交往的藩篱，实现通航、通商、通邮，开展经济文化交流，向全世界人民表明中国人民统一祖国的立场和态度，使集中进行现代化建设，维护世界和平、反对霸权主义，实现祖国统一成为摆在中国人民面前的三大历史任务。

总之，1978年12月召开的中共十一届三中全会，从根本上摆脱了长期

---

① 《中国共产党第十一届中央委员会第三次全体会议公报》（1978年12月22日通过），《人民日报》1978年12月24日。

“左”倾错误的严重束缚，端正了党的指导思想，搞清了历史上和理论上的大是大非，重新确立了马克思主义的解放思想、实事求是的思想路线，确立了以经济建设为中心的政治路线和以民主集中制为主要内容的组织路线，开始开辟实现社会主义现代化的新道路和创立建设有中国特色社会主义的新理论，作出了实行改革开放的伟大抉择，形成了以邓小平为核心的新一代中央领导集体，实现了由以阶级斗争为纲转向以经济建设为中心、由封闭和半封闭转向开放和全方位的开放、由固守成规到各方面的改革。这一切，说明中共十一届三中全会开辟了中国共产党和中华人民共和国历史的新篇章，是具有划时代意义的里程碑。

第四节 改革开放理论的探索与坚持四项基本原则

改革开放是一个国家、一个民族的生存发展之道。只有把握历史大势，顺应历史规律，积极主动应变，才能守正创新，开辟正确的前进道路。中国的改革开放是中国共产党和中国人民的一次伟大革命，既是一次社会生产力的大发展，又是一次思想理论的伟大创造。一个伟大民族的伟大进步需要理论思维，而理论思维必须坚持守正创新。幸运的是，中国在改革开放之初的理论探索和创造，既坚持了思想解放，又坚持了四项基本原则。

一、经济理论的探讨和争论

1976年粉碎“四人帮”以后，中共中央和国务院做了大量工作，着手解决国民经济发展中的一系列问题，使国民经济摆脱了停滞甚至下降的局面，并有所发展。但要从根本上解决问题，理论上的拨乱反正和创新发展非常必要。

在中共中央和国务院的领导下，当时的理论工作者首先在经济理论上进行了拨乱反正。1977 年 3 月，全国计划工作会议在北京召开。这次会议针对当时经济领域存在的思想混乱，提出了经济工作要不要党的领导，要不要全心全意依靠工人阶级，要不要搞好生产，要不要规章制度，要不要社会主义积累，要不要实行各尽所能、按劳分配的原则，要不要无产阶级自己的专家队伍，要不要引进新技术，要不要坚持计划经济，等等。[①]这些问题的讨论，对批判“四人帮”、澄清人们思想的迷惑和混乱起了积极作用。

1977 年开始，国内经济理论界出现了一场关于“按劳分配”问题的讨论。为了澄清“四人帮”造成的思想混乱，系统地回答对按劳分配原则的非议，在邓小平、李先念等的密切关注下，国务院政研室胡乔木、邓力群等组织撰写了一篇很有分量的理论文章《贯彻执行按劳分配的社会主义原则》。这篇文章于 1978 年 5 月 5 日在《人民日报》上发表，进一步澄清了被张春桥、姚文元等搞乱了的社会主义经济理论。

胡耀邦主持工作的中央党校的内部刊物《理论动态》也发表了若干篇文章，从 1977 年 8 月开始到 1978 年 5 月间，就按劳分配、企业利润、集市贸易、价值规律、家庭副业等问题进行了讨论，在中高级干部特别是中央党校省部级、地厅级学员中形成较大影响。

1978 年 10 月 6 日，胡乔木在《人民日报》上发表《按照经济规律办事，加快实现四个现代化》的文章，强调经济规律的客观性，强调按照经济规律办事等。这篇文章在当时起到了进一步澄清思想的作用。

二、理论工作务虚会强调坚持四项基本原则

实现思想路线的拨乱反正，重新确立解放思想、实事求是的思想路线，是中共十一届三中全会首要的成果。坚持四项基本原则本来也是中共十一届三中全会的重要内容。在此前进行的关于真理标准问题的大讨论，实质

① 中共中央党史研究室编《中国共产党历史大事记（1919.5—1990.12）》，人民出版社 1991 年版，第 324 页。

上也是关于如何坚持四项基本原则的讨论。但对此进行重点强调和专门论述的是邓小平在中央理论工作务虚会上的讲话，即《坚持四项基本原则》。这篇马克思主义的文章实际上阐述了在新阶段如何发展马克思主义，为中国的社会主义现代化建设和改革开放提供理论支撑。

（一）理论工作务虚会的召开

1979 年 1 月召开的中央理论工作务虚会，既是为了总结理论宣传工作的基本经验教训，研究工作重心转移后理论宣传工作的根本任务，也是为了解决在粉碎江青反革命集团后，在理论上出现的“两个凡是”与“实事求是”的争论和 1978 年出现的关于真理标准问题的大讨论中出现的分歧。为了统一全党全国人民的思想，鉴于国务院经济工作务虚会开得很好，叶剑英提议中央召开一次理论工作务虚会，得到了中共中央的同意。

理论工作务虚会从 1 月 18 日开始至 4 月 3 日结束（中间休会一段时间）。会议分两段，第一段由中共中央宣传部和中国社会科学院组织召开，第二段以中共中央的名义召开。会议由刚担任中共中央秘书长和中央宣传部部长的胡耀邦主持。1 月 18 日，胡耀邦作《理论工作务虚会引言》的讲话，围绕进一步发展毛泽东思想，为新时期解决新问题提供理论指导等讲了三个具有全局意义的问题：①这个会议的由来、目的和开会方法；②对两年来思想理论战线形势的估计；③伟大的转变和理论宣传工作的任务。[①]

会议发扬中共十一届三中全会上解放思想、实事求是、民主集中制、批评和自我批评的会风，坚持摆事实、讲道理，畅所欲言，实行“三不主义”（不打棍子、不戴帽子、不抓辫子），讨论了中华人民共和国成立 30 年来党和国家政治、经济、文化生活以及党的建设、国际问题等一系列重大问题。这些问题主要有：关于新中国成立以来党的路线的问题；关于党的建设中的党内若干政治生活准则、领导职务终身制等；关于毛泽东思想的

① 胡耀邦：《理论工作务虚会引言》（1979 年 1 月 18 日），中共中央文献研究室编《三中全会以来重要文献选编》，人民出版社 1982 年版，第 48—51 页。

问题；关于社会主义时期阶级斗争问题；关于“无产阶级专政下继续革命理论”和“文化大革命”的问题；关于民主与法制以及个人专断问题；关于群众和领袖的关系问题；关于对外关系和国际战略问题；关于国际反修和国内反修问题；关于理论工作经验教训问题；等等。特别是会议还探讨了关于经济理论和实际问题、关于社会主义的发展阶段问题、关于经济体制问题、关于对外开放问题等。

但会议内外也有一些不协调的声音。有人说中共十一届三中全会是右倾，是复辟倒退，还指责这次理论工作务虚会是“胡闹会”等。

在这期间，社会上各种思潮也相当活跃，一些人上街张贴大字报、大标语，提出一些耸人听闻的口号，有人游行示威，还有个别人与外国反华势力勾结。这些人利用10年“文化大革命”遗留下来的一些社会问题，在社会上掀起了一股不小的反对共产党、反对社会主义制度的思潮，还造成了一种新的混乱，如有人冲击党政机关、阻断交通，破坏工作秩序、生产秩序和社会秩序等。

（二）中共中央强调坚持四项基本原则

针对以上党内外的情况，中共中央予以高度重视。为了防止把刚刚开始的思想解放引入歧途，刚刚形成的安定团结的局面遭到破坏，为了正确地继续贯彻中共十一届三中全会的路线，保证中央理论工作务虚会达到预期目的，受中共中央委托，邓小平作了《坚持四项基本原则》的重要讲话。这是邓小平继《解放思想，实事求是，团结一致向前看》后的又一重要讲话。

《坚持四项基本原则》的主要内容：一是阐明四项基本原则的内容和必须坚持的极端重要性。邓小平郑重提出：“我们要在中国实现四个现代化，必须在思想政治上坚持四项基本原则。这是实现四个现代化的根本前提。”①这四项基本原则是：必须坚持社会主义道路，必须坚持无产阶级专政，必

① 邓小平：《邓小平文选》第二卷，人民出版社1994年版，第164页。

须坚持共产党的领导，必须坚持马列主义、毛泽东思想。邓小平指出：“某些人（哪怕只是极少数）企图动摇这些基本原则。这是决不许可的。”“如果动摇了这四项基本原则中的任何一项，那就动摇了整个社会主义事业，整个现代化建设事业。”①二是指出当前以及今后相当长一个历史时期的中心任务是搞好四个现代化建设，解决“生产力发展水平很低，远远不能满足人民和国家的需要”这个主要矛盾，要“适合中国情况，走出一条中国式的现代化道路”。②三是充分肯定思想理论战线在粉碎“四人帮”以后取得的巨大成绩，要求“深入研究中国实现四个现代化所遇到的新情况、新问题，并且作出有重大指导意义的答案”③，为实现党的工作重心的转移贡献力量。

邓小平的这篇讲话，为理论工作务虚会做了总结，也为思想理论工作指明了方向。他在讲话中强调的四项基本原则是中国的立国之本，在实践中成为党的基本路线中的两个基本点之一，为改革开放和社会主义现代化建设提供了根本的政治保证。

第五节 调整外交战略为改革开放创造有利的国际环境

新中国始终奉行独立自主的和平外交政策。从中共十一届三中全会开始，中国积极主动地调整外交战略，为社会主义现代化建设和改革开放创造良好的国际环境。

一、外交战略方针政策的调整

中共十一届三中全会前夕，中国外交采取了两个重大举措：一是 1978

① 邓小平：《邓小平文选》第二卷，人民出版社 1994 年版，第 173 页。
② 邓小平：《邓小平文选》第二卷，人民出版社 1994 年版，第 163 页。
③ 邓小平：《邓小平文选》第二卷，人民出版社 1994 年版，第 179 页。

年8月同日本签订中日和平友好条约，二是1978年12月同美国发表正式建交的联合公报。中共十一届三中全会后，随着党和国家工作重点的转移和改革开放的展开，争取一个有利于我国现代化建设和改革开放的国际和平环境成为全党的共识。

基于国际形势的发展变化，党中央开始对外交政策进行重大调整。

首先是改变战争不可避免而且迫在眉睫的观点，对战争与和平问题作出新的科学判断。邓小平指出，虽然战争的危险还存在，但是制约战争的力量有了可喜的发展，世界和平力量的增长超过战争力量的增长，在较长时间内不发生大规模的世界战争是可能的，维护世界和平是有希望的。1985年3月，邓小平明确提出“和平和发展是当代世界的两大问题”的重要论断，为新时期党和国家制定对外政策提供了重要依据。

中美建交后，美国国会通过“与台湾关系法”继续干涉中国内政，损害中国主权安全。中美两国虽在1982年8月17日就分步骤直到最后彻底解决美国向中国台湾地区出售武器问题发表联合公报，但后来美国政府违背了自己的承诺。

苏联多次提出改善中苏关系的愿望。

1982年9月，中共十二大报告重申中国坚持独立自主的对外政策，以和平共处五项原则为指导，发展同各国的关系。报告还指出中国共产党愿按照“独立自主、完全平等、互相尊重、互不干涉内部事务的原则，发展同各国共产党和其他工人阶级政党的关系”。这四项原则成为中国共产党同世界各国政党建立和发展党际关系的基本原则。

二、加强和巩固同发展中国家的关系

加强同其他发展中国家的团结与合作，是中国外交政策的基本立足点。实行改革开放政策以后，中国继续重视同发展中国家的关系，在国际事务

中加强交流、互相帮助、互相支持。中国把维护世界和平与促进共同发展放到同发展中国家团结合作的主要位置，坚决支持发展中国家维护国家独立和民族权益的正义斗争，坚决支持发展中国家要求改变国际经济旧秩序、建立国际经济新秩序的正义立场，致力探索开展南南合作及中国同发展中国家双边合作的新途径，同发展中国家的高层往来更加频繁。大多数发展中国家的领导人都访问过中国，中国领导人也出访广大的发展中国家。在这期间，中国同亚非拉和南太平洋一些尚未建交的国家建立了外交关系。

三、同大国和发达国家的关系发展

1978 年 12 月 16 日，中国和美国两国政府分别在北京和华盛顿同时发表《中华人民共和国和美利坚合众国关于建立外交关系的联合公报》，双方自 1979 年 1 月 1 日起互相承认并建立外交关系。“美利坚合众国承认中华人民共和国政府是中国的唯一合法政府。”“美利坚合众国政府承认中国的立场，即只有一个中国，台湾是中国的一部分。”[①]双方认为，中美关系正常化不仅符合中国人民和美国人民的利益，而且有助于亚洲和世界的和平事业。1979 年 1 月 1 日，中美两国正式建立大使级外交关系，美国宣布，断绝同台湾的所谓外交关系，并于年内撤走驻台美军，终止美台《共同防御条约》。1979 年 1 月 29 日至 2 月 4 日，邓小平应美国总统卡特的邀请对美国进行正式友好访问。这是新中国成立后，中国领导人第一次访美，受到美国政府和美国人民的热烈欢迎。中美双方签署了科技合作协定和文化协定，在教育、商业咨询方面进行合作的协议，以及建立领事关系和互设总领馆的协议。中美建交为中国的改革开放创造了一个比较有利的国际环境。

中国愿在和平共处五项原则的基础上，与苏联保持和发展正常的国家关系。向苏联政府建议双方就两国关系进行广泛的谈判，解决中苏关系中悬而未决的问题，消除两国关系正常化的障碍，使中苏关系得到改善。经

---

① 《中华人民共和国和美利坚合众国关于建立外交关系的联合公报》，《人民日报》1978 年 12 月 17 日。

外交途径商定，轮流在两国首都举行副外长级的中苏国家关系谈判。1982年，中国政府批准黑龙江恢复边境贸易，指定绥芬河为通商口岸，并于1983年确定黑河也作为通商口岸。1982年4月，中方和苏方协议恢复新疆口岸同苏联的贸易。1983年，中国内蒙古自治区相继恢复同苏联和蒙古国的边境贸易。

经过长期努力，中国和日本在1972年实现邦交正常化，在1978年缔结了中日和平友好条约。在1982年和1983年两国领导人的互访中，又确认了“和平友好、平等互利、相互信赖、长期稳定”的四项原则。中日两国的经贸关系得到长足的发展。但中日之间也存在一些重要的敏感问题，其中主要是历史问题和台湾问题。中国政府在原则问题上是坚定不移的。对于不利于中日友好、有损于中华民族尊严和国家主权、伤害中国人民感情的事情，中国政府及时向日方提出严正交涉，要求日方恪守中日联合声明和中日和平友好条约所确定的原则，从中日友好的大局出发，采取措施纠正错误，保证两国关系发展。

20世纪70年代起，随着中国在联合国合法席位的恢复，西欧国家出现与中国建交的热潮。中国同几乎所有的西欧国家建立了外交关系。中国同西欧各国在政治、经贸、文化等方面的关系平稳发展。

四、积极开展多边外交，为世界和平与发展贡献力量

中共十一届三中全会后，特别是20世纪80年代中期以后，中国将多边外交列为中国独立自主外交的主要内容，开始积极地参与联合国及其专门机构和其他国际组织在各领域的工作。随着国际政治力量对比的变化，联合国在维护世界和平、缓和国际紧张局势、推动改善南北关系、发展国际经济技术合作等方面显示了积极的作用。

作为联合国安理会常任理事国之一，中国在联合国多次为调解有关地区性冲突作出了建设性努力，为维护世界和平与主持正义发挥了重要作用。

中国积极参加联合国等组织为促进南北对话、加强南南合作所做的有益工作，参与了历年关于世界经济形势、发展中国家的经济发展以及债务、资金、贸易、技术转让等问题的讨论。中国在联合国一贯坚决主张维护世界和平，缓和国际紧张局势，裁减军备，首先是裁减超级大国的核军备和其他军备，反对一切侵略和霸权主义。

中国是世界银行的创始成员国。1980 年 5 月，中国恢复在世界银行、国际开发协会和国际金融公司的代表权。[①] 中国恢复在世界银行的合法席位以后，双方合作逐渐增多，贷款规模逐步扩大。中国在农、林、牧、副、渔、电力、石油、煤炭、铁路、公路、港口、化工、机械、教育、卫生等许多领域都有世界银行贷款项目。到 1987 年，“世界银行迄今已向中国贷款 55 亿多美元，成为向中国贷款最多的国际组织”[②]。

总之，改革开放后，中国开始积极务实、逐步深入地参与多边外交各领域的工作，为我国的改革开放和社会主义现代化建设创造了有利的国际环境，取得了令人瞩目的成就。

---

① 《世界银行决定恢复我代表权》,《人民日报》1980 年 5 月 17 日。

② 《卓有成效的合作——访世界银行驻华代表处首席代表林重庚博士》,《人民日报》1987 年 9 月 3 日。

第三章

改革开放的起步

改革开放是决定中国命运的关键一招。在1978年中共十一届三中全会前，邓小平等中央领导人就根据中国的实际和时代的要求，提出了改革开放的伟大任务。中共十一届三中全会后，改革首先在农村实施，是指在中国的广大农村改变人民公社时期的生产方式，实行联产承包责任制和突破人民公社政社合一的体制，进而解放了生产力，农民的生活水平得到迅速提高。与此同时，以扩大企业自主权为主要内容的城市经济体制改革逐步在全国推开。由此，中国的对外开放迈开了步伐，以建立经济特区为标志，取得了重大突破。

第一节　恢复经济发展为改革开放创造条件

中共十一届三中全会作出了实行改革开放的伟大抉择。这是众所周知的历史事实。实际上在中共十一届三中全会前，中国就在恢复和发展经济的同时进行了改革开放的试点。

一、采取果断措施，恢复国民经济

“文化大革命”期间，党的工作重心没有放在经济工作上，造成当时的问题成堆。有的工厂不能正常生产，运输堵塞，管理混乱，人民生活水平长期不能得到提高。中共中央政治局一举粉碎“四人帮”后，首先是恢复党和国家正常的政治、经济秩序，推动经济发展，为改革开放创造条件。

从 1976 年 12 月至 1977 年上半年，中共中央和国务院召开了一系列全国性的有关国民经济发展的会议，推动国民经济的恢复和发展。首先在 1976 年 12 月，中共中央在北京召开了有 5000 多名代表参加的第二次全国农业学大寨会议。1977 年 2 月，国务院召开了全国铁路会议，采取果断措施，解决铁路堵塞的问题。随后，1977 年 3 月，全国计划会议在北京召开，讨论了 1977 年的国民经济计划，通过了国家计委向中央政治局提出的《关于 1977 年国民经济计划几个问题的汇报提纲》。这对于恢复经济发展起了积极作用。4 月 20 日至 5 月 13 日，7000 多人参加的全国工业学大庆会议在大庆（开幕）和北京（闭幕）举行。通过这次大会，大庆工人们喊出的“大干社会主义有理，大干社会主义有功，大干社会主义光荣，大干了还要大干”[①]

① 《抓纲治国的空前盛会——热烈祝贺全国工业学大庆会议胜利开幕》，《人民日报》1977 年 4 月 23 日。

的口号传遍全国，这对全党把工作重心转移到社会主义现代化建设上来起到舆论作用。这期间，国务院还先后召开了全国冶金、财贸、煤电、运输和粮食等一系列全国性的生产建设工作会议，还有各省、市、自治区的生产建设工作会议，当时统称为工业学大庆会议。这些会议强调进行企业整顿，建立各项规章制度，恢复和发展生产，健全领导班子，加强职工队伍建设，发展生产，等等。

二、加强法规建设、加强制度建设及企业整顿和调整

1978年4月，中共中央颁发了《关于加快工业发展若干问题的决定（草案）》（简称“工业三十条”），对企业整顿提出了明确要求。文件精神的贯彻落实，使工业生产的正常秩序开始恢复。同时要求发展支农产品的生产，优先保证轻工业生产所需要的原材料、燃料、电力，恢复和发展农业、轻工业生产，重工业主要是抓好原材料、电力和燃料的生产。1978 年 4 月至 7 月召开的全国财贸会议重新提出“发展经济，保障供给”的方针，反对闭关锁国，发展对外贸易，恢复和制定以岗位责任制为中心的管理制度，以及计划管理、财务管理和物价管理等制度和方法，倡导一些企业将经营状况和职工物质利益挂钩。为了更好地贯彻按劳分配原则，企业普遍恢复了奖励、计件工资和企业基金制度等。这些会议适应广大人民把工农业生产搞上去的要求，但在一些方面继续坚持和新提出了一些不切实际的高指标、大口号，在一些方面还坚持“左”的政策。这也是当时历史条件下的一个特点。

经过在经济思想理论方面的初步拨乱反正、各行各业的经济秩序整顿及采取多种措施，国民经济摆脱了 1976 年停滞下滑的趋势，得到了比较快的恢复和发展。1977 年，我国财政收入也有较大增长，扭转了连续 3 年的财政赤字。同时，新技术的引进和设备进口也增长较快。1978 年，农业生产获得较大丰收，粮食产量突破 6000 亿斤，超过历史最高水平。1977 年，工业总产值比上年增长 14.3%，1978 年同比又增长 13.5%。财政收入 1977

年比上年增长 12.6%，1978 年同比又增长 28.2%。以上都做到收支平衡，略有节余。

在生产恢复和发展的基础上，人民生活有了改善。1977 年 8 月，国务院决定从 10 月起提高部分职工的工资。通过这次工资调整，60% 的职工 10 多年来第一次不同程度地增加了工资。1976 年，全民所有制各部门平均工资是 605 元，1978 年是 644 元。1978 年，全国城乡居民消费水平比上年提高 5.1%。①

国家政治生活、经济秩序恢复正常，为实行改革开放创造了良好的条件。

第二节　实行“调整、改革、整顿、提高”八字方针

集中力量进行社会主义现代化建设，进而实现中华民族伟大复兴的历史使命意识和执政意识的伟大觉醒，体现在中共十一届三中全会后，执政党立即把工作重心转移到调动一切积极因素进行社会主义现代化建设和推动改革开放上来。

一、国民经济的调整

1976 年 10 月粉碎江青反革命集团后，在中共中央和国务院的领导下，全国各族人民克服各种困难，努力工作，使多年来深受影响的工农业生产得到了较快恢复，并有所发展。但由于长期以来“左”的经济建设指导思想的影响，特别是“文化大革命”十年内乱造成的破坏极为严重，导致了“文化大革命”结束时国民经济比例关系严重失调。当时的中央主要领导人

---

① 胡绳主编《中国共产党的七十年》，中共党史出版社 1991 年版，第 482 页。

没有认识到国民经济中存在的严重问题，又不顾实际条件强调“要大干快上”，1978 年制定的一系列高指标和大规模的设备引进，更加剧了国民经济比例失调的状况，加重了财政经济的困难。陈云、邓小平等发现这一问题，为给今后更好的发展打下好的基础，党中央适时提出“调整、改革、整顿、提高”的新“八字方针”，作出了对国民经济实行调整的决策。

（一）国民经济比例失调的状况

当时，国民经济比例失调主要表现在：第一，积累与消费的比例严重失调。从 1970 年以来，积累率一直保持在 30% 以上，1978 年提高到 36.5%。这种以缩小人民消费为前提的高积累，既同国力不相适应，也直接影响了人民生活水平的提高。第二，农、轻、重比例严重失调。由于农村经济管理体制等原因，农业发展缓慢，到 1978 年仍有 2 亿多人没有解决温饱问题。由于片面强调发展重工业，重工业增长过快，挤占了轻工业的发展空间。1978 年，重工业投资过大，效益又差，更加剧了轻、重工业比例的失调，使市场上消费品供应紧张。市场商品可供应量与购买力的差额，在 1978 年达 100 亿元。在重工业内部，能源工业、交通同其他工业的比例也严重失调，机械工业的加工能力超过了可能供应的钢材数量。第三，积累和消费的比例失调。10 多年来，农民和职工收入几乎没有增加，职工住宅、公用事业和文化教育事业积累起来的问题日益突出。1978 年，基本建设投资这方面的比重只占 17.4%，大大低于第一个五年计划期间 28.3% 的水平。[①]第四，基本建设规模过大。1978 年，在建大中型项目 1773 个，比上年增加 290 个，当年建设项目投产率只有 5.8%。第五，经济效益低。到 1978 年底，全国约有 1/3 的企业生产秩序不正常，管理混乱。流通环节多，渠道少，周转慢，许多物资如机电产品等积压严重，基本建设周期长、浪费大。上述情况表明，如果不对国民经济进行调整，中国的经济将陷入更大的困难之中，造成更加严重的损失。

① 《当代中国》丛书编辑部编《当代中国的经济体制改革》，中国社会科学出版社 1984 年版，第 170 页。

（二）“调整、改革、整顿、提高”方针的提出

在 1978 年 12 月召开的中央工作会议和中共十一届三中全会上，陈云等领导人就注意到国民经济出现的比例严重失调的状况，提出了要进行调整的要求。1979 年 1 月，中央主要领导人和有关部门对这一问题进行了酝酿。针对 1979 年计划中留有很大的物资缺口的问题，陈云于 1 月 1 日和 5 日两次作出批示：“我认为不要留缺口，宁可降低指标，宁可减建某些项目。”“我认为有物资缺口的不是真正可靠的计划。”[①] 邓小平于 1 月 6 日与国务院的领导同志谈经济建设问题时指出：“我们对经济建设的方针、规划要进行一些调整，先搞那些容易搞、见效快、能赚钱、创外汇多的，宁肯减少一些钢铁厂和一些大项目，到一九八五年钢产量不一定非要搞到六千万吨不可。在工业内部，投资的重点要放在电、煤、石油、交通、通讯、建材等方面。搞电，要注意多搞水力发电，搞坑口电站。引进的重点要放在见效快、赚钱多的项目上，先积累资金，然后再搞那些重工业项目。这样做，能增加就业机会，对改善人民生活也有利，更不会发生偿还不起外债的问题。”[②]

1979 年 3 月 14 日，陈云、李先念联名致信中共中央，提出调整国民经济的建议。3 月 21 日至 23 日，中共中央政治局召开会议，讨论 1979 年国民经济计划和对国民经济实行调整的问题。陈云发表了《坚持按比例原则调整国民经济》的重要讲话，指出：“现在比例失调的情况相当严重，最好有三年的调整时间。”[③] 邓小平也在会议上指出：“中心任务是三年调整。这是个大方针、大政策。”[④] 这次会议是坚持实践标准，在经济建设上冲破“左”的思想禁锢，实事求是地决定共和国经济建设方针的一次会议。根据

---

① 中共中央文献研究室编《陈云年谱（1905—1995）》（下卷），中央文献出版社 2000 年版，第 233 页。

② 中共中央文献研究室编《邓小平年谱（1975—1997）》（上），中央文献出版社 2004 年版，第 466 页。

③ 陈云：《陈云文选》第三卷，人民出版社 1995 年版，第 52 页。

④ 中共中央文献研究室编《邓小平年谱（1975—1997）》（上），中央文献出版社 2004 年版，第 497 页。

以上意见和讲话精神，国家计委对1979年国民经济计划进行了调整。

1979年4月5日至28日，中共中央召开工作会议，李先念代表中共中央和国务院发表讲话。他提出，必须下最大的决心，对国民经济实行“调整、改革、整顿、提高”的方针（简称新“八字方针”）。这次中央工作会议较准确地分析了当时国民经济的状况特别是比例失调的情况，指出要坚决地把各方面严重失调的比例关系调整过来。会议指出：经济建设必须适合国情，符合经济规律和自然规律；必须量力而行，循序渐进，经过论证，讲求实效，使生产的发展与人民生活密切结合；必须在坚持独立自主、自力更生的基础上，积极开展对外经济合作和技术交流。会议正式确定对国民经济实行“调整、改革、整顿、提高”的方针。这个方针的提出，标志着中国经济建设指导思想的重大转变。

二、贯彻新“八字方针”

贯彻“调整、改革、整顿、提高”的新“八字方针”可分为两个阶段：1979—1981年为第一阶段，即初步调整阶段；第二阶段是深入调整阶段，时间为第六个五年计划期间。

（一）初步调整阶段

这一阶段又分为两步。第一步（1979—1980年）着重进行以下几个方面的调整：一是调整积累和消费的分配比例，增加了城乡居民的收入；二是调整农业、轻工业和重工业的比例，加快了农业、轻工业的发展；三是调整和整顿企业。

为了促进国民经济的调整，1979—1980年对经济体制进行了有利于调整的改革。一是在农村恢复和推行各种形式的联产计酬的生产责任制，在城市进行扩大企业自主权试点和推行经济责任制；二是在所有制方面，放宽政策，在生产资料公有制占绝对优势的条件下，允许多种经济形式和经营方式并存；三是在计划体制方面，注意在坚持国家计划的原则下，发挥市场调节作用。这些改革措施调动了各方面的积极性，使整个国民经济开始活跃起来，从而有利于调整的进行。

第二步是在 1981 年实施进一步调整。中共中央于 1980 年 12 月 16 日召开工作会议。陈云在会上作题为《经济形势与经验教训》的讲话，邓小平在会上作《贯彻调整方针，保证安定团结》的讲话。会议确定了在经济上实行进一步调整、在政治上实现进一步安定的方针，以扭转经济工作的被动局面。根据中共中央的建议，1981 年 2 月，国务院向人大常委会第十七次会议提出了关于进一步调整国民经济的报告，对原定的 1981 年国民经济计划和国家概算进行必要的修订。对经济进一步调整的目的是彻底扭转严重失调的比例关系，把国民经济引上稳定健康发展的正确轨道。近期目标是尽快消灭财政赤字，实现财政收支平衡；停止财政性货币发行，实现信贷收支平衡；努力保持物价稳定；调整结构，挖掘潜力，提高效益。

（二）深入调整阶段

1982 年 9 月召开的中共十二大提出：在 1981 年到 1985 年的第六个五年计划期间，要继续贯彻执行“调整、改革、整顿、提高”的方针。1982 年 12 月召开的全国人大五届五次会议决定继续对国民经济实行调整的方针。这标志着国民经济的调整进入了新的阶段，即深入调整阶段。

从某种意义上讲，贯彻新“八字方针”的过程也是重新认识中国国情和探索经济建设新道路的过程。从 1979 年 3 月邓小平提出“搞建设，也要适合中国情况，走出一条中国式的现代化道路”①到“寻求一条合乎中国实际的，能够快一点、省一点的道路”②，再到真正从我国实际出发，速度比较实在，经济效益比较好，人民可以得到更多实惠的新路子，表明在经济建设指导思想上实现了拨乱反正。这个带有根本意义问题的解决，为整个国家

① 邓小平：《邓小平文选》第二卷，人民出版社 1994 年版，第 163 页。
② 邓小平：《邓小平文选》第二卷，人民出版社 1994 年版，第 246 页。

的经济发展奠定了基础。

经过三年经济调整和以后的进一步调整，国民经济出现了持续、稳定、协调发展的局面。这表现在国民经济主要比例关系基本协调，农业、轻工业、重工业的比例关系基本上各占 1/3，其他各项主要比例关系也保持基本平衡，尤其是长期以来发展缓慢的第三产业也有一定发展；国民经济主要指标稳定、迅速增长；农村经济全面发展，打破了多年停滞的局面；经济发展与经济效益同步发展。贯彻“调整、改革、整顿、提高”的方针，中国国民经济以及整个现代化建设取得了巨大成就，为 20 世纪 80 年代中国经济发展上一个大台阶奠定了较好的物质基础。国民经济必须调整，说明经济发展是有自身规律的，往往是呈波浪式发展的。这次调整无论是对经济规律的认识还是对指导今后经济建设的实践，都是很有益处的。

第三节　农村经济改革起步与城市改革的试点

中共十一届三中全会前，邓小平等中央领导人就根据中国的实际和时代的要求，提出要进行改革开放，在实际工作中也开始推动改革开放。例如，1978 年 10 月，四川就开始在城市搞企业扩权让利的试点，安徽等地也开始搞农业生产责任制的改革试点。

一、农村经济体制改革的起步

中国农业大国的国情决定了中国的改革率先从农村获得突破并取得进展。从 1840 年以来受尽资本帝国主义欺辱、掠夺、压迫的半殖民地半封建的旧中国是一个落后的农业大国，农村的落后程度在全世界都是罕见的。

中国共产党夺取全国政权后，带领全国各族人民进行了中国历史上前所未有的经济、政治、文化、社会和国防建设，取得举世瞩目的成就。但是，后来由于“文化大革命”这一全局性的错误，国家的各项建设没有达到预期的目标，特别是农村、农业、农民问题没有解决好。

这正如中国共产党的著名经济专家陈云所说：“我们国家是一个九亿多人口的大国，百分之八十的人口是农民。革命胜利三十年了，人民要求改善生活。有没有改善？有。但不少地方还有要饭的，这是一个大问题。”①

为什么会出现这种情况？除历史原因外，当时的管理体制和观念比较僵化也是重要的原因。邓小平尖锐地指出：“我在广东听说，有些地方养三只鸭子就是社会主义，养五只鸭子就是资本主义，怪得很！农民一点回旋余地没有，怎么能行？农村政策、城市政策中央要清理。各地也要清理一下，零碎地解决不行，要统一考虑。”②安徽、四川等地在当时省委的指导下，开始在农村进行体制改革的试点并获得突破。

经济体制改革在农村取得突破。这首先是农民发挥了首创精神，特别是安徽、四川等地的农民率先实行联产承包责任制（包产到户）和突破农村人民公社体制，为中共中央实施农村改革政策提供了实践基础。而中共中央把改革的突破口和重点放在农村，则是符合中国实际的战略选择。

二、实行联产承包责任制

中共十一届三中全会召开后不久，中共中央发出《关于加快农业发展若干问题的决定（草案）》和《农村人民公社工作条例（试行草案）》，其中虽然说“不许包产到户”，但肯定了包工到组、联产计酬的管理方式。这也是一次思想解放，毕竟比过去实行的那种“集中劳动”“平均分配”等管理方式前进了一步。实际上，由于人民公社体制没能调动广大农民的生产积极性，中国农业长期没有得到应有的发展。到“文化大革命”结束

---

① 陈云：《陈云文选》第三卷，人民出版社 1995 年版，第 251 页。

② 中共中央文献研究室编《邓小平年谱（1975—1997）》（上），中央文献出版社 2004 年版，第 261 页。

时，中国农村还有两亿多人没有解决温饱问题。中共中央已经高度注意到："一九七八年全国平均每人占有的粮食大体上还只相当于一九五七年，全国农业人口平均每人全年的收入只有七十多元，有近四分之一的生产队社员收入在五十元以下，平均每个生产大队的集体积累不到一万元，有的地方甚至不能维持简单再生产。"①

（一）农民的创造与各级党政机关的探索

在中共十一届三中全会以前，广大农民对当时实行的一套农业生产管理方式就日益不满，已经在酝酿着改革。在有些地方，包产到户的生产方式在暗地里并没有间断过，如安徽、四川等省已经出现分组作业、小段包工等联产计酬责任制，但大多还处在秘密状态。

而这期间率先实行"包产到户"的是安徽省凤阳县的小岗村。村里的18户农民秘密签订了实行"大包干"的协议，实行联系粮食产量，"交够国家的，留足集体的，剩下都是自己"的大包干。

随着真理标准问题讨论的开展，特别是中共十一届三中全会以后，人们的思想得到了解放。尽管在1979年1月11日发到各省、市、自治区讨论和试行的《中共中央关于加快农业发展若干问题的决定（草案）》和《农村人民公社工作条例（试行草案）》的文件，还只是提出实行责任制，不允许实行包产到户。但几个月内，全国有1/3的社队实行了包产到组。从1979年1月起，《人民日报》对这些情况及时给予连续报道，并发表述评性文章。特别是广东省社队实行的"五定一奖"生产责任制，即在生产队统一支配生产资料、统一调配劳动力、统一生产计划、统一重大生产措施、统一处理产品化收益分配的前提下，对作业组实行定劳力、定地段、定产量、定工分、定成本及超产奖励的责任制，在全国产生了重大影响。

1979年3月12日至24日，中央农委邀请广东、湖南、四川、江苏、

---

① 《中共中央关于加快农业发展若干问题的决定》（1979年9月28日中国共产党第十一届中央委员会第四次全体会议通过），《人民日报》1979年10月6日。

安徽、河北、吉林七省农村工作部门和安徽全椒、广东博罗、四川广汉三县的负责人召开座谈会，讨论建立健全农业生产责任制问题。会上围绕着联产计酬特别是包产到户进行了热烈争论，最后形成的意见是：目前多数地方，还是实行包产到组、定额计酬，不许包产到户；深山、偏僻地区的孤门独户，可以包产到户。现在春耕已到，不论采用什么形式的责任制，都要很快定下来，以便全力投入春耕。①

（二）舆论的参与及影响

中央农委会议期间的 3 月 15 日，《人民日报》发表了一个机关干部的来信，认为包产到组就是解散社会主义集体经济。② 这封由《人民日报》发表并写了编者按的信，给刚刚开始的农村改革带来不小的压力。

但坚持实事求是的思想路线已经确立，包产到组在实践中促进农业生产发展的效果明显表现出来，这种生产方式也获得越来越多农民的赞同和支持。5 月 20 日，《人民日报》发表了题为《调动农民积极性的一项有力措施——关于广东农村实行"五定一奖"生产责任制的调查》的文章，对包产到组的生产形式做了肯定。③这可以说是联产承包责任制的初步发展时期。这一期间主要是发展包产到组，而包产到户只在少数地区实行。

但是，"包产到户"在当时仍然遭到非议。当时安徽省委第一书记万里遭到指责，承受了很大压力。在 1979 年 6 月 18 日召开的五届人大二次会议开幕式会议休息时，万里问陈云："安徽一些农村已经搞起了包产到户，怎么办？"陈云答复："我双手赞成。"④

---

① 中共中央党史研究室编《中国共产党新时期历史大事记（1978.12—2002.5）》（增订本），中共党史出版社 2002 年版，第 14 页。

② 张浩：《"三级所有，队为基础"应该稳定》，《人民日报》1979 年 3 月 15 日。

③《调动农民积极性的一项有力措施——关于广东农村实行"五定一奖"生产责任制的调查》，《人民日报》1979 年 5 月 20 日。

④ 中共中央文献研究室编《陈云年谱（1905—1995）》（下卷），中央文献出版社 2000 年版，第 248 页。

1979年9月25日至28日，中共十一届四中全会正式通过了《中共中央关于加快农业发展若干问题的决定》。由于这个文件非常重要，1979年10月6日《人民日报》公开发表了这个文件。该文件提出："可以按定额记工分，可以按时记工分加评议，也可以在生产队统一核算和分配的前提下，包工到作业组，联系产量计算劳动报酬，实行超产奖励。不许分田单干。除某些副业生产的特殊需要和边远山区、交通不便的单家独户外，也不要包产到户。"① 细心的人会发现这些规定与中共十一届三中全会的规定不同。

1979年底，在中国农业经济学会发起的学术讨论会上，安徽代表介绍了肥西县实行包产到户、凤阳县实行大包干的经验，引起了广大干部、农民以及理论工作者的注意。特别是凤阳县"交够国家的，留足集体的，剩下都是自己的"大包干的经验，得到了人们的关注。包干到户这种形式的生产责任制开始发展。

（三）中央明确表态肯定包产到户

1980年5月，邓小平对"包产到户"和"包干到户"明确表态，提出："农村政策放宽以后，一些适宜搞包产到户的地方搞了包产到户，效果很好，变化很快。安徽肥西县绝大多数生产队搞了包产到户，增产幅度很大。'凤阳花鼓'中唱的那个凤阳县，绝大多数生产队搞了大包干，也是一年翻身，改变面貌。有的同志担心，这样搞会不会影响集体经济。我看这种担心是不必要的。"②

1980年，人们的思想进一步解放，全国农村人民公社经营管理会议提出"不要与搞包产到户的农民群众对立"的问题。当年9月，中央召开省、市、自治区党委第一书记座谈会，形成了《关于进一步加强和完善农业生产责任制的几个问题》的会议纪要。这个会议纪要在中央的文献上首次正式提出：在我国当前的具体条件下实行的包产到户，是依存于社会主义经

---

① 《中共中央关于加快农业发展若干问题的决定》（1979年9月28日中国共产党第十一届中央委员会第四次全体会议通过），《人民日报》1979年10月6日。

② 邓小平：《邓小平文选》第二卷，人民出版社1994年版，第315页。

济，而不会脱离社会主义轨道，没有复辟资本主义的危险，因而并不可怕。这一重要论断，打破了二十多年来套在“包产到户”头上的枷锁，可以说是具有历史意义的思想解放。此后，“包产到户”和“包干到户”进一步在全国范围内实行。到 1982 年 6 月底，全国实行“双包”（即“包产到户”“包干到户”）的生产队已经占 86.7%。

（四）为“联产承包责任制”正名

1982 年下半年，中共中央制定了《当前农业经济政策若干问题》（1983 年 4 月 10 日公布）。该文件明确指出：这种联产承包制是社会主义集体经济所有制经济中“分散经营和统一经营相结合的经营方式”，“在这种经营方式下，分户承包的家庭经营只不过是合作经济中一个经营层次，是一种新型的家庭经济。它和过去小私有的个体经济有着本质的区别，不应混同”。到 1983 年 6 月底，全国 98% 的生产队实行了各种形式的联产计酬责任制，95% 的生产队实行了包产或包干到户。[①] 实行以“双包”为主要形式的家庭经营，克服了集体经济中长期存在的生产上的“大呼隆”和分配上吃“大锅饭”的弊病，解决了我国农业长期以来没有解决的体制问题。

（五）提高农副产品收购价格

1979 年，国务院决定大幅度地提高农副产品的收购价格。18 种主要农副产品是粮食、油脂油料、棉花、生猪、菜牛、菜羊、鲜蛋、水产品、甜菜、甘蔗、大麻、苎麻、蓖麻油、桑蚕茧、南方木材、毛竹、黄牛皮、水牛皮。同时，降低农业机械、化肥、农药、农用塑料等农用工业品的价格。“据国家物价总局计算，以上 18 种主要农产品的收购价格，平均提高 24.8%；由于提价，预计今年可使全国农民增加收益约 70 亿元。”[②]1980 年，继续提高了羊皮、红麻、木材、生漆、桐油等价格，农副产品收购价格总指数在 1979 年的基础上又提高了 7.1%。这两年农副产品的提价是新中国成

---

① 《当代中国》丛书编辑部编《当代中国的经济体制改革》，中国社会科学出版社 1984 年版，第 186 页。

② 《国务院提高十八种主要农产品收购价格》，《人民日报》1979 年 10 月 25 日。

立以来幅度最大的一次。由于产量的增长和价格的提高，全国农民两年中增加了300亿元的收入。

（六）农村管理体制的初步改革

在人民公社的体制下，对农村经济的管理采取一种僵化的计划管理方式，即由国家将主要农副产品的收购任务及产量、播种指标下达到省、县，由县组织完成。县为了完成国家计划，又将指标层层下达到公社、生产大队、生产队。当时在农村中，各级干部往往不按经济规律办事，滥用行政命令，瞎指挥之风盛行，指令性指标越来越多。一些地方连生产队的哪块地种什么、什么时候种、施什么肥、什么时候收割等都要具体规定，严重地挫伤了农民的生产积极性。1979年9月，为了切实保障生产队的生产经营自主权，中共中央发出《关于加快农业发展的若干规定》（以下简称《规定》），规定农村人民公社的基本核算单位，有权因地制宜地进行种植，有权决定增产措施，有权决定经营管理方法，有权分配自己的产品和现金，有权抵制任何领导机关的领导人的瞎指挥。执行《规定》后，各地对农业计划管理办法做了修改，除向生产队下达主要农产品的收购指标外，不再规定产量和播种面积。许多地方采取同生产队签订合同的办法，生产队承担农产品的交售任务，有关部门负责供应农用生产资料。生产队在保证完成国家收购任务的前提下，可以根据自己的实际情况种植和布局，农业生产安排逐步趋向合理。

上述几项改革措施，加上国家多年来对水利设施的投入，特别是以中国著名水稻专家袁隆平培育的杂交水稻等为代表的新兴科学技术的广泛应用，中国很快初步解决了农民的温饱问题，创造了“用占世界7%的耕地，养活了占世界22%人口”的奇迹。

三、农村人民公社体制的改革

随着农村联产承包责任制的普遍推行，农村人民公社体制越来越显示出其严重的弊端。由于公社体制严重地束缚了生产力，越来越不适应商品生产的发展，1979 年前后，一些县开始进行人民公社体制改革的试点并取得重要经验。

（一）人民公社体制改革的试点

中国农村体制的这项重大改革试点是分两步进行的，先是进行政社分开，随后进行撤社建乡。从 1979 年 9 月开始，四川省的广汉、邛崃、新都等县，吉林省的榆树、怀德、农安等县，甘肃省的古浪、文县，河北省的栾城县，以及浙江、广东、辽宁、安徽省的若干公社，都进行了人民公社体制的改革试点。

比较早进行人民公社体制改革试点的是四川省广汉县的向阳人民公社。1979 年 9 月，广汉县选择向阳人民公社进行政、社分开的试点。他们把人民公社的干部分为行政、农副业、企业三个班子。行政班子负责抓全社的日常行政事务，以及民政、青年、妇女、民兵、治保、调解、文教、卫生等工作；农副业班子分管生产、水利、会计等工作；企业班子负责抓全社的社队企业工作。

1980 年 3 月，广汉县委请示四川省委，提出要摘下人民公社的牌子，建立乡人民政府，大队改为村。这得到四川省委主要领导的支持：先在一个公社搞，如果不成功，改过来就行了，一个公社影响也不大。随后，广汉县委正式决定，在向阳人民公社进行撤社建乡的试点：撤销向阳公社党委，建立向阳乡党委；撤销向阳人民公社，建立向阳乡人民政府。由于这项重大改革涉及 1975 年《中华人民共和国宪法》关于“农村人民公社是政社合一的组织”的规定，引起了全国人大常委会的重视。1981 年夏天，民政部部长程子华受全国人大常委会副委员长彭真的委托，到广汉县进行撤社建乡的调查。随后，这项重大的改革引起极大关注。

“从 1980 年起，这个县就逐步改社为乡，成立乡人民政府、乡党委和作为集体经济组织的乡农工商联合公司，实行党、政、企分设。为了改变过去公社干部过多的状况，减轻国家和农民的负担，广汉县采取了两项重要措施：一、乡政府和乡党委机构力求精简，裁减副职，不设虚职。一般是，乡党委配备干部 3 至 4 人；乡政府配备 8 至 10 人。小乡的乡长是一正一副，大乡的乡长是一正二副。二、乡党委和乡政府不包揽乡农工商联合公司内部经济事务。乡农工商联合公司及所属企业需用的管理人员，实行招聘制。”“全县乡一级行政干部由改革前的 490 人减少到 302 人，减少了 38%。”[①]广汉县的“撤社建乡”改革得到了四川省委的肯定和中共中央及全国人大的关注。

（二）撤社建乡工作的起步

1982 年 4 月 12 日，中共中央、国务院发出《关于〈宪法修改草案〉中规定农村人民公社政社分开问题的通知》（以下简称《通知》）。《通知》指出：《宪法修改草案》按照改变现行的政社合一的人民公社体制的原则，规定设立乡人民政府，人民公社为集体经济组织，不再兼负政权职能。当前以及将来《中华人民共和国宪法》正式通过以后的一两年内，各地一般都应维持现有体制，继续按照中央批转的《全国农村工作会议纪要》的规定，完善各种生产责任制和整顿各种基层组织。

1982 年 12 月，五届全国人大五次会议通过的《中华人民共和国宪法》，把乡列为一级行政单位建立政府。这实际上规定了实行乡级政府和人民公社分开。

总之，中共十一届三中全会以来的改革开放是从农村取得突破的。这个伟大的改革，极大调动了亿万农民的积极性，极大解放和发展了农村社会生产力，极大改善了广大农民物质文化生活。更为重要的是，农村改革发展的伟大实践，为建立和完善中国社会主义初级阶段基本经济制度和社会主义市场经济体制进行了创造性探索，为实现人民生活从温饱不足到总

---

① 刘宗棠：《机构越改越小　干部越改越少——广汉县在政社分设改革中精简乡行政干部百分之三十八》，《人民日报》1983 年 7 月 2 日。

体小康的历史性跨越、推进社会主义现代化作出了巨大贡献，为战胜各种困难和风险、保持社会大局稳定奠定了坚实基础，为成功开辟中国特色社会主义道路、形成中国特色社会主义理论体系积累了宝贵经验。

四、城市经济体制改革的起步

在农村改革积极推进的同时，城市经济体制改革的试点也在继续进行。城市试点改革的内容主要有以下几个方面：

（一）简政放权、扩大企业自主权改革

在实际工作中，部分省、市、自治区也开始推动改革开放的进行。例如，1978 年 10 月，四川省就开始在重庆钢铁公司、成都无缝钢管厂、宁江机床厂、四川化工厂、新都县氮肥厂和南充钢厂等 6 家企业进行扩大企业自主权的试点。1979 年 2 月 12 日，中共四川省委在总结宁江机床厂、重庆钢铁公司等 6 家企业扩大企业自主权试点经验的基础上，制定《关于扩大企业权利，加快生产建设步伐的试点意见》（简称“14 条”）。1979 年 6 月 25 日，宁江机床厂在《人民日报》上刊登广告，承接用户直接订货，同时向用户发出 450 封征求订货的信件。广告登报后一个月内，宁江机床厂就收到大批来信，订购广告上的机床 700 多台。①

又如，为了搞活经济，加速广东的发展，广东省围绕着增强企业活力进行了多方面的改革。“1978 年 10 月，广东清远县开始实行超计划利润提成奖，扩大了企业自主权，把企业搞活了；次年 4 月，又改革了公交管理体制，撤销局一级工业机构，充实专业公司，赋予县经济委员会人财物、产供销一把抓的权责；对职工采取‘记分算奖’的办法，普遍建立岗位责任制。从 1978 年 10 月到 1980 年 6 月，执行 21 个月，比试行前的 21 个月，

① 《宁江机床厂把计划调节与市场调节结合起来　产销直接见面　供需双方满意》，《人民日报》1979 年 8 月 5 日。

产值增长 22.3%，利润增长 36 倍多，提供税金增长 15%。”[①]1979 年 8 月召开的广东省工业交通增产节约会议肯定并推广了清远经验，开始在 169 户国营公交企业实行扩大企业自主权的改革。1980 年 9 月，中共广东省委、广东省人民政府发出文件，指出清远经验“是一种大胆的、可贵的尝试”，“实质上是对经济管理体制的改革，它冲击着束缚工业发展的许多旧框框”。[②]清远经验虽然还是初步的尝试，但它对公交企业的体制改革起了良好的带头作用。从 1980 年起，广东全省各地都逐步推行了扩大企业自主权、以税代利的改革，逐步推行以承包为主要内容的多种形式的经济责任制。[③]

1979 年 5 月，国家经济委员会、财政部等 6 个部门决定在北京、天津、上海选择首都钢铁公司、天津自行车厂、上海柴油机厂等 8 家企业，进行扩大企业自主权的试点。改革的主要内容是：改企业基金制为利润留成制；企业在产品生产、销售、试制和资金使用、人事安排、职工奖惩等方面，拥有部分权力；企业实行党委领导下的厂长负责制，建立职工代表大会制度，扩大职工的民主管理权力。这项改革得到了许多企业和职工的拥护。在此基础上，7 月，国务院发布关于扩大国营工业企业经营管理自主权、实行利润留成、开征固定资产税、提高折旧率和改进折旧费使用办法、实行流动资金全额信贷等 5 个文件，要求地方、部门按照统一规定的办法选择少数企业试点。1979 年底，试点企业扩大到 4200 个，到 1980 年又发展到 6600 个，约占全国预算内企业数的 16%、产值的 60%、利润的 70%。[④]

通过扩权，试点企业拥有了部分计划权，在完成国家计划的前提下，多余的生产能力可根据市场需要自行安排生产；企业拥有部分销售权，在完成国家计划收购任务后，多余的产品可自行销售；企业拥有部分资金使用权，可按一定的比例实行利润留成，用于发展生产、改善集体福利、奖励职工；企业拥有部分干部任免权，中层干部不需要上级批准而由企业任

---

① 《当代中国》丛书编辑部编《当代中国的广东》（上），当代中国出版社 1991 年版，第 163 页。

② 《当代中国》丛书编辑部编《当代中国的广东》（上），当代中国出版社 1991 年版，第 164 页。

③ 《当代中国》丛书编辑部编《当代中国的广东》（上），当代中国出版社 1991 年版，第 164 页。

④ 《当代中国》丛书编辑部编《当代中国的经济体制改革》，中国社会科学出版社 1984 年版，第 178 页。

免；等等。这就初步改变了企业只能按国家计划生产，不了解市场需要、不关心产品销路、不关心盈利亏损的状况，开始建立和增强了经营观念、市场观念，企业之间展开了竞争。此外，商业、物资、交通、建筑、邮电、军工及农垦等部门也实行利润留成或亏损包干，取得了一些成效。但是，改革中也存在一些问题，如对企业的指导、监督、调节等措施未能相应加强，致使给企业的自主权没有完全落实，或者企业不能正确地使用这些自主权。这既影响企业积极性的发挥，又使企业积极性的发挥往往不完全符合宏观经济的要求，妨碍改革取得应有的成效。但无论如何，都应该肯定改革起步阶段的这些措施，因为这是城市改革的开始，是中国式渐进改革的必经阶段。

（二）改革中央与地方的关系

如何处理中央和地方的关系，始终是中国这样一个幅员辽阔的大国面临的一个重要问题。从 1980 年起，我国开始实行新的财政体制，主要做法是：北京、上海、天津仍实行统收统支；江苏省实行“比例包干”；广东省、福建省分别实行“定额上交”和“定额补贴”；云南、贵州、青海 3 省和新疆、宁夏、内蒙古、西藏、广西 5 个民族自治区实行特殊照顾（中央补助的数额每年递增 10%）；其余 15 个省实行“划分收支、分级包干”的新办法，即划分中央与地方收入与支出的范围，再按照各省的情况确定地方上交比例或中央定额补助，一定 5 年不变。因为地方收入与支出挂钩，多收多支，少收少支，这项改革促使地方增收节支，克服困难，自求收支平衡；同时财政支出由“条条”下达改为“块块”统筹使用，地方也能主动规划和安排地区经济的发展，不必事事报批，极大地调动了地方的积极性。但是，这项财政体制改革也带来一些问题。地方为了增加收入，千方百计地扩大基本建设规模，盲目发展盈利高的企业，加剧了重复建设和某些产品的盲目生产；同时加强了地方对企业的行政干预，特别是实行省、专区、县财政包干的地方，为了推销本地产品，增加收入，地区封锁较为严重，影响商品流通和生产向社会化发展。

（三）发展多种经济形式

中共十一届三中全会以后，我国集体经济和个体经济有所恢复和发展。为了鼓励集体经济和个体经济的发展，中央制定了一系列方针、政策。1981 年 10 月，中共中央和国务院作出《关于广开门路，搞活经济，解决城镇就业问题的若干决定》（以下简称《决定》），强调：在社会主义公有制占优势的前提下，实行多种经济形式和多种经营方式长期并存，是我党的一项战略决策。《决定》要求努力办好城镇集体所有制经济。同时，按照国民经济的需要适当发展城镇劳动者个体经济，增加自谋职业的渠道。[①] 国务院还先后发布了关于城镇集体经济和个体经济的若干政策性规定，就筹集资金、经营场地、供销渠道、价格税收、收益分配等问题制定了具体政策。北京市委、市政府于 1979 年 3 月决定广开门路安置待业青年，放手发展集体和个体生产服务事业。街道干部尹盛喜带领 20 多名待业青年在前门箭楼西侧卖的“大碗茶”一时扬名国内。1979 年 11 月 30 日，浙江省温州市工商行政管理局给章华秋颁发了“个体工商业营业执照”。这些都标志着个体、集体等经济形式开始发展。

从 1978 年至 1982 年，城镇集体经济和个体经济有了较快的发展，5 年内城镇集体企业共安置就业人员 1237.9 万人，个体劳动者从 15 万人增加到 147 万人。这对繁荣经济、活跃市场、扩大就业门路、增加服务网点、方便群众生活起了积极的作用。

（四）利改税试点

1980 年 1 月，经财政部批准，上海轻工业机械公司及其所属企业单位开始进行“利改税”试点。主要做法是把原来上缴利润改为征收“四税两费”，即开征收入调节税、所得税，恢复征收房地产税、车船使用牌照税，开征固定资金占用费和流动资金占用费。原来的财政拨款，除基本建设投

---

① 中共中央文献研究室编《三中全会以来重要文献选编》（下），人民出版社 1982 年版，第 986 页。

资、增拨定额流动资金外，均不再拨，企业的固定资产折旧不再上缴财政。1981 年 10 月，财政部发出《关于国营企业试行以税代利的几项规定》，此项改革开始在国营企业试行。

上述几个方面的改革试点，使我国原来的计划经济体制发生了一些新的变化，可以说既为今后的改革积累了经验，又为改革的继续发展创造了条件。

第四节　对外开放起步与经济特区的建立

在粉碎江青反革命集团后，面对“文化大革命”十年浩劫造成的严重局势，中共中央和国务院在对外开放方面开始进行拨乱反正。

一、酝酿对外开放与打造对外开放舆论

首先是在媒体上批判林彪、江青反革命集团的谬论。同时，邓小平等党和国家领导人在各种场合广泛深入地向各方面的领导干部和专家学者、党外爱国民主人士宣讲：当今的世界是开放的世界，中国吃了闭关自守的苦头；毛泽东主席是主张对外交往和开放的；新中国成立以后主要是帝国主义封锁我们，但也有我们自己孤立自己的问题；关起门来搞建设不能成功，现在有了比过去好得多的条件，使我们能够吸收国际先进技术和经营管理经验，吸收他们的资金；等等。

1978 年 9 月，邓小平在东北发表讲话：“世界在发展，我们不在技术上前进，不要说超过，赶都赶不上去，那才真正是爬行主义。我们要以世界先进的科学技术成果作为我们发展的起点。我们要有这个雄心壮志。”[1]10

① 邓小平：《邓小平文选》第二卷，人民出版社 1994 年版，第 129 页。

月，他还在讲话中强调："关起门来，固步自封，夜郎自大，是发达不起来的。""要实现四个现代化，就要善于学习，大量取得国际上的帮助。要引进国际上的先进技术、先进装备，作为我们发展的起点。""我们引进先进技术，是为了发展生产力，提高人民生活水平，是有利于我们的社会主义国家和社会主义制度。"[①] 这一系列的讲话为对外开放、打开国门做了舆论准备。

1979 年 1 月 17 日上午，时任全国政协主席的邓小平同工商界领导人、时称"五老"的胡厥文、胡子昂、荣毅仁、周叔弢、古耕虞谈话，并在人民大会堂请他们吃火锅。邓小平真诚地对他们说："现在搞建设，门路要多一点，可以利用外国的资金和技术，华侨、华裔也可以回来办工厂。吸收外资可以采取补偿贸易的办法，也可以搞合营，先选择资金周转快的行业做起。当然，利用外资一定要考虑偿还能力。要发挥原工商业者的作用，有真才实学的人应该使用起来，能干的人就当干部，要落实对他们的政策。总之，钱要用起来，人要用起来。"他又说：现在国家计划想掉个头。过去工业是以钢为纲，钢的屁股太大，它一上就要挤掉别的项目，而且资金周转很慢。要先搞资金周转快的，如轻工业、手工业、补偿贸易、旅游业等，能多换取外汇，而且可以很快提高人民生活水平。

邓小平在谈到发展旅游业问题时指出："我们国家地方大，名胜古迹多。如果一年接待五百万人，每人花费一千美元，就是五十亿美元。要大力发展旅游业，可以多搞几个旅游公司。名胜旅游区要整修一番，像四川的峨眉山，长江三峡，甘肃的敦煌、嘉峪关，西安的半坡村、秦始皇陵等等。云南的石林，整修好了就是世界第一。要搞好旅游景区的建设，要有电、有路、有旅馆，还要搞好城市建设，搞好服务业，千方百计赚取外汇。"他还对荣毅仁说："你主持的单位，要规定一条：给你的任务，你认为合理的就接受，不合理的就拒绝，由你全权负责处理，处理错了也不怪你。要用经济方法管理经济，从商业角度来考虑签订合同，有利润、能创汇的就

① 邓小平：《邓小平文选》第二卷，人民出版社 1994 年版，第 132—133 页。

签，否则就不签，应该排除行政干扰。所谓全权负责，包括用人权。只要是把社会主义事业搞好，就不要犹豫。”[①] 这次谈话气氛融洽，效果非常好。邓小平同“五老”谈话的消息很快传遍京城。

二、考察团出国考察及调查研究

1978 年是中国人走出国门、了解世界，向外国学习的一年，也是酝酿制定对外开放国策的一年。为了借鉴国外发展经验，加速社会主义现代化建设，这一年党中央和国务院派出了四路考察团，即由国家计委和外经贸部有关领导组成的港澳经济考察团，由李一氓、于光远等带队的赴罗马尼亚、南斯拉夫考察团，由国家计委副主任林乎加率领的赴日本经济考察团，以及由国务院副总理谷牧带队的赴西欧五国考察团。

这几个考察团在 1978 年上半年几乎是同时出动，当时被人们称为共和国即将开始大规模改革开放的“侦察兵”。几路代表团考察归来后，都写出了调查报告并提出加快中国现代化发展的具体建议，对中央高层改革开放决策产生了较大影响。

在以上几路考察团中，以谷牧为团长的西欧五国考察团最受关注。一是因为这个代表团出发前，邓小平专门听取代表团团长谷牧等汇报前往西欧五国考察的准备工作情况。邓小平要求代表团在访问中，要广泛接触，详细调查，深入研究一些问题。好的也看、坏的也看，看看人家的现代工业发展到什么水平了，也看看他们的经济工作是怎么管理的。资本主义国家先进的经验、好的经验，我们应当把它学回来。[②] 二是因为赴西欧考察团是中华人民共和国成立后，新中国首次向发达资本主义国家派出的国家级政府经济代表团。代表团成员除了分管经济工作的国务院副总理谷牧外，

---

① 中共中央文献研究室编《邓小平年谱（1975—1997）》（上），中央文献出版社 2004 年版，第 261 页。

② 中共中央文献研究室编《邓小平年谱（1975—1997）》（上），中央文献出版社 2004 年版，第 305 页。

还有水电部部长钱正英、农业部副部长张根生、国家建委副主任彭敏、北京市革委会副主任叶林、北京市主管工业的书记严明、广东省革委会副主任王全国、广西主管工业的书记朱广权以及山东省革委会副主任杨波等20余名长期从事经济工作的中央和地方各级领导干部。为了壮大出访声势，代表团还带了一个摄影、摄像组随团，全团共30多人。

从1978年5月2日至6月6日，代表团先后访问了法国、联邦德国、瑞士、比利时、丹麦5国的15个城市。一个多月的访问，使代表团成员眼界大开，所见所闻深深震撼了每一个人的心。

当年的代表团团长谷牧回忆说："当时我理解，小平同志对于实行开放的决心已定，他正在思索和考虑的不是'要不要开放'，而是'怎么搞对外开放'。我深感这次带团出国考察责任重大，因此出去之后一直'马不停蹄'，从5月2日到6月6日一个多月内走了上述5个国家的15个城市，会见有关政界人士和企业家，参观了许多工厂、农场、港口码头、市场、学校、科研单位和居民区，尽量多收集资料信息，多思考研究问题。"①

代表团回国后，6月下旬，中央政治局专门开会听代表团汇报。谷牧着重讲了三点：①二战后，西欧发达国家的经济确有很大发展，尤其是科技日新月异，我们已经落后很多，他们在社会化大生产的组织管理方面也有许多值得借鉴的经验；②它们的资金、商品、技术要找市场，都看好与中国发展关系；③国际经济运作中有许多通行的办法，包括补偿贸易、生产合作、吸收国外投资等，我们可以研究采用。谷牧发言后，中共中央政治局展开了热烈讨论。叶剑英、聂荣臻、李先念都提出，外边的情况，这次出去看清楚了，讲明白了，该是下决心采取措施实行的时候了。

6月下旬，邓小平约见谷牧，对他讲了一番话，中心意思是：引进这件事要做，下决心向国外借点钱搞建设，要抓紧时间。②

---

① 谷牧：《小平领导我们抓开放》，《百年潮》1998年第1期。

② 中共中央文献研究室编《邓小平年谱（1975—1997）》（上），中央文献出版社2004年版，第335页。

在这期间，谷牧还应邀到中央党校作报告，为开展对外开放造舆论，使对外开放的重要性逐渐为人们所认识。

三、召开国务院务虚会

1978 年 7 月 6 日至 9 月 11 日，国务院务虚会正式召开，专门研究如何加快中国现代化建设的速度问题和华国锋在听取谷牧汇报讲话时出的 4 个题目（即引进新技术、企业管理和工业管理、计划平衡、出口贸易）。中共中央高度重视这次会议。中共中央副主席、国务院副总理李先念主持会议，国务院副总理谷牧负责日常工作。会议正式开始时，李先念、余秋里、康世恩、耿飚、谷牧、王震、陈慕华等副总理和国务院各经济部门负责人共 47 人出席了会议（参会人员并不固定，总共有 60 多人参加）。中共中央主席、国务院总理华国锋只有一两次因故未参加会议，并经常即席发言。据统计，他一共至少有 13 次讲话和插话。李先念至少有 14 次发言和插话。会议进行的程序是先学习讨论华国锋、叶剑英、邓小平在听取出国人员汇报时的指示，然后进行专题讨论。专题讨论基本上是先由各部门谈本部门的情况，然后大家就所介绍的情况展开讨论。会上可以自由发言，允许提问、插话。①

会议期间，国家计委、国家经委、农林部、一机部、国家建材总局、冶金部、财政部、中国社会科学院、国务院研究室等 29 个部委的负责同志发言。这些发言者中有相当一部分人曾经出国考察。他们在汇报中将国外的情况做了汇报，并就如何学习借鉴国外经验交流了意见。比如，谷牧在会上报告了考察西欧五国的情况，并敞开思想讲了自己的想法和意见。李一氓在给中央的报告中谈到了社会主义基本经济制度有多种模式的问题，这一思路在国务院务虚会上做了介绍，也受到了很大的重视。②他们还提出，

---

① 文世芳：《中国共产党对境外发展经济经验的认识与借鉴（1976—1984）》，中共中央党校博士学位论文，2017 年。

② 于光远：《我亲历的那次历史转折》，中央编译出版社 1998 年版，第 69 页。

日本、联邦德国两个战败国为什么能够迅速复兴？“上帝只给了太阳和水”的瑞士为什么也能跻身于发达国家行列？我们条件并不比他们差多少，许多方面还比他们强得多。一定要下定决心，千方百计把经济搞上去。[①]

四、酝酿和建立经济特区

在 1978 年底召开的中共中央工作会议上，经邓颖超提议，李先念等同意将几个有关对外开放的材料印发给与会同志参阅。这几个材料是：罗马尼亚、南斯拉夫的经济为什么能高速发展？苏联在二三十年代是怎样利用外国资金和技术发展经济的？战后日本、联邦德国、法国经济是怎样迅速发展起来的？新加坡、韩国，以及中国香港、台湾地区的经济是怎样迅速发展起来的？这些材料引起与会人员的极大兴趣。随后召开的中共十一届三中全会作出了实行改革开放的重大决策。这次全会通过的公报指出：在自力更生的基础上积极发展同世界各国平等互利的经济合作，努力采用世界先进技术和先进设备。

（一）建立经济特区的酝酿

中共十一届三中全会作出改革开放的决策后，如何具体实施，从哪里起步，选择一个什么样的突破口，并非易事。在中共中央高层的关注和支持下，经过面向世界认真分析国外经济发展情况，深入研究加速中国现代化建设的问题，广东、福建两省的领导及各界人士审时度势，积极争取。中央决定把突破口选在靠近香港、澳门、台湾地区的广东和福建两省，建立经济特区。

建立特区也经历了一个不平凡的过程。1979 年 1 月，国务院负责经济工作的副总理李先念批准了广东省、交通部联合向国务院报送的《关于我驻香港招商局在广东宝安建立工业区的报告》。这可以说是建立深圳特区的

---

① 文世芳：《中国共产党对境外发展经济经验的认识与借鉴（1976—1984）》，中共中央党校博士学位论文，2017 年。

重要准备。1月31日，李先念同谷牧（时任副总理）听取彭德清（时任交通部部长）、袁庚（时任交通部外事局局长、招商局副董事长）关于香港招商局建立广东宝安工业区问题的汇报。李先念说："现在就是要把香港的有利条件（资金、技术）和国内的有利条件（土地、劳动力）结合起来，把香港外汇和国内外汇结合起来用，不仅要给广东，而且要和福建、上海等连起来考虑。建工业区，可以给你们一块地，给个半岛（指蛇口以南的半岛，面积达五十平方公里，当场用红铅笔画出，但袁庚未敢要，只是要了九平方公里——编者）要赚取外汇，要向国家纳税。交通部要同香港结合起来，搞好国内外的结合，把生意做大一些，可以创造外汇，要把远洋船队管理好，要为外贸服务。"[①] 李先念当场就在1月6日交通部和广东省送来的《关于我驻香港招商局在广东宝安建立工业区的报告》上批示："拟同意。请谷牧召集有关同志议一下。"2月2日，谷牧召集国家计委、建委、外贸部、财政部、交通部、人民银行等有关负责同志，研究落实李先念的批示。会议当天，谷牧致信李先念报告会议情况。2月3日，李先念批示：拟可照办。2月14日，国务院原则上同意《关于宝安、珠海两县外贸基地和市政建设规划设想》。3月5日，国务院正式批复广东省将宝安县、珠海县改为深圳市、珠海市。

4月下旬，在中央召开的专门讨论经济建设的工作会议上，广东省委第一书记习仲勋向中共中央政治局汇报工作时提出：希望中央下放若干权力，让广东在对外经济活动中有较多的自主权和机动余地；允许在毗邻港澳的深圳和珠海以及属于重要侨乡的汕头举办出口加工区。华国锋说："珠海、宝安要研究搞加工贸易区。"邓小平十分赞同这一设想，并对广东省委负责人习仲勋、杨尚昆说："还是叫特区好，陕甘宁开始就叫特区嘛！中央没有钱，可以给些政策，你们自己去搞，杀出一条血路来。"[②] 根据邓小平的

---

① 《李先念传》编写组、鄂豫边区革命史编辑部编《李先念年谱》第六卷，中央文献出版社2011年版，第6—7页。

② 中共中央文献研究室编《邓小平年谱（1975—1997）》（上），中央文献出版社2004年版，第510页。

提议，中央工作会议正式讨论了广东省的提议。4 月，中央就派国务院副总理谷牧带队到广东、福建进行实地考察。

5 月 5 日，广东省委向中央报送《关于试办深圳、珠海、汕头出口特区的初步设想》。这是第一份正式的关于试办特区的建设方案。[①]蛇口工业区破土动工，首期开发 1 平方公里，在施工中提出著名的影响很大的“时间就是金钱，效率就是生命”的口号，创造了较快的速度和较好的效益。

随后，广东省革委会（当时的省领导机构）在蛇口工业区的土地、交通、税收、劳动力、供电、供水、粮食供应等问题上，制定了一系列优惠政策。蛇口工业区建成后被誉为“蛇口模式”，成为中国对外开放和改革的“试验田”。

7 月，中共中央和国务院以文件的形式批转广东、福建两省《关于发挥广东优越条件，扩大对外贸易，加快经济发展的报告》《关于利用侨资、外资，发展对外贸易，加速福建社会主义建设的请示报告》，决定对广东、福建对外经济活动实行特殊政策和优惠措施，给地方以更多的主动权，使之发挥优越条件，抓紧当前有利的国际形势，先走一步，把经济尽快搞上去。文件指出：“关于出口特区，可先在深圳、珠海两市试办，待取得经验后，再考虑在汕头、厦门设置的问题。”[②]还规定两省实行财政包干，有权安排和经营自己的对外贸易，两省的外汇实行大包干；扩大两省在计划、物价、劳动工资、企业管理等方面的管理权限，两省可以在广东的深圳、珠海、汕头和福建的厦门各划出一块区域，试办出口特区，特区内允许华侨、港澳商人直接投资办厂，允许外国厂商投资办企业，或同他们合办企业和旅游业等。

---

① 《广东改革开放史》课题组编《广东改革开放史（1978 ~ 2018 年）》，社会科学文献出版社 2018 年版，第 51 页。

② 陈夕总主编《中国共产党与经济特区》，中共党史出版社 2014 年版，第 204 页。

（二）完成建立经济特区的法律程序

1980年3月，受中共中央和国务院委托，谷牧在广州召开广东、福建两省会议。广东省习仲勋、杨尚昆、刘田夫、吴南生，福建省马兴元、郭超等和国务院有关部门及港澳工委的负责同志参加了会议。[①]5月16日，中共中央和国务院以文件的形式批转《广东、福建两省会议纪要》，指出广东、福建两省进行经济体制改革，不但有利于加快两省经济的发展，而且有利于促进全国的经济体制改革。该纪要内容：一是财政和外汇收入实行定额包干；二是物资、商业在国家计划指导下适当利用市场的调节；三是在计划、物价、劳动工资、企业管理和对外经济活动等方面，扩大地方权限；四是试办经济特区，积极吸收侨资、外资，引进国外先进技术和管理经验。[②]这个纪要正式将“特区”定名为“经济特区”。

同年6月，由国家进出口管理委员会牵头，当时任国家进出口管理委员会、国家外国投资管理委员会副主任兼秘书长的江泽民负责组织对广东省第五届人大常委会第三次会议通过的《广东省经济特区条例》进行修改，先后13次易其稿。8月，受国务院委托，江泽民在五届全国人大常委会第十五次会议上作了关于在广东、福建两省设置经济特区和《广东省经济特区条例》的说明。五届全国人大常委会第十五次会议正式批准国务院提出的在粤、闽4市设立经济特区的建议，同时批准《广东省经济特区条例》，完成了设立经济特区的立法程序。

（三）经济特区的建立和争议

经济特区处在中国对外开放战略格局中的前哨阵地，作为中国改革开放的窗口和试验场，它的建立在改革开放的历史上有着重要的地位。其中，深圳特区发展最快，引起世人瞩目。

“杀出一条血路”，实际上就是破除传统经济模式、破除陈旧的思想观

① 陈夕总主编《中国共产党与经济特区》，中共党史出版社2014年版，第207页。
② 陈夕总主编《中国共产党与经济特区》，中共党史出版社2014年版，第207页。

念，就是要敢为天下先。深圳等经济特区的开拓者们坚持解放思想、实事求是，创业伊始就提出了“建设资金以引进外资为主”的方针，把中国香港地区、外国的资本源源不断地吸引到特区来。特别是深圳在特区建设过程中，连续创出几个“全国第一”，闯出了自己的路。

深圳特区在社会主义中国，最早“出租土地”，最早“预售商品房”，第一个推出工程“招标投标”方案，最早建立“劳务市场”“原材料市场”“生活资料市场”，还有新中国成立以后人们早已陌生或很不熟悉的“金融市场”“科技市场”“信息市场”“人才市场”“期货市场”“房地产市场”，等等。

概括起来，经济特区实行的特殊经济政策和管理体制有如下几个方面：一是建设资金以引进外资为主，所有制结构为多种形式共存，产业结构以工业为主，产品以出口外销为主。二是特区的经济活动，在国家宏观指导下以市场调节为主。三是管理体制有更大的自主权，在投资项目审批、外贸、企业经营等方面都给予优惠待遇。四是对来特区投资的外商，在税收、土地使用、出入境等方面实行优惠政策和灵活措施。

但是，由于传统观念的惰性，对创办经济特区一开始就有不同意见。作为改革开放中的新生事物，经济特区一方面受到国内外各界人士的广泛关注、热情支持和深切理解，另一方面也招致一些对它的怀疑和指责。有人拿传统社会主义观念来衡量开放中的经济特区，认为许多东西超出了社会主义的界限，有的甚至对经济特区的各项举措横挑鼻子竖挑眼。1981 年前后，国门初开的广东沿海地区走私猖獗，加重了一部分人对经济特区和改革开放的担忧。1982 年前后，有人把经济特区比拟成租界和殖民地，刮起了“租界风波”。在这种背景下，时任中共中央总书记的胡耀邦于 1983 年 2 月初考察经济特区，公开表态说“你们已经创出了一个新局面，比较出色地完成了中央的意图”，并作出“特事特办，新事新办，立场不变，方法全新”[①]等重要指示，对经济特区表示支持。

随着社会化大生产和市场经济的日益扩大和发展，人们愈来愈认识到经济活动的国际化是不可阻挡的发展趋势。在当今世界，既没有任何一个国家能够拥有发展本国经济所需要的一切资源，也没有任何一个国家能够掌握世界上所有的先进技术，更没有哪个国家能离开世界市场。开放是世界发展的潮流和时代趋势，中国要发展，要赶上当今世界的经济和科技发展，要进入世界市场，就离不开创办经济特区这个对外开放的窗口和示范。

五、制定对外经济合作的法规与合资企业的诞生

在 1979 年 6 月召开的第五届全国人大第二次会议期间，国务院总理华国锋在《政府工作报告》中明确宣布：“无论在三年经济调整期间或今后的长时期内，我国将积极发展对外贸易。发展对外经济合作和技术交流，并采取国际上通用的各种合作形式吸收国外资金，这是我国政府坚定不移的重要政策。”[②]

（一）制定对外经济合作方面的法规

允许外国直接投资政策确立后，1979 年 7 月，中国颁布了第一部吸收外国投资的法律《中华人民共和国中外合资经营企业法》。其主要内容是：（1）允许外国公司、企业和个人来华投资，对其合法权益、利润给予保护；（2）对举办合营企业的程序、形式、条件、企业的税收、原材料购买产品内外销和合营期满的处理作了规定；（3）明确合营企业最高权力机构是董事会，董事会长由中方担任等。[③]

① 梁湘：《建设经济特区的决策是完全正确的》，《人民日报》1984 年 3 月 29 日。

② 华国锋：《政府工作报告——1979 年 6 月 18 日在第五届全国人民代表大会第二次会议上》，《人民日报》1979 年 6 月 26 日。

③ 《中华人民共和国中外合资经营企业法》（1979 年 7 月 1 日第五届全国人民代表大会第二次会议通过），《人民日报》1979 年 7 月 9 日。

在实践的基础上，中国又制定了一系列具体的法令。1980 年 7 月，制定了《中外合资经营企业劳动管理规定》《中外合资经营企业登记管理办法》《关于中外合营企业建设用地暂行规定》。9 月，出台了《中华人民共和国中外合资经营企业所得税法》。12 月，颁布了《中华人民共和国中外合资经营企业所得税法实行细则》《中华人民共和国外汇管理暂行条例》等。这些法律、法规的制定，使中国利用外资的法律得到了初步的健全和完善。自 1979 年颁布《中华人民共和国中外合资经营企业法》到 1982 年底，得到正式批准的中外合资企业有 78 个，加上各种类型的合作经营、合作开发项目共有 600 多个，吸收的外资达 17 亿美元。此外，中国还同日本、科威特、丹麦、意大利、比利时等国以及世界银行等国际金融组织建立了信贷合作关系。

（二）吸引利用外资与成立对外经济合作的公司

吸引和利用外资、兴办中外合资经营企业和中外合作经营企业（或项目），是对外开放的重要方式和步骤。

为推进对外开放，理顺体制，1979 年 10 月 4 日，中国国际信托投资公司（简称“中信”）正式成立，由荣毅仁担任董事长和总经理。中信是国务院直接领导的业务机构。公司的任务是按照中华人民共和国中外合资经营企业法及国家其他有关法令、条例，引导、吸收和运用外国的资金，引进先进技术，进口先进设备，对我国进行建设投资，加速我国社会主义现代化建设的进程。

1980 年，我国恢复在世界银行、国际货币基金组织的代表权，并加入国际农业发展基金会，开始从这些国际金融机构中得到贷款。我国还先后同日、法、美等国的公司签订协议，开展海上石油勘探开发。

1983 年 4 月 10 日，由著名爱国工商界人士发起的民间性质的光大实业公司，在北京正式宣告成立。王光英任光大实业公司董事长。光大实业公司的宗旨是根据我国国民经济发展的方针，努力扩大对外经济技术交流。

当前的主要任务是引进外资和国外先进技术设备，为我国四化建设服务。公司还在国内外与外商合作，进行合资经营。这些公司的成立，表明中国的对外开放迈出了新步伐。

（三）“三资企业”的发展

“三资企业”是指在中国境内设立的中外合资经营企业、中外合作经营企业、外商独资经营企业三类外商投资企业。

1980 年 4 月 10 日，中国第一家中外合资企业——中国民航北京管理局和香港中国航空食品公司合资创办的北京航空食品有限公司被批准成立。5 月 1 日，公司在北京正式挂牌。

首批被批准的中外合资企业还有中国迅达电梯有限公司、新疆天山毛纺织品有限公司、北京建国饭店、北京长城饭店、天津王朝葡萄酒公司等。当时的经贸部部长郑拓彬提出：1979 年至 1988 年上半年，我国批准举办“三资”企业 1.2 万个，外商已实际投资约 100 亿美元。①

总之，实行对外开放是解放思想、实事求是对怎样建设社会主义进行重新认识的结果，是邓小平等中央领导人对落后国家如何赶上时代进行再认识的重要成果。实践证明，封闭不能发展社会主义，把自己孤立于世界之外更不能发展社会主义，当代社会主义各国发展和建设的实践结果充分说明了这一点。

第五节 政治体制改革纲领的提出

中共十一届三中全会以后，在积极实行工作重心转移、实施改革开放的同时，党和国家采取积极措施调整社会关系，尽可能地调动一切积极因

---

① 《我国利用外资发展经济 十年累计逾四百亿美元》，《人民日报》1988 年 8 月 22 日。

素进行社会主义建设，积极推进民主政治建设，实施党和国家领导制度的改革，并提出政治体制改革的纲领。

一、政治体制改革任务的提出

粉碎“四人帮”后，反思十年内乱的深刻教训，民主法制建设、政治体制改革的问题就已经提出来了。1978 年 12 月 13 日，在中共中央工作会议闭幕会上，邓小平提出“正确地改革同生产力迅速发展不相适应的生产关系和上层建筑”的任务，强调：“必须使民主制度化、法律化，使这种制度和法律不因领导人的改变而改变，不因领导人的看法和注意力的改变而改变。”①叶剑英在讲话中着重论述了“为了建设现代化社会主义强国，一定要加强社会主义法制”，强调“一个国家非有法律和制度不可”，“在人民自己的法律面前，一定要实行人人平等，不允许任何人有超于法律之上的特权”。②他提出：“全国人民代表大会常务委员会要立即着手研究修改制定民法、诉讼法、刑法、婚姻法和各种经济法等等，尽快完善我国的法制。”③

这些讲话的内容被中共十一届三中全会确认并写到了全会的公报之中：“实现四个现代化，要求大幅度地提高生产力，也就必然要求多方面地改变同生产力发展不适应的生产关系和上层建筑，改变一切不适应的管理方式、活动方式和思想方式，因而是一场广泛、深刻的革命。”④中共十一届三中全会的公报，不仅提出了中国政治体制改革的方向、原则，而且提出了需要着重改革的问题。主要是：①精简经济行政机构，下放管理权限，克服权力过于集中的严重缺点。②解决党政企不分、以党代政、以政代企的现象。

---

① 邓小平：《邓小平文选》第二卷，人民出版社 1994 年版，第 146 页。

② 中国人民解放军军事科学院编《叶剑英年谱（1897—1986）》（下），中央文献出版社 2007 年版，第 1160 页。

③ 中国人民解放军军事科学院编《叶剑英年谱（1897—1986）》（下），中央文献出版社 2007 年版，第 1160 页。

④《中国共产党第十一届中央委员会第三次全体会议公报》（1978 年 12 月 22 日通过），《人民日报》1978 年 12 月 24 日。

③强调民主与集中的统一，真正实行民主集中制，使党的领导和生产指挥建立在群众路线基础上。④保障人民民主，加强社会主义法制，使民主制度化、法律化。1979 年 11 月 2 日，邓小平在中央高级干部会上提出废除领导干部职务终身制，实行干部退休制度，设立顾问制度作为过渡形式，尽快改变机构臃肿、人浮于事的状况。他号召高级领导干部要发扬党的优良传统，为改革党的领导体制做出表率。

1980 年 2 月，中共十一届五中全会召开。这是中共领导体制改革的一次重要会议。会议讨论通过了《关于党内政治生活的若干准则》和《中国共产党章程（修改草案）》，决定重新设立中央书记处，作为中共中央政治局及其常委会领导下的经常性工作机构。这样，中共中央领导体制形成了中央书记处、中央政治局和中央政治局常委会由下而上的三个层次。这既是改变权力过分集中于少数人甚至个人的重要措施，又是改变个人交接班而实行集体交接班的重大决策。全会通过的《关于党内政治生活的若干准则》（以下简称《准则》）是党的重要法规，要求全体党员认真学习，自觉遵守。《准则》共 12 条，规定：坚持党的政治路线和思想路线是党内政治生活准则中最根本的一条。集体领导是党的领导的最高原则之一。民主集中制是党的根本组织原则。各级党委都要实行集体领导和个人分工负责相结合的制度，凡是重大问题都由集体讨论决定，不得由个人专断。在党委内部，要严格遵守少数服从多数的原则，书记和委员不是上下级关系，而是平等的关系。各级党组织应按党章规定，定期召开党员大会和代表大会，按期改选；每届代表和委员应有一定数量的更新，实行差额选举。《准则》总结了中国共产党几十年处理党内关系的经验教训，把党章的有关规定、民主集中制的原则具体化，对于健全党内民主生活，维护党的集中统一，增强党的团结和战斗力，具有重要意义。

会议讨论通过的《中国共产党章程（修改草案）》，对党员条件重新做出严格规定，进一步完善了民主集中制的内容，特别是对干部制度做出了一系列新的规定。新党章规定，不搞实际上存在的领导干部职务终身制，共产党的组织和党员必须在宪法和法律的范围内活动等内容。1980 年 4 月，中共中央政治局会议讨论通过了《关于丧失工作能力的老同志不当十二大代表和中央委员候选人的决定》，这是废除实际存在的干部职务终身制的又一重要步骤。

二、政治改革的纲领性文献《党和国家领导制度的改革》

1980 年 8 月 18 日，在中央政治局扩大会议上，邓小平发表了题为《党和国家领导制度的改革》的重要讲话，郑重提出政治体制改革的任务，对党和国家领导体制改革的问题做了全面、系统的论述。他指出，“领导制度、组织制度问题更带有根本性、全局性、稳定性和长期性”，“改革并完善党和国家的领导制度”是实现改革并完善党和国家各方面制度这一艰巨、长期任务的关键。①

邓小平指出：改革党和国家领导制度及其他制度，是为了充分发挥社会主义制度的优越性，加速现代化建设事业的发展。邓小平在讲话中列举当时党和国家的领导制度、干部制度方面存在的主要弊端，指出改革要“着手解决党政不分、以党代政的问题”，“从制度上保证党和国家政治生活的民主化、经济管理的民主化、整个社会生活的民主化”。② 同时，提出了改革现行政治体制的基本思路：一是权力不宜过分集中；二是兼职、副职不宜过多；三是着手解决党政不分、以党代政的问题；四是从长远着想，解决好交接班的问题。③ 他还提出了六点对党和国家领导制度改革的设想：一是中央决定向五届全国人大三次会议提出修改宪法的建议。关于不允许权力过分集中的原则，将在宪法上体现出来。二是考虑设立顾问委员会。三是真正建立从国务院到地方各级政府从上到下的强有力的工作系统。四是有准备有步骤地改变党委领导下的厂长（经理）负责制。五是各企业、

① 邓小平：《邓小平文选》第二卷，人民出版社 1994 年版，第 333、342 页。
② 邓小平：《邓小平文选》第二卷，人民出版社 1994 年版，第 322、321、336 页。
③ 邓小平：《邓小平文选》第二卷，人民出版社 1994 年版，第 321 页。

事业单位普遍成立职工代表大会或职工代表会议。六是各级党委要真正实行集体领导和个人分工负责相结合的制度。①

邓小平的这篇讲话，抓住党和国家领导制度这个关键，直指原有政治体制的最大缺点"权力过分集中"特别是"领导者个人高度集权"，深刻分析了我国原有政治体制存在的弊端及其产生的根源，系统论述了政治体制改革的目的、意义、主要内容、基本原则和方式方法。这个重要讲话经 8 月 31 日中共中央政治局会议讨论通过，成为党和国家领导体制改革的纲领性文件。

三、政治体制改革的起步与初步成果

在废除实际存在的领导干部职务终身制方面，1982 年 2 月 20 日，中共中央发出《关于建立老干部退休制度的决定》。4 月 10 日，国务院发出《关于老干部离职休养制度的几项规定》。这是改革干部制度的重要文件，使废除领导干部职务终身制有了可操作的依据。1982 年宪法又规定，实行国家领导人职务任期制，国家主席、副主席，全国人大常委会委员长、副委员长，国务院总理、副总理，国务委员等国家领导人连续任职不得超过两届，这就从实际上取消了国家领导人领导职务终身制。

在精简机构方面，1982 年 1 月，中共中央政治局召开中央机构精简会议。邓小平在会上发表了《精简机构是一场革命》的重要讲话。他针对机构臃肿重叠、职责不清、办事效率低等弊病，提出精简机构的必要性、原则和注意的问题，要求中央一级精简 1/3，下面不止 1/3。在精简机构中，不但要注意"出"，还特别要注意"进"，要把"进"摆在第一位。要选贤任能。精简是革命，选贤任能也是革命。

1982 年 3 月，国务院提出了机构改革方案，经全国人大常委会会议批

① 邓小平：《邓小平文选》第二卷，人民出版社 1994 年版，第 339—341 页。

准实施。通过改革，减少副总理，设国务委员，由国务院总理、副总理、国务委员和秘书长组成国务院常务会议，作为国务院日常领导工作机构。对国务院各部委和直属机构进行了大幅度的裁减、合并，部委机构由原来的 100 个精简为 61 个，部委内部只设司、处两级，工作人员总编制由原来的 4.9 万人缩减为 3.2 万人。6 月 28 日，中共中央发出《中央党政机关机构改革第一阶段总结和下一阶段打算》的通知，指出改革的第一步就是精简机构。从 1982 年下半年起，地方行政机构开始精简工作，取得初步成果。省级机构领导成员的人数减少了 35%，在党委和政府交叉兼职的减少了 63.8%。在精简机构的同时，还注意转变政府职能，改变政企不分的体制。中央和各级政府主管企业的部门缩小权力，将一部分权力交给企业，扩大企业的自主权。这次机构改革历时三年，范围包括各级党政机关，是新中国成立以来规模较大、目的性较强的一次机构改革。

尽管当时进行的政治体制改革尚处于起步阶段，来自各方面的阻力和困难仍然很多，前进的道路也并不平坦，但它所产生的初步成效，为随后改革开放的全面展开和社会主义现代化建设的顺利进行提供了一定的制度保证。

四、加强民主与法制建设的举措

按照中共十一届三中全会提出的加强民主与法制建设的要求，从 1979 年起，党和国家采取了一系列重要举措。全国人大和地方各级人大的作用逐渐加强，社会主义民主和法制建设进入到新的发展阶段。

1979 年 2 月，第五届全国人大常委会第六次会议决定设立全国人大常委会法制委员会，决定彭真任主任、胡乔木等 10 人任副主任；9 月，恢复 1959 年被撤销的中华人民共和国司法部，主管全国司法行政工作；1980 年 1 月，中共中央成立中央政法委员会，由彭真任书记。这些机构的建立和重新恢复，为社会主义民主与法制建设提供了有力的组织保障。

1979年起，全国人大开始了全面系统的立法工作。6月18日至7月1日召开的五届全国人大二次会议通过了《关于修正〈中华人民共和国宪法〉若干规定的决议》，审议通过了《中华人民共和国地方各级人民代表大会和地方各级人民政府组织法》《中华人民共和国全国人民代表大会和地方各级人民代表大会选举法》《中华人民共和国人民法院组织法》《中华人民共和国人民检察院组织法》《中华人民共和国刑法》《中华人民共和国刑事诉讼法》《中华人民共和国中外合资经营企业法》七部重要法律。这是中共十一届三中全会后第一批制定和颁布实施的法律，标志着中国民主与法制建设步入了全面发展的轨道。

1980年8月，全国人大常委会又启动了民主与法制建设的一项重要工程，开始修订《中华人民共和国宪法》。9月10日，五届全国人大三次会议接受中共中央《关于修改宪法和成立宪法修改委员会的建议》。9月15日，宪法修改委员会正式成立，叶剑英任主任，宋庆龄、彭真任副主任。当天举行了第一次全体会议，决定设立宪法修改委员会秘书处，确定胡乔木为秘书长。经过一年多的艰辛工作，宪法起草委员会拟出了宪法讨论稿。

1982年2月27日至3月16日，经过宪法修改委员会逐章逐节逐条讨论、修改，又征求了全国人大在京常委，部分全国政协常委，各民主党派和人民团体负责人，中共中央、国务院、人民解放军各部门，以及各省、市、自治区领导人的意见，拟出第二个宪法修改草案。宪法修改草案把坚持四项基本原则写入宪法；把“公民的权利和义务”放在“国家机构”的前面，以加强人民民主；恢复设立国家主席的规定；将“国家在必要时设立特别行政区”写入宪法，以对实行“一国两制”构想、解决台湾问题和香港、澳门回归祖国问题作出相应规定；规定恢复乡政府、村长设置；规定实行审计监督制度、建立国家审计机关；等等。4月12日，宪法修改委员会召开第三次全体会议对该草案进行讨论和审议，决定将该草案交付全国各族人民讨论。同日，中共中央、国务院发出了关于政社分开的通知。全民讨论历时八个月，是人民民主的大发扬。通过全民讨论，对宪法草案的具体规定做了近百处补充和修改。同年 11 月，宪法修改委员会召开两次全体会议，经讨论修改，一致同意将《中华人民共和国宪法修改草案》和关于宪法修改草案的报告提请五届全国人大五次会议审议。

五、加强执政党的建设以更好地领导改革开放

中国共产党是中国特色社会主义事业的领导核心，也是中国改革开放和社会主义现代化建设事业的领导核心。搞好党的建设是改革开放和社会主义现代化建设的保障。

“文化大革命”期间，党的优良传统和作风受到严重破坏，党的纪律松弛，个人主义、无政府主义思想泛滥，一些干部中还滋生了腐败现象。必须抓好党的自身建设，才能使党在社会主义现代化建设中更好地发挥核心领导作用。

为了贯彻中共十一届三中全会关于健全党规、党法的决定，1979 年 1 月，中央纪律检查委员会召开首次全体会议，研究制定加强党的纪律教育和作风建设的具体措施，着手解决党的建设方面的一些突出问题。党的各级纪律检查委员会对一批党员违纪案件进行了认真的查处。1979 年 11 月，中共中央和国务院联合发出《关于高级干部生活待遇的若干规定》，重申“文化大革命”以前一些行之有效的章程。党中央和国务院下发这一规定时，强调高级干部必须带头发扬党的优良传统。1980 年 2 月召开的党的十一届五中全会，通过了《关于党内政治生活的若干准则》，就坚持党的路线、坚持集体领导、维护党的集中统一等 12 个方面的问题作出原则规定。陈云在同年 11 月中纪委召开的座谈会上尖锐地指出，“执政党的党风问题是有关党的生死存亡的问题”[①]，要求党的各级组织提高认识，切实加强党风建设。

---

① 陈云：《陈云文选》第三卷，人民出版社 1995 年版，第 273 页。

中共中央认真总结和汲取以往党和国家政治生活中的经验教训，开始提出党和国家领导制度改革的问题。1980 年 8 月召开的中央政治局扩大会议，讨论通过了邓小平关于《党和国家领导制度的改革》的重要讲话。邓小平指出："我们过去发生的各种错误，固然与某些领导人的思想、作风有关，但是组织制度、工作制度方面的问题更为重要。"①

为适应现代化建设的需要，党首先在干部制度方面迈出改革的步伐。中央强调，必须按照德才兼备的原则选拔干部，尤其是中青年干部。所谓德，最主要的就是坚持社会主义道路和党的领导，就是革命化。在这个前提下，干部队伍要年轻化、知识化、专业化。1982 年 2 月，中共中央作出《关于建立老干部退休制度的决定》，废除干部领导职务实际上存在的终身制。许多老干部积极响应中央的号召，主动离休、退休或退居二线。一批经过考验的中青年干部先后走上领导岗位。有步骤地实现新老干部的交替，是党为保证中国的社会主义事业能够在稳定发展中保持路线、政策的连续性而采取的一项有战略意义的措施。

六、中央领导体制的变化与国家领导人的调整

中共十一届三中全会标志着马克思主义思想路线的胜利，而思想路线的正确又决定了政治路线的正确。党的历史经验告诉人们，正确的思想路线和政治路线要靠组织路线来保证。

（一）建立中共中央书记处

中共十一届三中全会后，党和国家领导人的调整变化是积极稳妥逐步进行的。1978 年 12 月 25 日，中共中央政治局在北京召开会议，会议确定胡耀邦为中央秘书长兼中央宣传部部长，胡乔木为中央副秘书长兼毛泽东著作编辑委员会办公室主任，姚依林为中央副秘书长兼中共中央办公厅主

① 邓小平：《邓小平文选》第二卷，人民出版社 1994 年版，第 333 页。

任；任命宋任穷为中央组织部部长，任命杨德中为中央办公厅警卫局局长兼中央警卫师师长、党委书记等。会议免去汪东兴担任的中央办公厅主任和其他各项兼职。这一系列人事变动，对巩固中共十一届三中全会成果，落实这次会议提出的各项任务，有非常重要的作用。

1979 年 6 月，五届全国人大二次会议决定任命陈云、薄一波、姚依林为国务院副总理，选举彭真、萧劲光等为全国人大常委会副委员长。1980 年 2 月下旬，在中共十一届五中全会上，对中共中央的组织机构做了重要的改变，决定恢复中国共产党第八次全国代表大会时所决定并在 10 年间被证明是必要的和有效的制度，即设立中央书记处作为中央政治局和它的常委会领导下的经常工作机构。全会选举胡耀邦、赵紫阳为中央政治局常委；胡耀邦为中央委员会总书记，万里、王任重、方毅、谷牧、宋任穷、余秋里、杨得志、胡乔木、胡耀邦、姚依林、彭冲为中央书记处书记。会议决定免除或提请免除汪东兴、纪登奎、吴德、陈锡联所担负的党和国家的领导职务。这又是一次重要的组织调整和领导体制的变动。

（二）领导体制改革与废除领导干部职务终身制的尝试

1980 年 8 月，在五届全国人大三次会议上，根据中共中央的建议，华国锋不再兼任国务院总理，改由赵紫阳接任。这次会议还同意老一辈革命家不再兼任国务院副总理和全国人大常委会副委员长的辞职请求。邓小平、李先念、陈云、徐向前、王震、王任重辞去了国务院副总理的职务，聂荣臻、刘伯承、张鼎丞、蔡畅、周建人辞去了人大常委会副委员长职务。此外，还接受了陈永贵要求解除他担任的国务院副总理职务的请求。这在推进国家领导体制改革和废除干部职务终身制方面，迈出了重要一步。

比较重大的一次组织变动是 1980 年 11 月至 12 月连续召开的中共中央政治局会议。这次会议共开了九次会。[①] 这次重要的中央政治局会议同意华

---

① 《中共中央政治局会议通报》（1980 年 12 月 5 日中央政治局会议一致通过），中共中央文献研究室编《三中全会以来重要文献选编》（上），人民出版社 1982 年版，第 596 页。

国锋辞去中共中央主席、中央军委主席两项职务，并决定向中共十一届六中全会建议，选举胡耀邦为中央委员会主席，邓小平为中央军委主席。

中共十一届六中全会完成了组织上的重大调整，一致同意华国锋辞去中共中央主席和中央军委主席职务的请求。通过无记名投票的方式，对中央主要领导成员进行了改选和增选。选举结果是：胡耀邦为中央委员会主席；赵紫阳、华国锋为中央委员会副主席；邓小平为中央军事委员会主席；中央政治局常务委员会由中央主席和副主席组成，他们是胡耀邦、叶剑英、邓小平、赵紫阳、李先念、陈云、华国锋。

这次对中央主要领导成员的改选和增选，表明从组织上解决了根本性的问题，实现了领导体制改革的重要一步。这对于保证中共十一届三中全会以来的正确路线和方针政策的充分实现、保证中共十二大的胜利召开起了重要作用。

第四章

中共十二大与开创改革开放的新局面

从1982年开始到1987年，是中国改革开放和社会主义现代化建设时期开创新局面的阶段。在这个十分重要的时期里，中国共产党召开了第十二次全国代表大会，提出了全面开创社会主义现代化建设新局面的宏伟纲领。召开了第五届全国人民代表大会第五次会议，第六届全国人民代表大会第一次到第五次会议。修改完善了《中华人民共和国宪法》，领导10亿人民把改革重点从农村转移到城市，从经济体制改革推向教育、科技体制改革，将开放重点从经济特区扩大到沿海城市。经过全国各族人民的努力奋斗，整个国家焕发出了勃勃生机，社会生产力获得新的解放，我国经济建设上了一个大台阶，人民生活水平上了一个大台阶，综合国力上了一个大台阶，中华大地发生了历史性的伟大变化。

第一节　中共十二大确定开创改革开放新局面的纲领

从 1978 年到 1982 年，中国共产党带领全国人民经过辛勤努力和奋斗，国家出现了多年来少有的政通人和、经济发展、文化繁荣的形势。在此基础上，中共中央和国务院开始着手制定中国改革开放和社会主义现代化建设的宏伟发展战略。

1982 年 9 月 1 日，中国共产党第十二次全国代表大会在北京隆重开幕。这是对中国新时期历史有着重要影响的一次会议，也是推进改革开放进程的大会。出席大会的正式代表 1545 名，候补代表 145 名，代表着 3900 多万名党员。会议由大会主席团和主席团常务委员会主持。大会开幕式邀请了各民主党派和无党派民主人士的代表列席。

一、历史的结论：建设有中国特色的社会主义

在大会开幕式上，邓小平主持开幕式并在会上致开幕词。在开幕词中，邓小平向全党全国人民郑重提出了新中国成立 33 年来的历史结论："我们的现代化建设，必须从中国的实际出发。无论是革命还是建设，都要注意学习和借鉴外国经验。但是，照抄照搬别国经验、别国模式，从来不能得到成功。这方面我们有过不少教训。把马克思主义的普遍真理同我国的具体实际结合起来，走自己的路，建设有中国特色的社会主义，这就是我们总结长期历史经验得出的基本结论。"①这是深刻总结中国社会主义建设的曲折历程所得出的基本结论。它既是中共十二大的指导思想，也是指导整个新的历史时期改革开放和现代化建设的战略思想。

---

① 邓小平：《邓小平文选》第三卷，人民出版社 1993 年版，第 2—3 页。

站在时代的高度，邓小平还郑重指出：20 世纪 80 年代是我们党和国家历史发展上的重要年代。加紧社会主义现代化建设，争取实现包括台湾在内的祖国统一，反对霸权主义、维护世界和平是中国人民 20 世纪 80 年代的三大任务。在这三大任务中，核心是经济建设，它是解决国际、国内问题的基础。

胡耀邦代表中共十一届中央委员会向大会作题为《全面开创社会主义现代化建设的新局面》的报告。大会还提出要把党建设成为社会主义现代化建设事业的坚强核心的重要任务，提出党风问题是关系到执政党生死存亡的问题，并决定对党的作风和组织进行一次全面整顿。大会审议和通过了新党章，选举了新的中央委员会、中央顾问委员会和中央纪律检查委员会。

9 月 12 日，中共十二届一中全会选举由 25 名委员和 3 名候补委员组成的中共中央政治局，选举胡耀邦、叶剑英、邓小平、赵紫阳、李先念、陈云为政治局常务委员会委员，胡耀邦为中央委员会总书记。全会选举了中央书记处成员，由 9 名书记和 2 名候补书记组成。全会决定邓小平为中共中央军事委员会主席，叶剑英、徐向前、聂荣臻、杨尚昆为副主席。

二、开创现代化建设新局面的纲领

胡耀邦代表中共十一届中央委员会向大会作题为《全面开创社会主义现代化建设的新局面》的报告。该报告宣布：“党的十一届三中全会以来，经过全党全军全国各族人民的艰苦努力，我们已经在指导思想上完成了拨乱反正的艰巨任务，在各条战线的实际工作中取得了拨乱反正的重大胜利，实现了历史性的伟大转变。”该报告提出的新时期的总任务是：“团结全国各族人民，自力更生，艰苦奋斗，逐步实现工业、农业、国防和科学技术的现代化，把我国建设成为高度文明、高度民主的社会主义国家。”[①]

大会继续把推进经济建设作为全面开创社会主义现代化建设新局面的首要任务。确定从1981年到20世纪末的20年，中国经济建设总的奋斗目标是：在不断提高经济效益的前提下，力争使全国工农业的年总产值翻两番，即由1980年的7100亿元增加到2000年的2.8万亿元左右，[②]使人民的物质文化生活达到小康水平。这样就把20世纪的经济发展奋斗目标，由笼统的实现现代化改为实现小康，这是符合中国实际情况的调整。20世纪50年代末以来，中国经济发展中出现多次大起大落，一个重要原因就是因为近期目标定得太高，犯了急躁冒进的错误。对奋斗目标的必要调整，标志着执政党从指导思想上解决了长期存在的急于求成的问题。大会规定20世纪末的20年经济发展的战略重点是农业、能源、交通以及教育和科学技术；在战略部署上分两步走，前十年主要是打好基础、积蓄力量、创造条件，后十年要进入一个新的经济振兴时期。这是作为执政党的中国共产党在全面分析中国经济情况和发展趋势的基础上作出的重要决策。

开创新局面的纲领还包括：加强社会主义精神文明建设，加强社会主义民主和法制建设，争取实现国家财政经济状况根本好转的同时，实现社会风气的根本好转，实现党风的根本好转。大会要求，一定要努力建设高度的社会主义精神文明，这是建设社会主义的一个战略方针问题。社会主义精神文明大体可以分为文化建设和思想道德建设两个方面，思想建设决定着精神文明的社会主义性质。要用革命的理想和革命的精神振奋广大群众建设社会主义的巨大热情，使越来越多的社会成员成为有理想、有道德、有文化、有纪律的劳动者。社会主义的历史经验和中国的现实情况都说明，是否坚持这一战略方针，将关系到社会主义事业的兴衰成败。因此，建设社会主义精神文明，是全党的任务，是全国各个领域的共同任务。

---

① 胡耀邦：《全面开创社会主义现代化建设的新局面——在中国共产党第十二次全国代表大会上的报告》（1982年9月1日），《人民日报》1982年9月8日。

② 胡耀邦：《全面开创社会主义现代化建设的新局面——在中国共产党第十二次全国代表大会上的报告》（1982年9月1日），《人民日报》1982年9月8日。

三、改革开放的部署

中共十二大把“必须有系统地完成机构改革和经济体制改革”作为全党必须高度重视、坚持不懈认真做好的大事。大会报告强调：在1981年到1985年的第六个五年计划期间，要继续坚定不移地贯彻执行“调整、改革、整顿、提高”的方针，厉行节约，反对浪费，把全部经济工作转到以提高经济效益为中心的轨道上来。要巩固和完善经济管理体制方面已经实行的初步改革，抓紧制订改革的总体方案和实施步骤。在1986年到1990年的第七个五年计划期间，要广泛进行企业的技术改造，逐步展开经济管理体制的改革，同时继续完成企业组织结构和各方面经济结构的合理化。①

大会报告还强调：我们一定要按照民主集中制的原则，继续改革和完善国家的政治体制和领导体制，使人民能够更好地行使国家权力，使国家机关能够更有效地领导和组织社会主义建设。关于改革领导机构和干部制度，大会报告指出：党和国家领导体制、领导机构的改革，主要是消除权力过分集中、兼职副职过多、机构重叠、职责不明、人浮于事、党政不分等种种弊端，克服官僚主义，提高工作效率。②

大会报告还指出：实行对外开放，按照平等互利的原则扩大对外经济技术交流，是我国坚定不移的战略方针。我们要促进国内产品进入国际市场，大力扩展对外贸易。要尽可能地多利用一些可以利用的外国资金进行建设，为此必须做好各种必要的准备工作，安排好必不可少的国内资金和各种配套措施。要积极引进一些适合我国情况的先进技术，特别是有助于企业技术改造的先进技术，努力加以消化和发展，以促进我国的生产建设事业。③

---

① 胡耀邦：《全面开创社会主义现代化建设的新局面——在中国共产党第十二次全国代表大会上的报告》（1982年9月1日），《人民日报》1982年9月8日。

② 胡耀邦：《全面开创社会主义现代化建设的新局面——在中国共产党第十二次全国代表大会上的报告》（1982年9月1日），《人民日报》1982年9月8日。

③ 胡耀邦：《全面开创社会主义现代化建设的新局面——在中国共产党第十二次全国代表大会上的报告》（1982年9月1日），《人民日报》1982年9月8日。

第二节　五届全国人大五次会议、六届全国人大一次会议与改革开放

1982 年 9 月召开的中共十二大，郑重地提出了开创社会主义现代化建设新局面的纲领，还提出了改革开放的总任务。五届全国人大五次会议、六届全国人大一次会议对此进行了部署。

一、五届全国人大五次会议及对改革开放的部署

1982 年 11 月 26 日至 12 月 10 日，五届全国人大五次会议在北京举行。大会审议并通过彭真所作的宪法修改草案报告，通过新修改的《中华人民共和国宪法》，批准《关于第六个五年计划的报告》，批准《中华人民共和国国民经济和社会发展第六个五年计划》，通过《中华人民共和国全国人民代表大会组织法》《中华人民共和国国务院组织法》等法律，通过《关于全国人大常委会的工作报告》等决议。

（一）1982 年《中华人民共和国宪法》的修订

宪法是国家的根本大法，是我国社会主义现代化建设和改革开放的根本遵循，也是实行改革开放的根本保障。为此，1980 年 9 月，五届全国人大三次会议根据中共中央建议，决定成立以时任人大常委会委员长的叶剑英为主任委员的宪法修改委员会，主持对中国现行宪法的修改工作，负责提出新的宪法修改草案，并经过全民讨论后，提交第五届全国人民代表大会第四次会议审议。

宪法修改草案的总的指导思想是四项基本原则，这就是坚持社会主义道路，坚持人民民主专政，坚持中国共产党的领导，坚持马克思列宁主义、毛泽东思想。这四项基本原则是全国各族人民团结前进的共同的政治基础，

也是社会主义现代化建设顺利进行的根本保证。[①]

经过一年多时间，宪法修改委员会秘书处为宪法修改委员会做了大量的准备工作。但是，由于宪法修改工作关系重大，牵涉到各方面一系列复杂的问题，需要进行大量的调查研究，广泛征求各地区、各方面的意见。同时，当时国家正在进行经济、政治等方面的体制改革，有些重大问题正在实践研究解决过程中。原来对这些情况考虑不足，规定期限过于紧迫，宪法修改工作没有能按期完成。为了慎重地进行宪法修改工作，尽可能把宪法修改得完善些，需要把修改宪法完成期限适当推迟。因此，在五届全国人国人大四次会议上，彭真副委员长代表宪法修改委员会建议："在宪法修改委员会秘书处提出宪法修改草案初稿的基础上，经宪法修改委员会审议修改后，仍按原决定的步骤，由全国人民代表大会常务委员会公布，交付全国各族人民讨论，再由宪法修改委员会根据讨论意见修改后，提交1982年第五届全国人民代表大会第五次会议审议。"[②]

宪法修改委员会和它的秘书处经两年之久的反复研究和讨论，又经过广泛征集和认真研究各地方、各部门、各方面的意见，于1982年2月提出《中华人民共和国宪法修改草案》讨论稿。宪法修改委员会第二次会议，用9天时间对讨论稿进行了讨论和修改。全国人大常委会委员、全国政协常委会部分委员、各民主党派和人民团体领导人，中共中央各部门、国务院各部门、人民解放军各领导机关以及各省、市、自治区的负责人，也都提出了修改意见。4月，宪法修改委员会第三次会议又进行了9天的讨论并通过了宪法修改草案，由全国人大常务委员会公布，交付全国各族人民进行了4个月的讨论。这次全民讨论的规模之大、参加人数之多、影响之广是前所未有的。这足以表明全国工人、农民、知识分子和其他各界人士对参与国家事务具有较高的政治热情。通过全民讨论，发扬民主，使宪法的修改更

① 彭真：《关于中华人民共和国宪法修改草案的报告——1982年11月26日在第五届全国人民代表大会第五次会议上》，《人民日报》1982年12月6日。

② 《彭真在人大全体会议上提出书面说明，建议将修改宪法完成期限推迟到明年五届人大五次会议》，《人民日报》1981年12月3日。

好地集中了群众的智慧。这次全民讨论，实际上也是一次全国范围的群众性的法制教育，增强了干部和群众遵守宪法和维护宪法尊严的自觉性。“讨论中普遍认为，这个宪法修改草案科学地总结了我国社会主义发展的历史经验，反映了全国各族人民的共同意志和根本利益，是合乎国情，适应社会主义现代化建设的需要的。”①全民讨论中也提出了大量的各种类型的意见和建议。宪法修改委员会秘书处根据这些意见和建议，对草案又进行了一次修改。许多重要的合理的意见都得到采纳，原来草案的基本内容没有变动，具体规定做了许多补充和修改，总共有近百处，纯属文字的改动还没有计算在内。

中共十二大以后，中共中央进一步推动国家根本大法《中华人民共和国宪法》的修订工作。宪法草案经宪法修改委员会第四次会议历时 5 天的逐条讨论，于 1982 年 11 月 23 日在宪法修改委员会第五次会议上通过，决定将其提交五届全国人大五次会议审议。1982 年 12 月 4 日，五届全国人大五次会议正式通过这部《中华人民共和国宪法》并颁布施行。这是共和国在改革开放和社会主义现代化建设新时期修订通过的一部比较完善的宪法，是治国安邦的总章程。这部体现改革精神的新宪法有如下特点：

第一，新宪法的总的指导思想是坚持社会主义道路，坚持人民民主专政，坚持中国共产党的领导，坚持马列主义、毛泽东思想，实行改革、开放的总方针。今后国家的根本任务是集中力量进行社会主义现代化建设。关于四项基本原则，新宪法明确指出：四项基本原则是全国各族人民团结前进的共同的政治基础，也是社会主义现代化建设顺利进行的根本保证；宪法肯定正在进行的经济体制改革已经取得很大成绩，今后还要全面、深入地进行下去，已经起步的政治体制改革也要有步骤地进行下去。

第二，新宪法规定：中华人民共和国是工人阶级领导的，以工农联盟为基础的人民民主专政的国家。国家的一切权力属于人民。新宪法关于公

---

① 彭真：《关于中华人民共和国宪法修改草案的报告——1982 年 11 月 26 日在第五届全国人民代表大会第五次会议上》，《人民日报》1982 年 12 月 6 日。

民的各项基本权利的规定，恢复了1954年宪法的内容，并规定得更加切实和明确，还增加了新的内容。例如，增加了关于公民的人格尊严不受侵犯的条文；关于公民的人身自由、宗教信仰自由、公民住宅不受侵犯、通信自由和通信秘密受法律保护，以及公民对于任何国家机关和工作人员的违法失职行为有提出申述、控告或检举的权利，等等，都比过去规定的更加具体。

第三，新宪法扩大了人大常委会的职权，全国人大增设民族、法律、财政经济、教科文卫、华侨、外事和其他需要设立的专门委员会，协助人大及其常委会开展工作；在全国人民代表大会闭会期间，常务委员会有权审查和批准国民经济和社会发展计划、国家预算在执行过程中必须做的部分调整方案，有权根据国务院总理的提名决定国务院人事任免。

第四，恢复了1954年宪法关于设立国家主席的规定，新设中央军事委员会领导全国武装力量；国务院实行总理负责制，各部、委实行部长、主任负责制；改变农村人民公社政社合一的体制，设立乡政权；扩大基层直接民主，县级以下人大代表直接选举产生；在基层设立居民委员会、村民委员会作为群众自治组织；规定国家领导人连续任职不得超过两届等。

第五，新宪法规定国营经济是国民经济中的主导力量，集体经济是中国农村中的主要经济形式。国营经济和集体经济都是社会主义公有制，是中国社会主义经济制度的基础。城乡个体经济是社会主义公有制的补充，国家保护个体经营者的合法权利。国家允许外国的经济组织和个人在中国投资，进行各种形式的经济合作，其合法权利受国家法律保护。

新宪法还规定要加强社会主义精神文明建设，维护国家的统一和民族的团结，拟定了对台湾等个别地区可设立特别行政区及在少数民族聚居区实行民族区域自治等新内容的条文等。这部新宪法继承和发展了1954年宪法的基本原则，既总结了中国社会主义发展的丰富经验，又注意吸收国际经验；既考虑到现实，又考虑到长远发展的前景，充分地体现了全国人民的共同意志和根本利益。这是新中国在改革开放和社会主义现代化建设新时期的一部比较完善的宪法，也是推进改革开放伟大事业的根本遵循。

（二）积极推进法制建设为改革开放提供法律保障

建设有中国特色的社会主义，需要比较完整的法律体系。这一时期的民主与法制建设是新中国成立以来取得巨大成就的时期。全国人民代表大会及其常委会把立法工作放到重要位置，在五届全国人大期间，每次代表大会及其常委会会议都要审议和通过重要法律草案。二次会议通过了《中华人民共和国刑法》《中华人民共和国刑事诉讼法》《中华人民共和国人民法院组织法》《中华人民共和国人民检察院组织法》《中华人民共和国中外合资经营企业法》；三次会议通过了修正的《中华人民共和国婚姻法》《中华人民共和国国籍法》《中华人民共和国中外合资经营企业所得税法》《中华人民共和国个人所得税法》；四次会议审议了《中华人民共和国经济合同法（草案）》《中华人民共和国外国企业所得税法（草案）》《中华人民共和国刑事诉讼法（草案）》；五次会议通过了新的《中华人民共和国宪法》，还通过了《中华人民共和国全国人民代表大会组织法》《中华人民共和国国务院组织法》《关于修改〈中华人民共和国全国人民代表大会和地方各级人民代表大会选举法〉的若干规定的决议》《关于修改〈中华人民共和国地方各级人民代表大会和地方各级人民政府组织法〉的若干规定的决议》。由此开创了国家立法工作的新局面。

这一时期的民主和法制建设，为改革开放创造了有利的法治环境，如《中华人民共和国中外合资经营企业法》《中华人民共和国中外合资经营企业所得税法》《中华人民共和国个人所得税法》《中华人民共和国经济合同法（草案）》《中华人民共和国外国企业所得税法（草案）》等，成为实行改革开放的法律保障。这一时期的民主和法制建设，以实施新宪法为主要内容。实施新宪法的核心问题是：维护和发展社会主义制度，加强中国共产党的领导，发展社会主义民主，进一步健全人民代表大会制度，切实保障人民行使国家权力，加强法制，保护改革成果，打击破坏社会主义建设和改革的犯罪活动。这开创了国家立法工作的新局面，也为实行改革开放创造了良好的法制环境。

（三）五届全国人大五次会议通过的“六五”计划纲要对改革开放的部署

五届全国人大五次会议批准《关于第六个五年计划的报告》和《中华人民共和国国民经济和社会发展第六个五年计划》。这个报告和计划对“六五”期间的改革开放作了说明并进行了部署。

在《关于第六个五年计划的报告》中，强调了完成国民经济和社会发展的“六五”计划的重要措施，在第四条“积极稳妥地加快经济体制改革的进程”中指出：改革经济体制，是全面提高经济效益，实现社会主义现代化的重要保证。近三年来的初步改革，已经取得了积极的效果，积累了有益的经验。随着国民经济的调整，各种重大比例关系正在趋于协调，这就为进一步推进经济体制改革提供了有利条件。经济体制的全面改革，要经过周密的研究，可能试点的还需要经过试点，逐步积累成熟的经验。但在目前情况下已经是必需和可能的改革，应该积极进行。现在整顿企业、调整企业、推进技术改造、控制固定资产投资规模、搞活商品流通等许多工作都涉及经济体制问题，不改革就很难前进。因此，改革的进程有必要也有可能适当加快。全面的改革，预期可在“七五”计划期间逐步展开。今后三年内，一方面要抓紧制订经济体制改革的总体方案和实施步骤，另一方面要更积极、更深入地进行各项改革的试验。

积极引进先进技术，是促进我国技术进步的重要途径。过去几年在这方面取得了一些成绩，但还很不够。凡是国内迫切需要而又一时解决不了的生产技术，必须在调查研究、统一规划的基础上，进一步简化手续，及时地、积极地从国外引进，并且认真组织科学技术人员和广大职工做好消化和推广的工作。国家要在外汇和国内配套资金上给予支持。国家经委已经会同有关部门提出了今后三年引进 3000 项先进技术的规划，以加强现有企业特别是中小企业的技术改造。要一项一项地加以落实，保证其如期实现。

正式通过的“六五”计划中，提出“六五”期间改革方面要做的具体工作主要是：稳定、完善和提高农业生产责任制，完善工业企业的经济责任制、商业企业的经营责任制以及基本建设、交通运输部管理干部学院等方面的经济责任制，积极稳妥地加快经济体制改革的进程。在坚持对重要的经济活动和企业实行指令性计划的前提下，发挥多种管理形式的作用。要重视对价格、税收、信贷等经济杠杆的应用，引导企业实行国家计划的要求。加快税制改革的步伐，进一步改进国家和企业的关系。在国家统一计划下，发挥行业的作用，发挥中心城市的作用，妥善处理“条条”和“块块”的关系。经济改进流通体制，促进商品生产和商品交换。要在调查研究、总结经验的基础上，制订经济体制改革的总体方案和实施步骤。

二、六届全国人大一次会议加快立法步伐与授权国务院制定改革开放的法规

1983 年 6 月召开的第六届全国人民代表大会第一次会议，根据新宪法赋予的权力，进一步完善了人民代表大会制度。各省、市、自治区和人民解放军共选出六届全国人大代表 2978 人，由于 1 人逝世，这次会议应到代表 2977 人。会议的主要议程是：听取国务院总理赵紫阳关于政府工作的报告、国务院副总理兼国家计划委员会主任姚依林关于 1983 年国民经济和社会发展计划的报告、财政部部长王丙乾关于 1982 年国家决算的报告；选举第六届全国人民代表大会常务委员会委员长、副委员长、秘书长、委员，选举中华人民共和国主席、副主席，决定国务院总理的人选和国务院副总理、国务委员、各部部长、各委员会主任、审计长、秘书长的人选，选举中央军事委员会主席，决定中央军事委员会其他组成人员的人选，选举最高人民法院院长和最高人民检察院检察长。

这次会议按照新宪法规定，选举李先念为中华人民共和国主席，乌兰

夫为副主席；选举彭真为六届全国人大常委会委员长，陈丕显、韦国清、耿飚、胡厥文、许德珩、彭冲、王任重、史良、朱学范、阿沛·阿旺晋美、班禅额尔德尼·确吉坚赞、赛福鼎、周谷城、严济慈、胡愈之、荣毅仁、叶飞、廖汉生、韩先楚、黄华为人大常委会副委员长。大会决定赵紫阳为国务院总理，万里、姚依林、李鹏、田纪云为国务院副总理，方毅、谷牧、康世恩、陈慕华、姬鹏飞、张劲夫、张爱萍、吴学谦、王丙乾、宋平为国务委员。①

大会选举邓小平为中华人民共和国中央军事委员会主席，叶剑英、徐向前、聂荣臻、杨尚昆为中央军委副主席，余秋里、杨得志、张爱萍、洪学智为中央军委委员。郑天翔当选最高人民法院院长，杨易辰当选最高人民检察院检察长。②

六届全国人大设立 6 个专门委员会，人民将通过人大常委会及其 6 个专门委员会经常行使自己的民主权利。六届全国人大会议的胜利召开和它选出的国家领导机构标志着中国政体的新变化，即从第四届人大到第五届人大期间不设国家主席后，根据新宪法的规定，重新恢复设国家主席。

特别重要的是，为适应经济改革的需要，全国人大及其常务委员会加快了经济立法的步伐，仅 1983 年就制订和修改了 52 个经济法规草案，颁发了 20 个法案。为了适应进一步搞活经济和对外开放的要求，六届全国人大常委会进一步加强了立法工作，特别是经济立法工作。

为了保障经济体制改革和对外开放工作的顺利进行，1984 年 9 月第六届全国人民代表大会常务委员会第七次会议作出授权国务院改革工商税制发布有关税收条例草案试行的决定。1985 年 4 月，第六届全国人民代表大会第三次会议通过关于授权国务院在经济体制改革和对外开放方面可以制定暂行的规定或者条例的决定：授权国务院对于有关经济体制改革和对外

① 《六届人大一次会议选举和决定国家领导人》，《人民日报》1983 年 6 月 19 日。

② 《决定国务院和中央军事委员会其他组成人员人选　选举最高人民法院院长和最高人民检察院检察长》，《人民日报》1983 年 6 月 21 日。

开放方面的问题，必要时可以根据宪法，在同有关法律和全国人民代表大会及其常务委员会的有关决定的基本原则不相抵触的前提下，制定暂行的规定或者条例，颁布实施并报全国人民代表大会常务委员会备案。经过实践检验，条件成熟时由全国人民代表大会或者全国人民代表大会常务委员会制定法律。

第三节　改革开放的理论探索与理论指导

坚持“摸着石头过河”和加强顶层设计相结合是中国共产党领导改革开放的一个突出特点。中国共产党领导的社会主义的改革开放是一个涉及经济社会发展各领域的复杂的系统工程。改革开放初期，指导改革开放的主要是邓小平关于改革开放的思想，在实践过程中陈云关于“计划经济为主，市场调节为辅”的主张起到很大作用。改革开放前后，还是中国若干经济学家发挥作用及一批青年学者在改革开放实践中成长的重要时期。这期间，中共中央及有关部门在深入进行理论研究的同时，也非常注重学习借鉴国外经济理论，并不失时机地总结经验，在深入的调查研究的基础上进行顶层设计，并出台了若干经济体制改革的宏观规划。

一、邓小平的改革开放思想

邓小平不仅是我国现代化建设和改革开放的总设计师，也是中国改革开放理论的奠基人。中共十一届三中全会是决定中国前途和命运的重要会议，这次全会作出了实行改革开放的伟大决策。在被称为会议主题报告的《解放思想，实事求是，团结一致向前看》讲话中，邓小平明确提出：“如果现在再不实行改革，我们现代化事业和社会主义事业就会被葬送。”[①] 此

① 邓小平：《邓小平文选》第二卷，人民出版社 1994 年版，第 150 页。

后，邓小平1979年在《坚持四项基本原则》，1980年在《党和国家领导制度的改革》《对起草〈关于建国以来党的历史问题的决议〉的意见》，1982年在《精简机构是一场革命》，1985年在《改革是中国的第二次革命》，1986年在《改革政治体制，增强法治观念》《政治体制改革要有一个蓝图》《政治体制改革的一些设想》，1992年在《在武昌、深圳、珠海、上海等地的谈话要点》等讲话中，以及在会见国际友人的谈话中，对改革开放作出若干重要论述，形成他的关于改革开放的理论。这些开创性的理论观点主要有：

第一，中国的改革开放是决定中国命运的一招。[①]这是邓小平改革开放理论中的最具战略性的观点。邓小平强调：中共十一届三中全会以来制定了一系列方针政策，这些政策概括起来就是改革开放。新时期最鲜明的特点就是改革开放。开放也是改革。

第二，在整个改革开放的过程中，必须始终注意坚持四项基本原则。[②]邓小平指出：正确的政治路线要靠正确的组织路线来保证，中国的事情能不能办好，社会主义和改革开放能不能坚持，经济能不能快一点发展起来，国家能不能长治久安，从一定意义上说，关键在人。

第三，中国的改革是第二次革命。早在1978年10月邓小平就指出，实现社会主义现代化，“这是一场根本改变我国经济和技术落后面貌，进一步巩固无产阶级专政的伟大革命。这场革命既要大幅度地改变目前落后的生产力，就必然要多方面地改变生产关系，改变上层建筑，改变工农业企业的管理方式和国家对工农业企业的管理方式，使之适应于现代化大经济的需要”[③]。1985年3月，邓小平鲜明地指出：“改革是中国的第二次革命。”[④]邓小平认为：中国共产党领导了两次革命，第一次革命，把一个半殖民地半封建的旧中国变成了一个社会主义新中国；第二次革命，将把一个经济

① 邓小平：《邓小平文选》第三卷，人民出版社1993年版，第368页。
② 邓小平：《邓小平文选》第三卷，人民出版社1993年版，第379页。
③ 邓小平：《邓小平文选》第二卷，人民出版社1994年版，第135—136页。
④ 邓小平：《邓小平文选》第三卷，人民出版社1993年版，第113页。

文化比较落后的中国变成一个富强民主文明的社会主义现代化中国。“改革的性质同过去的革命一样，也是为了扫除发展社会生产力的障碍，使中国摆脱贫穷落后的状态。从这个意义上说，改革也可以叫革命性的变革。”①改革作为一次新的革命，不是也不允许否定和抛弃社会主义基本制度，而是对社会主义制度的自我完善和发展，是对体制的根本性变革。它的实质和目标是要从根本上改变束缚生产力发展的经济体制，建立充满生机和活力的社会主义新经济体制，以实现中国的社会主义现代化。从由此而引起的社会生活和人们观念变化的深刻性和广泛性来说，改革是一场新的革命。

第四，改革开放是社会主义社会发展的直接动力。中共十一届三中全会以来，邓小平引领全党全面总结建设社会主义的历史经验教训，指出：“要发展生产力，经济体制改革是必由之路。”②在1992年的南方谈话中，邓小平再次强调：“革命是解放生产力，改革也是解放生产力。推翻帝国主义、封建主义、官僚资本主义的反动统治，使中国人民的生产力获得解放，这是革命，所以革命是解放生产力。社会主义基本制度确立以后，还要从根本上改变束缚生产力发展的经济体制，建立起充满生机和活力的社会主义经济体制，促进生产力的发展，这是改革，所以改革也是解放生产力。过去，只讲在社会主义条件下发展生产力，没有讲还要通过改革解放生产力，不完全。应该把解放生产力和发展生产力两个讲全了。”③这在理论上解决了社会主义社会的发展动力问题。

第五，改革开放是一项崭新的事业，是一场大实验。邓小平指出：“改革开放胆子要大一些，敢于试验，不能像小脚女人一样。看准了的，就大胆地试，大胆地闯。深圳的重要经验就是敢闯。没有一点闯的精神，没有一点‘冒’的精神，没有一股气呀、劲呀，就走不出一条好路，走不出一条新路，就干不出新的事业。”“每年领导层都要总结经验，对的就坚持，不

① 邓小平：《邓小平文选》第三卷，人民出版社1993年版，第135页。
② 邓小平：《邓小平文选》第三卷，人民出版社1993年版，第138页。
③ 邓小平：《邓小平文选》第三卷，人民出版社1993年版，第370页。

对的赶快改，新问题出来抓紧解决。”“社会主义的本质，是解放生产力，发展生产力，消灭剥削，消除两极分化，最终达到共同富裕。就是要对大家讲这个道理。证券、股市，这些东西究竟好不好，有没有危险，是不是资本主义独有的东西，社会主义能不能用？允许看，但要坚决地试。”“我们推行三中全会以来的路线、方针、政策，不搞强迫，不搞运动，愿意干就干，干多少是多少，这样慢慢就跟上来了。不搞争论，是我的一个发明。不争论，是为了争取时间干。一争论就复杂了，把时间都争掉了，什么也干不成。不争论，大胆地试，大胆地闯。”①

第六，以“三个有利于”的标准判断改革和各方面工作的得失。邓小平在 1992 年南方谈话中强调：判断的标准，应该主要看是否有利于发展社会主义社会的生产力，是否有利于增强社会主义国家的综合国力，是否有利于提高人民的生活水平。

第七，改革是亿万人民自己的事业。改革为了人民，改革依靠人民。邓小平强调：“中国的事情要按照中国的情况来办，要依靠中国人自己的力量来办。独立自主，自力更生，无论过去、现在和将来，都是我们的立足点。”②

第八，要两手抓，两手都要硬。这是邓小平反复强调的思想方法和工作方法。主要内容有：一手抓改革开放，一手抓坚持四项基本原则；一手抓改革开放，一手抓反对腐败；一手抓经济发展，一手抓稳定；等等。

二、陈云关于改革开放的若干理论观点

中共十一届三中全会以后，陈云与邓小平等中央领导人积极领导和推动中国的改革开放。在 1978 年 12 月的《关于当前经济工作的五点意见》、1979 年 3 月的《计划与市场问题》、1979 年 6 月的《同心协力建设好宝钢》、1981 年 12 月的《经济建设的几个重要方针》等讲话中提出关于改革开放方

---

① 邓小平：《邓小平文选》第三卷，人民出版社 1993 年版，第 372—374 页。
② 邓小平：《邓小平文选》第三卷，人民出版社 1993 年版，第 3 页。

面的理论观点。陈云是中国社会主义经济建设的开创者和奠基人之一，长期在国务院主管财经工作。根据李先念的建议，中共中央同意陈云出山，主管国务院财经委员会的工作。1979 年 3 月 14 日，陈云和李先念联名致信中共中央，在信中建议在国务院设立财政经济委员会，作为研究制定财经方针政策和决定财经工作中的大事的决策机关。27 日，中共中央批准了信中的建议。7 月 1 日，第五届全国人大常委会第九次会议通过了在国务院设立财政经济委员会的决定。财政经济委员会由陈云任主任、李先念任副主任、姚依林任秘书长。

中共十一届三中全会召开后不久，陈云在 1979 年 2 月率先提出“计划经济与市场经济相结合，以计划经济为主；市场经济是个补充，不是小补充，是大补充”①的观点。3 月 8 日，陈云写过一个提纲，题为《计划与市场问题》。在这个提纲中，陈云提出：“整个社会主义时期必须有两种经济：（1）计划经济部分（有计划按比例的部分）；（2）市场调节部分（即不作计划，只根据市场供求的变化进行生产，即带有盲目性调节的部分）。”②他还提出：“在今后经济的调整和体制的改革中，实际上计划与市场这两种经济的比例的调整将占有很大比重。”③

1982 年春节（1 月 25 日），陈云邀请姚依林、宋平等人到他家中座谈，正式提出“计划经济为主，市场调节为辅”④这一公式。1 月 29 日，孙冶方约请经济理论界的刘国光、桂世镛、吴敬琏、王珏、徐雪寒、李人俊等座谈陈云在春节期间关于“坚持计划经济为主，市场调节为辅”问题的重要讲话，大家表示赞成。中共十二大确认要贯彻“计划经济为主、市场调节为辅”的原则，⑤随后又把“国家在社会主义公有制基础上实行计划经济。

① 中共中央文献研究室编《陈云年谱（修订本）》（下卷），中央文献出版社 2015 年版，第 265 页。

② 陈云：《陈云文选》第三卷，人民出版社 1995 年版，第 245 页。

③ 陈云：《陈云文选》第三卷，人民出版社 1995 年版，第 247 页。

④ 陈云：《陈云文选》第三卷，人民出版社 1995 年版，第 305 页。

⑤《全面开创社会主义现代化建设的新局面——在中国共产党第十二次全国代表大会上的报告》（1982 年 9 月 1 日），《人民日报》1982 年 9 月 8 日。

国家通过经济计划的综合平衡和市场调节的辅助作用，保证国民经济按比例地协调发展”[①]写进 1982 年《中华人民共和国宪法》。从现有的材料看，可以说是陈云较早提出在社会主义经济建设中的计划与市场的关系问题。确认市场调节，在认识上是一个进步。正如薛暮桥所说：陈云的这些改革思路，在中国经济体制改革的初期，起了积极的推动作用。[②]

中共十一届三中全会前后，安徽省在农村采取的若干新政策受到非议，特别是因“包产到户”问题，当时安徽省委第一书记万里遭到指责。在 1979 年 6 月 18 日召开五届全国人大二次会议开幕式休息时，万里到大会主席团对陈云说：“安徽一些农村已经搞起了包产到户，怎么办？”陈云答复：“我双手赞成。”[③]从目前掌握的材料看，这是“文化大革命”结束后，中央主要领导中最早对农村实行“包产到户”表示明确的赞成态度。陈云对实行对外开放也一直给予高度关注。他在多种场合强调对外开放问题，其中既涉及理论问题，也涉及具体实践。他亲自研究“宝钢”这个当时国内最大引进项目的建设，提出“买设备，同时也要买技术、买专利”[④]的意见。他还提出“要重视旅游业事业的发展”[⑤]，要同引进重要项目一样对待。

由于陈云是党内公认的经济建设领导人，当时中共中央和国务院负责经济工作的领导人大多尊重并赞成陈云的意见。另外，陈云关于“计划经济为主、市场调节为辅”的主张在中共十二大报告上作为特别要注意解决的几个重要原则问题之一加以阐述，如报告指出：“正确贯彻计划经济为主、市场调节为辅的原则，是经济体制改革中的一个根本性问题。我们要正确划分指令性计划、指导性计划和市场调节各自的范围和界限，在保持物价基本稳定的前提下有步骤地改革价格体系和价格管理办法，改革劳动

---

① 《中华人民共和国宪法》（1982 年 12 月 4 日中华人民共和国第五届全国人民代表大会第五次会议通过），《人民日报》1982 年 12 月 5 日。

② 薛暮桥：《薛暮桥回忆录》，天津人民出版社 1996 年版，第 377 页。

③ 中共中央文献研究室编《陈云年谱（1905—1995）》（下卷），中央文献出版社 2000 年版，第 248 页。

④ 陈云：《陈云文选》第三卷，人民出版社 1995 年版，第 260 页。

⑤ 陈云：《陈云文选》第三卷，人民出版社 1995 年版，第 237 页。

制度和工资制度，建立起符合我国情况的经济管理体制，以保证国民经济的健康发展。”[①]这说明改革开放初期，陈云的经济理论观点在经济体制改革上起着重要的作用。

三、经济学家群体的崛起与改革开放理论的探索

中国共产党领导的改革开放为了人民，依靠人民，调动了广大人民群众的积极性，是一场人民群众广泛参与并充分展示历史积极性和主动性的活动。与此同时，这一时期也是中国理论界十分活跃的时期，众多理论家以其强烈的责任感和历史主动性积极投身于改革开放的理论研究和探索之中。这期间出现的众多理论人才为推动中国的改革开放起到了先导作用。

老一辈著名经济学家在这时期出版的论著为中国的经济体制改革提供了理论根据。其中，有长期从事经济理论研究的薛暮桥（1904 年生）于 1979 年出版《社会主义经济理论》，1980 年出版《当前我国经济若干问题》，1982 年出版《我国国民经济的调整和改革》等；孙冶方（1908 年生）于 1979 年出版《社会主义经济的若干理论问题》，1982 年出版《社会主义经济的若干理论问题（续集）》等；许涤新（1906 年生）于 1979 年出版《许涤新经济论文选》；骆耕漠（1908 年生）于 1980 年出版《社会主义商品货币问题的争论和分析》等；卓炯（1908 年生）于 1978 年出版《政治经济学讲话》，1981 年出版《论社会主义商品经济》等。

还有一批理论工作者特别是中青年理论工作者积极投入到改革开放的理论探索和研究之中，提出若干超前性的重要观点。于光远（1915 年生）也是当时经济理论界的活跃者，于 1978 年出版《谈谈社会主义公有制和按劳分配问题》，1979 年出版《关于规律客观性质的几个问题》等。马洪（1920 年生）于 1981 年出版《中国经济结构问题研究》《国外企业比较研究》

---

① 胡耀邦：《全面开创社会主义现代化建设的新局面——在中国共产党第十二次全国代表大会上的报告》（1982 年 9 月 1 日），《人民日报》1982 年 9 月 8 日。

《中国经济调整、改革和发展》等著作。

比较活跃的经济学者还有刘国光、于祖尧、王珏、张卓元、蒋一苇、周叔莲、吴敬琏、林毅夫等。尤其具有重大价值和前瞻性研究成果的是以下两项：

一是于祖尧的《试论社会主义市场经济》。明确提出“社会主义市场经济”概念，主张按照社会主义市场经济性质改革经济体制，对社会主义市场经济范畴进行了探讨。这是国内学者最早以“社会主义市场经济”为题发表的探索性论文。①

二是刘国光、赵人伟的《论社会主义经济中计划与市场的关系》。该文分为三个部分：①社会主义经济中计划与市场相结合的必然性；②关于社会主义计划经济条件下如何利用市场的问题；③关于在利用市场机制的条件下加强经济发展的计划性问题。时任中共中央秘书长的胡耀邦对这篇文章作出批示：这是一篇研究新问题的理论文章。我们必须大力提倡这种理论研究风气。②

四、召开理论研讨会

这个时期是经济理论界比较活跃的时期，多次召开了关于经济发展和改革开放的理论研讨会。仅中共十一届三中全会前后，“半年多来，我国经济学界和有关经济部门，先后召开了几十次不同规模的关于价值规律问题讨论会”③。

---

① 中国社会科学院院史研究室编《中国社会科学院编年简史（1977—2007）》，社会科学文献出版社 2010 年版，第 40 页。

② 中国社会科学院院史研究室编《中国社会科学院编年简史（1977—2007）》，社会科学文献出版社 2010 年版，第 41 页。

③ 中国社会科学院经济研究所资料室、国家计委经济研究所资料室和江苏省哲学社会科学研究所资料室编《社会主义经济中计划与市场的关系》（下），中国社会科学出版社 1980 年版，第 770—771 页。

其中比较著名的是，1979年4月16日至29日由中国社会科学院经济研究所、国家计委经济研究所和江苏省哲学社会科学研究所在无锡市主办的“关于价值规律作用问题讨论会”。这是1949年以后召开的第二次价值规律问题讨论会，第一次是1959年4月在上海举行的。参加会议的有经济理论研究机关、经济业务领导部门、大学经济系和财经院校、一些省、市、自治区宣传部门的代表和知名的经济学家，共380多人。会议收到学术论文和资料上百篇。国家计委顾问、国家计委经济研究所所长薛暮桥和中国社会科学院顾问、中国社会科学院经济研究所顾问孙冶方在会议开幕和闭幕时都讲了话，并分别向大会作了学术报告。骆耕漠、刘国光、孙尚清、陈吉元、张卓元、于祖尧、柳随年等专家学者向会议提交了学术论文。

会议重点讨论了三个问题：一是社会主义经济中的计划与市场的关系问题；二是扩大企业权限与价值规律的关系问题；三是价格问题。

与会人员提供的上百篇论文，提出了许多具有深远影响的理论观点，包括：肯定社会主义经济是商品经济或市场经济，肯定社会主义经济中市场调节的作用；在社会主义经济中，价值规律起调节作用，竞争是其内在机制；企业是独立的或相对独立的商品生产者和经营者，主张逐步扩大企业的自主权；对现有不合理的价格体系和管理体制需进行改革，逐步缩小工农业产品价格“剪刀差”。

总之，在经济活动中引入市场机制和竞争机制，扩大市场调节作用，按价值规律办事，是这次讨论会的主调。这对中国启动市场化改革起着先导的作用。

会后，中国社会科学院经济研究所资料室、国家计委经济研究所资料室和江苏省哲学社会科学研究所资料室编辑出版了《社会主义经济中计划与市场的关系》上、下两部分，由中国社会科学出版社于1980年出版。

上面提到的于祖尧和刘国光的两篇文章就是作者为这次理论研讨会提供的论文，被上面所提的文集收入。可以说，历史已经证明：这是一次具有重要意义的理论研讨会。

五、莫干山会议与巴山轮会议[①]

经过中共十一届三中全会前后对经济理论的不断探讨，尤其通过对外考察和邀请专家讲学、举办经济学讲座和讲习班等各种形式的传播，现代经济学的基本理论以及关于经济体制改革的各种学说，逐渐被中国经济学界所了解并进行了初步研究，一批中青年经济科学工作者在这种改革实践和改革理论的探讨中受益匪浅并成长起来。1984 年初，邓小平视察南方，中国经济界逐渐活跃起来，各种改革开放理论探讨再次热烈起来，为中青年经济科学工作者作为一个集体登上历史舞台，为中国经济体制提出改革思路，提供了历史契机。

（一）1984 年莫干山会议与价格体制改革“双轨制”

1984 年 9 月 3 日至 10 日，由《经济学周报》、《经济日报》、中央人民广播电台、《中国青年报》、《中国青年》、《中国村镇百业信息报》、《经济效益报》、浙江省社会科学院和浙江省经济研究中心联合发起的中青年经济科学工作者学术讨论会在浙江省德清县莫干山召开（简称为莫干山会议，为与 1982 年莫干山会议区别开，也称为 1984 年莫干山会议）。[②]这是新中国成立以后首次中青年经济科学工作者学术讨论会。它主要由中青年经济学者自己发起、组织，会议形式也是开放式的，以文选人，订立“五不原则”[③]，从 1300 余篇应征论文作者中精挑 124 位正式代表参会，并打破惯例，分专题直接讨论，畅所欲言，形成头脑风暴，最终形成的报告成为中共高层重要的改革资政参考。这标志着中青年经济学者作为经济决策、改革政策重

① 该目吸收了文世芳博士论文《中国共产党对境外发展经济经验的认识与借鉴（1976—1984）》的研究成果。

② 《中青年经济科学工作者学术讨论会报告》（1984 年 9 月 15 日），《经济研究参考资料》第 1252 期。

③ 即不讲关系、不讲学历、不讲职称、不讲职业、不讲名气，凭论文水平确认代表资格。

要的咨询团体和智囊登上历史舞台。

这次会议坚持理论联系实际、为党和国家献计献策的宗旨，中心议题是当时正热议的城市经济体制改革问题。会议没有采取各自宣读论文、交换资料、泛泛议论等传统套路，而是围绕城市经济体制改革的总题目，分为若干专题，把探讨理论问题和现实问题结合起来，拿出解决问题的办法和建议。按照这些原则和要求，中青年经济科学工作者畅所欲言、各抒己见、讨论热烈、互相启发，最终形成了 7 份现实针对性很强的专题报告，即《价格改革的两种思路》（包括两个附件：《价格改革的建议》之一、之二）、《与价格改革相关的若干问题》、《企业实行自负盈亏应从国营小企业和集体企业起步》、《沿海十四个城市对外开放的若干问题的建议》、《金融体制改革的若干意见》、《发展和管理股份经济的几个问题》、《粮食购销体制的改革和农村产业结构的变动》，形成了价格体制改革"双轨制"的建议。

莫干山会议上关于价格改革争论激烈，对外开放问题的讨论也很活跃。例如，《沿海十四个城市对外开放的若干问题的建议》报告提出"以出口支撑引进，以引进加速改造，以外资吸引外资，以改革保证开放，以开放影响全局"的"35 字方针"。①

《粮食购销体制的改革和农村产业结构的变动》报告提出，在连续的农业增产，特别是粮食增收面前，出现了新的难题。现象是"仓容危机"，其实质是整个国民经济的产业结构、流通体制、收入结构中原有矛盾在新条件下集中体现，只有进行带有根本性的改组和改革，才能适应农业连年高速增长的要求。不久，1985 年中央一号文件提出进一步活跃农村经济的 10 项政策，其中第一项就是"改革农产品统派购制度"，"从今年起，除个别品种外，国家不再向农民下达农产品统购派购任务，按照不同情况，分别实行合同定购和市场收购"。②

---

① 《沿海十四个城市对外开放的若干问题的建议》，《经济研究参考资料》第 1252 期。

② 中共中央文献研究室编《十二大以来重要文献选编》（中），中央文献出版社 2011 年版，第 92 页。

在国有企业改革、金融体制改革、发挥中心城市功能、政府经济职能以及社会主义基本理论问题上，莫干山会议也提出了很多建设性意见。

莫干山会议主要是由中青年经济科学工作者组织的，但并非纯学术讨论，决策咨询目的明显。在124名会议代表中，中央办公厅、中央书记处研究室、中央组织部青年干部局、中央宣传部理论局和宣教局等机关干部有20人，约占16%；政府所属事业性研究机构有18人，约占15%。这两部分人加起来就占了约31%。时任浙江省委副书记、省长薛驹，省委常委、宣传部部长罗东等浙江省的领导干部也出席了会议并予以支持。这种体制内经济工作者、经济学者和社会各界经济学者之间的无缝对接、共同发力，为会议对经济体制改革产生重要影响奠定了基础。

会议形成的7份专题报告完成后，莫干山会议组织者派代表向主管国家计委和国家体改委的国务委员张劲夫作了汇报。张劲夫于1984年9月20日批示："中青年经济科学工作者讨论会上提出的'价格改革的两种思路'，极有参考价值。"10月10日，国务院主要领导人批示："莫干山会议为中共决策提供了有力的智力支撑，打通了学界与中共决策层的通道，使思想理论界的研究与国家的重大决策紧密结合起来，激发了学者们为中国经济体制改革作决策参考、决策咨询的积极性，激发了整个学术界的活力和激情，影响和培养了一大批青年学者，也为体制内输送了一大批青年才俊。"

（二）1985年巴山轮会议[①]

1985年9月2日至7日，在重庆到武汉的长江"巴山号"轮船上，中国社会科学院、中国经济体制改革研究会和世界银行联合举办了"宏观经济管理国际讨论会"（简称巴山轮会议）。这次会议的召开是中共中央作出经济体制改革的决定后，针对新形势、新任务的一次重大对外咨询和学习借鉴活动。来自社会主义国家和西方国家的专家学者就宏观管理问题介绍了

---

① 该目吸收了文世芳博士论文《中国共产党对境外发展经济经验的认识与借鉴（1976—1984）》的研究成果。

国际经验，并对中国经济体制改革过程中遇到的许多重要问题提出看法和应对措施。

会议对经济体制改革的目标模式、体制模式的转换、改革的环境及所有制关系的调整改革等问题，在理论上进行了探讨，并结合匈牙利、南斯拉夫、英国、法国、韩国等国经济体制改革和宏观经济管理实践上的经验总结，对中国如何加强宏观控制，推进经济改革，提出了很多宝贵的建设性意见。巴山轮会议是 1984 年中共中央作出经济体制改革的决定，确立经济体制改革的方向是有计划的商品经济后，借鉴境外发展经济经验的一次最重要的会议，标志着借鉴境外发展经济经验进入到一个新的阶段。那就是主要借鉴境外在计划和市场相结合、宏观调控和市场调节相结合等方面的经验，并结合中国实际，构建社会主义商品经济和社会主义市场经济基本框架的阶段。

受邀参加会议的专家、学者是精心选择的，来自 11 个不同国家，代表不同学派，有丰富的理论知识和实践经验，在世界经济学界享有盛誉。参加这次国际讨论会的外国著名专家、学者有：诺贝尔经济学奖获得者美国耶鲁大学教授詹姆斯・托宾、英国皇家经济学会前会长阿莱克・凯恩克劳斯、法国国家计委前主任米歇尔・阿尔伯特、联邦德国中央银行前行长奥特玛・埃明格尔、匈牙利科学院经济所研究部主任科尔奈・亚诺什、英国牛津大学高级研究员弗拉基米尔・布鲁斯、南斯拉夫法学院经济研究所前所长亚历山大・巴伊特、美国波士顿大学经济学教授里罗尔・琼斯、世界银行代表林重庚和亚德里安・伍德，以及列席代表日本兴业银行调查部主任小林实。[①] 会议召开前的 8 月 31 日，国务院总理会见了出席会议的外国代表，以表示中国政府对这次会议的高度重视。

参加讨论会的中国代表有：薛慕桥、安志文、马洪、刘国光、陈如龙、童大林、尚明、高尚全和一些中青年经济理论与实际工作者。参加会议的

---

① 中国社会科学院经济研究所发展室编《中国的经济体制改革——巴山轮“宏观经济管理国际讨论会”文集》，中国经济出版社 1987 年版。

中外学者共有 30 余人。[①]

会议最终形成了 7 个分报告和 1 个主题报告。7 个分报告依次为：《目标模式和过渡步骤》《财政政策与宏观管理》《货币政策和金融体制的改革》《收入政策与宏观管理》《经济增长和投资问题》《通货膨胀和价格问题》《实现宏观经济间接控制目标的一个重要前提》。[②] 在给中共中央、国务院的报告中，中国经济体制改革研究会和中国社会科学院从三个方面对各国专家的意见和建议进行了归纳总结。

一是关于经济体制改革的中长期目标与步骤。专家们还提醒，在中国经济出现需求膨胀的情况下，对经济管理采取一些直接行政控制是需要的，但是应当看到这样做也存在危险，即容易把临时性措施变为永久性的管理办法，回到权力过分集中的体制，脱离改革的正确方向和目标。

二是关于宏观经济间接管理的主要调控手段。专家们认为，要实现宏观控制下的市场机制协调模式，国家对企业微观经济活动的直接控制必须放开。与此同时，必须加强宏观经济的间接控制，其核心是要有效控制总需求的合理增长，相应地建立和完善各种间接管理的调控手段。

三是关于实行宏观经济间接控制的必要条件。专家们指出，宏观经济间接控制的影响作用，在很大程度上取决于微观经济单位的反应。在实行间接控制的情况下，如果企业对利率、税率、汇率、工资、价格等不能做出灵敏的反应，宏观经济的间接控制手段就不起多大作用了。因此，必须下决心创造能够促使企业对宏观经济间接控制手段做出灵敏反应的各种外

① 中国社会科学院经济研究所发展室编《中国的经济体制改革——巴山轮“宏观经济管理国际讨论会”文集》，中国经济出版社 1987 年版。

② 中国经济体制改革研究会、中国社会科学院：《关于“宏观经济管理国际讨论会”主要情况报告》（1985 年 10 月 12 日），中国经济体制改革研究会编《宏观经济的管理和改革——宏观经济管理国际讨论会言论选编》，经济日报出版社 1986 年版。

部和内部条件。[①]

中国经济体制改革研究会、中国社会科学院对于专家们的意见，在报告中高度肯定，认为其中不少对中国的经济体制改革具有一定的借鉴和参考价值，需要通过各种方式继续进行国际经济管理经验的交流和讨论。专家们来自不同国度，有着不同的思想理论背景，但是在对中国经济改革的一系列重大理论和现实问题上看法却取得了出乎预料的一致。布鲁斯也认为，这种情况在通常的国际学术会议中是极为罕见的。托宾说，这是他与凯恩克劳斯和埃明格尔合作得最好的一次。[②]这种难得的“一致”，更能反映出中国经济体制改革中存在的问题。会议确实起到了为中国经济“把脉诊断”的效果，也是对中国经济界在商品经济条件下如何管理经济的一次大型培训教育。有人称，这次关于宏观经济管理的国际研讨会，使得中国经济学家们第一次搞懂了什么叫作“宏观调控”。[③]从此后中国经济体制改革的推进历程来看，巴山轮会议对中国经济体制改革的认识、政策和理论都产生了重要而深远的影响，为商品经济和市场经济体制下如何学习借鉴境外关于市场调节、改进计划和宏观调控的理论方法及政策措施开创了美好的前景。

第四节　改革机构的演变与若干改革规划的制订

在改革的初始阶段，由于缺少经验，理论准备不足，人们对改革的认识局限性比较大，不能不采取“摸着石头过河”，走一步、看一步的方法。但是改革开放是第二次革命，既是一项开创性的事业，又是复杂的社会系

---

① 中国经济体制改革研究会、中国社会科学院：《关于“宏观经济管理国际讨论会”主要情况报告》（1985 年 10 月 12 日），中国经济体制改革研究会编《宏观经济的管理和改革——宏观经济管理国际讨论会言论选编》，经济日报出版社 1986 年版。

② 郭树清：《国际知名学者和专家谈中国经济改革》，《经济社会体制比较》1985 年第 3 期。

③ 中国（海南）改革发展研究院编《强国之路：中国改革步入 30 年》，中国经济出版社 2008 年版，第 109 页。

统工程。这又需要精心设计、总体规划、全面配套进行，才能避免单项突进所带来的摩擦和漏洞，减少改革风险，使改革少走弯路。中国初期的改革开放，实际上是“摸着石头过河”与顶层设计相结合的历史过程。从中共十一届三中全会到中共十三大之前，国务院财经委经济体制改革小组、国务院经济体制改革办公室、国家经济体制改革委员会、国家经济体制改革委员会总体规划组等部门先后制订了 14 个关于改革开放的总体规划。

一、国务院改革机构的设立与变化

1979 年 3 月，陈云同李先念联名给中共中央写信，建议成立国务院财政经济委员会，作为研究制定财经工作的方针政策和决定财经工作大事的决策机关。3 月 27 日，中共中央批准了这封建议信。7 月 1 日，五届全国人大常委会第九次会议通过了国务院设立财政经济委员会的决定，陈云任主任，李先念任副主任，姚依林任秘书长。这个财政经济委员会下设经济体制改革小组办公室。

1980 年 5 月，国务院决定成立国务院体制改革办公室，由国务院秘书长杜星垣兼任主任。

1982 年 3 月 8 日，五届全国人大决定设立国家经济体制改革委员会，为国务院组成部门，由当时的国务院总理赵紫阳兼任主任。1988 年至 1990 年，国务院总理李鹏兼任主任。1990 年至 1993 年，陈锦华任国家经济体制改革委员会主任、党组书记。

国家经济体制改革委员会机构是研究、协调和指导经济体制改革的综合性专门机构。主要职权是：综合研究经济体制改革与经济发展、科技进步、对外开放的关系，研究城市改革与农村改革的关系，并提出对策和建议；组织有关部门和地区拟定全国经济体制改革的中长期总体规划和年度综合实施方案；指导有关部门和地区制订经济体制改革规划；指导地区、部门、行业、企业进行经济体制改革试点工作；组织和推动改革开放试验区和城市综合改革试点工作；组织和指导有关经济体制改革和企业管理干部的培训工作；等等。这些部门制订的规划体现了高层对改革开放的认识过程，既有历史价值，又有利于实际工作者和理论工作者从中获得某些有益的启示，推动改革理论和实践的研究工作。

二、指导农村改革的国家机构

中国的改革开放是在农村获得突破并取得成效的。中共十一届三中全会在作出改革开放伟大决策的同时，深入讨论了农业问题，同意将《中共中央关于加快农业发展若干问题的决定（草案）》和《农村人民公社工作条例（试行草案）》发到各省、市、自治区讨论和试行。同时在会议公报中提出“全党目前必须集中主要精力把农业尽快搞上去”[①]的明确要求，体现了中共中央对农业、农村、农民问题的高度重视。

中共十一届三中全会之后，1979 年 2 月 23 日，五届全国人大常委会第六次会议通过决定，“为了加强对整个农业工作的领导，设立国家农业委员会，任命王任重副总理兼国家农业委员会主任”[②]。国家农业委员会为国务院指导农业建设的职能机构，同时兼理党中央委托的农村工作任务，并指导各省、市、自治区农业委员会和中央相关部门的工作。国家农业委员会从 1979 年开始工作。[③]1980 年 8 月，全国人大常委会决定任命万里副总理兼任国家农业委员会主任，免去王任重的国家农业委员会主任职务。[④]

1982 年 1 月，中共中央政治局召开会议，讨论中央机构精简问题。邓小平在会上发表题为《精简机构是一场革命》的讲话。3 月，五届全国人大常

① 《中国共产党第十一届中央委员会第三次全体会议公报》（1978 年 12 月 22 日通过），《人民日报》1978 年 12 月 24 日。

② 《人大常委会关于设立国家农业委员会等机构和任免名单的决定》，《人民日报》1979 年 2 月 24 日。

③ 杜润生：《杜润生自述：中国农村体制变革重大决策纪实》，人民出版社 2005 年版，第 101 页。

④ 《人大常委会决定任免的名单》，《人民日报》1980 年 8 月 27 日。

委会第二十二次会议通过关于国务院机构改革方案。5 月 4 日，五届全国人大常委会第二十三次会议通过《人大常委会关于国务院部委机构改革实施方案的决议》，决定将国家经济委员会、国家农业委员会、国家机械工业委员会、国家能源委员会、建筑材料工业部、国家标准总局、国家计量总局、专利局合并，设立国家经济委员会，决定免去万里的国家农业委员会主任的职务。

国家农业委员会建制撤销后，1982 年 5 月成立了中共中央书记处农村政策研究室和中国农村发展研究中心（1985 年改称国务院农村发展研究中心），仍然负责中国“三农”问题的调查研究和咨询等方面的工作。这为起草著名的关于农业问题的“五个一号文件”起到了重要作用，为中国的农村改革作出了贡献。

三、中共十一届三中全会后至中共十三大前的若干改革规划

中共十一届三中全会后至中共十三大前，中共中央和国务院有关部门先后制订了 14 个关于改革开放的总体规划。

（一）中共十一届三中全会至中共十二大期间的改革规划

1979 年 12 月，国务院财经委经济体制改革小组办公室在全国计划会议期间印发《关于经济管理体制改革总体设想的初步意见》（以下简称《初步意见》），这是我国第一个经济体制改革总体规划。《初步意见》分为 5 个部分：①我国经济管理体制改革的历史经验；②现行经济管理体制存在的主要问题；③经济体制改革的三种设想及其利弊比较；④我们的设想；⑤实施步骤。《初步意见》认为，我国当时经济管理体制存在的主要问题是“三个不适应”：一是按行政系统管理经济与生产社会化要求不适应；二是过多的自上而下的指令性计划与复杂多变的国民经济不适应；三是统收统支、大包大揽、吃“大锅饭”的办法与用最少消耗取得最大效果的要求不适应。《初步意见》提出的改革设想是：①扩大企业（公司）经营管理的自主权；

②组织专业公司和联合公司；③充分发挥银行的作用；④中央与地方经济管理的职权与机构（划分）；⑤计划调节与市场调节；⑥企业民主管理；⑦经济政策、经济立法与经济监督。同时，提出了“三步走”的实施步骤。

1980 年 9 月，国务院经济体制改革办公室出台了《关于经济体制改革的初步意见》，主要是就三个问题，即对一年来体制改革的估计、我国经济体制改革的方向、近期内改革的意见汇报了看法。《初步意见》指出，我国现行经济体制是一种高度集中的、以行政管理为主的体制。这种体制的主要弊端：一是把企业作为各级行政机构的附属物，否定了它的相对独立地位；二是按行政系统、行政区划管理经济，自成体系，割裂了经济的内在联系；三是自上而下的指令性计划过多，管得过死，不利于产需衔接；四是统收统支、捧“铁饭碗”、吃“大锅饭”，搞平均主义，不讲经济责任。

1981 年 6 月，国务院经济体制改革办公室出台的《关于调整时期经济体制改革的意见》，在两年来经济体制改革进行评估的基础上，提出要正确处理改革和调整的关系。关于调整时期的改革，规划的改革部署主要是：第一，巩固和完善扩大企业自主权的改革；第二，改组工业企业，推进企业联合；第三，改革劳动工资体制；第四，发展多种经济成分；第五，改革流通体制；第六，改革外贸体制；第七，改革价格、税收、银行体制；第八，改革计划体制；第九，改革经济管理机构。

1982 年 2 月，国务院经济体制改革办公室出台的《经济体制改革的总体规划》，在对三年来经济体制改革进行评估的基础上，对中国经济体制改革的轮廓进行了设想。第一，适应我国生产力多层次的状况，建立国营经济为领导、公有制经济为主体、其他经济成分做补充的多种经济成分并存的所有制结构；第二，按照责权利相结合的原则，建立各种形式的经济责任制，打破企业吃“大锅饭”的制度；第三，适应社会化大生产要求，按照经济的内在联系组织各种经济活动，实现企业组织和经济组织的合理化；第四，适应商品生产和商品交换的需要，建立以国营商业为主体的多渠道、少环节、开放统一的商品流通市场；第五，按照计划经济的要求，完善和加强计划管理，建立科学有效的计划体制；第六，按照经济规律的要求，充分发挥经济杠杆的作用；第七，按照社会主义原则，建立能进能出、能上能下、多劳多得、少劳少得、不劳不得的劳动工资制度；第八，适应经济法规管理经济的要求，加强经济立法、司法和监督；第九，按照“统一领导，分级管理”的原则，在中央统一领导下，搞好中央和地方的合理分工；第十，根据党委集体领导、职工民主管理、厂长行政指挥的原则，完善企业内部的领导、管理制度；第十一，根据党政企分工的原则，健全与完善经济管理组织体系。该规划还规定了具体实施步骤。

（二）中共十二大至中共十二届三中全会期间的若干改革规划

1982年10月，国家经济体制改革委员会编写的《关于“六五”期间和一九八三年经济体制改革的汇报提纲》，对中共十一届三中全会以来的改革开放做了回顾和总结。在此基础上，提出了“六五”后三年的改革任务。第一，改革计划体制，形成有效的宏观经济管理制度；第二，按照经济合理原则组织商品流通，基本形成有利于产需衔接的流通体制；第三，初步建立有利于科学技术进步、智力开发和人才合理使用的科技、教育、劳动体制；第四，以国营经济为主导，发展多种经济形式和灵活多样的经营方式；第五，着手建立以城市和工业基地为中心的经济区，改善部门分割、地区封锁的状况。

1983年2月，国家经济体制改革委员会提出的《关于当前经济体制改革的几点意见》，在总结中共十一届三中全会以来改革成效和存在问题的基础上，提出从五个方面加快改革的进程。第一，以国营经济为主导，发展多种经济形式，实行灵活多样的经营方式，是经济体制改革的一项重要内容；第二，随着经营责任制的推行和多种经济形式的发展，改革不合理的劳动工资制度，已成为亟待解决的突出问题；第三，为了推动企业关心社会需要，提高效益，引导微观经济活动符合宏观的要求，必须积极发挥各种经济杠杆，特别是价格和税收的调节作用；第四，为适应城乡商品生产、商品交换迅速发展的需要，必须加快流通体制的改革；第五，改革现行按行政系统、行政区划管理经济的体制，以城市为中心，按经济的内在联系组织经济活动，是社会化大生产的客观要求；第六，为加强宏观经济管理和进一步搞活经济，需要改革计划管理体制；第七，改革科技、教育体制，对于推动技术进步、智力开发，使我国经济尽快转到先进技术和先进管理的基础上来具有重大意义。

1983 年 3 月，国家经济体制改革委员会编写的《关于经济体制改革的汇报提纲》，在对原有经济体制进行客观分析，对改革开放以来的改革成效和问题进行分析的基础上，对下一步改革提出五点意见。

1984 年 2 月，国家经济体制改革委员会编写的《关于经济体制改革设想的综合汇报提纲》（以下简称《综合汇报提纲》），是对提高企业素质、利改税、计划、外贸、价格、劳动工资等方面的体制改革进行专题研究的成果。这个综合汇报提纲阐述了四个关系全局的问题：一是关于宏观经济管理问题；二是国家和企业的关系问题；三是关于部门、地区和城市的经济纲领权限问题；四是关于经济调节手段的运营问题。《综合汇报提纲》提出的 1983 年、1984 年两年的改革内容是：第一，调整生产资料价格，全面改革税制；第二，努力提高企业素质，抓紧调整改组、技术改造和企业经营方式改革；第三，加快流通体制改革，进一步把城乡经济搞活；第四，改革基本建设管理体制，切实提高投资效益；第五，发挥中心城市作用，扩大城市综合改革试点。

（三）中共十二届三中全会通过《关于经济体制改革的决定》后的改革规划

1984 年 10 月，中共十二届三中全会通过《关于经济体制改革的决定》后，中国改革开放进入了新的阶段。在这个大背景下，按照国务院领导的要求，1985 年 7 月，国家经济体制改革委员会组建了经济体制改革总体规划问题研究小组，经研究写出了《关于体制改革规划研究的汇报提纲》（以下简称《汇报提纲》）。《汇报提纲》依次研究相关联的四个问题：一是体制改革的目标模式；二是过渡方法和阶段划分；三是环境治理和条件准备；四是第一阶段实施步骤。

关于体制改革的目标模式，包括互相关联的三个大的方面的问题：计划和市场问题、微观经济活动问题和宏观调节问题。关于过渡方法和阶段划分：提出了基本指导思想、主要划分阶段，第一阶段的主要目的是建立一个较为完善的商品市场，第二阶段的主要目的是在完善商品市场的基础上建立起较为完整的市场体系。关于环境治理和条件准备，这方面主要是消除总需求膨胀，创造良好的经济环境；健全法制，加强经济监督系统和情报系统；调整社会关系，创造有利于改革的社会环境；加强体制改革的规划指导。关于第一阶段实施步骤，《汇报提纲》指出，第一阶段应推行以实现市场统一价格为中心环节的全面配套改革。

1985 年 11 月，国家经济体制改革委员会总体规划组提出了《关于一九八六年经济体制改革的初步设想》。这个设想从当时经济发展和体制改革的形势出发，提出了 1986 年经济体制改革的指导思想。据此，这个设想提出了 1986 年经济体制改革的主要内容：一是进一步增强企业特别是全民私有制大中型企业的活力，大力发展各种形式的横向经济联系；二是改革企业工资制度，调节企业之间、居民之间的收入差距；三是完善和扩大商品市场，稳定市场物价；四是改进、改革宏观调控手段，促进经济平衡协调发展；五是继续搞好经济体制改革试点，为进一步推进改革积累经验。

按照中共十二届三中全会通过的《关于经济体制改革的决定》和 1985 年 9 月中国共产党全国代表会议通过的《中共中央关于制定国民经济和社会发展第七个五年计划的建议》，1985 年 12 月，国家经济体制改革委员会总体规划组提出了《“七五”期间经济体制改革的设想》。这个文件分为两部分。第一部分是改革的指导思想：正确处理经济发展与经济改革之间的关系，坚持把改革放在一切经济工作的首位，并使二者互相协调、互相促进；坚持有计划的商品经济的改革方向，逐步实现计划经济与商品经济、计划与市场的有机结合；正确处理微观放开搞活与宏观管住的关系；坚持改革同步配套和循序渐进的原则。第二部分是改革五个方面的具体目标和内容：第一，企业要成为相对独立的商品生产者和经营者，其中，大多数企业要实现自主经营、自负盈亏，并开始拥有自我积累、自我改造、自我发展的能力；第二，初步建成统一、开放、竞争性的社会主义市场体系，基本理顺消费资料和生产资料价格体系，巩固、完善消费资料市场，扩大、发展生产资料市场、资金市场和技术市场；第三，逐步建立起科学的宏观经济决策、调节和控制体系，宏观经济的调控手段从行政实物指标的直接管理为主转向经济政策和经济杠杆的间接管理为主；第四，逐步建立起比较完善的经济法制和有权威的经济监督体系；第五，基本完成各级政府经济管理机构的职能转变，逐步实现政企职责分开。

1986 年 10 月，国务院经济体制改革方案研究领导小组办公室提出了《一九八七年经济体制改革实施方案》。这个方案分为三个部分：第一部分提出了改革的任务和行动方针，第二部分比较详细地提出了改革四个方面的主要内容，第三部分提出了保证改革顺利进行的四项重要措施。

1987 年 3 月，国务院经济体制改革研讨小组办公室提交《关于一九八七年经济体制改革措施的初步综合》的文件，4 月又提交《经济体制改革的回顾和今后改革的基本思路》的文件。后一个文件是国务院经济体制改革研讨小组办公室邀请有关部委、15 个省市以及部分理论界的人员座谈，对 1978 年改革开放以来，特别是中共十二届三中全会以来的经济体制改革进行了回顾，并初步研究了今后改革的思路。这个文件共有三个部分：第一，八年改革的简要回顾；第二，建立新经济体制框架必须过的几个难关；第三，1988 年改革的基本思路。

以上规划是在总结以往改革的经验、分析当时实际问题和难点的基础上集思广益形成的。

第五节　改革在农村取得突破与国务院机构改革

中国农村的改革以 1984 年为界，可以分为两个阶段：第一阶段以实行联产承包责任制、“撤社建乡”为主要内容；第二阶段是经济管理体制方面的改革，而显著的成果是乡镇企业的迅速发展。

一、中央发出关于推动农村、农业改革发展的五个“一号文件”

为推动农村的发展和改革，中共中央、国务院从 1982 年至 1986 年连续下发了五个中央一号文件。这些文件顺应和指导了农村改革，有力地促进了农村改革和农业生产，给我国农村带来了巨大的变化。

1982 年 1 月 1 日，《中共中央批转〈全国农村工作会议纪要〉》公布。这是中共中央发出的第一个关于农业问题的“一号文件”，对迅速推开的农村改革进行了总结，并对当年和此后一个时期农村改革和农业发展作出了具体部署。这年的“一号文件”突破了传统的“三级所有、队为基础”的体制框框，明确指出包产到户、包干到户或大包干“都是社会主义生产责任制”。这个文件不但肯定了“双包”（包产到户、包干到户）制，而且说明它“不同于合作化以前的小私有的个体经济，而是社会主义农业经济的组成部分”[①]。

1983 年 1 月，第二个中央一号文件《当前农村经济政策的若干问题》颁布。这个文件从理论上说明了家庭联产承包责任制“是在党的领导下中国农民的伟大创造，是马克思主义农业合作化理论在我国实践中的新发展”[②]。

1984 年 1 月 1 日，中共中央发出《关于一九八四年农村工作的通知》，

---

① 中共中央文献研究室编《三中全会以来重要文献选编》（下），人民出版社 1982 年版，第 1066 页。

② 《当前农村经济政策的若干问题》（即 1983 年中央一号文件），《人民日报》1983 年 4 月 10 日。

即第三个中央一号文件。该文件强调要继续稳定和完善联产承包责任制，延长土地承包期。为鼓励农民增加对土地的投资，规定土地承包期一般应在 15 年以上，生产周期长的和开发性的项目，承包期应当更长一些。①

1985 年 1 月，中共中央、国务院发出《关于进一步活跃农村经济的十项政策》，即第四个中央一号文件。该文件的中心内容是：调整农村产业结构，取消 30 年来农副产品统购派购的制度，对粮、棉等少数重要产品采取国家计划合同收购的新政策。国家还将农业税由实物税改为现金税。②

1986 年 1 月 1 日，中共中央、国务院下发了《关于一九八六年农村工作的部署》，即第五个中央一号文件。该文件肯定了农村改革的方针政策是正确的，必须继续贯彻执行。针对农业面临的停滞、徘徊和放松倾向，该文件强调进一步摆正农业在国民经济中的地位。③

这五个“一号文件”，在中国农村改革史上成为专用名词——“五个中央一号文件”。这五个“一号文件”，记录了中国共产党尊重人民群众的首创精神，从群众中来、到群众中去，在解放生产力的同时，实现了农民自身的进一步解放和农民生活水平的提高。这五个“一号文件”提出的指导中国农村改革的一系列重大决策和措施，对实现农村改革率先突破起到了巨大的推动作用。

依据中共中央《当前农业经济政策若干问题》（1983 年 4 月 10 日公布）的精神，这种联产承包制是社会主义集体经济所有制经济中“分散经营和统一经营相结合的经营方式”，“在这种经营方式下，分户承包的家庭经营只不过是合作经济中一个经营层次，是一种新型的家庭经济。它和过去小私有的个体经济有着本质的区别，不应混同”。从中央到地方各级党组织和政

---

① 《中共中央关于一九八四年农村工作的通知》（1984 年 1 月 1 日），《人民日报》1984 年 6 月 12 日。

② 《中共中央　国务院关于进一步活跃农村经济的十项政策》（1985 年 1 月 1 日），《人民日报》1985 年 3 月 25 日。

③ 《中共中央　国务院关于一九八六年农村工作的部署》（1986 年 1 月 1 日），《人民日报》1986 年 2 月 23 日。

府，积极推动农村的改革。1983年初，全国实行“双包”的生产队进一步发展到占总数的93%，其中绝大多数是包干到户。[①]实行以“双包”为主要形式的家庭经营，克服了集体经济中长期存在的生产上的“大呼隆”和分配上吃“大锅饭”的弊病，解决了我国农业长期以来没有解决的根本问题。

农村的经济体制改革解放了生产力，农产品产量快速提升。1984年，我国粮食产量达到8146亿斤，比1977年增长44.05%；人均粮食占有量从594斤增加到781斤，比1977年增长了31%。与此同时，其他农产品产量也快速增长。1985年，国家开始取消实行30年的农副产品统购派购的制度，对粮、棉等少数重要产品采取国家计划合同收购的新政策。

改革农村的经营体制，实行“包产到户”和“包干到户”，为农村劳动力摆脱土地束缚提供了基础条件。体制的变革使得农民的积极性、主动性增强，农业生产效率明显提高。实践表明，农村经营体制的改革，不仅解决了农民的温饱问题，也为支撑城市和工业的发展、放开对农村劳动力流动的限制提供了前提。

二、改革人民公社体制与实行政社分设

1983年1月，依据我国宪法，中共中央发出1983年“一号文件”《当前农村经济政策的若干问题》，指出：“人民公社的体制，要从两方面进行改革，这就是，实行生产责任制，特别是联产承包制；实行政社分设。”[②]

为了积极稳妥地做好政社分开的工作，1983年10月，中共中央、国务院发布了《关于实行政社分开建立乡政府的通知》（以下简称《通知》）。《通知》指出：“当前的首要任务是把政社分开，建立乡政府。同时按乡建立党委，并根据生产的需要和群众的意愿逐步建立经济组织。要尽快改变党不

---

① 《当代中国》丛书编辑部编《当代中国的经济体制改革》，中国社会科学出版社1984年版，第274页。

② 《当前农村经济政策的若干问题》，《人民日报》1983年4月10日。

管党、政不管政和政企不分的状况。”[①]《通知》还要求：乡的规模一般以原有公社的管辖范围为基础，如原有公社范围过大的也可以划小；乡的编制要力求精干，不得超过原来公社的人员编制；乡人民政府建立后，要按照《中华人民共和国地方各级人民代表大会和地方人民政府组织法》的规定行使职权，领导本乡的经济、文化和各项社会建设，做好公安、民政、司法、文教卫生、计划生育等工作；随着乡政府的建立，应当建立乡一级财政和相应的预决算制度。按照这个《通知》，全国农村普遍有领导、有计划、有步骤地开展了实行政社分开、建立乡政府的改革。

到 1983 年底，各省、市、自治区共建乡 22897 个，其中民族乡为 233 个，同时建立村民委员会 17.1 万多个。1985 年，全国人民公社政社分开、建立乡政府的工作全部结束，全国共建了 9.2 万余个乡（包括民族乡）、镇人民政府，同时建立村民委员会 82 万多个。[②]建立乡政府的地方，初步改变了党不管党、政不管政和党政不分、政企不分的状况。政社分开后，乡党委把主要精力放在抓党的路线、方针、政策的贯彻执行方面，加强、改善了党对农村工作的领导和基层党组织的建设。乡政府集中精力对本地区的经济、文化教育、卫生等公共事业做出统筹规划，发挥了基层政权的职能作用。已经建立的村民委员会，积极办理本村的公共事务和公益事业，协助乡人民政府搞好本村的行政工作和生产建设，在群众中进行自我教育、自我管理、自我服务方面起了很好的作用。

三、1982 年政府机构改革

1980 年 8 月，中共中央政治局扩大会议通过的邓小平《关于党和国家领导制度的改革》是党和国家进行政治体制改革的纲领。1982 年 1 月，中共中央政治局召开扩大会议，邓小平发表《精简机构是一场革命》的讲话，

---

① 《中共中央 国务院关于实行政社分开建立乡政府的通知》，《中华人民共和国国务院公报》1983 年第 23 期。

② 朱思雄、曹宏亮：《人民民主的伟大实践》，《人民日报》1999 年 9 月 4 日。

与会者一致同意邓小平的讲话。19日，中共中央印发邓小平这个讲话，要求中央和国家机关各部委认真贯彻落实。1982年3月，第五届全国人大常委会第二十二次会议批准1982年国务院机构改革方案。这个行政体制改革旨在提高政府效率，实现干部年轻化。1982年12月，中共中央、国务院发出《关于省、市、自治区党政机构改革若干问题的通知》，要求在1983年冬天或1984年春天完成地方政府的机构改革。

（一）改革背景

1980年8月，在中共中央政治局扩大会议上，邓小平发表《党和国家领导制度的改革》重要讲话，强调指出："我们的各级领导机关，都管了很多不该管、管不好、管不了的事，这些事只要有一定的规章，放在下面，放在企业、事业、社会单位，让他们真正按民主集中制自行处理，本来可以很好办，但是统统拿到党政领机关、拿到中央部门来，就很难办。谁也没有这样的神通，能够办这么繁重而生疏的事情。这可以说是目前我们所特有的官僚主义的一个总病根。"①

1977年至1981年，国务院设部委52个、直属机构43个、办公机构5个，共100个单位。国务院设置的机构数，达到新中国成立以来的最高值。②机关工作人员5.7万多人。

以上所说就是1982年国务院机构所面对的基本情况。

（二）改革方针、原则与改革重点

1982年，行政体制改革的指导思想是：克服官僚主义现象，以适应社会主义现代化建设的需要和党与国家政治生活民主化的需要。机构改革的基本方针是：用革命精神来进行这场伟大的改革。机构改革的原则是：根据各部门的任务和职权范围，合并业务相近、工作交叉的部门，撤销重叠

---

① 邓小平：《邓小平文选》第二卷，人民出版社1994年版，第328页。

② 乌杰主编《中国政府与机构改革》，国家行政学院出版社1998年版，第345页。

的部门，加强经济建设的统一管理和规划，成立大经委；机构设置因地制宜不要求上下完全对口、左右看齐；机构层次宜简不宜繁，不要中间领导层次；将一些具备独立进行经济活动的机构改为经济实体，不作为国务院或地方的部门。这次改革从中央机关开始，省、地、县先后展开。

这次机构改革重点解决的问题：一是必须首先明确各部门及其所属机构的任务和职责范围；二是选贤任能，配备和建设好领导班子；三是认真安排好老干部退休离休和退居二线的工作；四是切实加强干部的轮训工作。

（三）改革的成效

1982 年的行政体制改革开启了干部人事制度科学化、民主化、制度化的历程。一是开始实行领导干部离退休制度，废除领导干部职务终身制，标志是 1982 年 2 月中共中央作出《关于建立老干部退休制度的决定》。二是精简了机构，国务院领导体制副总理由 13 人减为 2 人，新设国务委员 10 人，国务院日常领导机构所属部委、直属机构由精简前的 100 个裁并到精简后的 61 个，工作人员总编制压缩到原来的 1/3 左右。三是精简各级领导班子。据 38 个部委的统计，正副部长、主任减少 67%，新选拔的中青年干部占 23%。① 四是机关工作人员由 5 万多人压缩到 3.9 万人。加强了综合协调、统计监督部门，调整了领导班子和人员结构，取得一定成效。但由于这次机构改革是在经济体制改革尚未展开的情况下进行的，政企职责未分，政府的职能未能根本性转变，不久之后机构人员又膨胀起来。

① 乌杰主编《中国政府与机构改革》，国家行政学院出版社 1998 年版，第 364 页。

第五章

全面改革开放的纲领和经济体制改革

以中共十二届三中全会通过的《中共中央关于经济体制改革的决定》为标志，中国经济体制改革迅速地在全国范围内全面展开，其特点是农村改革在巩固的基础上进一步深入，全国改革的重点由农村向城市转移，城市改革由试点发展到全面铺开，出现了以城市为重点、城乡联动的全面改革局面。

第一节　中共中央通过关于经济体制改革的决定

中共十二届三中全会通过的《中共中央关于经济体制改革的决定》，提出和阐明了经济体制改革的一些重大理论和实践问题，是这一时期推进中国改革开放的纲领性文献。

一、关于计划经济、商品经济和市场经济体制的争论

中共十一届六中全会通过的《关于建国以来党的若干历史问题的决议》确认，“必须在公有制基础上实行计划经济，同时发挥市场调节的辅助作用”[①]。短时间内，陈云就“计划经济为主，市场调节为辅”的问题多次发表谈话。后来，陈云把“计划与市场”的关系比喻为“鸟”与“笼子”的关系。陈云说：“搞活经济是在计划指导下搞活，不是离开计划的指导搞活。这就像鸟和笼子的关系一样，鸟不能捏在手里，捏在手里会死，要让它飞，但只能让它在笼子里飞。没有笼子，它就飞跑了。如果说鸟是搞活经济的话，那么，笼子就是国家计划。当然，‘笼子’大小要适当，该多大就多大。经济活动不一定限于一个省、一个地区，在国家计划指导下，也可以跨省跨地区，甚至不一定限于国内，也可以跨国跨洲。另外，‘笼子’本身也要经常调整，比如对五年计划进行修改。但无论如何，总得有个‘笼子’。就是说，搞活经济、市场调节，这些只能在计划许可的范围以内发挥作用，不能脱离计划的指导。”[②]

1980年初夏，由经济学家薛暮桥等人起草的《关于经济体制改革的初

① 《关于建国以来党的若干历史问题的决议》（1981年6月27日中国共产党第十一届中央委员会第六次全体会议一致通过），《人民日报》1981年7月1日。

② 陈云：《陈云文选》第三卷，人民出版社1995年版，第320页。

步意见》（以下简称《初步意见》）中已经明确提出："我国现阶段的社会主义经济，是生产资料公有制占优势，多种经济成分并存的商品经济。我国经济改革的原则和方向应当是，在坚持生产资料公有制占优势的条件下，按照发展商品经济的要求，自觉运用价值规律，把单一的计划调节改为在计划指导下，充分发挥市场调节的作用。"[①]《初步意见》可以说是中国进行市场取向改革的一个重要文件，也是在重要文献中最早提到社会主义商品经济概念的文件。

虽然"计划经济为主，市场调节为辅"的观点已经写进了《关于建国以来党的若干历史问题的决议》，写进了中共十二大报告和1982年的《中华人民共和国宪法》，但是关于社会主义商品经济的概念当时却很少使用。不但如此，报刊上还在这时开始批评"社会主义商品经济论"，主张这一观点的薛暮桥等人还为此做了检讨。

就连《邓小平文选（1975—1982年）》在1983年出版时，也将《目前的形势和任务》一文中"计划调节和市场调节相结合"的提法改为"在计划经济指导下发挥市场调节的辅助作用"，直到1994年再版时才改为原样，并在注释中给予说明。批评"社会主义商品经济论"一直延续到中共十二届三中全会的前夕。

二、以城市为重点的经济体制改革的启动

农村改革的初步成功，农村经济发展对城市的要求，为以城市为重点的整个经济体制的改革提供了有利的条件。中共十二大以后，中共中央和国务院开始排除阻力，着手进行全面改革的准备并开始部署全面改革开放。

为推动全面经济体制改革的进行，1983年1月，中共中央总书记胡耀邦在中央七个单位召开全国职工思想政治工作会议上发表了《四化建设和

① 薛暮桥：《薛暮桥回忆录》，天津人民出版社1996年版，第356页。

改革问题》的重要讲话。他从问题的提出、“继续革命”和改革、我们的改革方针、机构方面的改革、经济方面的改革、其他方面的改革、共产党员必须具有勇于改革的思想、教育和动员工人阶级站在改革的前列等八个方面深刻地论述了改革的问题。

胡耀邦在上述讲话中说：没有改革就不可能实现四个现代化，这是邓小平这些年一直强调的。他还说：全面而系统地改，就是一切战线、一切地区、一切部门、一切单位都有改革的任务，都要破除陈旧的、妨碍我们前进的老框框、老套套、老作风，都要钻研新情况、解决新问题、总结新经验、创立新章法。坚决而有秩序地改，就是全党都要按照中央确定的步骤，坚决而有秩序地进行。总之，要以是否有利于建设有中国特色的社会主义，是否有利于国家的兴旺发达，是否有利于人民的富裕幸福，作为衡量我们各项改革对或不对的标志。我们必须认识改革的极端重要性和紧迫性。胡耀邦还指出：勇于改革是革命者的品格。在新时期，我们一定要在全党同志中确立社会主义社会还要在各方面进行改革这样一个具有重大意义的指导思想。[①] 胡耀邦的讲话，表明了以邓小平同志为代表的中央高层推动全面改革的决心。

新华社第一时间报道了胡耀邦的重要讲话。1983 年 1 月 21 日，《人民日报》在第一版对此进行报道：“中共中央总书记胡耀邦今天下午在全国职工思想政治工作会议上指出，要搞四个现代化建设必须进行一系列的改革，改革要贯穿四个现代化建设的整个过程，这应该成为我党领导四化建设的一个极为重要的指导思想。他说，我们改革的总方针应当是：从实际出发，全面而系统地改，坚决而有秩序地改。”[②]

---

① 《胡耀邦同志谈领导四化建设的一个极为重要的指导思想，搞四化建设必须进行一系列改革，改革要贯穿四化建设的整个过程，希望全党同志和工人阶级站在改革的前列》，《人民日报》1983 年 1 月 21 日。

② 《胡耀邦同志谈领导四化建设的一个极为重要的指导思想，搞四化建设必须进行一系列改革，改革要贯穿四化建设的整个过程，希望全党同志和工人阶级站在改革的前列》，《人民日报》1983 年 1 月 21 日。

但是，胡耀邦的这个讲话引起了不同意见，因为1982年召开中共十二大时曾经提过继续贯彻“调整、改革、整顿、提高”的方针。这以后，究竟以“调整”为主还是以“改革”为主，在中央内部有过争论。但是，形势的发展使改革成为不可阻挡的趋势。

三、起草和通过《关于经济体制改革的决定》

1984年初，中共中央决定十二届三中全会专门研究经济体制改革问题。1984年6月，有关部门开始起草《关于经济体制改革的决定》。文件起草组用一个多月的时间完成了决定提纲。7月底，文件起草组在北戴河向胡耀邦汇报时，胡耀邦对提纲不满意，并为此调整了起草班子。

在这时，中国社会科学院的几位经济学家受命写了一篇为商品经济翻案的文章，意在试探反应。随后，赵紫阳在9月9日给中央政治局其他常委写了题为《关于经济体制改革中三个问题的意见》的信。[①] 三个问题是“计划体制”“价格改革”“国家领导经济的职能”。信中提出：“计划第一，价值规律第二，这一表述并不确切，今后不宜沿用。”“社会主义经济是以公有制为基础的有计划的商品经济。计划要通过价值规律来实现，要运用价值规律为计划服务。”邓小平、陈云分别在9月11日[②]和13日批示同意。[③]

经过1983年、1984年两年的努力，中国的经济实力明显增强。改革的初步成效激发了干部群众对改革的热情。越来越多的人认识到，必须摆脱旧的计划经济体制以及忽视商品经济等传统观念的束缚，全面推进改革开放。这样中共十二届三中全会关于经济体制改革的决定就在新的指导思想下进行了。经过深入、反复的研究讨论，决定草案被提交中共十二届三中全会审议。

---

① 薛暮桥：《薛暮桥回忆录》，天津人民出版社1996年版，第396页。

② 中共中央文献研究室编《邓小平年谱（1975—1997）》（下），中央文献出版社2004年版，第994页。

③ 中共中央文献研究室编《陈云年谱（1905—1995）》（下卷），中央文献出版社2000年版，第360页。

1984 年 10 月，中共十二届三中全会通过《关于经济体制改革的决定》（以下简称《决定》)。《决定》总结了新中国成立以来特别是中共十一届三中全会以来经济体制改革的经验，比较系统地提出和阐明了经济体制改革中的一系列重大理论和实践问题，是全面进行经济体制改革的纲领性文献。

《决定》在科学社会主义理论上具有划时代的贡献，突破了把计划经济同商品经济对立起来的传统观点，确认了中国社会主义经济是在公有制基础上的有计划的商品经济；指出社会主义计划经济必须自觉依据和运用价值规律，商品经济的充分发展是社会经济发展不可逾越的阶段，是实现中国经济现代化的必要条件。《决定》系统地阐明了建立充满生机和活力的社会主义经济体制所需要解决的主要问题。增强企业活力是经济体制改革的中心环节；建立自觉运用价值规律的计划体制，发展社会主义商品经济，建立合理的价格体系，充分重视经济杠杆的作用；实行政企职责分开，正确发挥政府机构管理经济的职能，建立多种形式的经济责任制，认真贯彻按劳分配原则；积极发展多种经济形式，进一步扩大对外的和国内的经济技术交流。《决定》强调要起用一代新人，造就一支社会主义经济管理干部的宏大队伍；加强党的领导，保证改革的顺利进行。

第二节　进行以城市为重点的经济体制改革

从 1984 年至 1988 年，城市经济体制主要进行了如下关系全局的重大改革。

一、以承包制为主的国有企业改革

建立和健全责权利相结合的企业经营机制，增强企业活力，这是城市经济体制改革的中心环节。从 1984 年至 1988 年的经济改革，前两年的国有企业改革主要还是实行放权让利，贯彻 1984 年 5 月国务院颁发的《关于进一步扩大国营工业企业自主权的暂行规定》，要求扩大的企业自主权包括：①生产经营计划权；②产品销售权；③产品价格权；④物资选购权；⑤资金使用权；⑥生产处置权；⑦机构设置权；⑧人事劳动权；⑨工资资金使用权；⑩联合经营权。1985 年 9 月，国务院又批转了国家经委、国家体改委制定的《关于增强大中型国营工业企业活力若干问题的暂行规定》，作出了 14 条规定，要求继续扩大企业自主权。

中共十二届三中全会以后，中国国有企业的改革进入一个新的发展阶段，其特点是提出了“两权分离”的改革原则。当时改革的做法是：在小企业中主要搞租赁，在大中型企业中主要搞承包制。1986 年 12 月，《国务院关于深化企业改革、增强企业活力的若干规定》中提出，要推行多种形式的经营承包责任制，给经营者以充分的经营自主权。1987 年，大中型企业普遍实行企业经营承包责任制。到 1987 年底，全国预算内企业的承包面已达 78%，大中型企业达 80%。

1988 年 2 月，国务院发布了《全民所有制工业企业承包经营责任制暂行条例》，承包面进一步扩大。这种承包制的基本特征是：包死基数，确保上交，超收多留，歉收自补。为了推动改革，1988 年，七届全国人大一次会议审议通过了《中华人民共和国全民所有制工业企业法》，从法律上对改革予以保障。与此同时，企业的劳动制度和工资制度也进行了改革，使企业的经营结果与职工的个人利益结合起来。

二、经济调控方式的改革

国家宏观调控的范围和方法得到调整与改进。1986 年，国务院采取继续加强和改善宏观控制的措施，实行了“巩固、消化、补充、改善”的改革方针，取得了一定效果。在计划体制上，改变国家主要依靠指令性计划控制企业的方式，缩小指令性计划范围，扩大指导性计划和市场调节的范围和比重，从而使高度集中的单一计划体制变为指令性计划、指导性计划同市场调节并存的双重体制。1987 年，与改革前相比，国家计委管理的指令性计划的工业品种由 120 种减少到 60 种，国家统配物资由 259 种减少到 26 种，国家计划管理的商品由 188 种减少到 23 种。经济杠杆在宏观控制中的作用逐渐加强。国家还对金融体制进行了改革，这项改革主要是从 1985 年起对信贷实行“统一计划，划分资金，实存实贷，相互融通”的原则，从 1985 年下半年开始实行大额固定资产的担保制度。

三、改革财政、税收、金融体制

在财政体制改革上，《关于经济体制改革的决定》从 1985 年起在总结“划分收支，分级包干”财政体制改革经验的基础上，实行“划分税种，核定收支，分级包干”的新的财政体制，进一步明确各级财政的权利和责任，做到责权利相结合，充分发挥中央和地方两个积极性。

在 1983 年国营企业普遍推行第一步“利改税”改革并取得预期效果的基础上，1984 年 10 月，国务院决定试行“利改税”第二步改革，由“税利并存”逐步过渡到完全的“以税代利”，对国营企业实行“独立核算、国家征税、自负盈亏”的财税政策，以进一步扩大企业自主权，调动企业积极性。从 1985 年起，全国实行“划分税种，核定收支，分级包干”的新财政体制。从 1985 年下半年起，对信贷实行“统一计划，划分资金，实存实贷，相互融通”的管理原则，充分发挥银行监督资金运用、交流信息、调节宏观经济和管理金融市场的作用。

1986 年 1 月，国务院发布了《中华人民共和国银行管理暂行条例》，分别就中央银行、专业银行、其他金融机构、货币发行管理、信贷资金管理等问题作出了专门规定，加快了改革的步伐。

四、股份制试点

在这期间，浙江温州、江苏、四川、河南、河北等一些地方的乡镇企业及民办公司，自发地采取了集资入股、股份合作、股金分红等办法，扩大生产规模。据《人民日报》报道：河南省临汝县农村于1984年办起了股份式合作经济。“股份式合作经济，现已成为临汝农村经济的支柱。去年，全县各类股份式合作企业所创产值，占全县乡镇企业总产值的61.9%，达到13000多万元；实现利润占全县乡镇企业利润的70%，达到2800多万元。”[①]《人民日报》同日发表本报评论员的文章《提倡股份式合作》，文章说：“一个引人注目的合作经济新形式出现在我国农村，它就是农民自己创造的股份式合作。这是农村实行家庭式经营、商品生产逐步发展后，农民要求扩大经营规模的必然趋势，具有新的生命力。我们应当热情地鼓励和支持它的发展。”[②]随后，中共中央、国务院在1985年“一号文件”中对此给予肯定，指出：“有些合作经济采用了合股经营、股金分红的方法，资金可以入股，生产资料和投入基本建设的劳动也可以计价入股，经营所得利润的一部分按股分红。这种股份式合作，不改变入股者的财产所有权，避免了一讲合作就合并财产和平调劳力的弊病，却可以把分散的生产要素结合起来，较快地建立起新的经营规模，积累共有的财产。这种办法值得提倡，但必须坚持自愿互利，防止强制摊派。”[③]

在农村（乡镇）实行股份合作制试点的同时，城市股份制也迈开了步伐。1984年7月，北京市天桥百货股份有限公司成立，该公司首次向社会发行股票。11月，上海飞乐音响公司向本企业和社会公开发行股票，成为上海第一家试行股份制经营的股份有限公司。1986年7月，国务院发布《关于重新组建交通银行的通知》，确定交通银行是和其他专业银行同样的全国性综合银行，是国务院直属局级的经济实体，是以公有制为主的股份制全国性社会主义金融企业，资本金为20亿元人民币。交通银行总管理处设在

① 《自动联合开拓富裕之路临汝农村兴办股份合作企业》，《人民日报》1985年3月11日。

② 《提倡股份式合作》，《人民日报》1985年3月11日。

③ 《中共中央　国务院关于进一步活跃农村经济的十项政策》（1985年1月1日），《人民日报》1985年3月25日。

上海，实行总经理负责制。[①]这标志着股份制已经引入金融业。国务院及时对这些改革探索进行规范和引导。“到1986年底，全国已有股份制企业6000余家，股票集资额达60多亿元。”[②]

五、价格体系改革

价格体系的改革涉及千家万户的切身利益。《中共中央关于经济体制改革的决定》指出：价格体系的改革是整个经济体制改革成败的关键。在1984年以前，价格改革以有计划地调整价格为主，重点是提高农副产品收购价格，同时调整一些基础工业品的价格。1984年以后，价格体系开始了以放开价格为主、以转换价格形成机制为重点的改革，在价格形式上由过去单一的固定价格改为国家牌价、国家指导价和市场调节价三种形式。通过改革农产品购销体制、对工业生产资料实行价格双轨制以及开放部分消费性工业产品价格等，有力推动了价格体系改革，为商品经济的快速发展创造了条件。

六、所有制结构的改革

在坚持公有制经济为主体并进一步壮大集体经济的同时，促进多种经济成分发展。个体经济、私营经济、三资企业和其他非公有制经济在这一时期得到较快发展。

所有制结构的改革和变化，尤其是个体经济和私营经济的发展，对促进生产、活跃市场、扩大就业、更好地满足人民多方面的生活需求发挥了积极作用。针对社会上对经营大户和承包大户的非议，邓小平等中央领导人明确主张不能动，要看一看，认为一动人们就会说政策变了，得不偿失。

---

① 《当代中国》丛书编辑部编《当代中国的金融事业》，中国社会科学出版社1989年版，第195—196页。

② 中共中央党史研究室第三研究部：《中国改革开放史》，辽宁人民出版社2002年版，第179页。

到1987年初，中央明确肯定了私营经济的存在，提出了允许存在、加强管理、兴利抑弊、逐步引导的方针。1987年10月，中央提出要鼓励发展私营经济，指出它是公有制经济必要的和有益的补充。

1987年，全国城镇个体工商业等各行业从业人员已由1978年的15万人增加到569万人。从1988年起，各地工商行政管理机关开始办理私营经济的注册登记，私营经济从此名正言顺，得到迅速发展。与1978年相比，在1987年全国工业总产值中，全民所有制企业的产值有较大增长，而它所占的比重则由77.6%下降到59.7%，集体经济由22.4%上升到34.6%，个体经济、私营经济、三资企业和其他非公有制经济成分由几乎是零上升为5.6%。在社会商品零售总额中，全民所有制商业由54.6%下降为38.7%，集体商业由43.3%下降为35.7%，非公有制经济成分由2.1%上升到25.6%。全国城镇个体工商业从业人员由15万人增加到569万人。所有制结构的变化，对发展经济、方便人民生活、安置就业等起了积极的作用。①

七、创办公司与“下海”经商

这期间，中国大地发生的新气象是公职人员“下海”创办各种各样的公司。中国改革开放过程中一系列名人在这个时期，尤其是在1984年纷纷出现。1984年，张瑞敏被派到青岛电冰箱总厂（海尔的前身）担任厂长。那是一个有600多人、资不抵债的街道小工厂，由于经营不善已亏空147万元，工厂面临倒闭，人心涣散。张瑞敏明确提出“先卖信誉，后卖产品”，制定了“起步晚、起点高”的原则。四年后，海尔冰箱获得了中国电冰箱史上的第一枚国优金牌，享誉全国并走向海外。重庆民生轮船公司、广东三水县的健力宝公司等横空出世。“三九胃泰”“容声冰箱”等公司已经开始进入人们的视野。当时在北京，中关村“电子一条街”开始初露头角，一批公司纷纷成立，如被称为“两通、两海”的信通、四通、京海、科海等公司已开始被海内外关注。柳传志等人创办的“联想”也开始起步。

① 胡绳主编《中国共产党的七十年》，中共党史出版社1991年版，第514页。

八、重庆、常州、沙市经济体制综合改革试点

中国的改革开放史无前例，既要进行各个领域和部门的改革，也要进行综合配套改革才能实现改革开放的目标。为此，中共中央和国务院决定在重庆、常州、沙市进行城市经济体制综合改革试点。当时重庆市是四川省省辖市，有 9 个区 12 个县，面积 22341 平方公里，人口 1379 万人，是一座大城市；江苏省常州市面积共 4211 平方公里，包括武进、金坛、溧阳三县，人口总数为 302 万人，当时属于中等城市；湖北省沙市市面积 128 平方公里，人口 20 万人，当时属于小城市。也就是说，选择大、中、小城市进行试点，具有一定的代表性。

（一）重庆的经济体制综合改革试点

1983 年 2 月，中央批准在重庆进行城市经济体制综合改革，决定在国家计划中对重庆的国民经济和社会发展计划单列户头，并给予重庆市相当于省一级的经济管理权。在重庆这样的大城市进行经济体制改革综合试点，是中共中央、国务院对中国改革开放的重要部署，其目的是发挥大城市在组织经济发展方面的作用，为进一步搞好中国西南的经济，搞好军工生产和民用生产的结合，并探索一条以大城市为依托组织经济区和经济网络的新路子。这项经济体制综合改革的主要内容有：

第一，对国营企业全面实行利改税。这一项改革带来明显的变化："一是企业必须按税法及时向国家纳税，不得偷税、漏税、拖欠国家的税款，严格了企业的经济责任；二是企业提高了经济效益就可以多留利；三是上缴税金后，企业的自有资金完全有权自主运用。"①

第二，改进奖励办法，进行工资制度改革试点。这项改革明确收入尽可能同企业经营成果和个人的劳动贡献挂钩。一是企业的奖金水平与企业上

① 《当代中国》丛书编辑部编《当代中国的经济体制改革》，中国社会科学出版社 1984 年版，第 662 页。

缴税金挂钩，企业内部的分配与职工的劳动成果挂钩，多劳多得、少劳少得，上不拦头，下不保尾；二是从 1983 年下半年起，调升企业职工工资时，新增加的工资有一半要由企业用自有资金支付，如果企业没有足够的资金，就不能调升工资。在职工升级时，要经过考核才能升一级，但还不是最终的升级，要连续三年考核都合格，才能把升调的这级工资固定下来。①

重庆的经济体制综合改革试点还包括：进一步搞活商品流通，包括改革商业批发体制、发展集体商业和个体商业、发展多种形式的工商联营、在零售商业中推行多种形式的经营责任制；外贸体制改革，国家给予重庆市对外贸易权；扩大城市管理企业的范围等项改革；实行市带县的城乡接合的新体制。

（二）常州的经济体制综合改革试点

1982 年，国务院确定常州市为经济体制综合改革试点城市以来，常州市进行了比较全面的综合改革并取得一定成效。

这些具有探索性的改革，第一，在坚持国营经济占主导地位的前提下，发展多种经济形式和灵活多样的经营方式。第二，在“一条龙”生产协作的基础上，进一步按专业化原则进行企业的改组联合，试办企业性公司。第三，改革科学技术管理体制，注意人才开发。第四，改革基本建设管理体制，提高投资效益。第五，以生产服务为中心，初步改革了物资供应体制。第六，试行多渠道、少环节、开放式、合理流向的商品流通体制。第七，在处理国家、地方、企业、职工分配关系上做了改革。第八，改革信贷、价格、工资制度，发挥经济杠杆的调节作用。第九，实行市领导县的新体制，以中心城市为依托，逐步形成经济网络。②

---

① 《当代中国》丛书编辑部编《当代中国的经济体制改革》，中国社会科学出版社 1984 年版，第 663 页。

② 《当代中国》丛书编辑部编《当代中国的经济体制改革》，中国社会科学出版社 1984 年版，第 676—699 页。

这些初步改革克服了吃“大锅饭”、搞平均主义等弊端，有利于企业和劳动者发挥主动精神和首创精神，有利于国家对经济实行合理的组织和有效的管理，从而推动了生产力的提高和经济的发展。

（三）沙市的经济体制综合改革试点

经国务院批准，沙市从1981年10月开始进行城市经济体制改革综合试点，在总结中共十一届三中全会经验的基础上，制订了经济体制综合改革方案和若干单项改革方案。

第一，改革行政管理机构。经过改革，市政府各委、办、局由原来的66个，精简、裁并为35个，各机关制定职责范围、建立责任制和各项规章制度。还结合企业整顿，对部分企业的管理机构进行了改革。第二，发挥经济调节手段的作用，探索以下几项改革：以税代利的改革，银行信贷和结算方法的一些改革，小商品价格管理体制的改革，等等。第三，改革科学技术管理体制。这方面主要是建立市科学技术发展基金，选择沙市自动化应用技术研究所进行体制改革试点，聘请市科技咨询委员作为市委、市政府重大科技问题决策的智囊团，设立企业性质的市科技咨询服务公司，在改组联合后的经济实体中建立技术开发部，制定《关于科技人员合理流动的施行办法》。第四，改革教育体制，沙市改变中等教育结构单一的状况，坚持“两条腿走路”，在办好普通教育的同时，采取教育部门与业务部门联合办、各行各业单独办等多种办学形式，大力发展职业教育，促进全市职业技术教育的发展。第五，沙市在搞好上述方面改革试点的同时，还进行商业流通体制、多种经济成分、劳动工资、交通运输体制的改革，均起到一定成效。

九、城市经济体制综合改革试点的扩大与设立计划单列城市

中共十二届三中全会以后，城市改革出现了突破性进展。在总结经验的基础上，国务院和各省扩大了试点的范围。

（一）城市经济体制综合改革试点的扩大

在总结重庆、常州、沙市经济体制综合改革试点的基础上，1984年国务院决定在武汉市进行城市经济体制改革综合试点。武汉市改革实施方案的要点是：一是对武汉市实行计划单列，在不改变省辖市行政关系的条件下，赋予武汉市省一级的经济管理权限。二是有步骤地搞好企业下放，加强行业管理，积极发展横向经济联系，进一步搞活企业。三是敞开武汉三镇，开拓市场，搞活流通。四是改革对外经贸体制，大力发展对外经济贸易。五是建立综合交通网络，开发长江航运。六是改革价格、税收和信贷体制，充分发挥经济杠杆的作用。七是改革科技体制，促进技术改革和技术进步。八是加快建筑业的改革，搞好城乡建设。九是大力支援农业，做好市领导县工作。十是上层建筑的改革要与经济体制综合改革同步配套。[①]

同年，国务院还批准在南京、沈阳、大连等大城市，以及兰州等经济中心城市进行经济体制综合改革试点。与此同时，湖北的随州市、辽宁的丹东市、黑龙江的牡丹江市、湖南的衡阳市、河南的安阳市、安徽的蚌埠市被确定为省里的城市经济体制综合改革试点城市。

到1985年底，经国务院和各省批准进行改革试点的城市，已经扩大到59个。一大批试点城市的改革工作取得成效，积累了许多经验。

（二）设立计划单列城市

大城市实行计划单列，是中共中央、国务院为加快以城市为重点的全国经济体制改革采取的一项重大改革措施。自1983年以来，全国已陆续有重庆、武汉、沈阳、大连、广州、西安、哈尔滨、青岛、宁波等9个城市和海南行政区实行计划单列。这些城市拥有中央赋予的省级经济管理权限，并进行经济体制综合改革试点。实践表明，这项改革体现了简政放权和理顺经济关系的要求，对促进这些城市的改革、开放、搞活起了重要推

---

① 《中共中央书记处　国务院正式批准武汉市经济体制综合改革试点实施方案》，《人民日报》1984年10月11日。

动作用。[1]

在经济体制改革中，计划单列城市敢于冲破一些旧的框框，中心城市的作用不断扩大。重庆市的工业品贸易中心首先在全国出现，工厂和老百姓都可以参加交易；武汉搞了“两通（交通、流通）起飞”，突破了放开搞活的路子；广州敞开城门，搞活流通。所有这些改革，使商业流通体制打破了过去按行政隶属关系调拨物资、安排市场的局面，形成了一种经济合理的、平等互利的社会主义的商品市场。金融改革也首先从单列城市开始。广州、武汉、沈阳、重庆、常州 5 个城市成为第一批金融改革的试点，短期资金市场比较快地在全国推开了。同时，计划单列城市横向联系也有了迅速发展。每个对口市的市长，以及计委、经委、体改委、建委、商委都有对口的横向联系的例会制度，互相交流情况，研究、借鉴改革的措施，使很多改革措施得以较快地在全国推广。

到 1991 年，国务院先后批准 14 个大、中城市实行计划单列，这些城市是：重庆、武汉、厦门、深圳、南京、成都、长春、沈阳、大连、广州、西安、哈尔滨、青岛、宁波。作为计划单列市，在不改变省辖市行政隶属关系的情况下，赋予它们相当于省一级的经济管理权限，即这些城市的经济和社会发展计划不再经由所在省下达，而是在国家计划中单独立户，其主要计划直接上报国家计委和国务院有关部门，国家关于固定资产投资、财政信贷、物资、劳动工资、进出口贸易、外汇和文化教育等计划指标直接下达这些城市执行。[2]

通过以上各方面以及其他方面的改革，逐步冲破了陈旧僵化的经济体制，中国社会主义商品经济蓬勃发展，城市经济、生活面貌焕然一新，中国城市经济生活出现了前所未有的活跃局面。虽然在着重强调放开搞活和增强企业活力的时候，加强和改善国家宏观管理的措施没能及时跟上，以及配套改革等问题上缺少经验，改革的过程中出现了一些混乱现象，但总

---

① 《九城市实行计划单列大步前进》,《人民日报》1987 年 7 月 18 日。

② 《我国的计划单列城市》,《人民日报》1991 年 6 月 23 日。

的说来，改革的方向是对的，改革也是成功的。可以说通过改革和开放，冲破了僵化的经济体制，使经济活跃起来，社会主义商品经济以不可阻挡之势蓬勃发展。沿海地区从南到北正在形成广阔的前沿开放地带。改革和开放使民族精神获得了新的解放，中国的社会生产力上了一个大台阶，综合国力上了一个大台阶，人民生活水平上了一个大台阶。

第三节　乡镇企业异军突起

1985 年 1 月 1 日，中共中央和国务院发布“一号文件”，即《关于进一步活跃农村经济的十项政策》。以这个文件的发布和实行为标志，中国开始进行农村第二步改革。改革开放过程中异军突起的乡镇企业，其前身是 20 世纪 50 年代人民公社化时的社队工业。这些社队工业主要是对当地生产的农产品的简单加工，手工、农业生产工具的制造和修理，当地工业原料的开发和利用，等等。20 世纪 60 年代基本上处于停滞阶段，20 世纪 70 年代有了缓慢发展。而在这 20 多年的岁月中，在僵化思想的影响下，还有相当一部分社队企业被当作资本主义经济而被取缔。但仍有一些社队企业坚持了下来，到 1976 年，全国社队两级企业总产值仅为 272 亿元。

一、社队企业改为乡镇企业

中国乡镇企业真正的发展、壮大和提高，是在中共十一届三中全会以后。随着第一阶段以联产承包责任制为主要内容的改革的推进，中共中央和国务院充分肯定第一步改革所取得的成绩，但也清醒地认识到还存在着各种各样的问题。例如，农业生产不能适应市场消费需求，产品数量增加而质量不高，品种不全，商品流通受到阻碍；生产布局和产业结构不合理，地区优势不能发挥，一部分地区贫困面貌改变缓慢等。产生这些情况的原因是多方面的，国家对农村经济的管理体制存在缺陷是一个重要原因。其中，农产品统购派购制度在过去曾起了保证供给、支持重点工业建设的积极作用，但随着生产的发展，它的弊端就日益表现出来，已经影响农村商品生产的发展和经济效益的提高。因此，在打破集体经济中的“大锅饭”之后，还必须进一步改革农村经济管理体制。在国家计划的指导下，扩大市场调节，使农业生产适应市场的需求，促进农村产业结构的合理化，进一步把农村经济搞活。

为此，1983 年 12 月，全国农村工作会议充分肯定了农村社队企业和农村工业在振兴农村经济中的重要作用。1984 年 3 月 1 日，中共中央、国务院转发农牧渔业部和部党组《关于开创社队企业新局面的报告》并发出通知，“同意报告提出的将社队企业名称改为乡镇企业的建议”[①]。这标志着广大农村存在的社队企业更名为乡镇企业。这个通知强调：发展多种经营，是我国实现农业现代化必须始终坚持的战略方针；乡镇企业是多种经营的重要组成部分，是农业生产的重要支柱，是广大农民群众走向共同富裕的重要途径，是国家财政收入的新的重要来源；乡镇企业已成为国民经济的一支重要力量，是国营企业的重要补充；农村的工业合作系统、供销合作系统和信用合作系统，都是推动农村商品生产所不可缺少的。

二、乡镇企业发展的加速期

1985 年，国家明确提出调整农村产业结构，积极发展多种经营的方针，为乡镇企业的发展创造了前所未有的良好条件和环境，乡镇企业进入发展的高峰期。1985 年 1 月 1 日，中共中央和国务院发布了自 1982 年以来的第四个中央“一号文件”，即《关于进一步活跃农村经济的十项政策》。这个文件决定，从 1985 年起，改革农产品统购派购制度，除个别品种外，国家不再向农民下达农产品统购派购任务。按照不同情况，分别实行合同定购和市场收购；决定大力帮助农村调整产业结构。文件还对放宽山区、林区

① 中共中央文献研究室编《十二大以来重要文献选编》（上），人民出版社 1986 年版，第 439 页。

政策，兴办交通事业，发展和完善农村合作制等做了具体规定。以这个文件的发布和实行为标志，中国农村第二步改革开始了。

随着国家对经济工作指导思想的转变，国家一系列支持、扶助乡镇企业政策的贯彻实施，中国农村特别是沿海和大城市郊区形成了乡镇企业蓬勃发展的热潮。1985 年 9 月，国务院批准国家科委制订的《关于抓一批“短、平、快”科技项目，促进地方经济振兴》的发展计划，即“星火计划”。根据这项计划，国家科委帮助各地抓一批对中小企业特别是乡镇企业有示范和推广意义的、科技与经济紧密结合的、“不显眼”的适用科技项目，以提高中小企业、乡镇企业和农村建设的科学技术水平，为地方经济的进一步发展植入新的胚胎。

1986 年中央一号文件进一步明确指出：乡镇企业为我国农村克服耕地有限、劳力过多、资金短缺的困难，为建立新的城乡关系，找到了一条有效的途径。这证明它是有强大生命力的，具有重要的经济和政治意义。1987 年 6 月，邓小平高度评价了乡镇企业的发展，指出：“农村改革中，我们完全没有预料到的最大的收获，就是乡镇企业发展起来了，突然冒出搞多种行业，搞商品经济，搞各种小型企业，异军突起。”[①]1987 年，全国乡镇企业从业人数达到 8805 万人，产值达到 4764 亿元，占农村社会总产值的 50.4%，第一次超过了农业总产值，这是农村经济的一个历史性变化。乡镇企业成为农村经济的重要支柱，成为农民增收的重要来源，有力地促进了城乡市场的繁荣和大批新型中小城镇的崛起。

三、乡镇企业的发展及历史作用

乡镇企业不仅活跃在国内经济生活中，而且开始走向国际市场，成为中国对外贸易的一支新型生力军。乡镇企业在中国国民经济发展中起着越来越重要的作用，主要表现在：第一，乡镇企业的发展创造了巨大的物质

① 邓小平：《邓小平文选》第三卷，人民出版社 1993 年版，第 238 页。

财富，极大地丰富了城乡市场。第二，加快了市场经济的建设。乡镇企业的发展使农村产业结构得到调整，促进了农村经济的商品化，加快了市场经济的建设。第三，缩小了城乡居民生活水平的差距。第四，促进和加快了小城镇的建设，改善了集体福利事业。第五，促进了农业的现代化建设。

总之，乡镇企业已经成为中国农村经济的重要支柱，成为国家财政收入和农民家庭收入的重要来源，成为国家出口创汇的生力军，成为稳定农村、稳定全局的重要因素，为巩固农村基层政权、巩固工农联盟、提高民族素质、缩小三大差别作出了重大贡献，为实现中国工业化和经济的社会化、市场化、现代化起着重大的作用。但乡镇企业的发展也存在着一些问题，如乡镇企业经营的环境还不宽松，有的经济效益还不高，社会负担重，企业管理落后，有的存在产权不清、管理落后、技术水平低、布点分散等问题，还有一个耕地减少和环境污染的问题。这些都是应该给予注意并应着手解决的问题。

第四节　推进祖国统一事业，为改革开放创造有利条件

中共十一届三中全会后，以邓小平为核心的中央领导集体在精心设计中国现代化宏伟蓝图的同时，也在思考新的国际战略。随着中美正式建交以及中国同西方关系的进一步改善，中国政府又着眼于加快实现社会主义现代化，从战略高度统筹对外开放与推进实现祖国统一的伟大事业。

一、“一国两制”方针的确定

根据解放思想、实事求是这一思路，以邓小平为核心的中央领导集体逐步提出了“一国两制”的方针，并将其作为推进祖国和平统一大业的基本方针。这个方针的提出，开始是为了解决台湾问题。台湾是中国的神圣

领土，早日结束台湾同祖国大陆的暂时分离局面，对于完成祖国统一大业、振兴中华十分重要。

在中共十一届三中全会期间，当研究中美建交后的对台方针时，邓小平根据20世纪50年代中期毛泽东、周恩来提出过用和平方式解决台湾问题的思路，即20世纪60年代明确的“一纲四目”方针，提出在实现中国统一问题上要实行第三次国共合作。统一后的台湾，社会经济制度、生活方式、外国投资不变，军队变成地方武装。1978年底，邓小平在会见美国友好人士斯蒂尔时说：我们多次讲过，台湾归还中国，实现祖国统一，在这个前提下，我们将尊重台湾的现实来解决台湾问题。台湾的社会制度同我们现在的社会制度当然不同，在解决台湾问题时，会照顾这个特殊问题。[①]1979年元旦，全国人大常委会发表《告台湾同胞书》，宣布在解决统一问题时，考虑台湾的现实，尊重台湾各界人士的意见，采取合理的政策和办法，不使台湾人民蒙受损失。1月30日，邓小平访美期间向美国参众两院议员解释中国政府对台方针时，明确表示：我们不再用“解放台湾”这个提法了，只要台湾回归祖国，我们将尊重那里的现实和现行制度。[②]

1979年3月，邓小平在会见香港总督麦理浩时说：“在本世纪和下世纪初相当长的时期内，香港还可以搞它的资本主义，我们搞我们的社会主义。就是到一九九七年香港政治地位改变了，也不影响他们的投资利益。”[③]1981年9月30日，全国人大常委会委员长叶剑英发表谈话，进一步阐明解决台湾问题的九条方针政策（“叶九条”），表示：国家实现统一后，台湾可作为特别行政区，享有高度的自治权，并可保留军队。台湾现行社会、经济制度不变，生活方式不变，同外国的经济、文化关系不变。私人财产、房屋、

---

① 中共中央文献研究室编《邓小平年谱（1975—1997）》（上），中央文献出版社2004年版，第442页。

② 中共中央文献研究室编《邓小平年谱（1975—1997）》（上），中央文献出版社2004年版，第478页。

③ 中共中央文献研究室编《邓小平年谱（1975—1997）》（上），中央文献出版社2004年版，第501页。

土地、企业所有权、合法继承权和外国投资不变等。这九条方针虽没概括为“一国两制”，但实际上这个意思很明显。1982年1月11日，邓小平在会见美国华人协会主席李耀滋时说，九条方针实际上就是“一个国家，两种制度”。“两种制度是可以允许的。他们不要破坏大陆的制度，我们也不破坏他们那个制度。”[①]在这次谈话中，邓小平第一次明确提出了“一国两制”的概念。

在此基础上，1983年6月26日，邓小平根据中共中央政治局讨论的意见，在同美国新泽西州西东大学教授杨力宇的谈话中，更具体地提出了中国大陆与台湾和平统一的设想，指出：问题的核心是祖国统一。我们不赞成台湾“完全自治”的提法。“完全自治”就是“两个中国”，而不是一个中国。制度可以不同，但在国际上代表中国的，只能是中华人民共和国。

1984年2月22日，邓小平在会见美国乔治城大学战略与国际问题研究中心代表团时，他说：“我们提出的大陆与台湾统一的方式是合情合理的。统一后，台湾仍搞它的资本主义，大陆搞社会主义，但是是一个统一的中国。一个中国，两种制度。香港问题也是这样，一个中国，两种制度。”[②]1984年5月24日，六届全国人大二次会议通过的《政府工作报告》正式使用了“一个国家，两种制度”[③]的规范语言来表述中国政府解决中国统一问题的基本方针和基本国策。《中华人民共和国宪法》第31条规定：国家在必要时得设立特别行政区。在特别行政区内实行的制度按照具体情况由全国人民代表大会以法律规定。[④]全国人大通过的《政府工作报告》，实际上就等于把“一国两制”的方针确定为基本国策。

“一国两制”的基本内容是：在一个中国的前提下，国家的主体实行社

---

① 中共中央文献研究室编《邓小平年谱（1975—1997）》（下），中央文献出版社2004年版，第797页。

② 邓小平：《邓小平文选》第三卷，人民出版社1993年版，第49页。

③ 赵紫阳：《政府工作报告》（1984年5月15日在第六届全国人民代表大会第二次会议上），《人民日报》1984年6月2日。

④ 《中华人民共和国宪法》（1982年12月4日中华人民共和国第五届全国人民代表大会第五次会议通过），《人民日报》1982年12月5日。

会主义制度，香港、澳门、台湾作为特别行政区实行资本主义制度长期不变。首先，“一国两制”必须坚持一个中国，这就是中华人民共和国；坚持国家的主权统一和领土完整的基本原则。世界上只有一个中国，即中华人民共和国，它对特别行政区行使主权，在国际上代表中国。特别行政区是中央统一领导下的享有高度自治权的地方行政区域，它们和中央的关系是地方和中央的关系。同时，在坚持一个中国的前提下，实行两种制度。一方面，中国的主体实行社会主义制度；另一方面，在特别行政区仍然保持资本主义制度，现行的社会、经济制度不变，生活方式不变。

“一国两制”是一个非常具有创造性的伟大构想。它的提出不仅为实现祖国的统一大业开辟了一条现实的道路，而且有利于特别行政区的稳定与繁荣，有利于促进中国社会主义现代化事业的发展，可以说是能被各方面接受的统一祖国的最佳方案。同时，它还具有重大的国际意义，为和平解决国际争端、维护世界和平提供了可行的方式。

二、中英经过谈判解决香港问题

邓小平代表中共中央和中国政府提出的“一国两制”的构想，为解决香港问题确定了基本指导思想。中英两国关于香港问题的谈判，是从 1982 年 9 月英国首相撒切尔夫人第一次访华开始的。当时，英国刚刚打赢同阿根廷在马尔维纳斯群岛进行的一场战争。撒切尔夫人此时的中国之行，无形中是向世人表明，英国为了保持它过去侵略和掠夺的利益，甚至会不惜一战。她意在一鼓作气在香港为英国赢得另一场战争，并为其竞选连任带来利好消息。她及其高级幕僚经过精心准备，提出了“三个条约有效论”（即英政府与清王朝在 1842 年签订的《南京条约》、1860 年签订的《北京条约》和 1898 年签订《展拓香港界址专条》三个条约，中国人民一直反对这三个不平等条约）、“以主权换治权”、“最大限度的自治”等“上、中、下”三策。9 月 24 日，邓小平会见了撒切尔夫人并进行了正式会谈。会谈一开始，这位号称“铁娘子”的英国首相就想先发制人，坚持“三个条约有效”，又提出如果中国同意英国 1997 年后继续管治香港，英国可以考虑中国提出的主权要求，并表示维持香港的繁荣需要英国人留下来，香港问题如果处理不好会有灾难性的后果，等等。

邓小平也针锋相对地提出三个问题。一个是主权问题，邓小平斩钉截铁地对撒切尔夫人说：中国在这个问题上没有回旋余地，坦率地讲，主权问题不是一个可以讨论的问题。现在时机已经成熟了，应该明确肯定：一九九七年中国将收回香港。就是说，中国要收回的不仅是新界，而且包括香港岛、九龙。中国和英国就是在这个前提下来进行谈判，商讨解决香港问题的方式和方法。再一个问题是 1997 年后中国采取什么方式来管理香港，继续保持香港繁荣。香港继续保持繁荣，根本上取决于中国收回香港后，在中国的管辖下，实行适合于香港的政策。所以，我们在宣布 1997 年收回香港的同时，还要宣布 1997 年香港所实行的制度和政策。第三个问题是中国和英国两国政府要妥善商谈如何使香港从现在到 1997 年的 15 年中不出现大的波动。邓小平说："我的看法是小的波动不可避免，如果中英两国抱着合作的态度来解决这个问题，就能避免大的波动。我还要告诉夫人，中国政府作出这个决策的时候，各种可能都估计到了。"[①]邓小平还宣布，不迟于两年必须解决这个问题。他还说："如果在十五年的过渡时期内香港发生严重的波动，中国政府将不得不对收回的时间和方式另作考虑。"[②]这实际上规定了谈判的时间表，也做好了谈不拢的情况下收回香港主权的准备，掌握了谈判的主动权。

中英关于香港的谈判，中国代表团团长先后为外交部副部长姚广和周南，英国代表团团长先后为英国驻华大使柯利达和伊文思。整个谈判可以分为两个阶段。第一阶段从 1982 年 9 月至 1983 年 6 月，双方主要就程序问题继续会谈。第二阶段从 1983 年 7 月至 1984 年 9 月，两国政府代表团就具体实质性问题进行了 22 轮艰苦的谈判。1984 年 9 月 18 日，双方就全部问

① 邓小平：《邓小平文选》第三卷，人民出版社 1993 年版，第 12—15 页。

② 中共中央文献研究室编《邓小平年谱（1975—1997）》（下），中央文献出版社 2004 年版，第 855 页。

题达成协议，并于9月26日草签了中英联合声明和三个附件。至此，为时两年的中英两国政府关于香港问题的谈判结束。

1984年12月19日下午5时30分，中英两国在北京人民大会堂西大厅隆重举行联合声明的签字仪式。中共中央顾问委员会主任邓小平、中华人民共和国主席李先念出席。中国总理和英国首相撒切尔夫人用中国产“英雄”牌钢笔正式签署《中华人民共和国政府和大不列颠及北爱尔兰联合王国政府关于香港问题的联合声明》。该联合声明圆满解决了中国恢复对香港行使主权的问题，也为香港的长期繁荣和稳定提供了坚实的基础。该联合声明的签署，标志着中英双方完成了一件影响深远、具有历史意义的大事。中国国务院国务委员兼国务院港澳办公室主任姬鹏飞、国务委员兼外交部长吴学谦和中国有关部门负责人，英国外交大臣杰弗里·豪和其他英国客人，还有应邀专程来京观礼的101位香港各界人士也见证了这一历史时刻，他们热烈鼓掌，相互碰杯，祝贺之声经久不息。①

中英联合声明的签署，解决了中国恢复对香港行使主权的问题，为香港的长期繁荣和稳定提供了坚实的基础，有利于中国的社会主义现代化建设和改革开放事业的发展，也为其他国家在和平解决历史遗留的国际问题上树立了榜样。

三、澳门问题的解决

1984年，香港问题得到解决，澳门问题随即提上了议事日程。1986年6月，中葡两国关于澳门问题的谈判开始，至1987年3月先后举行了四轮会谈。

前三轮会谈分别于1986年6月30日至7月1日、9月9日至10日、10月21日至22日在北京举行。由于会谈一开始就不存在主权争议，双方谈判比较顺利，在实质性的问题上取得广泛一致。谈判时，中方提出了中国政府对澳门的基本政策，并提出了三点原则：一定要在本世纪末，即2000年以

① 《中英关于香港问题的联合声明在京正式签字》，《人民日报》1984年12月20日。

前，收回澳门；在恢复对澳门行使主权的前提下，保持澳门的稳定和发展；在恢复行使对澳门的主权之后，按照“一国两制”的方针和《中华人民共和国宪法》第 31 条的规定，在澳门设置特别行政区，继续保留澳门的资本主义制度，50 年不变。葡方对此没有提出更多异议。前三轮会谈结束后，双方宣布：在实质性问题取得广泛一致的基础上，决定在双方政府代表团下成立一个工作小组。至此，中葡双方关于澳门问题的第一阶段的谈判宣布结束，只是在澳门归还中国的时间上双方还存在分歧，有待进一步协商解决。

关于澳门回归祖国的时间表，中国政府曾一再表示，希望在 1997 年香港回归的同时，收回澳门的主权，甚至觉得还可以更早一些。当时的葡萄牙总统安・拉・埃亚内斯和澳门总督高斯达都没有明确表示何时归还澳门主权，表示“应由两国商定，不能单方面地由一方指定”。1986 年 11 月，葡萄牙政府就交还澳门的日期上改变原本的立场，并提出将此日期要延至下世纪初。对此，1986 年 12 月 31 日，中国外交部发言人明确表示，“2000 年前收回澳门是中国政府和包括澳门同胞在内的十亿中国人民不可动摇的坚定立场和强烈愿望。任何超越 2000 年后收回澳门的主张，都是不能接受的”[①]。在中国政府的坚定立场面前，1987年1月，葡萄牙国务会议经过讨论，原则上同意 1999 年将澳门主权归还给中国。在解决了此争议后，中葡两国于 1987 年 3 月 18 日至 3 月 26 日进行了第四轮会谈。第四轮会谈时间最长，先后经过六次公开会议和五次私下磋商。在会谈中，中方在尊重历史、照顾现实的前提下，在国籍问题及保留葡国文化传统等问题上，做出了合理的让步。最终，中方容许澳门葡裔澳门人士自行选择国籍（即中国籍或维持葡萄牙国籍），而中方亦尊重澳门的葡萄牙文化特色。双方很快就协议文本的内容取得了一致意见。3 月 26 日，双方在北京举行草签联合声明的仪式。中葡关于澳门问题的谈判画上了圆满的句号。

1987 年 4 月 13 日，中葡两国总理分别代表两国政府在北京正式签署《中华人民共和国政府和葡萄牙共和国政府关于澳门问题的联合声明》，向

① 《外交部发言人发表谈话，我 2000 年前坚决收回澳门》，《人民日报》1987 年 1 月 1 日。

全世界宣告：澳门地区是中国领土，中华人民共和国政府将于 1999 年 12 月 20 日对澳门恢复行使主权。邓小平高兴地对前来参加签字仪式的葡萄牙总理席尔瓦说："中国在不长的时间内解决了香港问题、澳门问题，为处理国际上有争议的问题树立了一个范例。"[①]1987年，两国在各自政府内取得《中葡联合声明》的批准。1988 年 1 月 15 日，两国政府互换批准书，《中葡联合声明》正式生效。《中葡联合声明》的签署标志着中国政府继解决香港回归祖国的问题后，又解决了澳门回归祖国问题。这是邓小平"一国两制"构想的又一次成功实践，对中国的统一大业产生了深远的影响。它再次为国际上和平解决历史遗留问题提供了成功的范例，对维护亚洲和世界的和平也发挥了积极影响。

四、复杂多变的海峡两岸关系

中共十一届三中全会后，特别是"一国两制"的构想提出后，中国共产党和中国政府又采取了一系列具体政策和实际步骤来缓和海峡两岸的关系。1979 年 1 月 1 日，全国人大常委会发表《告台湾同胞书》，倡议海峡两岸直接实行"三通"（通邮、通航、通商）；建立处理台湾事务的专职机构，负责推动开展两岸"三通"和各项交流工作；[②]《告台湾同胞书》发表的当天，国防部部长徐向前就宣布命令停止对金门、马祖等岛屿的炮击，停止了对台湾的海飘、空飘行动；[③]党和国家落实对原国民党起义投诚人员的政策，释放全部国民党党政军特人员；落实对台胞、台属的政策，解决大量历史遗留问题；建议国共两党对等谈判，实现第三次合作；欢迎和鼓励台湾同胞到大陆探亲、旅游、考察和经商；停止执行对驾机、驾艇起义的国民党官兵奖励的规定；设立台湾问题研究机构，通过各种学术交流增进相互的了解；中华人民共和国最高人民法院和最高人民检察院于 1988 年 3 月

---

① 中共中央文献研究室编《邓小平年谱（1975—1997）》（下），中央文献出版社 2004 年版，第 1176 页。

② 《中华人民共和国全国人大常委会告台湾同胞书》，《人民日报》1979 年 1 月 1 日。

③ 《国防部长徐向前声明　停止炮击大、小金门等岛屿》，《人民日报》1979 年 1 月 1 日。

发布公告，不再追究去台人员在新中国成立前所犯的罪行等。这些举措推动了海峡两岸局势逐步走向缓和，打开了多年来两岸人为隔绝的局面。

同大陆的积极态度不相协调，台湾当局则继续采取“绝不接触、绝不谈判、绝不妥协”的“三不”方针，对中国共产党的真诚努力采取不明智的抵制态度。1982 年 8 月，宋美龄在《给廖承志的公开信》和致函全国政协主席邓颖超的信中，还僵化地坚持“以三民主义统一中国”，并要中共“放弃共产主义”。

但是，迫于形势的发展，台湾当局也开始调整对大陆的某些政策，如逐步放宽对台湾居民赴大陆探亲的限制等措施，并在 1987 年初对两岸的民间接触实行“不鼓励、不支持、不压制”的新政策，实际上改变了原来的“三不政策”。台湾当局宣布：自 1987 年 7 月 15 日零时起，“台湾地区解（除戒）严”；28 日起，解除对台湾居民出境前往港澳参观为第一站的限制。8 月 25 日，国民党中央原则同意，调整现行大陆政策，采取政府与民间区分的原则。同年 11 月，又开放除现役军人和公职人员以外的台湾居民赴大陆探亲；首次允许其驻外人员可在“不回避、不退让”的原则下，参加有大陆人员出席的侨团集会。后来，又准许包括国民党中央秘书长在内的国民党员、干部赴大陆探亲、旅游。1988 年 7 月通过的《现阶段大陆政策案》确定，在维持“三不政策”的前提下，“民间、间接、单向、渐进”开放两岸关系。11 月，又宣布有条件地开放大陆同胞赴台奔丧、探病，允许台商通过第三地区到大陆投资建厂，允许台湾学术文化体育人士参加在大陆举办的国际性民间组织活动，等等。这实质上在逐步放松其“三不政策”。

随着改革开放和现代化建设的蓬勃发展，以及同时带来的机遇和市场，从民族情感及自身经济利益着想，海峡两岸的关系有了新的发展。虽然这种交流主要还是在民间，但交流人员的层次逐步提高，台湾有些上层人士及中层现职官员相继来大陆探访。大陆也有些科学家、学者，包括有较高党政身份的知名人士赴台交流访问，交流领域不断拓宽，从文化交流发展到教育、科技、社会科学、体育、卫生以至新闻出版、宗教、金融、税务、航空、航天、核能、档案、法学等广泛领域。通过交流，增进了两岸人民的民族感情，减少了敌意和误解，增强了中华民族的凝聚力，加深了台湾人民对祖国的热爱及对大陆改革开放和现代化建设的了解。

第五节 对外开放格局的初步形成

1984 年初，正是在对经济特区有争议之时，邓小平从 1 月 22 日至 2 月 16 日，先后视察广州、深圳、珠海、厦门和上海。通过亲自调查研究，邓小平对经济特区给予了高度评价。

一、邓小平考察经济特区和上海

1984 年 1 月 22 日，邓小平乘专列离开北京，前往深圳、珠海、厦门经济特区和上海视察。1 月 24 日上午，邓小平抵达广州火车站，并短暂停留。邓小平对广东省领导人说："办经济特区是我倡议的，中央定的，是不是能够成功，我要来看一看。"①经过几天的考察和深入思考，1月 29 日，邓小平为珠海经济特区题词：珠海经济特区好。2 月 1 日，邓小平又在广州为深圳特区题词："深圳的发展和经验证明，我们建立经济特区的政策是正确的。"邓小平特意将落款日期写为离开深圳的 1 月 26 日。2 月 9 日，邓小平为厦门经济特区题词："把经济特区办得更快些更好些。"②

1984 年 2 月 24 日上午，邓小平在北京同胡耀邦、万里、杨尚昆、姚依林、胡启立和宋平等谈话。他有针对性地说：最近，我专门到广东、福建，跑了三个经济特区，还到上海，看了看宝钢，有了点感性认识。我们建立

---

① 中共中央文献研究室编《邓小平年谱（1975—1997）》（下），中央文献出版社 2004 年版，第 954 页。

② 中共中央文献研究室编《邓小平年谱（1975—1997）》（下），中央文献出版社 2004 年版，第 957、958 页。

经济特区，实行开放政策，有个指导思想要明确，就是不是收，而是放。邓小平对特区做了定义式的表态："特区是个窗口，是技术的窗口，管理的窗口，知识的窗口，也是对外政策的窗口。从特区可以引进技术，获得知识，学到管理，管理也是知识。特区成为开放的基地，不仅在经济方面、培养人才方面使我们得到好处，而且会扩大我国的对外影响。""厦门特区地方划得太小，要把整个厦门岛搞成特区。这样就能吸收大批华侨资金、港台资金，许多外国人也会来投资，而且可以把周围地区带动起来，使整个福建省的经济活跃起来。厦门特区不叫自由港，但可以实行自由港的某些政策。除现在的特区之外，可以考虑再开放几个港口城市，如大连、青岛。这些地方不叫特区，但可以实行特区的某些政策。我们还要开发海南岛。"①

二、开放 14 个沿海城市

1984 年 3 月 26 日至 4 月 6 日，根据中共中央书记处和国务院的决定，沿海部分城市座谈会在北京召开。会议根据邓小平的提议确定：进一步开放由北至南 14 个沿海港口城市，即大连、秦皇岛、天津、烟台、青岛、连云港、南通、上海、宁波、温州、福州、广州、湛江和北海，作为中国实行对外开放的一个新的重要步骤。会议着重讨论了这些沿海城市如何放开步伐，更好地引进外资和先进技术以及有关的政策问题，并提出了一些建议。5 月 4 日，中共中央、国务院转发《沿海部分城市座谈会纪要》，提出进一步开放沿海港口城市和办好经济特区主要是给政策：一是给前来投资和提供先进技术的外商以优惠待遇；二是扩大沿海港口城市的自主权，让它们有充分的活力去开展对外经济活动。当时，中国沿海有 15 个港口城市，开放 14 个港口城市（厦门市已经是经济特区），这就表明中国开放了整个海岸线。这 14 个港口城市和经济特区也就成为中国国内经济与世界经济的接合部，是内向与外向经济循环的两个辐射面的交点。

---

① 中共中央文献研究室编《邓小平年谱（1975—1997）》（下），中央文献出版社 2004 年版，第 962—963 页。

三、开放长江、珠江三角洲和福建厦漳泉三角地区

1984 年 10 月，中共十二届三中全会作出关于经济体制改革的决定后，中国加快了对外开放的步伐。全会结束后，国务院有关部门负责人去珠江三角洲、长江三角洲地区进行实地考察，同当地负责人、基层干部、科技人员进行座谈，听取各方人士的意见；考察结束后，于 12 月 20 日上报了《关于沿海地区经济发展的几个问题》的考察报告，就如何进一步开放提出了重要的有价值的意见。邓小平对此报告给予了肯定。

1985 年 1 月，国务院召开了长江、珠江、闽南厦漳泉三角地区座谈会。1985 年 2 月，中共中央、国务院决定将长江三角洲、珠江三角洲、闽南厦漳泉三角地区开辟为沿海经济开放区。

1988 年 1 月，国务院提出了沿海地区经济发展战略，强调要利用沿海地区优势，加快发展劳动密集型产业和外向型经济，积极参加国际交换和国际竞争，进一步扩大对外开放，以沿海经济的繁荣带动整个国民经济的发展。

1988 年 3 月，国务院发出《关于进一步扩大沿海经济开放区范围的通知》，决定新划入沿海开放区 140 个市、县，并将辽东半岛、胶东半岛、河北省环渤海湾地区和广西北部湾地区的一些市县，以及杭州、南京、沈阳等省会城市列入沿海经济开放区，从而在中国东部由南往北共 1.8 万公里长的海岸线地区形成了一个狭长的沿海对外开放前沿地带。

这个开放地带横跨 11 个省、市、自治区，包括近 300 个市、县，2.2 亿人口，总面积达 42 万平方公里，由此形成了“经济特区—沿海开放城市—沿海经济开放区—内地”这样一个多层次、有重点、点面结合的对外开放格局，为发展外向型经济创造了有利条件。

四、批准海南全岛建立海南经济特区

在加快特区和沿海区域发展的同时，开发海南岛的问题也被提上议事日程，并逐步推进。海南岛是中国的第二大岛，地理位置重要，自然环境优越，资源非常丰富。在 20 世纪 70 年代末，海南岛已建成国内最大的天然橡胶生产基地和富铁矿生产基地，但海南岛的发展总体上比较缓慢。中共十一届三中全会后，海南岛的开发问题被提上议事日程。1980 年 6 月底至 7 月初，国务院在北京召开海南岛问题座谈会。7 月 24 日，国务院批转《海南岛问题座谈会纪要》，明确提出对海南岛要放宽政策，把经济搞活，在进出口贸易上可给予较大的自主权。1983 年 2 月至 3 月，中共中央书记处书记、国务委员谷牧受中共中央和国务院委托，召集有关部门负责同志集中讨论了加快海南岛开发问题。4 月 1 日，中共中央、国务院批转《关于加快海南岛开发建设问题讨论纪要》，提出海南岛要以对外开放促进内部开发，海南岛不作为经济特区，但实行经济特区的某些政策，在对外经济合作方面给予较多的自主权。1984 年 2 月 24 日，邓小平在视察深圳等经济特区后提出："我们还要开发海南岛，如果能把海南岛的经济迅速发展起来，那就是很大的胜利。"①1984 年 5 月 31 日，六届全国人大二次会议通过决议，决定撤销广东省海南行政公署，成立海南行政区人民政府，扩大其自主权限。1986 年 8 月，国务院决定赋予海南行政区相当于省一级的经济管理权限，实行计划单列。1987 年 6 月 12 日，邓小平在会见南斯拉夫客人时，第一次向世界宣布："我们正在搞一个更大的特区，这就是海南岛经济特区。"②9 月 26 日，中共中央、国务院发出《关于建立海南省及其筹建工作的通知》，开始着手进行海南省的筹建工作。

1988 年 4 月 13 日，七届全国人大一次会议审议通过了国务院提出的关于设立海南省和建立海南经济特区的议案，决定设立海南省，下辖海南岛和西沙群岛、南沙群岛、中沙群岛的岛礁及其海域；批准海南全岛作为经

① 邓小平：《邓小平文选》第三卷，人民出版社 1993 年版，第 52 页。
② 邓小平：《邓小平文选》第三卷，人民出版社 1993 年版，第 239 页。

济特区，并在海南经济特区实行更加灵活开放的经济政策。4 月 26 日，中共海南省委、海南省人民政府正式挂牌。8 月 25 日，海南省人民政府成立。至此，中国形成了从南到北由 5 个经济特区、14 个沿海开放城市、3 个沿海开放地区、2 个开放半岛构成的更为辽阔的对外开放地带。

对外开放格局的形成，不仅引进外资、技术和人才，提升了中国经济质量，也为中国发展外向型经济创造了有利的条件和环境，促进了中国对外贸易的迅速发展。1988 年，我国进出口总额达 1028 亿美元。中国在国际进出口贸易中的地位迅速上升，由 1978 年的第 32 位，上升至 1988 年的第 16 位。①

五、中国政府正式申请恢复关贸总协定的缔约国地位

世界贸易组织（英文缩写 WTO）是当今世界上最重要的国际经济组织之一，其前身是 1948 成立的关贸总协定（英文缩写 GATT），中国是关贸总协定的缔约国之一。从 1986 年起为恢复在关贸总协定的缔约国地位、1995 年后为加入世界贸易组织，中国与美欧等主要缔约方进行了长达 15 年的艰苦谈判，最终于 2001 年 11 月 11 日在卡塔尔首都多哈举行的世界贸易组织第四届部长级会议上通过了中国加入世界贸易组织的一揽子法律文件。2001 年 12 月 11 日起，中国成为世界贸易组织的正式成员。

（一）中国政府提出关于恢复关贸总协定缔约国地位的申请

1978 年底，中共十一届三中全会确定了改革开放的总方针，强调要在自力更生的基础上积极发展同世界各国平等互利的经济合作。中国开始实施对外开放的国策。1980 年 4 月 17 日，国际货币基金组织正式决定恢复中华人民共和国在该组织的代表权。②1980 年 5 月 15 日，世界银行执行董事

① 中共中央党史研究室第三研究部：《中国改革开放史》，辽宁人民出版社 2002 年版，第 162 页。

② 《国际货币基金组织决定恢复我国的代表权》，《人民日报》1980 年 4 月 20 日。

会正式决定恢复中华人民共和国在世界银行、国际开发协会和国际金融公司的代表权。[1]1981 年，为了打破西方国家对中国纺织品的进口限制，扩大中国纺织品和服装出口，中国于 4 月 14 日派团列席了关贸总协定棉纺织品委员会召开的国际纺织品贸易会议，并提出参加第三个《多种纤维协定》。1984 年 1 月 17 日，中国获准正式加入《多种纤维协定》。这使中国感到有必要进一步加深对关贸总协定的认识并参与其活动。1982 年 9 月，中国政府正式向关贸总协定总干事阿瑟·邓克尔提出申请，要求成为关贸总协定的观察员。同年 11 月，中国获准成为关贸总协定观察员；24 日至 27 日，中国以观察员身份首次派代表团参加了关税及贸易总协定部长级会议。

在取得观察员资格后，中国政府开始对关贸总协定的重要性有了新的认识，并开始积极准备重新加入关贸总协定的有关事宜。1982 年底，中国对外经济贸易部、外交部、海关总署等部门就中国恢复关贸总协定问题进行了反复研究和论证，向国务院提交了中国申请加入关贸总协定的报告。在报告中提出了中国“复关”三项原则与三个要求。所谓“复关”三项原则：一是以恢复方式参加关贸总协定，而非重新加入；二是以关税减让作为承诺条件，而非承担进口义务；三是以发展中国家的地位享受相应的待遇并承担与我国经济和贸易发展水平相适应的义务。所谓“复关”的三个要求：一是要求美国按照关贸总协定的有关原则，给予中国多边无条件的最惠国待遇；二是要求享受发达缔约国给予发展中国家的普惠制待遇；三是要求欧共体取消对中国实施的歧视性贸易限制措施。这三项原则和要求，都是根据关贸总协定的相关规定和当时中国经济发展的实际需要提出来的。

此后几年里，中国在关贸总协定的帮助和自身努力下，“复关”进程进行得比较顺利。1985 年 11 月 6 日，关贸总协定理事会根据中国的申请，进一步决定给予中国关贸总协定理事会观察员地位。同年 10 月 3 日至 9 日，以外经贸部部长助理沈觉人为团长的中国代表团列席了关贸总协定特别缔约国大会。在此期间，中国代表团在日内瓦还与关贸总协定的主要缔约方

① 《世界银行决定恢复我代表权》,《人民日报》1980 年 5 月 17 日。

美、加、日、欧代表团就中国“复关”问题进行了首次“非正式磋商”，这是中国与关贸总协定主要缔约方就中国“复关”问题接触的开始。

1986 年 1 月 4 日至 11 日，关贸总协定总干事阿瑟·邓克尔首次访问中国。中国国务院总理会见了邓克尔，明确向邓克尔表达了中国希望恢复关贸总协定席位的愿望。邓克尔表示将为恢复中国在关贸总协定的地位而继续努力。从此，中国恢复关贸总协定缔约国地位问题被正式提上了中国政府和关贸总协定的议事日程。

3 月，中英联合联络小组根据 1984 年签订的《中英两国政府关于香港问题的联合声明》第三条第六款中关于“香港特别行政区将保持自由港和独立关税地区的地位”的声明，就香港在关贸总协定中的地位问题达成协议，即由中英两国政府联合声明，根据关贸总协定第二十六条五款（丙）项，使香港成为关贸总协定的一个缔约方。1986 年 4 月 23 日，根据上述条款，香港正式成为关贸总协定的第 95 个缔约方。上述条款同时规定，1997 年回归中国后的香港特别行政区仍将以“中国香港”名义继续保持这种缔约方地位，享受原有各项权利。

1986 年 7 月 10 日，中国常驻日内瓦联合国代表团大使钱嘉东遵照中国政府的指示，照会关贸总协定总干事阿瑟·邓克尔先生，正式提出了中国政府关于恢复关贸总协定缔约国地位的申请，简称“复关”申请。

（二）“复关”申请的第一阶段谈判

从 1986 年 7 月到 1989 年 5 月，为“复关”申请、答疑和综合评估阶段，即谈判的第一个阶段。1986 年 7 月 11 日，中国驻日内瓦联合国常驻代表团代表钱嘉东大使向关税及贸易总协定总干事邓克尔提交了中国政府关于恢复中国在关贸总协定缔约国地位的申请。申请书指出：“中国政府忆及中国是关贸总协定创始国之一，现决定申请恢复它在关贸总协定缔约国地位，并准备就此问题同关贸总协定缔约各方进行谈判。”[①]

中国政府正式提出“复关”申请后，1986 年 9 月，中国以关贸总协定特别观察员的身份，派出以外经贸部部长助理沈觉人为团长的代表团列席了在乌拉圭艾斯特角城举行的关贸总协定缔约方部长级会议，开始全面参加关贸总协定乌拉圭回合谈判。

1987 年 2 月 13 日，依照关贸总协定的有关规定，在经过认真准备后，中国驻日内瓦联合国常驻代表团代表钱嘉东大使代表中国政府向关税及贸易总协定总干事邓克尔提交了中国对外贸易制度备忘录，并附有一封信。[②]《中国对外贸易制度备忘录》详细介绍了中国的经济体制，以及对外开放政策、对外贸易政策、对外贸易体制、海关关税制度等内容，并表示随时准备与关贸总协定缔约各方进行实质性谈判。同年 6 月 19 日，关贸总协定成立了中国的缔约方地位工作组（简称中国工作组）。经协商，瑞士常驻日内瓦使团的经济大使吉拉德当选为中国工作组主席。中国工作组的职责范围是：审议中国的外贸制度，起草恢复中国席位的议定书，提供进行关税减让谈判的场所以及讨论有关中国与关贸总协定的其他问题，包括缔约方做决定的程序问题，并向理事会提出建议。

7 月 15 日，中国政府派外经贸部部长助理沈觉人带队赴日内瓦，与中国工作组主席吉拉德进行了第一次正式会见，标志着中国“复关”工作进入实质性操作阶段。10 月 22 日至 24 日，中国“复关”工作组第一次会议在日内瓦召开，中国驻日内瓦代表团大使钱嘉东率团出席了会议。11 月 16 日，针对关贸总协定缔约各方对中国外贸制度提出的大小 329 个问题，中国政府向关贸总协定提交了《中国对外贸易制度备忘录》，就这些问题做了答复，同时表明了中国政府对关贸总协定的立场、原则。以此为基础，1988 年 2 月、4 月、6 月、9 月，关贸总协定中国工作组又先后召开了第二、三、

---

① 《中国申请恢复关贸总协定缔约国地位》，《人民日报》1986 年 7 月 13 日。

② 《我代表向关贸总协定提交对外贸易制度备忘录，要求尽早恢复中国缔约国地位》，《人民日报》1987 年 2 月 15 日。

四、五次会议。在这些会议上，中国代表团就有关缔约方提出的问题做了进一步的口头答疑，并提供了必要的背景材料。经过这几次工作组会议，关贸总协定基本完成了对中国对外贸易制度的答疑过程。接着，在 1989 年 2 月、4 月召开的第六、七次中国工作组会议上，关贸总协定又完成了对《中国对外贸易制度备忘录》的综合评估工作，中国“复关”议定书框架草案已跃然纸上。与此同时，1989 年 5 月，中美关于中国“复关”的第五轮双边磋商在北京举行，磋商取得实质性进展，中国有望在 1989 年底结束“复关”谈判。

这一阶段的“复关”谈判之所以进展较为顺利，主要有以下几方面原因：第一，中国改革开放的进程位居各社会主义国家前列。中国外交上务实的作风使中国与主要西方国家的关系有了重大改善。第二，各主要缔约国对中国“复关”的要价比较适中务实，并认可当时中国的经济实际，“门槛”没有人为地抬高，双方的节拍较为一致。这一点决定了谈判内容相对简单，涉及的问题也不像后来那样广泛和复杂。这一阶段也是关贸总协定乌拉圭回合谈判正开始进行之时，各方所有要价均是基于关贸总协定的规则提出的，主要涉及的是货物贸易的市场准入问题，而没有涉及更为庞大、困难的知识产权保护、投资措施、服务业市场准入等问题。

第六章

政治、教育、科技体制改革与国防军队体制的改革

随着经济体制改革的全面展开，中国社会主义民主法制建设迈出新步伐，政治体制改革也在探索中稳妥推进，党的领导得到进一步加强和改善。与此同时，教育、科技领域的改革初步展开，国防和军队建设及改革也出现新局面。

第一节　加快民主法制建设与政治体制改革

中共十二大提出：我们一定要按照民主集中制的原则，继续改革和完善国家的政治体制和领导体制，使人民能够更好地行使国家权力，使国家机关能够更有效地领导和组织社会主义建设。[①] 在这之后，包括新宪法在内的立法工作得到全国人民的极大重视，立法进程明显加快，干部队伍的新老交替开始有秩序地进行，政治体制改革实际上开始启动。但是，由于经济建设和经济体制改革的紧迫性，也由于政治体制改革的复杂性，从稳妥出发，中央没有对政治体制改革进行全面部署。随着经济的发展，特别是经济体制改革的深入，一方面为政治体制改革创造了前提，另一方面又使政治体制的不适应性明显突出出来。

一、邓小平再次强调政治体制改革与成立研究机构

按照邓小平 1980 年 8 月 18 日在中共中央政治局扩大会议上关于《党和国家领导制度的改革》的讲话精神、中共十二大的改革思路，中共中央对政治体制改革进行了广泛而深入的调查研究。随着经济体制改革的推进，对政治体制改革的要求也越来越迫切。在这种情况下，从 1986 年 6 月开始，邓小平等中央领导多次强调要把政治体制改革“提到日程上来”[②]，并且指出“明年党的代表大会要有一个蓝图”[③]。

① 胡耀邦：《全面开创社会主义现代化建设的新局面——在中国共产党第十二次全国代表大会上的报告》（1982 年 9 月 1 日），《人民日报》1982 年 9 月 8 日。

② 中共中央文献研究室编《邓小平年谱（1975—1997）》（下），中央文献出版社 2004 年版，第 1121 页。

③ 中共中央文献研究室编《邓小平年谱（1975—1997）》（下），中央文献出版社 2004 年版，第 1137 页。

1986年6月10日，邓小平在听取中央领导同志汇报经济工作情况时指出："改革，应该包括政治体制的改革，而且应该把它作为改革向前推进的一个标志。"①9月至11月，邓小平比较集中地谈到政治体制改革问题，具体阐述了政治体制改革总的目标和内容。他说："我们政治体制改革总的目标是三条：第一，巩固社会主义制度；第二，发展社会主义社会的生产力；第三，发扬社会主义民主，调动广大人民的积极性。"②他还指出：中国政治体制改革要向着三个目标进行，即始终保持党和国家的活力；克服官僚主义，提高工作效率；调动基层和工人、农民、知识分子的积极性。关于改革的内容，邓小平指出：一是党政要分开，解决党如何善于领导的问题。二是权力下放，解决中央和地方的关系，同时地方各级也都有一个权力下放问题。三是精简机构，这和权力下放有关。他强调，政治体制改革涉及的人和事都很广泛，很深刻，会遇到很多的障碍，需要审慎从事。在改革中，不能照搬西方的，不能搞自由化。③这些思想为中国政治体制改革指明了方向。

1986年9月，根据邓小平的建议，中共中央成立了政治体制改革研讨小组。10月，在研讨小组设办公室。在中共中央政治局常委的直接领导下，研讨小组在将近一年的时间里，组织各有关部门做实际工作的同志和部分做理论工作的同志，针对党政分开、党的组织和党内民主、权力下放、机构改革、人事制度改革、加强社会主义民主和法制等问题开展专题研究。专题还就中国政治体制的沿革和利弊，改革的宗旨、目标、内容、步骤和基本原则等，进行了反复研究和讨论，并形成了《政治体制改革总体设想（草案）》。这个总体设想经1987年10月召开的中共十二届七中全会通过，决定将其主要内容写进中共十三大报告。

① 邓小平：《邓小平文选》第三卷，人民出版社1993年版，第160页。
② 邓小平：《邓小平文选》第三卷，人民出版社1993年版，第178页。
③ 邓小平：《邓小平文选》第三卷，人民出版社1993年版，第176—180页。

二、领导制度和干部人事制度的改革

在经济体制改革推进的同时，社会主义民主和法制建设不断向前发展。中共十一届五中全会、六中全会，特别是中共十二大报告强调，继续改革和完善国家的政治体制和领导体制。这期间，我国在政治体制改革方面进行了探索并取得若干成效。

（一）实行集体领导和离退休制度

中共十二大强调集体领导和分工负责制度，不设中央主席和地方各级党委第一书记，为改变权力集中于个人和废除实际存在的领导职务的终身制做了制度安排。

在废除实际存在的领导干部职务终身制方面，1982 年 2 月 20 日，中共中央发出《关于建立老干部退休制度的决定》。4 月 10 日，国务院发出《关于老干部离职休养制度的几项规定》。这是改革干部制度的重要文件，使废除领导干部职务终身制有了可操作的依据。1982 年宪法又规定，实行国家领导人职务任期制，国家主席、副主席，全国人大常委会委员长、副委员长，国务院总理、副总理，国务委员等国家领导人连续任职不得超过两届，这就从实际上取消了国家领导人领导职务终身制。

（二）改革党政领导机构和调整各级领导班子

随着党的工作重心的转移，干部队伍的状况与社会主义现代化建设的要求不相适应的矛盾日益突出，主要表现在两个方面：一是干部队伍的年龄严重老化，青黄不接，后继乏人；二是文化素质低，结构不合理。中共十二大通过的新党章明确规定："党按照德才兼备的原则选拔干部，坚持任人唯贤，反对任人唯亲，并且要求努力实现干部队伍的革命化、年轻化、知识化、专业化。"[①] 至此，干部队伍的"四化"方针正式确立。

① 中共中央文献研究室编《十二大以来重要文献选编》（上），人民出版社 1986 年版，第 83 页。

中央和国家机关党政领导机构的改革和领导成员结构的调整。全国的精简机构和调整领导班子的工作从1981年开始分两步进行。中央先走一步，取得经验，地方再逐级分期进行。中央单位也是先搞试点，再逐步推开。到1982年6月底，中央党政机关机构改革第一阶段的工作基本完成。为了搞好省级机构改革和领导班子的调整工作，中央书记处决定成立由中央组织部部长宋任穷负责的12人省、市、自治区机构改革指导小组。到1983年3月底，省级领导班子的调整配备工作基本结束。经过5个月的努力，省级领导班子在实现革命化、年轻化、知识化和专业化方面取得了可喜的成果。各省、市、自治区都确定了顾问委员会的负责人，人大、政协、纪委的领导班子都有了加强。

1982年12月，中共中央、国务院发出《关于省、市、自治区党政机关机构改革若干问题的通知》，对地、市、自治州机构改革提出了原则性意见。1983年2月15日，中共中央、国务院发出《关于地市州党政机关机构改革若干问题的通知》，对地级党政机构改革问题做了具体部署，开始了地级机构改革。1983年12月1日，中共中央、国务院发出《关于县级党政机关机构改革若干问题的通知》，对县级领导班子的配备、机构设置、人员编制等问题做了具体规定。

为了适应改革开放新形势和党的任务的需要，按照进一步实现中央领导机构成员新老交替的原则，1984年4月26日，中央书记处会议决定，在1985年全国党代表会议召开之前，中央和省一级领导班子再进行一次调整，以便使这两级领导班子能够稳定5年到8年。到1985年调整工作基本结束后，中央和国务院部委新任命的正副部长、主任以及直属局局长共47名，副部长、副主任和直属局副局长80名，其中新选拔的中青年干部近100名。国务院系统81个部级领导班子，调整前正职平均年龄为56.6岁，调整后下降5岁，具有大专文化程度的比调整前增长了27.5%，达到71%。据19个省、市、自治区统计，调整后的领导班子的平均年龄从57岁下降到53岁，

55 岁以下者占 90%。具有大专文化程度的占 80%。①

在 1985 年 9 月 16 日至 24 日召开的中共十二届四中全会、党的全国代表会议和十二届五中全会上，中共中央领导机构成员进行了局部调整。131 位老干部分别退出中央委员会、中央顾问委员会和中央纪律检查委员会，增选中央委员 56 名、候补中央委员 35 名、中顾委委员 56 名、中纪委委员 31 名。② 经过这两次调整，进一步加快了中央领导集体新老交替与合作的进程，各级领导班子的结构发生了很大的变化。

（三）建立第三梯队与加强后备干部的培养

邓小平多次谈到：一定要认识到，认真选好接班人，这是个战略问题，是关系到党和国家长远利益的大问题。③ 为了保证新老干部交替的顺利进行，让新干部进入领导班子后能够尽快担负起领导责任，从 1983 年起，中央提出要建设第三梯队，作为较高领导班子的后备队伍。胡耀邦曾具体谈了为什么要建立第三梯队。1983 年 6 月 1 日，他在同全国人大常委会、政协五届全国委员会、各民主党派、各人民团体的负责人和无党派人士代表举行民主协商会上说：我们党对各级领导班子有个很重要的想法，就是为了使国家能够长治久安，使党和国家的方针、政策有连续性和继承性，必须从现在开始搞好第三梯队的建设。他说，我们党内一些德高望重的老同志是第一梯队，党和国家的大政方针靠他们运筹帷幄，考虑到第一梯队的老同志都年事已高了，为了使他们集中精力考虑大事，我们党搞了第二梯队，这就是现在在中共中央书记处和国务院第一线上工作的同志。第二梯队的许多同志也不年轻了。所以，我们下决心搞第三梯队，就是要选拔德才兼备、年富力强的干部进入各级领导班子。我们党要选拔几百名、几千

① 中共中央组织部、中共中央党史研究室、中央档案馆编《中国共产党组织史资料》第七卷（上），中共党史出版社 2000 年版，第 15 页。

② 中共中央组织部、中共中央党史研究室、中央档案馆编《中国共产党组织史资料》第七卷（上），中共党史出版社 2000 年版，第 15 页。

③ 中共中央文献研究室编《邓小平年谱（1975—1997）》（下），中央文献出版社 2004 年版，第 576 页。

名这样的干部，放在中央、省级和地市级工作，不仅要培养和选拔55岁以下的人，还要培养和选拔40岁左右的人。[①]陈云在中共十二届二中全会上也强调说："只要把第三梯队建立起来，经过十年八年的锻炼，他们就可以成为党的事业的接班人，我们党的领导权就可以为马克思主义者所掌握。"[②]邓小平说："要从人事制度上搞年轻化，像建立第三梯队，以后还要建立第四、第五梯队，来保证我们开放政策的连续性。"[③]

为此，1983年7月，中央组织部在全国组织工作座谈会上，对建设第三梯队的工作做了部署。12月20日，中共中央在批转的《关于调整省地两级班子的工作报告》中提出，在确定第三梯队人选时，必须严格把好政治、年龄和文化三关，使当选者真正是符合党章的有关要求且又有培养前途的优秀干部。1984年1月至8月，中央组织部会同有关地方和部门，先后组织35个考察组共600人分赴各地，考察第三梯队人选。选出省部级第三梯队人选855名，其中省、市、自治区级594名，中央党政领导机关各部委级261名。这批干部政治素质较好，年龄较轻，平均只有44岁，其中具有大专以上文化程度的占92%，有专业技术职称的占79%，妇女干部占11%，少数民族干部占8%。[④]

1985年4月，中央组织部专门召开了部分省市、部委第三梯队建设座谈会。中央政治局委员宋任穷，中共中央书记处候补书记、中央组织部部长乔石，在会议期间发言。宋任穷说，第三梯队建设是关系党和国家命运的一个战略性任务，是加快领导班子"四化"进程的一项基础工作，是必须长期坚持的经常性工作。党中央希望全党同志以高度的责任感和紧迫感，把这件大事继续抓紧抓好。乔石说，建设第三梯队对于我们建设有中国特

---

① 《党中央邀请各方面人士举行民主协商会》，《人民日报》1983年6月2日。

② 陈云：《陈云文选（1956—1985年）》，人民出版社1986年版，第294页。

③ 中共中央文献研究室编《邓小平年谱（1975—1997）》（下），中央文献出版社2004年版，第1062页。

④ 中共中央组织部、中共中央党史研究室、中央档案馆编《中国共产党组织史资料》第七卷（上），中共党史出版社2000年版，第17页。

色的社会主义，对于进一步搞好新老干部的合作与交替，从组织上保证实现翻两番的奋斗目标，以至在21世纪的前三五十年使我国的经济实力接近经济发达国家的水平，都具有十分重要的意义。会议明确指出，今后第三梯队的建设，要进一步做好两个方面的工作：一是继续抓好第三梯队的选拔、充实和培养、提高。要建设成一支德才兼备、数量充足、结构合理、上下衔接，既能满足近期领导班子调整的需要，又能适应远期领导班子建设的要求，不断充实和发展的后备干部队伍。二是要发扬勇于改革的精神，逐步建立和健全有助于大批年轻优秀干部源源不断地涌现，并得到及时选拔、培养和使用的制度，以创造一种适于大批优秀人才脱颖而出的环境。要实行领导和群众相结合的方法，特别是主要领导同志要自己动手，严格按照走群众路线、组织部门考察、党委（党组）集体讨论、上级党委审定的四项程序办事。① 这一年，共选出100多名省级第三梯队人选。各地、各部门在严格考核的基础上，都普遍建立了地（局）、县（处）级第三梯队。到该年底，全国已选拔地（局）级后备干部2.3万名，县（处）级后备干部近14万名。②

三、民主法制建设与政治体制改革

这期间，中国的社会主义现代化建设和改革开放全面展开，民主政治建设、法制建设也开始向前推进，政治体制改革也取得成效。

（一）进一步健全和完善人民代表大会制度与国家机构体系

人民代表大会制度是中华人民共和国的根本政治制度。社会主义民主的本质是人民当家作主。国家的一切权力属于人民，这是中华人民共和国国家制度的核心内容和根本准则。中共十一届三中全会后，人民代表大会制度开始了新发展，进入了一个新的历史发展时期。为了保证全体人民更

① 《后备干部队伍正在形成　继续抓紧第三梯队建设》，《人民日报》1985年4月28日。

② 中共中央组织部、中共中央党史研究室、中央档案馆编《中国共产党组织史资料》第七卷（上），中共党史出版社2000年版，第17页。

好地行使国家权力，这期间在人民代表大会的选举制度、组织体系和工作制度等方面进行了一系列改革和完善。改革内容主要有改革选举制度，实行差额选举；健全人大的组织体系，1986 年和 1995 年全国人大先后修改了地方人民代表大会组织法，地方人大组织体系得到了加强；加强人大的组织建设和工作制度建设，为了加强全国人大的工作，从六届全国人大开始，相继在人大常委会增设了一些专门委员会，到七届全国人大已经设有民族、法律、内务司法、财政经济、教育科技文化卫生、外事、华侨等七个委员会。在全国人大及其常委会的领导下，这些委员会研究、审议和拟定有关议案。

根据宪法等法律，经过多年的实践和探索，各级人大形成了一套行之有效的工作制度。1989 年制定的全国人大议事规则，对全国人民代表大会会议的举行，议案的提出和审议，听取和审议工作报告，听取和审查国家计划和国家预算，国家机构组成人员的选举、罢免、任免和辞职，询问和质询，成立特定问题委员会，发言和表决等做出了系统的规范。

关于完善国家机构体系主要包括：完善人民代表大会的运行机制，扩大全国人民代表大会常务委员会的职权，恢复国家主席的设置，设立中华人民共和国中央军事委员会，增设审计机关，废除领导干部任职终身制等。

（二）国家的立法工作得到明显加强

全国人民代表大会及其常委会先后制定了《中华人民共和国人民法院组织法》《中华人民共和国国务院组织法》《中华人民共和国民族区域自治法》《中华人民共和国民法通则》《中华人民共和国继承法》《中华人民共和国涉外经济合同法》《中华人民共和国兵役法》《中华人民共和国公民出境入境管理法》《中华人民共和国计量法》《中华人民共和国统计法》《中华人民共和国专利法》《中华人民共和国土地管理法》《中华人民共和国森林法》《中华人民共和国义务教育法》《中华人民共和国中外合作经营企业法》《中华人民共和国外资企业法》《中华人民共和国全民所有制工业企业法》等新法律，

法制建设取得了显著进展。同时，普法工作也稳步推进。1985 年 11 月，中共中央、国务院转发中宣部、司法部《关于向全体公民基本普及法律常识的五年规划》。随后，六届全国人大常委会作出《关于在公民中基本普及法律常识的决议》，决定从 1986 年起，在全国开展普法教育。从此，以“五年规划”形式开展普法教育，成为中国法制建设的一个重要组成部分。

（三）完善多党合作和政治协商制度

中国共产党领导的多党合作和政治协商制度以及民族区域自治制度得到不断完善。根据中共十二大提出的中国共产党同民主党派“长期共存、互相监督、肝胆相照、荣辱与共”的方针，各民主党派在国家政治生活中的作用得到进一步发挥。到 1987 年 10 月底，各民主党派成员已发展到 23.9 万人，并在大部分省、市、自治区建立了常设机构，在部分市县也建立了组织。各民主党派和人民团体在政协中的名额逐步增加，民主党派成员在政治协商、民主监督中切实发挥了作用。

（四）民族区域自治制度建设不断向前推进

1982 年，宪法扩大了民族区域的自治权。1984 年 5 月 31 日，在总结实施民族区域自治经验的基础上，第六届全国人民代表大会第二次会议通过了《中华人民共和国民族区域自治法》，并决定自同年 10 月 1 日起正式实施。这部法律明确规定民族区域自治是中国的一项基本政治制度，并将《中华人民共和国宪法》中关于民族区域自治的原则和规定加以具体化。这对于保障少数民族充分行使当家作主的权利，对于促进民族地区发展、边疆稳定和维护国家统一，发挥了重要作用。

1991 年 12 月 8 日，国务院发出《关于进一步贯彻实施〈中华人民共和国民族区域自治法〉若干问题的通知》（以下简称《通知》），指出：“在我国，国家统一是实施民族区域自治的前提，民族区域自治是国家的一项重要政治制度。几十年来，党和国家根据民族地区的特殊情况，制定了一系列优惠政策，民族地区的经济文化迅速发展，民族团结进步事业取得了巨大的成就。在新的形势下，按照实现社会主义现代化建设的第二步战略目标的要求，民族地区要继续贯彻自力更生、艰苦奋斗、勤俭办一切事业的方针，发挥资源优势，增强自我发展能力。国家要大力支援、帮助民族地区加速发展经济文化事业，逐步改变其相对落后的状况，使之与全国的经济和社会发展相适应，促进各地区的协调发展和各民族的共同繁荣。”[①]《通知》强调进一步从 11 个方面实施《中华人民共和国民族区域自治法》：一是国家要根据经济计划和资源开发的需要，适当增加对民族自治地方的投入，加快民族地区经济建设步伐，“八五”（1991—1995）计划期间全民所有制单位固定资产投资总额应高于“七五”（1986—1990）或“六五”（1981—1985）计划的实际水平。二是国家对民族地区已实行的特殊措施和优惠政策，在“八五”计划期间均保持不变。三是民族自治地方要根据法律规定的权限，制定优惠政策，吸引、支持发达地区来本地开发资源、兴办企业。四是民族自治地方要坚持改革开放方针，积极发展对外贸易和经济技术合作。五是国家各级各类银行确定对民族地区的固定资产和流动资金的信贷规模，要与民族自治地方的经济增长水平相适应，对民族自治地方固定资产投资项目贷款和符合国家产业政策的行业的流动资金贷款，可给予适当照顾。六是尽快解决民族贫困地区群众温饱问题。争取“八五”计划期间基本解决，“九五”（1996—2000）计划期间根本解决民族贫困地区群众的温饱问题。七是民族地区要注重科技进步，以科技振兴工业、农业、牧业和林业，推动社会经济发展，不断提高劳动生产率和经济效益。国家“科技三项经费”的安排，“丰收计划”“星火计划”“燎原计划”“火炬计划”的实施，要继续对民族地区予以适当照顾。八是各级地方人民政府和国家各有关部门，要加强对少数民族教育事业的领导和支持，要坚持社会主义的教育方向，加强民族团结和爱国主义的教育。要特别注意加强基础教育，大力发展职业技术教育和成人教育，着重培养初中级技术人才。九是国家采取各项措施，支持民族地区发展文化、卫生、体育等事业。十是民族自治地方

① 中共中央文献研究室编《十三大以来重要文献选编》（下），人民出版社 1993 年版，第 1786—1787 页。

在国家规定的编制内，根据精简、效能的原则设立工作机构，努力提高工作效率。十一是各级人民政府要经常、广泛地进行马克思主义民族观和爱国主义、社会主义教育。

（五）基层民主建设取得较大进展

发展基层直接民主，在基层实行群众自治，由群众直接行使民主权利，包括农村村民自治和城市居民自治两个方面。从 1988 年 1 月开始实施《中华人民共和国村民委员会组织法（试行）》。这项法律实施以来，按照民主选举、民主决策、民主管理、民主监督为重要内容的基层群众自治建设，有了一定发展。全国普遍进行了三次村委会的换届选举。农村基层民主有了发展。

在城市，1989 年制定的《中华人民共和国城市居民委员会组织法》完善了居民委员会的选举、居民的选举权和被选举权、居民会议的组成、居民会议的召开、居民会议对居民委员会的监督等规定，城市居民自我管理、自我教育、自我服务的群众性自治也有了发展。

广泛推行企业民主管理，并在全国人大于 1988 年 4 月通过的《中华人民共和国全民所有制工业企业法》中给予确定。1991 年 6 月，国务院颁布的《中华人民共和国城镇集体所有制企业条例》对集体所有制企业的民主管理也做了具体规定。

（六）国家行政区划改革试点

随着改革开放的推进，我国行政区划也进行了改革。这方面的改革主要体现在两个方面：一是实行市管县的行政体制；二是建立海南省。

1. 实行市管县的行政体制

1982 年 12 月，《人民日报》报道：辽宁省的行政管理体制进行重大改革，全省 48 个县中，除 15 个县还隶属于两个地区专署以外，其余 33 个县全归本省的10个大中城市领导，有关地区专署分别并入这些城市。[①]随后，1983年1月，江苏11座城市实行市管县行政体制，直接管理63个县；2月，广东省决定在全省范围内实行市管县的新体制，珠江三角洲和粤北地区将按照经济合理原则重新调整行政区划，其他地区将先实行地市合并。[②]据国务院有关部门统计，截至1986年9月底，“全国一百六十二个省辖市中，管辖县的已有一百四十三个，加上京、津、沪三个直辖市，管县的城市总数已达一百四十六个。这些城市共管辖了六百五十九个县（旗），占全国总县数的32%”[③]。实行市领导县的新体制，带来了以下几个变化：一是市领导确立了城乡一盘棋的指导思想，城乡一体化的开放型工业联合生产网络正在形成。城市工业与乡镇企业之间的联合协作，已经从产品扩散发展到联合开发、联合经营和行业协作，促进了工业布局和工业组织结构的合理化。二是城乡互为市场，多形式、多渠道、少环节、开放式的城乡流通体系初步形成。这些城市一方面打开城门，为农民进城大开绿灯，一方面改革商品批发体制，建立各种贸易市场，增设商业网点，为工业品下乡提供种种方便。三是城市的科技优势同农村对科技人才的迫切需要结合起来，促使城乡科技协作日益密切，推动了城乡生产力要素的合理结合，加强了对农村的智力开发和科技联合。

2. 建立海南省

1988年4月13日，七届全国人大一次会议通过了海南建省并办成中国最大的经济特区的决定。海南建省并办成中国最大的经济特区，是中共中央、国务院在中国改革开放进程中作出的一项重大决策。

海南陆地面积是深圳等4个特区的数十倍，资源十分富饶，生态环境优越，非常适合建省办经济特区的环境要求。将海南建省办成中国最大的经济特区体现了中共中央、国务院高度重视海南经济社会发展，力争在不

---

① 《辽宁十城市实行市管县的行政体制》，《人民日报》1982年12月27日。

② 《广东决定实行市管县新体制》，《人民日报》1983年2月25日。

③ 《百余城市实行市管县新体制三年来有力推进城乡一体化》，《人民日报》1986年9月9日。

太长的时间内追赶先进地区发展水平的远见卓识。七届全国人民代表大会第一次会议通过的《关于设立海南省的决定》的主要内容包括：批准设立海南省，撤销海南行政区。海南省人民政府驻海口市；海南省管辖海口市、三亚市、通什市、琼山县、琼海县等16个县以及西沙群岛、南沙群岛、中沙群岛的岛礁及其海域。与此同时通过的《关于建立海南经济特区的决议》决定：一是划定海南岛为海南经济特区。二是授权海南省人民代表大会及其常务委员会，根据海南经济特区的具体情况和实际需要，遵循国家有关法律、全国人民代表大会及其常务委员会有关决定和国务院有关行政法规的原则制定法规，在海南经济特区实施，并报全国人民代表大会常务委员会和国务院备案。[①]1988年4月26日，中共海南省委、海南省人民政府正式挂牌，并成为我国最大的经济特区，海南的发展进入了一个崭新的历史时期。

海南单独设省后，最重要的任务是发展生产力，加快海南岛的开发建设。按照中央对海南政治体制改革“小政府、大社会”的目标要求，海南建立起独具特色的行政管理体制：一是省政府直接领导19个县市，中间不设地区一级；二是省政府仅设置26个厅；三是努力按照发展社会主义市场经济的需要配置权力。与其他经济特区不同，海南从建省办经济特区伊始就拥有中央赋予的特区立法权。1988年，国务院先后下发第24、26号文件，其中提到：海南可以自由兑换货币；境内投资者自获利年度起10年内不再补缴所得税；土地使用权出让一次性签约最长70年（深圳等地是50年）。还有一个明显的区别，即深圳特区建制时一直贯彻以公有制为主体的经济政策。而海南可以不提以公有制为主体，允许多种经济成分并存和竞争。1990年7月，国务院特区办、外交部、公安部、中国民航局联合发出《关于落实可在海南海口、三亚口岸就地办理入境签证的通知》，规定凡与中国有外交关系或官方贸易往来的国家或地区的外国人到海南洽谈投资、贸易，进行经济技术交流、探亲、旅游的，可在海口或者三亚办理入境签证。台

① 《第七届全国人民代表大会第一次会议决议决定》（1988年4月13日通过），《人民日报》1988年4月14日。

湾同胞可在海口、三亚口岸申请一次入出境有效的《台湾居民来往大陆通行证》。在海南办理签证后，可在中国大陆任何口岸出境。海南率先在全国实行“落地签证”制度，极大地方便了境外客人进入海南。

海南建省办成经济特区以来，在曲折中艰辛开拓奋进，实现了从封闭半封闭经济到开放型经济的转变，从一个贫穷落后的边陲岛屿发展到初步繁荣昌盛的经济特区。经过探索实践，海南已经基本找到了一条适合海南特点的健康发展轨道，诸多开放举措均走在全国前列，成为名副其实的改革开放排头兵。

第二节　科技体制改革

中共中央和国务院在把改革重点转向城市经济体制改革的同时，科技体制改革也迅速提上议事日程。整个国家从农村到城市、从教育到科技出现了相互促进、改革发展的新气象。

一、作出科技体制改革的决定

现代科学技术是新的生产力中最活跃最具决定性的因素，邓小平将其概括为“第一生产力”。1985 年 3 月 2 日至 7 日，全国科学技术工作会议在北京举行，专门讨论科技体制改革问题。中共中央和国务院的负责人出席会议。邓小平发表了重要讲话，强调要“进一步解决科技与经济结合的问题，所谓进一步，就是说在方针问题、认识问题解决之后，还要解决体制问题”。“经济体制，科技体制，这两方面的改革都是为了解放生产力。”“新的经济体制，应该是有利于技术进步的体制，新的科技体制，应该是有利于经济发展的体制。双管齐下，长期存在的科技与经济脱节的问题，有可能得到比较好的解决。”[①]会议讨论和通过了《中共中央关于科学技术体制改革的决定》（以下简称《决定》），并于1985年3月13日正式公布。

《决定》指出：全党必须高度重视并充分发挥科学技术的巨大作用。我们应当按照经济建设必须依靠科学技术、科学技术工作必须面向经济建设的战略方针，尊重科学技术发展规律，从中国的实际出发，对科学技术体制进行坚决的有步骤的改革。《决定》指出，当前科学技术改革的主要内容是：在运行机制方面，要改革拨款制度，开拓技术市场，克服单纯依靠行政手段管理科学技术工作，清除国家包得过多、统得过死的弊病；在对国家重点项目实行计划管理的同时，运用经济杠杆和市场调节，使科学技术机构具有自我发展的能力和自动为经济建设服务的活力。在组织结构方面，要改变过去过多的研究机构与企业相分离，研究、设计、教育、生产脱节，军民、部门、地区分割的状况；大力加强企业的技术吸收与开发能力的技术成果转化为生产能力的中间环节，促进研究机构、设计机构、高等院校、企业之间的协作和联合，并使各方面的科学技术力量形成合理的纵深配置。在人事制度方面，要克服“左”的影响，扭转对科学技术人员限制过多、人才不能合理流动、智力劳动得不到应有的尊重的局面，营造人才辈出、人尽其才的良好环境。

二、科技改革的推进

按照中共中央和国务院的战略部署，以增强科研单位活力、促进科学技术与生产结合为中心内容的科技体制改革大体上分三个阶段展开。一是主要革除原有科技体制的弊端，在运行机制、组织机构、领导体制、人事制度、科技成果商品化、体现科技人员按劳分配等方面都有明显改变和突破，逐步建立起科技新体制的基本框架。二是在新科技体制基本框架的基础上，使科技体制改革进一步向纵深发展，初步形成经营管理型的充满生

① 邓小平：《邓小平文选》第三卷，人民出版社1993年版，第109页。

机活力的科技新体制。改革的重点是：在进一步理顺科技系统内部关系的同时，理顺同经济、政治、教育等方面的关系。在强化国家对科技工作宏观管理的同时，在微观上把对科研单位和科技人员的管理真正搞活。三是继续巩固和不断完善社会主义科技管理新体制。及时调整科学技术管理系统内部不相协调的关系和矛盾，及时调整它与经济、政治、教育等外部环境的不相协调的关系和矛盾，使中国的科技体制真正成为促进科学技术及社会主义现代化建设、社会主义商品经济发展的最有效的科技管理制度和形式。经过多年努力，科技体制的改革在多方面取得进展。一是扩大科技研究所的自主权，实行所长负责制。二是改革科技拨款管理制度。三是实行专业技术职务的聘任制度。四是培育发展技术市场。五是发展科研生产联合体。

改革极大地推动了科学技术事业的大发展。20 世纪 80 年代和 90 年代，中国科技成就举世瞩目。国家对科学技术工作制定了适合现代发展趋势的战略。1986 年 3 月 3 日，科学家王大珩、王淦昌、陈芳允、杨嘉墀上书中共中央，提出发展高技术的建议。这一建议后来被称为“863 计划”。11 月 18 日，中共中央、国务院转发了《高技术研究发展计划（863 计划）纲要》，提出了生物技术、航天技术、信息技术、先进防御技术、自动化技术、能源技术和新材料等 7 个领域中的 15 个主题项目，作为中国今后发展高技术的重点。这个计划的实行取得了可喜的成就。1986 年，国家开始实施以依靠科学进步振兴地方经济为目的的“星火计划”；1988 年 7 月，国家科委根据中共十三大提出的“注意发展高技术新兴产业”的要求，开始实施“火炬计划”，旨在对中国传统的产业结构进行调整，在原有技术基础上大力发展技术和资金更加密集、产品增值巨大的高新尖技术产业。

从 1985 年 3 月中共中央作出《关于科学技术体制改革的决定》后，广大科技工作者满腔热情地贯彻执行科技工作面向经济建设的方针，积极推进科技体制改革，认真组织科技攻关，大力开发和推广科技成果。

三、科学技术的发展

中共中央、国务院及各级政府在几千名专家经过几年反复研究和科学论证的基础上，制定和颁布了能源、交通运输、农业、机械工业等12个领域的技术政策，以及涉及生物工程、信息、航天、自动化、能源、激光和新材料等领域的高技术研究发展纲要。这对中国当前和长远的科技与社会经济发展将发挥重大作用。1985年4月1日，中国开始实施《中华人民共和国专利法》，以实施推动科技为农村经济服务、推动乡镇企业发展的基本政策，积极落实振兴农村经济的“星火计划”。确定了“星火计划”在1986至1987年两年技术开发的14个重点领域：水产养殖、水禽家禽综合利用及草食动物的饲养；山区土特产资源的综合开发利用；动植物油脂深度加工和综合利用；发酵技术、酶技术、真菌培植及动物胚胎移植等生物技术；速生林栽培和林产品的综合开发利用；农村建筑技术、建筑材料及室内配套装饰技术开发；为运输装备、农业机械、矿山机械等大工业配套服务的产品；方便人民生活和旅游的小商品；粮食深度加工和综合利用；新型涂料、黏结剂、添加剂、助剂及微型机在加工工业中的推广应用；经济作物的深度加工和综合利用；毛皮加工及其综合利用；纺织新产品；开发一批先进适用的技术装备生产线，为中小企业和乡镇企业提供技术样板。全国取得重要科技成果一万多项，其中大部分已应用于生产建设，取得比较显著的经济和社会效益。

四、确定和实施“863计划”

20世纪80年代以来，以信息技术、生物技术、新材料等高技术为中心的新的技术革命浪潮有力地冲击着全球，引起了经济、社会、文化、政治、军事等各方面深刻的变革。高技术及高技术产业已成为国与国之间，特别是大国之间竞争的主要手段。实践证明，谁掌握了高技术，抢占到科技的前沿阵地，谁就可以在经济上更加繁荣、政治上更加独立、战略上更加主动。因此，许多国家都把发展高技术列为国家发展战略的重要组成部分，不惜花费巨资，组织大量的人力与物力抢占科技领域的制高点。面对世界各国争先恐后地提出科技发展新构想，中国科学家和执政党高层对此作出了迅速反应。

1986 年 3 月 3 日，驰名中外、德高望重的四位科学家，即中国科学院学部委员王大珩、王淦昌、杨嘉墀、陈芳允联名上书邓小平、胡耀邦，提出一份《关于跟踪研究外国战略性高技术发展的建议》，坦陈中国发展高新技术的必要性和紧迫性。邓小平看到这份建议后批示："这个建议十分重要，请紫阳同志主持，找些专家和有关负责同志讨论，提出意见，以凭决策。此事宜速作决断，不可拖延。"①在此后的半年时间里，中共中央、国务院组织 200 多位专家研究部署高技术发展的战略。经过三轮极为严格的科学和技术论证后，中共中央、国务院于 11 月 18 日发出了《高技术研究发展计划纲要》。至此，一个面向 21 世纪的中国战略性高科技发展计划问世。由于促成这个计划的建议和邓小平的批示都是在 1986 年 3 月进行的，所以《高技术研究发展计划纲要》又称为"863 计划"。

从当时中国国情来看，国家还缺乏全面大规模地发展高技术的条件，因此，"863 计划"从世界高技术发展趋势、中国的需要和实际可能性出发，坚持"有限目标、突出重点"的方针，希望通过 15 年的努力，力争达到下列目标：①在几个最重要高技术领域，缩小同国外的差距。②培养新一代高水平的科技人才。③通过伞型辐射，带动相关方面的科学技术进步。④为下世纪初的经济发展和国防建设奠定比较先进的技术基础，并为高技术本身的发展创造良好的条件。⑤把阶段性研究成果同其他推广应用计划密切衔接，迅速地转化为生产力，发挥经济效益。"863 计划"提出伊始，选择了 7 个对我国今后发展有重大影响的高技术领域 15 个主题作为我国高技术研究与开发的重点。1993 年，通信技术作为一个主题列入"863 计划"。从

---

① 中共中央文献研究室编《邓小平年谱（1975—1997）》（下），中央文献出版社 2004 年版，第 1107 页。

1991 年到 1995 年，有 5 个专项纳入“863 计划”。1996 年 7 月，国家科技领导小组批准将海洋高技术作为“863 计划”的第 8 个领域。后来，“863 计划”增加到 8 个领域 20 个主题，分别是：①生物技术领域。有优质、高产、抗逆的动植物新品种、基因工程药物、疫苗和基因治疗、蛋白质工程 3 个主题。②航天技术领域。有研究发展性能先进的大型运载火箭、空间科技的研究与开发 2 个主题。③信息技术领域。有智能计算机系统、光电子器件和光电子、微电子系统集成技术、信息获取与处理技术、通信技术 4 个主题。④激光技术领域。有研究高性能和高质量的激光技术、把成果应用于生产带动脉冲功率技术、等离子体技术、新材料、激光光谱学等技术科学的发展 3 个主题。⑤自动化技术领域。有计算机集成制造系统（CIMS）主题、智能机器人 2 个主题。⑥能源技术领域。有燃煤磁流体发电技术、先进核反应堆技术 2 个主题。⑦新材料领域。有高技术新材料和现代科学技术 1 个主题。⑧海洋技术领域。有海洋探测与监视技术、海洋生物技术、海洋资源开发技术 3 个主题。另外还有专项，包括水稻基因图谱、航空遥感实时传输系统、HJD-04E 型大型数字程控交换机关键技术、超导技术、高技术新概念新构思探索等几个项目。

“863 计划”的组织实施极大地提高了中国高技术研究开发能力，对于中国科学技术的发展、科技体制改革乃至人民思想观念的转变都产生了深刻影响。“863 计划”主要是由政府主导，同时鼓励企业的参与。其中国家级的科研机关和各高等院校是科学研究的主导力量，而企业要加入“863 计划”必须通过政府和相关部门的严格筛选，更重要的是企业自身的实力和发展潜力，因此只有极少数具有实力的企业才能作为该计划的承担单位。

总之，“863 计划”是在世界高技术蓬勃发展、国际竞争日趋激烈的关键时期，我国组织实施的一项对国家的长远发展具有重要战略意义的国家高技术研究发展计划，在我国科技事业发展中占有极其重要的位置，肩负着发展高科技、实现产业化的重要历史使命。经过多年的实施，“863 计划”为我国高技术的起步、发展和产业化奠定了坚实基础。据统计，到 20 世纪末，“863计划”15年来国家共投入110亿元。参加研究工作的科研人员共计4万多人，约200个研究机构、100多所高校、几百个企业参与，取得了重大进展。15年来，在民口6个领域的230多个专题共资助项目6900多项，获国内外专利2000多项，累计创造新增产值560多亿元。总之，这一计划不仅使社会建设和人民生活水平得到了进一步提高，也使企业从中得到了发展。通过对外科技的交流与合作，人才的吸引和培训，产品的开发和销售等多种形式的结合，在政府、企业、社会、经济、发展各方面形成了共同进步的良性循环。更重要的是，“863计划”所取得的成就对于提升我国自主创新能力、提高国家综合实力、增强民族自信心等方面发挥了重要作用。

第三节　教育体制改革

中共十二届三中全会后，中国全面改革主要是针对两个方面：一是经济体制领域，改革的重点由农村转向城市。二是从宏观上讲，改革由经济体制改革扩展到比较广泛的方面，其中比较重要的领域是科技和教育体制的改革，以及军队的精简整编。改革的全面推开促进了中国现代化各项事业的发展。

教育事业是一个国家最根本的事业。人类历史发展表明，国家的强弱最根本的要取决于国民素质的高低。国民素质高低的关键在于教育的普及程度和质量。因此，世界各国都重视教育领域尤其是义务教育方面的立法。中共十二大后，中共中央和国务院把教育事业作为紧迫的战略任务来抓。1985年5月，中共中央通过《关于教育体制改革的决定》，经过全国人大常委会会议批准改革国家的教育领导机构。1986年4月，六届全国人大四次会议通过《中华人民共和国义务教育法》等法律法规，积极推动教育体制的改革和教育事业的蓬勃发展。

一、改革措施

1985年5月15日至20日，中共中央和国务院在北京召开了全国教育工作会议，主要讨论和部署教育体制改革的问题。会议期间，国务院副总理万里代表中共中央、国务院就教育体制改革的必要性、迫切性和方针、步骤问题讲了话。会议代表认真讨论了中共中央提交会议的《关于教育体制改革的决定》（草稿）。

5月27日，中共中央和国务院颁布《关于教育体制改革的决定》（以下简称《决定》）。《决定》分为五个部分：一是教育体制改革的根本目的是提高民族素质，多出人才，出好人才；二是要把发展基础教育的责任交给地方，有步骤地实行九年制义务教育；三是调整中等教育结构，大力发展职业技术教育；四是改革高等学校的招生计划和毕业生分配制度，扩大高等学校的办学自主权；五是调动各方面的积极因素，保证教育体制改革的顺利进行。①根据《决定》的精神，中共中央和国务院开始着重抓教育体制的改革：一是适应形势的发展改革教育管理体制。二是把教育发展纳入法制的轨道，以及为提高教师地位，确定教师节等。

1985年6月18日，第六届全国人民代表大会常务委员会第十一次会议决定：为了加强对教育工作的领导，设立国家教育委员会。国家教育委员会成立后，教育部即予撤销。②国家教育委员会是国务院主管教育工作的综合部门，负责掌握教育工作的方针、政策，统筹安排整个教育事业的发展规划，指导、组织和协调有关教育方面的工作，统一部署教育体制的改革。新成立的国家教育委员会（简称国家教委）设23个职能部门。另外，国家教委还代管国务院学位委员会办公室、中国联合国教科文组织全国委员会秘书处、归口管理国家语言文字工作委员会等。1985年国家教委成立后，

① 中共中央文献研究室编《十二大以来重要文献选编》（中），人民出版社1986年版，第721—737页。

② 《全国人大常委会关于设立国家教育委员会撤销教育部的决定》（1985年6月18日通过），《人民日报》1985年6月19日。

各级地方也陆续建立起省、市、县（区）级教育委员会，也有少部分省、自治区仍设教育厅。

二、通过《中华人民共和国义务教育法》

中共十一届三中全会特别是中共十二大后，中国加快了教育改革和立法的步伐。1986 年 4 月，第六届全国人民代表大会第四次会议通过了《中华人民共和国义务教育法》，标志着中国第一部义务教育法诞生。

《中华人民共和国义务教育法》规定了九年制义务教育，凡年满六周岁的儿童，不分性别、种族，均应入学接受规定年限的义务教育。父母或者其他监护人必须使适龄的子女或者被监护人按时入学，接受规定年限的义务教育。实施九年制的义务教育，可分为初等教育和初级中学教育两个阶段，在普及初等教育的基础上，普及初级中学教育。普及义务教育，由中央与地方分级管理。鼓励企业、事业单位和其他社会力量办学，对接受义务教育的学生免收学费及对贫困学生提供助学金，并规定对盲、聋和智障的儿童、少年举办特殊教育学校（班）。

《中华人民共和国义务教育法》的颁布和施行是中国教育走向法制化的起点。它对提高中国人口素质，推动教育对科技人才培养，促进中国由人口大国向人力资源大国转变等方面起到了十分重要的作用。

三、确定教师节

中华人民共和国成立后，中央人民政府曾恢复 6 月 6 日为教师节。1951 年，教育部通告各地教育工作者，可以根据实际情况自行组织庆祝活动。1951 年全国教育工会成立，教育工作者被确认为工人阶级的一部分。1951 年 4 月 19 日，教育部部长马叙伦和中国教育工会全国委员会主席吴玉章发表书面谈话，宣布“五一国际劳动节”同时为教师节。但由于这一天缺少教师的特点，执行的结果并不理想。特别是在“文化大革命”时期，广大教师地位更是受到了严重的损害。

“文化大革命”结束后，中共中央和国务院采取了许多措施，动员全社会尊重教师，提高教师的地位，改善教师的工作和生活条件。为了进一步恢复教师应有的政治地位和社会地位，形成尊师重教、尊重知识、尊重人才的社会风尚，推动教育事业的发展，1985 年 1 月 11 日，国务院根据全国人大代表、全国政协委员和各界人士，特别是各地教师的多次提议，以及各地开展尊师活动的经验，向全国人民代表大会常务委员会提出关于确定每年 9 月 10 日为教师节的议案。国务院主要负责人在议案中说，建立教师节，是为了进一步提高人民教师的政治地位和社会地位，逐步使教师工作真正成为社会上最受人尊敬、最值得羡慕的职业之一，形成尊师重教、尊重知识、尊重人才的社会风气。受国务院的委托，教育部部长何东昌在会上就建立教师节问题做了说明。他指出，确定每年全国大、中、小学新学年开始的 9 月 10 日为教师节，目的是表彰教师功绩，激励教师的光荣责任感，帮助教师解决实际困难，以鼓励教师终身从事教育事业的活动。在 1985 年 1 月 16 日上午举行的第六届全国人大常委会第九次会议全体会议上，关于确立教师节的议案被列入这次常委会会议的议程。议案于 1 月 21 日被常委会通过。常委会的决定说：同意国务院关于建立教师节的议案，决定 9 月 10 日为教师节。从此，每年的 9 月 10 日成为教师的节日。

1986 年 2 月 28 日，国务院发布《关于实行专业技术职务聘任制度的规定》的通知，提出：为了适应经济、科技、教育体制改革的形势，对职称评定制度需要进行改革。改革的中心是实行专业技术职务聘任制度，并相应地实行以职务工资为主要内容的结构工资制度。实行专业技术职务聘任制度，是对专业技术人员管理工作的一项重大改革。

第四节 裁军百万与军队体制编制改革

建设强大的现代化、正规化的革命军队是新中国成立后军事工作的总方针。但自20世纪50年代后期以来，“左”倾错误打乱了军队正规化、现代化的进程。粉碎“四人帮”后，军队建设在指导思想上进行了拨乱反正，消除“文化大革命”对军队造成的破坏和消极影响。中共十一届三中全会确定全党工作重心转移之后，军队建设的重点也转到四个现代化，特别是国防现代化上来。中共十二大报告强调：“我们要努力加强人民解放军的建设，把我军建设成一支强大的现代化、正规化的革命军队，进一步提高我军在现代战争条件下的自卫能力。”[①]这一总方针的确定，标志着国防和军队现代化建设进入了一个新的发展时期。[②]

1984年11月1日，邓小平明确提出：我们军队要一切服从国家建设这个大局。为贯彻中央军委的这个决定，“在1982年至1988年的7年中，国防费在国家财政支出中的比例逐年下降。1982年为15.3%，1983年为13.7%，1984年为11.7%，1985年为10.4%，1986年为8.6%，1987年为8.6%，1988年7.4%”[③]。尽管如此，人民解放军还是根据当时军队现代化水平较低，在编制体制、武器装备、指挥能力、官兵素质等方面还不适应现代战争的要求的情况，新时期在军队和国防方面进行了一系列的改革和建设。

一、精简整编和改革编制体制

“文化大革命”后期，由于各种原因，军队员额过大，领导机关臃肿、机构重叠、人浮于事的状况十分严重，给国家建设和军队建设都带来了许多问题。对此，1980年3月，中央军委主席邓小平反复强调军队主要有四

---

① 胡耀邦：《全面开创社会主义现代化建设的新局面——在中国共产党第十二次全国代表大会上的报告》（1982年9月1日），《人民日报》1982年9月8日。

② 邓小平：《邓小平文选》第三卷，人民出版社1993年版，第98页。

③ 《当代中国》丛书编辑部编《中国人民解放军》，当代中国出版社1994年版，第321页。

个问题：一是“消肿”，二是改革体制，三是训练，四是加强政治思想工作。存在的最大问题是臃肿、不精干，并指出：“搞四个现代化也好，把军队搞精干、提高战斗力也好，都需要‘消肿’。”①军队初步进行了精简整编，重点是精简各级领导机关及直属单位。同时，有计划地增加部分员额，以保证航空兵、舰艇、导弹、电子对抗等部队的发展。邓小平还指出：“冷静地判断国际形势，多争取一点时间不打仗还是可能的。在这段时间里，我们应当尽可能地减少军费开支来加强国家建设。”②为此，他把军队体制同“消肿”看作是一个问题的两个方面，提出：要“消肿”，不改革体制不行。改革军队体制包括：一是建立军官服役、退役制度；二是建立干部退休制度；三是设置文职、雇佣人员；四是搞合成军、合成师。8 月 15 日，中共中央批转了中央军委《关于军队精简整编的方案》。从 1980 年第四季度到 1981 年，全军基本完成精简整编任务，主要是：将部分野战师由满员师改为简编师；将担负内卫执勤任务的部队移交公安部门；撤销基建工程兵，所属部队按系统对口集体转业到国务院有关部门和省、市、自治区。

1982 年 2 月，为加强军队体制改革，中央军委成立体制改革、精简整编领导小组。7 月，中央军委召开会议确定军队体制改革包括军队的整体组织结构、领导指挥关系、各级职权的划分、军队的编组等内容，并提出“精兵、合成、平战结合、提高效能”四项原则。同时，以精兵为首要原则，走精兵之路，建设一支机构精干、指挥灵便、装备精良、训练有素、反应快速、效率很高、战斗力强的军队。按照中央军委 9 月下达的《关于军队体制改革精简整编方案》，全军到 1983 年完成方案规定的任务。一是继续精简机关、削减勤务保障和工程部队员额，增加了战斗部队员额，干部战士比例趋于合理；二是改革兵种管理体制，将各独立兵种的领导机关分别缩编为总参谋部所属炮兵部、装甲兵部、工程兵部等业务部，铁道兵番号撤销并入铁道部，坦克师和大部分炮兵师划归陆军领导；三是改革兵役制度，调整改革民兵组织，组建预备役部队。

---

① 邓小平：《邓小平文选》第二卷，人民出版社 1994 年版，第 284、285 页。
② 邓小平：《邓小平文选》第二卷，人民出版社 1994 年版，第 285 页。

1983年4月5日，中国人民武装警察部队总部在北京宣告成立。李刚任司令员，公安部部长赵苍璧兼任政治委员。①武警部队由人民解放军担负内卫执勤任务的部队与公安部门实行兵役制的武装警察、边防警察、消防警察合并组成。武警部队是接受国务院和中央军委双重领导的一支重要的武装力量。1984年5月，六届全国人大二次会议通过《中华人民共和国兵役法》，实行以义务兵为主体、义务兵与志愿兵相结合、民兵与预备役相结合的兵役制度。

二、整顿和改善武器装备

武器装备现代化是国防现代化的重要方面。鉴于中国军队的武器装备与发达国家相比现代化水平比较低，新时期国防和军队建设的一项重要任务就是加速发展现代化武器。为此，1983年4月中央军委逐渐明确“从实际出发，贯彻缩短战线、突出重点、狠抓科研、加速更新的原则，决定在近期内首先发展陆军主要短缺的武器装备，同时尽力发展空、海军的武器装备，尽力完善后改进战略核武器”②的发展方针，并着力改进现有装备，加强现役部队的齐装配套，在节约开支的前提下，提高军队的装备水平，准备好有足够的力量应付强敌的侵略。

根据上述思路，首先整顿现有装备。主要是解决“文化大革命”期间军工生产中遗留下来的问题，提高各类武器装备的完好率，把全军部队现有装备整顿好；清理正在研制的武器装备项目，停止生产老型武器装备，确定一批飞机、舰船及陆军装备退役、报废，把维修经费节省下来，用于发展新装备。同时，在武器装备建设方面加强国际技术交流，引进一些国外先进技术。随着改革开放以来国民经济和科学技术的发展，人民解放军的武器装备水平迅速提高。一大批新研制成功的武器装备相继服役，包括

① 《人民武装警察部队总部成立》,《人民日报》1983年4月6日。

② 军事科学院军事历史研究部:《中国人民解放军的七十年》，军事科学出版社1997年版，第654页。

反坦克导弹和超低空防空导弹、大口径新型火炮、新型作战飞机、导弹护卫舰、鱼雷潜艇和新型鱼雷、航空导弹、导弹核潜艇、携带大当量氢弹头的洲际导弹等许多新型武器装备，加强了对现代化战争的适应能力。

三、把教育训练提高到战略地位

邓小平早在 1975 年整顿军队时就提出：在没有战争的条件下，要把军队的教育训练提高到战略地位。经中央军委讨论同意，把加强教育训练，提高官兵全面素质，作为新时期军队建设的一条重要方针，并成立了全军教育训练委员会，各军区、各军兵种也都成立了教育训练领导小组。根据军委关于加强部队教育训练的决定，从 1978 年起，陆军有三分之二的师全训；战备值班部队及炮兵、坦克、导弹、舰艇和空军部队，每年原则上都要全训。到 1980 年，在全军范围内出现了新中国成立后的第三次训练高潮，改变了“文化大革命”期间军队“只搞文不搞武”的状况。

把教育训练提高到战略地位，重点是抓好干部的教育训练，培养一大批掌握现代科学技术知识、具有指挥现代合同作战能力的又红又专的干部。而在和平时期，主要的途径是办好军事院校。经过努力，到 1979 年，全军共恢复和新建院校 117 所，确定院校训练任务由轮训为主改为以培训为主，初级院校招收学员的制度由推荐入学改为统考录取；改变由战士直接提拔为干部的做法，实行经过院校培训提拔为基层干部的制度。到 1984 年，全军已经形成了包括初、中、高级院校的比较完整的干部培训体系。

1981 年以后，为适应国家现代化建设的需要，部队训练突破纯军事的界限，拓宽范围，把培养军地两用人才纳入计划，使干部成为军队和地方都合用的干部，战士经过训练后，既能打仗，又能搞社会主义建设。为此，“三总部”（总参谋部、总政治部、总后勤部）把科学文化教育列入部队教育训练内容。各部队除选送干部进院校培训外，还通过各种形式组织干部在职学习，如让地方院校代训，参加业大、电大、函授、刊授、高等教育自学考试，以及部队办夜校、文化学习补习班等多种形式，大力提倡干部自学成才。战士除练武之外，还兼学一些地方所需要的科学文化知识和实用专业技术。参加军地两用人才学习的战士有200多万名，其中有60多万人基本掌握一门以上的专业知识和技能。

四、恢复政治工作传统

中共十一届三中全会以后，部队为适应党和国家工作重点的转移，开始系统的拨乱反正，开展消除“文化大革命”消极后果的工作。1979年，在全军开展了真理标准问题讨论的补课，批评“两个凡是”，端正思想路线，肃清“左”的影响，强调干部战士同党中央在政治上保持一致。同时，在全军进行坚持四项基本原则、坚定社会主义信念，克服资产阶级自由化思潮影响的教育。通过在全军开展学习雷锋、硬骨头六连、空军航空兵一师的活动，积极宣扬新时期涌现的张华、朱伯儒和华山抢险战斗集体、边境自卫反击作战英雄模范等一大批先进个人和集体，弘扬了人民解放军的优良传统。

同时，进一步解决军政、军民关系中存在的问题。1979年以后，全军先后有近40万人走访地方，妥善处理了“文化大革命”“三支两军”期间发生的问题，包括军政、军民在房屋、土地问题上的产权纠纷。组织部队积极参加和支援地方现代化建设，到1984年，军队支援国家和地方的工程建设8200多项。其中包括引滦入津、山东胜利油田建设等广受赞誉的工程。在此期间，军队还积极响应中央号召，加强精神文明建设，同时开展军民共建精神文明的活动，与驻地村庄、街道、学校、工厂、商店挂钩，开展军民共建文明村、文明街、文明镇、文明学校的活动，使军民共建活动遍及城乡各行各业。据1986年底统计，全国4万个军民共建点中有2万个受到地方县以上党委和政府的表彰。这些活动改善了军政、军民关系，推动了军队和地方精神文明建设。

五、裁军百万

在进行军队改革和建设的同时，中央军委经过几年的冷静观察和思考，于1985年作出实现国防和军队建设指导思想的战略性转变的重大决策，即由立足于早打、大打、打核战争的临战状态，转入以现代化为中心的相对和平时期的建设轨道上来。

在1984年11月军委座谈会上，邓小平指出："我们说十年打不起来，包括我们这个对外政策的作用。最好的是我们现行的政策，这个最有分量，最有利于世界和平和国际形势的稳定。讲战争危险，从毛主席那个时候讲起，讲了好多年了，粉碎'四人帮'后我们又讲了好久。现在我们应该真正冷静地作出新的判断。这个判断，对我们是非常重要的。首先就是我们能够安安心心地搞建设，把我们的重点转到建设上来。"[①]1985年6月，邓小平在军委扩大会上对国际形势做了全面系统的分析，得出结论："在较长的时间内不发生大规模的世界战争是有可能的，维护世界和平是有希望的。"[②]根据这一判断，会议作出军队建设指导思想实行战略性转变的重大决策，即要充分利用较长时间内大仗打不起来的和平环境，在服从国家经济建设大局的前提下，抓紧时间，有计划、有步骤地加强以现代化为中心的根本建设，提高军政素质，增强人民解放军在现代战争条件下的自卫能力。

军队建设指导思想转到和平时期建设的轨道上来，首先强调军队必须服从国家经济建设这个大局，在这个大局下行动。在20世纪六七十年代"备战备荒为人民"的方针指导下，整个国家建设都要考虑战备的需要。进入20世纪80年代，国防建设要纳入服从国家经济建设的轨道，这是一个战略性转变。为此，邓小平提出军队要忍耐，亦即军队装备真正现代化，只有在国民经济有了比较好的基础上才有可能。使军队从长期的临战状态下转变过来，为的是抓紧和平时机，加强以现代化为中心的根本建设。对于

---

① 中共中央文献研究室编《邓小平年谱（1975—1997）》（下），中央文献出版社2004年版，第1012页。

② 邓小平：《邓小平文选》第三卷，人民出版社1993年版，第127页。

军队来说，就是按照中央军委提出的方针：坚持人民军队建军的基本原则，继承和发扬优良传统，不断发展现代化的因素；实行精兵政策，减少数量，提高质量；把重点放在发展武器装备和提高人的素质上，实行科学编组，使人和武器装备更好地结合起来，充分发挥作用；既要使我军成为保卫社会主义祖国的钢铁长城，又要使我军成为建设社会主义物质文明和精神文明的重要力量。

为了实现这一战略性转变，1985 年 6 月，中共中央和中央军委作出了裁减军队员额 100 万的重大决策。6 月 4 日，邓小平代表中国政府郑重宣布，中国人民解放军减少员额 100 万。[①] 到 1987 年，裁军百万的工作顺利完成。通过这次精简整编，压缩了军队总规模，调整了编成比例。战斗部队、科研单位和院校的编制数额在全军总定额中的比例提高，机关和勤务分队的比例下降。"三总部"和各大军区机关都在原定额的基础上精简近一半，海军、空军、第二炮兵和国防科工委机关也做了较大精简，撤并了部分院校。军事学院、政治学院、后勤学院合并为国防大学。通过实行军士制度，把 76 种原由干部担任的职务改由士兵担任，减少了干部数量，提高了战士比例。同时加强部队的合成。原来的 11 个大军区，撤销了武汉、昆明、福州、新疆 4 个大军区，保留北京、沈阳、济南、成都、南京、广州、兰州等 7 个大军区。减少了一些军、师、团单位。根据精兵、合成、平战结合、提高效能的原则，把陆军改编为集团军，将大部分的独立装甲兵、炮兵和野战工兵部队编入集团军，并充实扩编了通信、防化、运输分队，增编了电子对抗分队，从而迈出了人民解放军建设现代化合成军队的重要一步。

百万大裁军具有多方面的意义，它既坚定地贯彻了军队服从国家经济建设大局的方针，又推动了军队体制改革和国防现代化建设。中国军队主动大规模裁军，也表明了中国政府维护世界和平的诚意和决心，在国际上产生了十分积极的影响。

---

① 《中央军委主席邓小平在军委扩大会议上宣布我国政府决定军队减少员额一百万》，《人民日报》1985 年 6 月 11 日。

六、实行军衔制

军衔制是为明确军中指挥关系、激励士气而采用的一种管理制度。军衔既可以明确军人在军队中的地位、责任和相互关系，也是国家给予军人的荣誉。世界上大多数国家都实行军衔制。新中国成立后，为增强军人的责任心和荣誉感，促进军队正规化建设，加强军队诸军兵种之间指挥、管理和保障的协同，便于进行国际交往，中国人民解放军于1955年9月首次在全军实行军衔制。但1965年取消了军衔制。中共十一届三中全会后，军队现代化、正规化建设步入正轨。1980年3月12日，中央军委副主席邓小平提出要搞军衔制。当时，根据邓小平的指示，中央军委在北京成立了全军恢复军衔制领导小组办公室，由中央军委和总政治部直接领导。1984年5月31日，第六届全国人民代表大会第二次会议通过的《中华人民共和国兵役法》规定中国人民解放军实行军衔制度。1985年6月，中央军委召开扩大会议，明确提出实行新的军衔制。经过两年多的广泛论证和充分调研，实行新的军衔制条件已经成熟。

1988年7月1日，第七届全国人民代表大会第二次会议通过了《中国人民解放军军官军衔条例》，予以公布施行。9月23日，国务院、中央军委又颁布了《中国人民解放军现役士兵服役条例》。由此形成了我军完整的军衔体系，士兵军衔制度同时立法。1988年9月14日，中央军委在北京举行授予上将军官军衔仪式，中央军委委员洪学智、刘华清、秦基伟，中央军委委员、总参谋长迟浩田，中央军委委员、总政治部主任杨白冰，中央军委委员、总后勤部长赵南起，副总参谋长徐信，军委纪委书记、总政治部副主任郭林祥，军委纪委第二书记尤太忠，军事科学院政治委员王诚汉，国防大学校长张震、政治委员李德生，北京军区政治委员刘振华，南京军区司令员向守志，成都军区政治委员万海峰，海军政治委员李耀文，空军司令员王海共17人被授予上将军衔。[①]10月1日，人民解放军正式实

① 张砚：《中央军委举行授予上将军衔仪式》，《人民日报》1988年9月14日。

施新的军衔制度，共授予尉官军衔 40.5 万人、校官军衔 18 万人、将官军衔 1452 人。

新的军衔制条例对 1955 年编制的军衔制等级设置做了调整：不设元帅、大将和大尉，而以一级上将[①]为最高军衔。军官军衔设 3 等 11 级，其中，将官分为一级上将、上将、中将、少将，校官分为大校、上校、中校、少校，尉官分为上尉、中尉、少尉。海军、空军军官在军衔前分别冠以“海军”“空军”。专业技术军官，在军衔前冠以“专业技术”。士兵军衔按等级分为 3 等 7 级，其中，士官分为军士长、专业军士，军士分为上士、中士、下士，兵分为上等兵、列兵。实行军衔制，既是引人注目的大事件，又标志着中国人民解放军现代化、正规化建设迈出了新步伐。

1988 年 12 月 17 日，国务院总理李鹏、中央军委主席邓小平签署命令，发布《中国人民武装警察部队实行警官警衔制度的具体办法》。1989 年 1 月 21 日，国务院、中央军委在北京人民大会堂隆重举行人民武装警察部队将官授衔仪式。

第五节　执政党自身建设和初步改革

中共十二大被邓小平称为是中共七大以来的一次最重要的会议。这次大会在提出“建设有中国特色的社会主义”是战略思想、开创社会主义现代化建设新局面的历史任务的同时，也对党的建设进行了全面部署，提出了“把党建设成为领导社会主义现代化事业的坚强核心”的任务。

① 1994 年 5 月 12 日，八届全国人大常委会第七次会议通过了关于修改《中国人民解放军军官军衔条例》的决定。修改后的现役军官军衔设 3 等 10 级，即取消原条例中的一级上将军衔，明确规定“中央军事委员会主席不授予军衔”“副主席的职务等级编制军衔为上将”。

一、按照中共十二大通过的《中国共产党章程》加强党的自身建设

《中国共产党章程》作为党的“根本大法”，明确规定了党的性质和宗旨、党的路线和纲领、党的指导思想和奋斗目标，集中表达了党的理论基础和政治主张，是把握党的正确政治方向的根本准则。它对于统一全党的思想和行动，实现党在不同时期的历史使命和任务，发挥了特殊的重要作用。讨论、修改和审议新的《中国共产党章程》是中共十二大的重要议程。按照“适应新的历史时期的特点和需要，对党员提出更严格的要求，提高党组织的战斗力，坚持和改善党的领导”的总的原则，从1982年8月31日起，中共十二大各代表团在预备会议期间和大会正式举行期间对党章草案进行认真的讨论，提出了很多修改意见。大会秘书处综合这些意见，做了最后的修改。9月5日，大会主席团第三次会议听取了关于党章修改的说明，决定提交大会表决通过。提交大会审议的党章修改草案，清除了中共十一大党章中“左”的错误，继承和发展了中共七大和中共八大党章的优点。新党章在总纲中，对党的性质和党的指导思想，对现阶段我国社会的主要矛盾和党的总任务，对党在国家生活中如何正确地发挥领导作用，都做了明确的规定。9月6日，大会全体会议一致通过了这个最后的修改草案，还专门为党的新章程通过《中国共产党第十二次全国代表大会关于〈中国共产党章程〉的决议》。

新党章对党员和党的干部在思想上、政治上和组织上的要求，比过去历次党章的规定都更加严格。对党员的义务，它规定了绝对不得假公济私、损公利私，坚决反对派性，勇于支持好人好事，反对坏人坏事等内容；对各级领导干部的基本条件，规定了要正确执行党的路线、方针和政策，反对党内外错误倾向，有胜任领导工作的专业知识和组织能力，坚持党的原则，同任何滥用职权、谋求私利的行为作斗争等内容，这大都是过去的党章所没有的。根据历史的经验和教训，新党章强调从中央到基层的各级组织都必须严格遵守民主集中制和集体领导的原则，明确规定“禁止任

何形式的个人崇拜”。新党章对改善党的中央和地方组织的体制，对加强党的纪律和纪律检查机关，对加强基层组织的建设，都做了许多新的规定。

“新党章在中央的组织制度里面有一个重要的改变，就是党中央只设总书记，不再设主席、副主席。总书记是中央政治局常务委员会的成员之一，负责召集政治局会议，召集政治局常务委员会会议，主持中央书记处的工作。很明显，召集和主持的作用是不一样的。这样，个人过分集权和个人专断的现象就很难再发生。主席制度和总书记制度如果同时存在，在国内外实践的结果表明，往往或者是总书记有名无实，或者是主席有名无实。因此，同时实行这两种制度是没有必要的；当主席和总书记由一个人兼任时，这样做就更没有理由了。按照新党章（中共十一届五中全会以来的实际情况也是如此），我们党全部经常工作的领导核心是中央政治局常务委员会。除了总书记是政治局常委外，中央顾问委员会主任、中央纪律检查委员会第一书记和中央军事委员会主席，也都是政治局常委。所有这些规定，都有利于保证党的集体领导和团结统一。”①

新党章规定，中央和省一级设顾问委员会，以发挥许多富有政治经验的老同志对党的事业的参谋作用；党的各级纪律检查委员会由同级党的代表大会选举产生，并对中央以下的同级党委及其成员实行党章规定范围内的监督，对中央委员会成员违犯党纪的行为可以向中央委员会检举；党的各级组织都必须重视党的建设，经常讨论和检查党的宣传工作、教育工作、组织工作、纪律检查工作、群众工作和统一战线工作。所有这些规定，都将有利于加强党的集体领导、提高党的战斗力和加强党与群众的联系。应当说，现在的党章修改草案，比我们党过去的党章更加充实和完善。它是党的历史经验和集体智慧的宝贵结晶，是在新的历史时期把我们党建设得更加坚强的重要保证。

---

① 《胡乔木同志就党章修改问题答新华社记者问》，《人民日报》1982 年 9 月 14 日。

二、中共十二大提出党的建设的主要任务

为把党建设成为社会主义现代化建设事业的坚强核心，根据党情的发展变化和新党章的精神，中共十二大对党的建设部署了三项重要任务。

（一）推进党内政治生活进一步正常化

健全党的民主集中制，使党内政治生活进一步正常化。大会报告肯定十一届三中全会以来的努力，我们党内的政治生活首先是党中央的政治生活，已经由过去长期不正常的严重状态逐步恢复到马克思主义的正确轨道上来。当时的党中央，是团结的和谐的领导集体，是能够驾驭复杂局势的坚强核心，许多地方党组织的政治生活也有了明显的改进。同时也有针对性地强调："在党的许多组织中，不民主现象、家长制作风还没有清除，分散主义、自由主义现象也比较严重。这些都妨碍着党的路线、方针和政策的贯彻执行，削弱了党的战斗力。要使全党政治生活都进一步正常化，必须坚决克服这些不良现象。全党特别是各级领导干部要牢固确立民主集中制观念，首先在各级党委建立和加强集体领导，努力发展党内民主，同时保证在民主基础上的集中统一。""在不少组织中，纪律松弛，是非不分，赏罚不明，该批评的不敢批评，该处分的不敢处分，是相当严重的现象。有些情况是令人触目惊心的。""如果听任这种现象滋长，党还能有什么战斗力！"①大会要求全党，为了健全民主集中制，必须加强党的纪律。全党各级组织和全体党员必须动员起来，为维护党纪进行坚决的斗争。我们相信，在这次代表大会以后，全党上下齐心协力，不要太长时间，我们就一定能够在全党范围内充分恢复党的纪律的严肃性，从而取得全国人民的高度信任。

（二）改革领导机构和干部制度

改革领导机构和干部制度，实现干部队伍的革命化、年轻化、知识化、

---

① 胡耀邦：《全面开创社会主义现代化建设的新局面——在中国共产党第十二次全国代表大会上的报告》（1982 年 9 月 1 日），《人民日报》1982 年 9 月 8 日。

专业化。中共十二大报告强调：党和国家领导体制、领导机构的改革，主要是消除权力过分集中、兼职副职过多、机构重叠、职责不明、人浮于事、党政不分等种种弊端，克服官僚主义，提高工作效率。中央一级党政机构改革的第一步已经基本完成，各省、市、自治区准备在今年下半年或明年展开。这是顺利进行现代化建设、坚持社会主义道路的一项重要政治保证，意义是非常深远的。实现干部队伍的革命化、年轻化、知识化、专业化，是党中央早就确定了的方针。在机构改革中，要使许多年事已高的老干部既能解脱第一线工作的繁重负担，又能以他们丰富的领导工作经验在党、国家和社会生活中继续发挥作用；使大批德才兼备、年富力强的中青年干部能够及时选拔到领导岗位上来，在新老合作和交替的过程中得到更多的实际有效的锻炼，并且使各级领导层不断吸收新的活力和智慧，保持旺盛的生机。至于那些造反起家的人，帮派思想严重的人，打砸抢分子，反对三中全会以来中央路线的人，以及有各种严重违法乱纪行为的人，现在还在领导岗位上的必须坚决撤下去，凡是触犯刑律的都必须依法查处，这些人当然决不能成为选拔的对象。新老干部的合作和交替问题是关系社会主义事业后继有人的大事，相信全党同志特别是我们的老同志必定会以高度的革命责任心来完成这个历史任务。为了造就社会主义现代化建设的大批专门人才，必须大力加强干部的教育和培训工作。今后使用和提拔干部必须把学历、学习成绩同工作经历、工作成绩一样作为重要依据。

（三）密切党同群众的联系

加强党在工人、农民、知识分子中的工作，密切党同群众的联系。大会强调：我们党之所以有力量，就因为党代表着最广大人民的利益。党在国家生活中的领导地位，决定了党的活动同广大人民的利害得失关系极大，而这种地位又很容易使党员特别是党的干部产生脱离群众的危险。这就要求我们更加自觉地保持和发扬党的群众路线的优良传统，切实加强党同各阶层人民的密切联系。大会强调：“从现在起，必须大大加强党在生产第一线的工作，动员符合条件的党员到生产第一线，同时吸收具备党员条件的优秀工人入党。”“我们要全面开创社会主义现代化建设的新局面，必须特别重视充分发挥知识分子的作用，并针对他们的特点改善对他们的思想政治教育，注意在他们当中积极吸收具备入党条件的人入党。”“党要细心发现、培养和吸收符合条件的先进青年入党，使他们成为输入党的肌体的新鲜血液。”“一定要加强妇女工作，关心她们的特殊利益，重视培养、选拔女干部，领导和支持各级妇女联合会执行自己的任务。”①

三、党的建设的若干新规定和重大举措

中共十二大强调一定要继续改革和完善国家的政治体制和领导体制，使人民能够更好地行使国家权力，使国家机关能够更有效地领导和组织社会主义建设。

（一）强调党必须在宪法和法律的范围内活动

党必须保证国家的立法、司法、行政机关，经济、文化组织和人民团体积极主动地、独立负责地、协调一致地工作。②新党章关于“党必须在宪法和法律的范围内活动”的规定，是一项极其重要的原则。它规定了从中央到基层，一切党组织和党员的活动都不能同国家的宪法和法律相抵触。党是人民的一部分。党领导人民制定宪法和法律，一经国家权力机关通过，全党必须严格遵守。③

（二）规定必须按期召开党的代表大会

能否按时、按程序召开各级党的代表大会特别是党的全国代表大会，是党内政治生活是否正常、是否充分发展党内民主的重要标志。无论是苏

① 胡耀邦：《全面开创社会主义现代化建设的新局面——在中国共产党第十二次全国代表大会上的报告》（1982年9月1日），《人民日报》1982年9月8日。

② 《中国共产党章程》（中国共产党第十二次全国代表大会1982年9月6日通过），《人民日报》1982年9月9日。

③ 胡耀邦：《全面开创社会主义现代化建设的新局面——在中国共产党第十二次全国代表大会上的报告》（1982年9月1日），《人民日报》1982年9月8日。

联共产党的历史还是中国共产党的历史都说明了这一点。中共十二大的党章明确规定："党的全国代表大会每五年举行一次，由中央委员会召集。中央委员会认为有必要，或者有三分之一以上的省一级组织提出要求，全国代表大会可以提前举行；如无非常情况，不得延期举行。"①从中共十二大开始，中国共产党做到了按期召开全国党代表大会。这为保证党的全国代表大会的职能特别是发展党内民主提供了重要的保证。

（三）健全党内选举制度

选举制度是发展党内民主的主要内容，也是党内民主的最直接体现。十二大通过的《中国共产党章程》规定："党的各级代表大会的代表和委员会的产生，要体现选举人的意志。选举采用无记名投票的方式。候选人名单要由党组织和选举人充分酝酿讨论。可以经过预选产生候选人名单，然后进行正式选举。也可以不经过预选，采用候选人数多于应选人数的办法进行选举。选举人有了解候选人情况、要求改变候选人、不选任何一个候选人和另选他人的权利。任何组织和个人不得以任何方式强迫选举人选举或不选举某个人。"②为了适应政治民主化进程，促进党内民主与人民民主之间的相互作用，中共十三大强调改革党内的选举制度，并在中共十三大的中央委员会选举上做了初步探索。对中央委员、候补中央委员和中央纪律检查委员会委员候选人等采取差额选举的办法，差额选出了中央委员、中央候补委员候选人和中央纪律检查委员会候选人。这种改革虽然只是初步的尝试，但可以说是向民主选举迈出了重要一步。

可以说中共十二大在发展党内民主方面，无论是理论上还是实践上都有了重要进展。

---

① 中共中央文献研究室编《十二大以来重要文献选编》（上），人民出版社1986年版，第76页。

② 中共中央文献研究室编《十二大以来重要文献选编》（上），人民出版社1986年版，第74页。

四、开展以整顿党风为目的全面整党

按照中共十二大关于党的建设的部署，从 1983 年冬到 1987 年 5 月止，大约用了三年半时间，中国共产党开展了一场全面的、有计划、有步骤的整党工作。

（一）全面整党工作的部署

1983 年 10 月在北京召开的中国共产党十二届二中全会，通过了《中共中央关于整党的决定》（以下简称《决定》）。《决定》明确规定了整党的基本方针、基本任务、基本政策和基本方法。这次整党总的目的和要求，是在马克思列宁主义、毛泽东思想的指导下，依靠全党同志的革命自觉性，运用批评和自我批评的锐利武器，执行党的纪律，揭露和解决党内存在的思想、作风和组织不纯的问题，实现党风的根本好转，提高全党的思想水平和工作水平，更加密切党同人民群众的关系，努力把党建设成为领导社会主义现代化事业的坚强核心。《决定》还规定了整党的任务，即统一思想，整顿作风，加强纪律，纯洁组织。①

为了保证整党工作的日常领导，中共十二届二中全会选举产生了中央整党工作指导委员会，胡耀邦任主任，万里、余秋里、薄一波（常务）、胡启立、王鹤寿任副主任，王震、杨尚昆、胡乔木、习仲勋、宋任穷为顾问。

（二）全面整党工作的实施

《决定》规定，这次整党的步骤是：从中央到基层组织，自上而下、分期分批地进行。每个单位党组织的整顿，也要自上而下，先领导班子、领导干部，后党员群众。整党的基本方法是：在认真学习文件、提高思想认识的基础上，开展批评和自我批评，分清是非，纠正错误，纯洁组织。党的每个组织经过整顿，在处理了必须处理的问题的基础上，最后要郑重地

---

① 中共中央党史研究室编《中国共产党新时期历史大事记（1978.12—2002.5）》（增订本），中共党史出版社 2002 年版，第 144 页。

进行党员登记。[①] 这次整党分批分期进行，第一期是中央、国家机关各部委和各省、市、自治区一级单位以及解放军各大单位，第二期是地、县两级单位，第三期主要是农村的区、乡、村。三期整党历时三年半的时间，到1987年5月基本结束。这次全党范围的整党，基本上都是按照《决定》规定的四项基本任务和基本方针、政策、部署进行。

（三）全面整党工作的总结

1987年5月26日至30日，全国整党工作总结会议在北京召开。5月26日，薄一波代表中共中央和中央整党工作指导委员会作《关于整党的基本总结和进一步加强党的建设》的报告，宣布历时三年半的全国整党工作基本结束。薄一波在报告中对这次整党的成绩进行了总结。他说，在统一思想方面，取得的成绩主要是：①全党从高级干部到广大党员，通过认真和比较系统地学习整党文件，澄清了不少模糊认识，加深了对党的十一届三中全会以来的建设有中国特色的社会主义路线的理解，明确了坚持改革、开放、搞活和大力发展社会主义有计划的商品经济，是建设富强、民主、文明的社会主义国家的必由之路，进一步提高了贯彻执行这些马克思主义方针政策的自觉性。②通过开展彻底否定“文化大革命”的教育，使广大党员明确了“文化大革命”中的两派都是在“以阶级斗争为纲”“无产阶级专政下继续革命”的“左”的理论指导下进行活动的，在总体上都是错误的，从而促进了进一步消除派性和“左”的流毒，为增强党的团结和激发党员的改革创新精神，奠定了更坚实的思想政治基础。③通过普遍进行党性、理想、宗旨教育，改变了一部分党员和党员干部共产主义理想和为人民服务观念淡薄的状况，使党员群众提高了思想觉悟，增强了抵制资本主义、封建主义腐朽思想侵蚀的能力。[②]

在整顿作风方面取得的进展主要是：①各地努力查处了一些党员干部

---

① 中共中央党史研究室编《中国共产党新时期历史大事记（1978.12—2002.5）》（增订本），中共党史出版社2002年版，第145页。

② 薄一波：《关于整党的基本总结和进一步加强党的建设》，《人民日报》1987年6月1日。

和党员严重违法乱纪、严重以权谋私和严重不负责任的官僚主义案件，基本上刹住了党政机关干部经商办企业等新的不正之风，党风有了不同程度的好转。②促进了各级领导机关工作作风的转变，官僚主义有所减少，为基层服务的思想得到加强，许多地区和部门的党员领导干部带头深入基层，调查研究，解决建设、改革和群众生活中存在的实际问题，密切了党群关系。③在农村整党中大都进行了清理财务的工作，党员和干部带头归还长期拖欠的公款、公物，带头为群众办实事，受到农民群众的欢迎。[①]

在加强纪律、纯洁组织方面取得的成效主要是：①清理“文化大革命”中的“三种人”和犯有严重错误的人，各级党组织花了很大的精力，参加整党特别是核查工作的同志克服种种困难和阻力，做了许多艰苦的调查取证工作。在整党前已进行的几次清查共处理了 40 万人的基础上，全国（不包括广西壮族自治区）又清理出“三种人”5449 名，犯有严重错误的人 43074 名。广西在这次整党中，专门用了一段时间进行“处理‘文化大革命’遗留问题”的工作，共清理出严重违法乱纪分子 27919 名（其中干部 6042 名），犯有严重违法乱纪错误的人 13154 名。②开展批评自我批评和严格党内组织生活的传统得到恢复和发扬，党员的组织纪律观念较以前有所加强，原来处于瘫痪半瘫痪状态的一些党组织经过整顿有了明显好转。③通过党员登记和组织处理，对一批有严重问题和不合格的党员进行了处理。开除党籍的共有 33896 人，不予登记的共有 90069 人，缓期登记的共有 145456 人，受留党察看、撤销党内职务和向党外组织建议撤销党外职务、严重警告、警告等党纪处分的共有 184071 人。④对一批有问题和软弱涣散的领导班子进行了调整；县级以上领导班子有一半左右进行了不同程度的充实。通过调整和充实，推进了领导班子的各方面建设。一批党性强、作风正派、能带领群众坚决执行党的现行政策的优秀中青年党员走上了各级领导岗位。[②]

---

① 薄一波：《关于整党的基本总结和进一步加强党的建设》，《人民日报》1987 年 6 月 1 日。
② 薄一波：《关于整党的基本总结和进一步加强党的建设》，《人民日报》1987 年 6 月 1 日。

“但是，整党工作发展不平衡，有一部分单位包括一些高、中级党政领导机关，没有全面完成整党的四项基本任务，有的甚至走了过场，以致影响和损害了整党工作在群众中的声誉。整党搞得比较好的单位，在党风和其他方面也还遗留了一些问题，需要在今后经常的党的建设中继续加以解决。”[①] 总的来说，经过这次整党，全党在思想、作风、组织、纪律四个方面都有了进步，党内存在的思想、作风、组织上的严重不纯状况有了改变，同时也积累了正确处理党内矛盾和问题的重要经验。这为新时期党的建设的加强和发展打下了比较好的基础。

五、建立离退休制度与干部队伍的新老交替

实际上存在的领导干部职务终身制，是直至20世纪80年代初国际共产主义运动中也没有解决好的问题。如何解决这个重大问题，关系到党的事业的兴衰成败。从20世纪五六十年代开始，以毛泽东为代表的中国共产党人，针对帝国主义的“和平演变”图谋，就开始考虑这个战略问题。中共十一届三中全会以后，以邓小平为代表的中国共产党人也在思考解决这个关系党和国家长治久安的重大问题。

（一）邓小平、陈云提出废除领导职务终身制，建立干部离退休制度

作为战略家，邓小平是党内高层最重视和最早提出建立退休制度的领导人之一。1979年7月29日，邓小平在谈到培养接班人问题和党的组织建设问题时强调：“解决组织路线问题，最大的问题，也是最难、最迫切的问题，是选好接班人。当然，组织路线方面还有其他的问题，如机关臃肿怎样解决，退休制度问题怎样解决等等。庙只有那么大，菩萨只能要那么多，老的不退出来，新的进不去，这是很简单的道理。因此，老同志要有意识地退让。要从大处着眼，小道理要服从大道理，不要一涉及到自己的具体

---

① 薄一波：《关于整党的基本总结和进一步加强党的建设》，《人民日报》1987年6月1日。

问题就不通了。我们将来要建立退休制度。”[①]此后，邓小平、陈云等中央领导人多次谈到建立退休制度的问题。

在1980年2月召开的中共十一届五中全会上讨论《中国共产党章程》修改草案时，草案中明确提出的废除领导职务终身制等规定得到全会的重视。1980年8月18日，邓小平在中共中央政治局扩大会议上发表《党和国家领导制度的改革》，在这篇指导中国政治体制改革的纲领性文献中，邓小平再次强调："五中全会讨论的党章草案，提出废除干部领导职务终身制，现在看来，还需要进一步修改、补充。关键是要健全干部的选举、招考、任免、考核、弹劾、轮换制度，对各级各类领导干部（包括选举产生、委任和聘用的）职务的任期，以及离休、退休，要按照不同情况，作出适当的、明确的规定。任何领导干部的任职都不能是无限期的。”[②]1981年5月，陈云写了《提拔培养中青年干部是当务之急》的文稿，分送邓小平、胡耀邦和时任中共中央组织部部长的宋任穷等人。中共十一届六中全会后，1981年7月，中共中央召集各省、市、自治区党委书记开座谈会，讨论陈云提出的关于提拔中青年干部和老干部离退休的问题。邓小平说："六中全会之后，又专门把在座的诸位留下来开两天会，讨论陈云同志关于提拔培养中青年干部和老干部离休退休这两条建议，就是因为这个问题十分迫切，十分重要。解决干部年轻化这样一个大问题，关键是老同志带头，真正要开明，真正要从大局着眼。”[③]此后，建立退休制度成为中共中央政治局会议讨论的重要议题。1981年10月，中共中央政治局连续召开会议讨论企业整顿、经济计划和机构改革等问题。邓小平在会议上再次就退休制度发表意见说："要建立退休制度。退休制度建立起来了，就有希望了，否则年轻有为的人难以上来。”[④]

---

① 邓小平：《邓小平文选》第二卷，人民出版社1994年版，第192—193页。

② 邓小平：《邓小平文选》第二卷，人民出版社1994年版，第331—332页。

③ 中共中央文献研究室编《邓小平年谱（1975—1997）》（下），中央文献出版社2004年版，第753页。

④ 中共中央文献研究室编《邓小平年谱（1975—1997）》（下），中央文献出版社2004年版，第777页。

（二）中共中央决定建立老干部退休制度

1982年2月20日，中共中央作出《关于建立老干部退休制度的决定》（以下简称《决定》），指出：建立老干部离休退休和退居二线的制度，是保障党和国家政治生活正常进行和健全发展的一项极其重要的制度。妥善解决新老干部适当交替的问题，是一场干部制度方面的深刻改革，是关系我们党兴旺发达、国家长治久安、社会主义现代化建设事业顺利实现的具有战略意义的重大决策。《决定》对老干部的功绩给予高度评价。《决定》强调指出："我们党的老干部是党的宝贵财富。中国革命和建设的历史反复证明，我们党的老干部不愧为中国人民伟大事业的中坚力量。没有这样大量的老干部，没有中国革命各个时期中牺牲的先烈和今天仍然健在的老同志，没有他们的艰苦卓绝、可歌可泣的长期斗争，中国人民革命和建设事业的胜利和发展，是不可想象的。对于党的老干部的不可磨灭的历史功勋，我们全党、全军和全国各族人民，我们的子孙后代，都是决不会忘记，也决不应当忘记的。"《决定》规定了老干部离退休的年龄界限。"担任中央、国家机关部长、副部长，省、市、自治区党委第一书记、书记，省政府省长、副省长，以及省、市、自治区纪律检查委员会和法院、检察院主要负责干部的，正职一般不超过六十五岁，副职一般不超过六十岁。担任司局长一级的干部，一般不超过六十岁。"[①]《决定》还指出："在党和国家领导人中，需要保留少量超过离休退休年龄界限的老革命家。特别是在当前和今后一个时期的历史条件下，我们这样一个大国，更需要有若干位经验丰富、德高望重，能够深谋远虑、统筹全局，而且精力尚能工作的老同志，留在党和国家的中枢领导岗位上。这是全局的需要，是保持国内安定团结和正确处理国际关系的需要，是完全符合党和人民根本利益的。"《决定》规定：老干部离休退休以后，一定要很好地安排照顾，基本政治待遇不变，生活待遇还要略为从优，并注意很好地发挥他们的作用。这应当成为我们党和国家的坚定不移的政策原则之一。《决定》规定：离休退休以后，党交给老干

---

① 中共中央文献研究室编《三中全会以来重要文献选编》（下），人民出版社1982年版，第1161页。

部的主要任务，“是健康长寿，继续写完他们的光荣历史。中央希望他们，继续关心党的事业，关心国家和人民的命运，并在力所能及的范围内，为党为人民作出新的贡献”[①]。

中共中央组织部代国务院起草了《关于老干部离职休养制度的几项规定》，于 1982 年 4 月 10 日发布。“规定 1948 年以前参加革命工作和 1949 年 9 月 30 日以前参加革命工作，享受供给制待遇的老干部，都可以办理离休。规定参加革命较早的老干部，生活上给予补贴。”[②]

中国共产党进一步推进离退休制度的实施。中共十二大通过的党章第 37 条规定：“党的各级领导干部，无论是由民主选举产生的，或是由领导机关任命的，他们的职务都不是终身的，都可以变动或解除。年龄和健康状况不适宜于继续担任工作的干部，应当按照国家的规定，或者离职休养，或者退休。”[③]同年通过的《中华人民共和国宪法》对国家领导人和各级领导机构人员的任期做了明确规定。这标志着中国离退休制度的确立。

（三）推进离退休制度的实施

离退休制度建立后，中国共产党加快了推进领导干部制度的改革和干部年轻化的步伐。

1. 老干部顾全大局支持废除领导职务终身制

与往届代表大会代表产生不同的方面还有，为推进党内领导层的年轻化、知识化以及逐渐废除实际上存在的领导干部职务终身制的现象，1980 年 4 月召开的中共中央政治局会议通过了《中共中央关于丧失工作能力的老同志不当十二大代表和中央委员候选人的决定》，指出：为了使出席党的

---

① 中共中央文献研究室编《三中全会以来重要文献选编》（下），人民出版社 1982 年版，第 1164 页。

② 中共中央组织部办公厅编《改革开放 30 年组织工作大事资料选编》，党建读物出版社 2009 年版，第 54—55 页。

③ 《中国共产党章程》（1982 年 9 月 6 日中国共产党第十二次全国代表大会通过），《人民日报》1982 年 9 月 9 日。

十二大的代表和大会选举产生的中央委员，有相当比例的年富力强的同志，使党的领导机构能够适应社会主义现代化建设繁重任务的需要，保证党的集体领导的长期稳定性，中央决定，凡年事已高、丧失工作能力和生活自理能力的老同志，不当党的十二大代表和中央委员候选人。这是废除实际上存在的干部职务终身制和逐步更新领导班子的一个重要步骤。“在酝酿选举代表过程中，有些老同志诚恳地向组织上要求不要选他们当十二大代表，把名额让给符合要求的中青年干部。他们这种精神，体现了老同志以党的事业为重的共产主义胸怀，受到了广大党员的赞扬。”“这次选出的代表、候补代表，绝大多数是在各地区、各方面、各民族中有威望、有贡献、能够联系群众的优秀党员，包括从建党初期、北伐战争时期、土地革命战争时期、抗日战争时期、解放战争时期以及建国以后各个时期入党的党员。中、青年占将近五分之二，各方面专业人员、专家也占相当比重。代表中有极少数在‘文化大革命’以来曾经犯过错误，但也曾经为党做过贡献的同志。这次选出的代表具有广泛的代表性。”①选举代表过程中出现的这些情况，表明中国共产党人坚持顾全大局、以党的事业为重的传统。

2. 建立中央顾问委员会作为过渡机构

考虑到实际情况，邓小平还建议：鉴于我们党的状况，我们的干部老化，但老同志是骨干，处理不能太急，太急了也行不通。1982 年 7 月，邓小平在中共中央政治局会议上说：“我们需要有一个顾问委员会来过渡。我们有意识地采取这个办法，使得过渡比较顺利。也许经过三届代表大会以后，顾问委员会就可以取消了。如果两届能够实现，就要十年。这个过渡是必要的，我们选择了史无前例的这种形式，切合我们党的实际。但是在这个过渡阶段，必须认真使干部队伍年轻化，为退休制度的建立和领导职务终身制的废除创造条件。”②

---

① 《党的十二大举行预备会议和主席团会议》，《人民日报》1982 年 8 月 31 日。

② 中共中央文献研究室编《邓小平年谱（1975—1997）》（下），中央文献出版社 2004 年版，第 777 页。

3. 老一辈革命家带头退出领导岗位

1985年9月16日召开的中共十二届四中全会讨论确定了关于进一步实现中央领导机构成员新老合作和交替的原则。1985年9月18日至23日，在北京举行了中国共产党全国代表会议，大会同意叶剑英、邓颖超等64位同志，李井泉、萧劲光等36位同志，黄克诚、王从吾等31位同志，不再担任中央领导职务。会议增选了中央委员会委员56人，候补委员35人；增选了中央顾问委员会委员56人；增选了中央纪律检查委员会委员31人。在1985年9月24日召开的中共十二届五中全会上，对中央政治局和中央书记处成员进行了局部的调整。全会增选田纪云、乔石、李鹏、吴学谦、胡启立、姚依林为中央政治局委员，增选乔石、田纪云、李鹏、郝建秀、王兆国为中央书记处书记。这些结果表明，党进一步推进了领导干部年轻化的进程。

中共十三大的一项重要准备是提名中央层的领导人选。这是一项关系到中国共产党和国家前途命运的重大战略问题。这项准备在中共十二届六中全会过后就有所议论，随后又组成了由邓小平等负责的人事工作领导小组，主要是按照“德才兼备”的方针继续推进领导干部的年轻化。在这方面，以邓小平为代表的老一辈革命家继续带头推进废除领导干部职务终身制。1986年“十月三十日上午十时，邓小平、李先念来到陈云住地，三位老人进行了一次长谈”①。他们从党的事业兴旺发达和国家的长治久安考虑，“共同商定，在党的十三大时一起退下来，不再担任任何职务”②。曾任过中共中央组织部部长、当时任中央顾问委员会副主任的宋任穷后来回忆说：“十三大召开前的1986年10月，邓小平、陈云、李先念同志就共同约定‘一齐退下来’，而且是一退到底，即退出中央委员会，不再担任任何职务。彭真、邓颖超、徐向前、聂荣臻同志也要求‘全退’。那时，对邓小平、陈云、李先念同志‘全退’的要求，尤其是对邓小平‘全退’的要求，许多

---

① 中共中央文献研究室编《陈云传》（下），中央文献出版社2005年版，第1779页。

② 中共中央文献研究室编《陈云传》（下），中央文献出版社2005年版，第1746页。

人表示不能接受。”[①]宋任穷回忆说：“后来，经过反复酝酿，才议定邓小平、陈云、李先念同志‘半退’，即退出党的中央委员会，仍担任一个职务，小平同志任中央军委主席，陈云同志任中顾委主任，李先念同志任全国政协主席；彭真、邓颖超、徐向前、聂荣臻同志‘全退’，即退出党的中央委员会，不再担任任何职务。”[②]后来的结果是：彭真、徐向前、聂荣臻、邓颖超“四老”从领导岗位上完全退下来，邓小平、李先念、陈云实行半退（退出中央委员会），即所说的“四老”全退，“三老”半退。在“四老”全退，“三老”半退的带动下，又有一批老同志退出第一线的领导岗位，增选为中央顾问委员会委员，中顾委也由中共十二大时的172位委员增加到中共十三大时提名200位候选人。这样，将有一批年富力强的优秀干部进入中共十三届中央委员会。这就在1985年中国共产党全国代表大会推进年轻化的基础上，继续加快实行干部队伍年轻化的步伐，尤其是正在酝酿的中共中央政治局及政治局常委班子的提名人选，基本上由年富力强的人员组成。

---

① 宋任穷：《宋任穷回忆录（续集）》，解放军出版社1996年版，第224页。另见中共中央文献研究室编《陈云传》（下），中央文献出版社2005年版，第1746页。

② 宋任穷：《宋任穷回忆录（续集）》，解放军出版社1996年版，第224—225页。

第七章

以改革开放为中心任务的中共十三大

改革开放的不断深化，中国特色社会主义事业的不断推进，迫切需要党在深刻分析基本国情、总结实践经验的基础上，对什么是社会主义、怎样建设社会主义的根本问题，以及我国改革开放和社会主义现代化建设应遵循什么样的基本路线的问题，从理论和实践上进一步作出明确回答。

第一节　社会主义初级阶段理论与改革开放的基本依据

中共十二大闭幕后，十二届中央委员会召开了七次全体会议。1985 年，中国共产党召开了一次全国代表会议，就一系列重大问题及时作出正确决策，有力地推进了改革开放和社会主义现代化建设，加强了精神文明建设、民主法制建设和党的建设。

总的来说，中共十三大召开前，中国特色社会主义现代化建设和改革开放取得重大成就，安定团结的政治局面得到巩固和发展，社会主义民主和法制的建设逐步发展，积极推进社会主义精神文明建设，国防建设从指导思想上实现了战略性转变，祖国和平统一的事业取得重大进展，争取良好的国际环境有利于现代化建设的工作取得新的突破和党的建设得到加强。

一、以改革为主题的中共十三大的召开

1987 年 10 月 25 日至 11 月 1 日，中国共产党第十三次全国代表大会在北京举行。大会审议通过了《沿着有中国特色的社会主义道路前进》的报告和《中国共产党章程部分条文修正案》。大会的突出贡献是系统阐述了社会主义初级阶段的理论，明确概括了党在社会主义初级阶段的基本路线。在大会召开前夕，邓小平指出，整个社会主义历史阶段的中心任务是发展生产力。就我们国家来讲，首先是要摆脱贫穷。贫穷不是社会主义，发展太慢也不是社会主义。他还明确提出："党的十三大要阐述中国社会主义是处在一个什么阶段，就是处在初级阶段，是初级阶段的社会主义。社会主义本身是共产主义的初级阶段，而我们中国又处在社会主义的初级阶段，就是不发达的阶段。一切都要从这个实际出发，根据这个实际来制订

规划。”[①]党的十三大指出，社会主义初级阶段包括两层含义：第一，我国社会已经是社会主义社会，我们必须坚持而不能离开社会主义；第二，我国的社会主义社会还处在初级阶段，我们必须从这个实际出发，而不能超越这个阶段。大会指出：社会主义初级阶段不是泛指任何国家进入社会主义都会经历的起始阶段，而是特指我国在生产力落后、商品经济不发达条件下建设社会主义必然要经历的特定阶段。我国从 20 世纪 50 年代生产资料所有制的社会主义改造基本完成到社会主义现代化的基本实现，至少需要上百年时间，都属于社会主义初级阶段。在社会主义初级阶段中，主要矛盾是人民日益增长的物质文化需要同落后的社会生产之间的矛盾。党和国家的主要任务是发展生产力，推进社会主义现代化建设。社会主义初级阶段理论的提出，成为我们党制定正确路线、方针、政策的基本依据，为坚持改革开放、坚持和发展中国特色社会主义提供了有力的理论武器。

中国还处于社会主义初级阶段，这是中共十一届三中全会以来党对社会主义进行再认识、对中国国情进行再认识得出的最重要的判断，是从社会性质和社会发展阶段这个根本问题上对当代中国国情作出的科学结论。社会主义初级阶段是中国特色社会主义理论的基础，是中国共产党制定路线、方针、政策的根本出发点，也是进行改革开放的基本依据。

二、社会主义发展阶段问题的理论探索

从中国的基本国情出发进行革命、建设和改革，是中国共产党领导中国革命、建设和改革取得举世瞩目成就的最基本经验之一。因此，不断地科学研究中国国情，既是中国共产党最重要的理论任务，又是党制定正确的战略、道路、路线的根本出发点。以毛泽东、邓小平为代表的中国共产党人在领导中国人民进行伟大的社会主义建设和改革过程中，为探索中国国情及中国社会主义的发展阶段付出了极大心血。

① 邓小平：《邓小平文选》第三卷，人民出版社 1993 年版，第 252 页。

在中国革命和建设的过程中，毛泽东非常重视研究中国国情。他指出：“认清中国社会的性质，就是说，认清中国的国情，乃是认清一切革命问题的基本的根据。”[①]因为，“中国现时的社会，是一个殖民地、半殖民地、半封建性质的社会。只有认清中国社会的性质，才能认清中国革命的对象、中国革命的任务、中国革命的动力、中国革命的性质、中国革命的前途和转变”[②]。可以说，毛泽东为中国共产党从社会性质和发展阶段的高度正确认识中国国情提供了世界观和方法论。

中国社会主义制度建立后，毛泽东在《正确处理人民内部矛盾的问题》这篇讲话中提出：“我国的社会主义制度还刚刚建立，还没有完全建成，还不完全巩固。”[③]这里毛泽东提出了“建立”和“建成”这样两个表示不同阶段的概念。1959年底，毛泽东在杭州读《苏联政治经济学》教科书的批注和谈话中提出：“生产资料所有制的社会主义改造基本完成以后，社会主义可能分为两个阶段”，“第一个阶段是不发达的社会主义，第二个阶段是比较发达的社会主义”。[④]

中共中央的其他领导人，如刘少奇也有类似的看法。刘少奇说：“共产主义两个阶段又可以分为许多小阶段。社会主义社会有几个小阶段，共产主义社会也可以分几个小阶段。”[⑤]

部分理论工作者也有类似的认识，如当时的理论工作者孙冶方、王学文等对这个问题也有探索。孙冶方甚至在1958年的北京经济学者纪念毛泽东同志《关于正确处理人民内部矛盾的问题》出版一周年的座谈会的发言中，使用过“社会主义初级阶段”和“社会主义高级阶段”[⑥]这样两个

---

① 毛泽东：《毛泽东选集》第二卷，人民出版社1991年版，第633页。

② 毛泽东：《毛泽东选集》第二卷，人民出版社1991年版，第633页。

③ 《毛泽东著作选读》（下册），人民出版社1986年版，第768页。

④ 中共中央文献研究室编《毛泽东文集》第八卷，人民出版社1999年版，第116页。

⑤ 《刘少奇同志在政治经济学（社会主义部分）读书会上的发言》，见中国人民解放军国防大学党史党建政工教研室编《中共党史教学参考资料》第二十三册，国防大学出版社1986年版，第196页。

⑥ 孙冶方：《社会主义经济的若干理论问题》，人民出版社1979年版，第67、62页。

提法。王学文在《经济研究》1961 年第 1 期上发表的文章《〈资本论〉的研究对象》中也使用过“我国现在正处于社会主义初级阶段”[①]的提法。

但无论是毛泽东还是刘少奇，以及当时的理论工作者，对社会主义社会发展阶段的认识都还是初步的。遗憾的是，由于种种原因，毛泽东等人没有在此良好的基础上继续前进。

三、揭示出中国处于社会主义初级阶段及实行改革开放的基本依据

科学地重新认识社会主义的发展阶段问题是伴随着思想上的拨乱反正开始的，也就是从中共十一届三中全会开始的，大约分为三个时期。

（一）提出社会主义初级阶段的概念

第一时期从中共十一届三中全会前后开始到中共十二大，这个期间主要是提出社会主义初级阶段的概念。邓小平、陈云两人在 1979 年党的工作重心开始转移到经济建设上来的前后就集中谈到基本国情问题，他们指出要使中国实现四个现代化，至少应看到我国底子薄和人口多、耕地少这两个特点。[②]

在 1979 年召开的中央理论工作务虚会上，在胡耀邦的支持下，有部分理论工作者开始讨论关于社会主义社会的发展阶段问题。这年的《经济研究》杂志第 5 期发表了《无产阶级取得政权后的社会发展阶段问题》[③]的文章，第 8 期发表了《也谈无产阶级取得政权后的社会发展阶段问题》[④]的商榷文章。这两篇文章开始使用毛泽东 1959 年使用过的“不发达的社会主义”和“比较发达的社会主义”的提法。以上表明，中共领导人和理论工作者

① 王学文：《王学文〈资本论〉研究文集》，中国社会科学出版社 1982 年版，第 14 页。
② 邓小平：《邓小平文选》第二卷，人民出版社 1994 年版，第 163、164 页。
③ 苏绍智、冯兰瑞：《无产阶级取得政权后的社会发展阶段问题》，《经济研究》1979 年第 5 期。
④ 朱述先：《也谈无产阶级取得政权后的社会发展阶段问题——与苏绍智、冯兰瑞同志商榷》，《经济研究》1979 年第 8 期。

已经开始对这个问题进行思考和研究。

随着全党认识的提高，在中共十一届四中全会通过的叶剑英《在庆祝中华人民共和国成立三十周年大会上的讲话》中，初次提出了我国“社会主义制度还处在幼年时期”[①]的思想。这个讲话还指出：“在我国实现现代化，必然要有一个由初级到高级的过程。”[②]

随后的一个时期，中国共产党开始全面总结社会主义建设的历史经验。这个过程实际上也是全党重新认识社会主义的过程。这期间，邓小平进一步思考社会主义的发展阶段问题。1980 年 4 月，他曾说：“现在我们正在总结建国三十年的经验，总起来说，第一，不要离开现实和超越阶段采取一些‘左’的办法，这样是搞不成社会主义的。我们过去就是吃‘左’的亏。”[③]这是中央领导人较早地谈论关于超越阶段问题。

1981 年 6 月，中共中央通过了《关于建国以来党的若干历史问题的决议》(以下简称《决议》)，正式提出了“我们的社会主义制度还处于初级的阶段”，并强调“毫无疑问，我们已经建立了社会主义制度，进入了社会主义社会”。但是，“我国的社会主义由比较不完善到比较完善，必然要经历一个长久的过程”。[④]《决议》认为：如果对这种长期性和艰苦性没有清醒的认识和足够的估计，或者就会重犯超阶段的错误，或者就会丧失信心，导致对社会主义的怀疑。这是在中国共产党的文献上第一次明确指出中国处于社会主义的初级阶段，但文字表述上是“社会主义制度还处于初级的阶段”。这是在探索社会主义发展阶段问题上的重要一步。

---

① 中共中央文献研究室编《三中全会以来重要文献选编》(上)，人民出版社 1982 年版，第 220 页。

② 中共中央文献研究室编《三中全会以来重要文献选编》(上)，人民出版社 1982 年版，第 220 页。

③ 邓小平：《邓小平文选》第二卷，人民出版社 1994 年版，第 312 页。

④ 中共中央文献研究室编《三中全会以来重要文献选编》(下)，人民出版社 1982 年版，第 838 页。

（二）不同意见的争论与重申初级阶段理论

第二个时期是中共十二大到中共十三大之前。这期间，理论界在社会主义初级阶段问题上出现了不同认识。《关于建国以来党的若干历史问题的决议》的这个重要的判断并没有为人们真正理解。理论界这时还常常把社会主义初级阶段和共产主义的初级阶段（社会主义）相混淆。仅《人民日报》从 1981 年 4 月到 1982 年 9 月就有近 10 篇文章，如《社会主义学说与实践》等，就没有把社会主义的初级阶段和共产主义的初级阶段（社会主义）区分开来。

理论界如此，中国共产党第十二次全国代表大会的报告《全面开创社会主义现代化建设新局面》也出现了类似情况，如报告强调了“我国的社会主义社会还处在初级发展阶段”这一重要论断。但是，这个报告在讲共产主义在我国的发展时却又强调：“现在这个运动在我国已经发展到建立起共产主义初级阶段的社会主义社会。”①

由于这个根本问题的不明晰，中共十二大制定的总路线，强调要建立高度民主和高度文明的社会主义现代化国家。

此后，为了驳斥对我国已经建立了社会主义制度，进入社会主义社会这个基本事实持否定态度的不正确认识，理论界加强了宣传共产主义的力度。中共十二大后，《人民日报》在 1982 年 9 月 24 日发表的《关于共产主义的实践》，中宣部在《半月谈》（1982 年第 17 期）上发表的《关于胡耀邦在十二大报告的宣传提纲》，《人民日报》在 1982 年 12 月 11 日发表的《共产党员的崇高职责》，《人民日报》在 1983 年 3 月 14 日发表的《发展作为社会主义建设的马克思主义》等，都谈到我国现在是处于共产主义社会的初级阶段，宣传口径颇为一致。

但也有一些例外，如《人民日报》在 1983 年 3 月 21 日发表的文章《马

① 中共中央文献研究室编《十二大以来重要文献选编》（上），人民出版社 1986 年版，第 27 页。

克思主义指引中国社会发生三次巨变》中就说了把中国从初级阶段的社会主义变为现代化的、高度民主、高度文明的社会主义强国等观点。

这一时期，社会主义初级阶段这一有重要意义的论断，在国内报刊上几乎很少见，时间大约是从1983年4月到1986年4月。甚至在1984年中共十二届三中全会通过的《关于经济体制改革的决定》这一重要的文件中，也没有使用“社会主义初级阶段”这一论断。这一方面是由于客观宣传的需要，另一方面也说明人们的正确认识、解放思想是需要时间的。

社会主义初级阶段再次成为理论界的研究热点是在1986年5月以后。有两篇重要文章值得注意：1986年5月5日，《人民日报》上发表了《关于社会主义建设的历史阶段》的文章。这篇文章指出，如果我们现实地清醒地思考问题，不难看出，我们现时已经建立的社会主义社会，其发展过程、发展阶段和马克思原来设想的作为共产主义初级阶段的社会主义社会很不相同。同年6月16日，中共中央书记处研究室《陈云文选》编辑组在《人民日报》上发表了《坚持实事求是原则是一切事业的成功之道——介绍〈陈云文选〉》的文章。这篇文章指出，在社会主义这个历史时期中，社会经济的发展，逐渐从低级到高级，经历若干个历史阶段，我国目前社会经济文化的实际情况，表明我们还是处在建设社会主义的初级阶段，我们搞建设、搞改革，都要考虑这个事实。

从以上两篇文章看，党内重要的理论工作者在认识上已经趋于一致，这是非常重要的。

1986年9月，中共十二届六中全会通过了《关于社会主义精神文明建设指导方针的决议》。这个在胡耀邦主持下起草的决议指出：“我国还处于社会主义的初级阶段，不但必须实行按劳分配，发展社会主义商品经济，而且在相当长的历史时期内，还要在公有制为主体的前提下发展多种经济成分，在共同富裕的目标下鼓励一部分人先富裕起来。”[①]这是经过一段沉寂之后，党的文件上再次出现社会主义初级阶段的论断。

此后，“社会主义初级阶段”这个概念一时间成为传播媒介使用率最高的词汇之一。理论文章、学术著作、领导讲话等都在大量地使用这一概念。人们的认识逐渐清晰。彭真在1986年11月27日的一次讲话就很有代表性且又十分明了，他说：“我国还处于社会主义的初级阶段，即共产主义初级阶段的初级阶段。”[②]

这个时期，理论界已经有人开始探讨比较深入的问题，如有的学者提出要探讨社会主义初级阶段的经济、政治、中国当时的改革等五个问题，并有理论工作者开始探讨社会主义初级阶段的特征等问题。值得一提的是，1987年，国家社科基金委公布的课题指南中，增加了关于社会主义初级阶段研究的新课题。

（三）中共十三大确认并论证社会主义初级阶段理论

第三个时期是中共十三大前后，这期间特别是筹备中共十三大前夕，邓小平以及中共中央其他负责人多次强调社会主义初级阶段的重要性。

1986年9月召开的中共十二届六中全会决定在1987年下半年召开中共十三大。这时的筹备工作由中共中央总书记胡耀邦负责，大会的报告也由胡耀邦组织起草。1987年1月，中共中央总书记胡耀邦的职务有所调整，报告起草的组织工作就由代理总书记接替下来。

邓小平在1987年2月6日同几位中央负责同志的谈话中说：“十三大报告要在理论上阐述什么是社会主义，讲清楚我们的改革是不是社会主义。要申明四个坚持的必要，反对资产阶级自由化的必要，改革开放的必要，

---

① 中共中央文献研究室编《十二大以来重要文献选编》（下），人民出版社1988年版，第1180—1181页。

② 《彭真阐述理想、民主和法制》，《人民日报》1986年11月27日。

在理论上讲得更加明白。”[①]

1987年3月21日，代理总书记把《关于草拟十三大报告大纲的设想》报给邓小平，这个报告说：十三大报告全篇拟以社会主义初级阶段作为立论的根据。邓小平在3月25日对这个设想作了批示：“这个设计好。”[②]

随后在中共十三大召开前，邓小平在多种场合作了几次重要的谈话。这些讲话从不同角度对“初级阶段”的理论进行了论述。特别是8月29日的《一切从社会主义初级阶段的实际出发》这篇讲话，精辟地概括了初级阶段的科学含义。他说：我们党的十三大要阐述中国社会主义处在一个什么阶段，就是处在初级阶段，是初级阶段的社会主义。他给初级阶段下的定义是“不发达阶段”的社会主义。他着重指出：“一切从社会主义初级阶段的实际出发”，“根据这个实际来制定规划”。[③] 到此，“社会主义初级阶段”这一概念的含义已经清晰。

1987年10月25日至11月1日，中共十三大在北京召开。这次具有历史意义的会议的突出贡献之一，就是系统地阐述了关于社会主义初级阶段的理论。

中共十二届中央委员会在中共十三大报告中指出：“正确认识我国社会现在所处的历史阶段，是建设有中国特色的社会主义的首要问题，是我们制定和执行正确的路线和政策的根本依据。”[④]

“对这个问题，我们党已经有了明确的回答：我国正处在社会主义的初级阶段。这个论断，包括两层含义。第一，我国社会已经是社会主义社会。我们必须坚持而不能离开社会主义。第二，我国的社会主义社会还处在初

---

① 邓小平：《邓小平文选》第三卷，人民出版社1993年版，第203页。

② 中共中央文献研究室编《十二大以来重要文献选编》（下），人民出版社1988年版，第1307页。

③ 邓小平：《邓小平文选》第三卷，人民出版社1993年版，第251页。

④《沿着有中国特色的社会主义道路前进》，见《中国共产党第十三次全国代表大会文件汇编》，人民出版社1987年版，第7页。

级阶段。我们必须从这个实际出发，而不能超越这个阶段。”①

“我国原来是一个半殖民地半封建的大国。……唯一的出路是在共产党领导下推翻帝国主义、封建主义、官僚资本主义的反动统治，走社会主义道路。但是，也正因为我们的社会主义是脱胎于半殖民地半封建社会，生产力水平远远落后于发达的资本主义国家，这就决定了我们必须经历一个很长的初级阶段，去实现别的许多国家在资本主义条件下实现的工业化和生产的商品化、社会化、现代化。”②

…………

“总起来说，我国社会主义初级阶段，是逐步摆脱贫穷、摆脱落后的阶段；是由农业人口占多数的手工劳动为基础的农业国，逐步变为非农产业人口占多数的现代化的工业国的阶段；是由自然经济半自然经济占很大比重，变为商品经济高度发达的阶段；是通过改革和探索，建立和发展充满活力的社会主义经济、政治、文化体制的阶段；是全民奋起，艰苦创业，实现中华民族伟大复兴的阶段。”③

确认经济文化落后的中国建设社会主义不可避免地要经历一个特定的较长的初级阶段，这个初级阶段至少要上百年，而我国目前正处于这个阶段。至此，无论是在文字表述的规范上，还是在其含义的准确上，“社会主义初级阶段”的论断都完整形成，被确立为党在社会主义初级阶段基本路线的客观依据。

由此可见，“社会主义初级阶段”这一论断的形成和内容的丰富经历了一个较长的过程。这个过程是中国共产党艰辛探索、不断超越的过程，是

---

① 《沿着有中国特色的社会主义道路前进》，见《中国共产党第十三次全国代表大会文件汇编》，人民出版社1987年版，第7页。

② 《沿着有中国特色的社会主义道路前进》，见《中国共产党第十三次全国代表大会文件汇编》，人民出版社1987年版，第7页。

③ 《沿着有中国特色的社会主义道路前进》，见《中国共产党第十三次全国代表大会文件汇编》，人民出版社1987年版，第10—11页。

解放思想、实事求是的过程，是一个实践、认识、再实践、再认识的循环往复的过程，而每一认识的过程都达到了一个新的阶段。这一认识成果是我们党付出重大代价而得到的，是被实践证明了的真理，是全党和全国人民必须坚持而不可须臾离开的。揭示我国正处于社会主义初级阶段这一客观实际，就证明中共十一届三中全会以来制定的路线、方针、政策是建立在科学的基础之上的。这对实现党的基本路线确定的目标，对继续解放思想、实事求是、坚定社会主义信念、把社会主义建设和改革开放置于现实的基础之上都有重要意义。

第二节　确定社会主义初级阶段的基本路线

中国共产党在社会主义初级阶段的基本路线是领导和团结全国各族人民，以经济建设为中心，坚持四项基本原则，坚持改革开放，自力更生，艰苦创业，为把中国建设成为富强、民主、文明的社会主义现代化国家而奋斗。这条基本路线是中国共产党和中国人民长期探索的结果，的确来之不易。

一、中共十一届三中全会以来的探索

中共十一届三中全会是探索新的基本路线的起点。中共十一届三中全会的一个重要功绩是开始形成“一个中心、两个基本点”的基本思想，奠定了党的基本路线的基础。但是，正式确立基本路线经过了一个过程，也有过多次概括和表述。

第一次是1979年国庆前后，中国共产党开始初步总结新中国成立30年的历史经验。中共十一届四中全会通过的叶剑英在新中国成立30周年的重要讲话中，提出了党的总任务是：团结全国各族人民，调动一切积极因素，

同心同德，鼓足干劲，力争上游，多快好省地建设现代化的社会主义强国。邓小平强调："这是第一次比较完整地表述了我们现在的总路线。这就是当前最大的政治。"[①]1980年2月29日，邓小平说："我们党在现阶段的政治路线，概括地说，就是一心一意地搞四个现代化。这件事情，任何时候都不要干扰，必须坚定不移地一心一意地干下去。"[②]

第二次是党的十二大进一步论述了党在新时期的总任务，即总路线：团结全国各族人民，自力更生，艰苦奋斗，逐步实现工业、农业、国防和科学技术现代化，把我国建设成为高度民主、高度文明的社会主义国家。

1982年12月，第五届全国人民代表大会第五次会议通过的《中华人民共和国宪法》，在"序言"中规定国家的根本任务是："集中力量进行社会主义现代化建设。中国各族人民将继续在中国共产党领导下，在马克思列宁主义、毛泽东思想指引下，坚持人民民主专政，坚持社会主义道路，不断完善社会主义各项制度，发展社会主义民主，健全社会主义法制，自力更生，艰苦奋斗，逐步实现工业、农业、国防和科学技术的现代化，把我国建设成为高度民主、高度文明的社会主义国家。"[③]

1986年9月，党的十二届六中全会又提出社会主义现代化建设的总体布局：以经济建设为中心，坚定不移地进行经济体制改革，坚定不移地进行政治体制改革，坚定不移地加强精神文明建设，并且使这几个方面互相配合，互相促进。1987年1月，中共中央发出《关于当前反对资产阶级自由化若干问题的通知》，明确概括了中共十一届三中全会以来的党的路线的基本点有两条：一条是坚持四项基本原则，一条是坚持改革、开放、搞活的方针。

以上是中国共产党领导全国人民探索建设社会主义道路的阶段性成果，

---

① 邓小平：《邓小平文选》第二卷，人民出版社1994年版，第249页。

② 邓小平：《邓小平文选》第二卷，人民出版社1994年版，第276页。

③《中华人民共和国宪法》（1982年12月4日中华人民共和国第五届全国人民代表大会第五次会议通过），《人民日报》1982年12月5日。

同时也说明要确立一条完整、正确的基本路线是非常不容易的。

二、中共十三大确定社会主义初级阶段基本路线

中共十三大，根据邓小平的思想，在系统论述社会主义初级阶段理论的基础上，在总结中国社会主义建设的历史经验、总结国际社会主义兴衰成败的经验教训的基础上，终于完整地概括了中国共产党在社会主义初级阶段的基本路线，即领导和团结全国各族人民，以经济建设为中心，坚持四项基本原则，坚持改革开放，自力更生，艰苦创业，为把我国建设成为富强、民主、文明的社会主义现代化国家而奋斗。

中共十三大确定的中国共产党在社会主义初级阶段的基本路线，是中共十一届三中全会以来的路线的继续、丰富和发展，是经过30多年来的探索，总结正反两个方面的经验教训，尤其是“文化大革命”的教训，在正确判断中国社会主义所处的历史阶段和社会性质后确立的路线，也是被实践证明的正确路线。这条基本路线体现了社会主义本质的要求，反映了中国社会主义发展的根本规律，指明了有中国特色社会主义的发展道路。

确立这条基本路线，标志着中国共产党带领中国人民经过艰难探索、付出巨大代价后，已经找到了建设有中国特色社会主义的道路，更确切地讲，实质上确定了建设有中国特色社会主义理论和实践的总纲。这表现在：第一，这条基本路线是根据中国社会主义的基本国情和时代特征确立的，具有科学的依据；第二，明确规定这条基本路线是建设有中国特色社会主义的基本路线，这体现它具有全局性，是指导全局的，是社会主义建设的总纲；第三，把“一个中心、两个基本点”正式载入党的基本路线并作为主要内容，突出了重点，确定“富强、民主、文明”三位一体的“社会主义现代化国家”的目标，这又指明了建设和改革开放的方向；第四，这条基本路线在理论形态上，是党对建设道路进行长期探索的一次飞跃，既包含了必须依据客观规律去做的根本方针，又包括了中国共产党和中国人民

在社会主义初级阶段要实现的宏伟目标。这条基本路线确立的本身，已经表明中国共产党在建设社会主义现代化方面的成熟，标志着中国人民思想观念的进步。

中国共产党在社会主义初级阶段的基本路线是建设有中国特色社会主义理论和实践的总纲。抓住了基本路线，也就是抓住了党和国家工作的全局。改革开放以来，我们党之所以能够领导和团结全国各族人民，经受住各种困难和风险的考验，保持社会政治稳定和经济文化快速发展，创造了举世瞩目的伟大成就，最根本的原因就是以邓小平为核心的中央领导集体确立和坚持了党在社会主义初级阶段的基本路线，特别是以江泽民为核心的中央领导集体坚决排除各种干扰，坚定不移地坚持并不断地创造性地贯彻执行这条基本路线。

三、经受考验坚持基本路线不动摇

是否坚持基本路线的斗争是很激烈的。由于在经济建设和改革开放方面缺少经验，国内经济从 1988 年开始出现了较大波动，中共中央决定进行治理整顿。由于国内外各种因素的影响，1989 年春夏之交，中国发生了一场政治风波，中国共产党采取了正确的方针、政策和一系列果断措施坚决予以平息。随后，以美国为首的几乎所有的西方发达国家开始对中国实行所谓的“制裁”，给中国在政治上造成了巨大的压力，经济上带来了严重困难，中国共产党经受着新中国成立以来最严峻的考验。

有人认为 1989 年政治风波是改革开放的结果，出路是回到改革开放前的老路上去。中国进入一个重大的历史关头，在邓小平等老一辈革命家的坚决支持下，1989 年 6 月 23 日至 24 日召开了具有历史意义的中共十三届四中全会，会议选举江泽民为中共中央总书记，形成了以江泽民为核心的新一代领导集体。在危难之际担当总书记重任的江泽民上任的第一次讲话，就郑重宣布：“党的十一届三中全会以来的路线和基本政策没有变，必须继续贯彻执行。在这个最基本的问题上，我要十分明确地讲两句话：一句是坚定不移，毫不动摇；一句是全面执行，一以贯之。”①

第三代中央领导集体上任后的首要工作就是排除干扰，坚定不移地贯彻执行党在社会主义初级阶段的基本路线，并创造性地全面落实基本路线的各项内容，扎扎实实地把改革开放和社会主义现代化建设事业全面推向前进。

从 1989 年 9 月开始，整个东欧社会主义国家的政局陆续发生剧烈的震荡，苏联的局势也十分严峻。西方国家加大了对社会主义国家特别是对中国实行“西化”和“分化”的力度。面对这一严峻局势，1991 年 7 月 31 日，江泽民指出：“我与党建理论研究班的同志座谈时，有的同志主张一方面抓经济建设，一方面反和平演变。我当时就表示，中心只能有一个，就是以经济建设为中心，不能搞‘多中心论’。坚持党的‘一个中心、两个基本点’的基本路线，其中坚持四项基本原则已包括反和平演变的要求。要正确处理经济建设和反和平演变的关系。在国际上不要四面出击，到处树敌。”“关键要坚持以经济建设为中心，把我们的经济搞上去，把国内各项工作搞好。反和平演变的工作必须抓紧，但不能搞运动。坚持了党的基本路线。”②

在邓小平等老一辈革命家的坚决支持下，以江泽民为核心的中央领导集体坚持基本路线，抓住时机，发展自己，集中力量把国内工作搞上去，实现了国内政治稳定、经济发展、民族团结。同时，按照“冷静观察，稳住阵脚，沉着应付，韬光养晦，善于守拙，有所作为，不要当头”的方针，在剧烈变化、错综复杂的国际局势中，开展积极有效的外交工作，逐步打破西方发达国家对中国实行的“制裁”。新一代中央领导集体审时度势，于 1992 年 1 月 13 日确定了中共中央政治局常委会 1992 年工作要点。工作要

① 中共中央文献研究室编《十三大以来重要文献选编》(中)，人民出版社 1993 年版，第 547 页。

② 江泽民：《江泽民文选》第二卷，人民出版社 2006 年版，第 526 页。

点强调："邓小平同志建设有中国特色社会主义的理论和党的'一个中心、两个基本点'的基本路线，是指引我们进行社会主义现代化建设的强大思想武器，必须以此来武装全党，进一步统一思想，坚定信念，增强团结，振奋精神。"①这个工作要点还强调三年治理整顿的任务已经基本完成，1992年要加快改革开放的步伐。

1992年1月至2月，邓小平以88岁高龄视察南方，发表了著名的南方谈话。在这次对中国改革开放产生巨大影响的谈话中，邓小平再次着重强调坚持基本路线不动摇，指出："要坚持党的十一届三中全会以来的路线、方针、政策，关键是坚持'一个中心、两个基本点'。不坚持社会主义，不改革开放，不发展经济，不改善人民生活，只能是死路一条。基本路线要管一百年，动摇不得。只有坚持这条路线，人民才会相信你，拥护你。谁要改变三中全会以来的路线、方针、政策，老百姓不答应，谁就会被打倒。"②

由此可见，以江泽民为核心的中央领导集体在重大的历史关头，坚定不移地贯彻执行基本路线，代表了中国人民的根本利益，体现了以邓小平为代表的老一辈革命家的愿望，也决定了中国的前途和命运。

中国共产党在社会主义初级阶段的基本路线，是在科学揭示中国正处于社会主义初级阶段这一基本国情的基础上确立的，反映了客观规律，因而是科学的。中国共产党在社会主义初级阶段的基本路线，是科学和完整的一个整体，是建设有中国特色社会主义的总纲，所以必须坚定地全面地贯彻执行。

从中国共产党的历史经验看，确立了正确的路线后，能否坚持不动摇关系着事业的成败。抗日战争时期，确定了全面抗战的路线，在极端复杂的形势下，以毛泽东为核心的党中央坚决排除各种干扰（包括国际的及国内国民党顽固派、共产党内的错误思潮），坚持这条路线不动摇，终于取得

---

① 中共中央文献研究室编《十三大以来重要文献选编》（下），人民出版社1992年版，第1894—1895页。

② 邓小平：《邓小平文选》第三卷，人民出版社1993年版，第370页。

中华民族抗日战争的全面胜利。中共八大也制定了正确的路线，但由于后来的实际工作偏离了这个正确路线，社会主义建设事业遭到了损失。

党的基本路线体现了党的根本任务，是建设有中国特色社会主义的总纲。历史的经验告诉人们，必须排除各种干扰，坚持基本路线不动摇。这就是说，中国共产党在社会主义初级阶段的基本路线，是国家的生命线和人民的幸福线。在建设有中国特色社会主义的整个历史进程中，坚持以经济建设为中心不能动摇，坚持四项基本原则和改革开放“两个基本点”也不能动摇。在国际斗争日益复杂特别是国际社会主义运动处于低潮的时期，中国共产党更要全面长期地贯彻党在社会主义初级阶段的基本路线。

第三节　“三步走”经济发展战略

经济建设分“三步走”的战略部署，可以说是中国社会主义建设经济纲领中的重要组成部分，是中共十三大根据“中国改革开放总设计师”邓小平的设想，依据中国社会主义初级阶段的基本国情和经济发展的客观规律，确定的经济发展战略。这个发展战略体现了几代中国共产党人的宏愿。

一、国民经济发展的“两步”设想

经济发展战略，通常指根据对经济发展的各种制约条件、因素的分析和估量，从全局出发制定的较长时期经济发展和人民生活提高所要达到的目标，以及实现这一目标的根本途径。

中国共产党和中国人民非常重视制定较长期的经济发展战略，早在新中国成立之初，以毛泽东为代表的中国共产党人就曾多次谈到经济建设的步骤和发展战略等问题。

1956年，毛泽东在最高国务会议第六次会议上强调说：“我国人民应该有一个远大的规划，要在几十年内，努力改变我国在经济上和科学文化上的落后状况，迅速达到世界上的先进水平。”①

由于缺少建设的经验，特别是由于中央和地方的一些领导人在胜利的形势下，急于求成，从良好的愿望出发，夸大了主观意志和主观努力的作用，没有经过认真的调查研究和试点，就在总路线提出后轻率地发动了“大跃进”和人民公社化运动。“大跃进”由于忽视了经济规律，给社会主义经济建设带来了严重的困难和灾难。

“大跃进”和人民公社化的教训教育了中国共产党。1962年，毛泽东在扩大的中央工作会议上强调：“中国的人口多，底子薄，经济落后，要使生产力很大地发展起来，要赶上和超过世界上最先进的资本主义国家，没有一百多年的时间，我看是不行的。”②

1964年12月，遵照毛泽东的意见，周恩来在第三届全国人大第一次会议上作《政府工作报告》时正式向全国人民提出了国民经济发展分两步走的设想。这得到了全国人民的拥护，并变为全国人民的行动，但后来爆发的“文化大革命”打乱了这个进程。

1975年1月，周恩来总理在第四届全国人民代表大会上作《政府工作报告》时再次提出：“从第三个五年计划开始，我国国民经济的发展，可以按两步来设想：第一步，用十五年时间，即在1980年以前，建成一个独立的比较完整的工业体系和国民经济体系；第二步，在本世纪内，全面实现农业、工业、国防和科学技术的现代化，使我国国民经济走在世界的前列。”③

经济建设分三步走的战略部署，是对三届全国人大和四届全国人大提

① 《毛泽东著作选读》（下册），人民出版社1986年版，第717页。
② 《毛泽东著作选读》（下册），人民出版社1986年版，第828页。
③ 《周恩来选集》（下卷），人民出版社1984年版，第479页。

出的经济发展战略的延伸和发展，是以邓小平为代表的中国共产党人从中共十一届三中全会前后开始探索，在改革开放和现代化建设的实践中逐步形成的。

二、“三步走”经济发展战略的提出

中共十一届三中全会，实行了指导思想的拨乱反正，决定把全党全国的工作重点转到社会主义现代化建设上来。

这个伟大的历史性转折实现后，邓小平等中央领导层就开始思考经济发展的长远战略。1979 年，邓小平在会见日本首相大平正芳时指出：中国式的四个现代化是本世纪末达到小康水平，以后再花 30 年到 50 年时间，接近发达国家水平。

随后，1981 年召开的中共十一届六中全会全面总结了新中国成立以来的历史经验，系统分析和批判了过去经济建设中“左”的错误，指出社会主义经济建设必须从中国国情出发，量力而行，积极奋斗，有步骤分阶段地实现现代化目标。

1982 年举行的中共十二大，根据这样的指导思想和现实的经济状况，制定了到 20 世纪末经济建设的战略部署。提出到 2000 年，要在提高经济效益的前提下，力争使全国工农业年总产值比 1980 年翻两番，人民生活达到小康水平。大会提出，实现这个奋斗目标要分两步走：前十年主要是打好基础，积蓄力量，创造条件，后十年要进入一个新的经济振兴时期。这就把中国经济建设的中期目标和前进步骤具体化了，从而在战略上指导和协调了各项经济工作。

经过几年的运行，经济建设的实践证明中共十二大提出的目标和部署比较切合实际，经过努力是可以实现的。同时，经济发展的进程和日益累积的经验，使中国共产党和国家领导人以及有识之士认识到有必要也有可能从更深的认识层次和更长远的历史跨度来规划整个经济建设，以增强国家政策的预见性、连续性和稳定性，中国经济建设必须在更深的层次上有更长远的规划。

1987年，邓小平进一步阐述经济发展战略设想，并把第一大步分作两步，明确提出了“三步走”发展战略构想。4月30日，他会见外国客人时第一次就此做了完整阐述。他说：“原定的目标，是在八十年代翻一番，以一九八〇年为基数，当时国民生产总值人均只有二百五十美元，翻一番，达到五百美元。第二步是到本世纪末，再翻一番，人均达到一千美元。实现这个目标意味着我们进入小康社会”，“我们制定的目标更重要的还是第三步。第三步是在下世纪用三十年到五十年再翻两番，目标大体上是人均达到四千美元”,“到下一个世纪中叶，我们可以达到中等发达国家的水平”。①

中共十三大根据邓小平的设想，制定了“三步走”的经济发展战略。第一步，实现国民生产总值比1980年翻一番，解决人民的温饱问题。第二步，到本世纪末，使国民生产总值再增长一倍，人民生活达到小康水平。第三步，到下个世纪中叶，人均国民生产总值达到中等发达国家水平，人民过上比较富裕的生活，基本上实现现代化。②

三、“三步走”发展战略的重点、基本内涵和实施措施

“三步走”的战略部署立足于对中国基本国情的科学分析，根据中国经济发展的客观规律，阐明了中国经济建设的历史任务和奋斗目标。

中共十三大报告指出，在社会主义初级阶段，发展社会生产力所要解决的历史课题，是实现工业化和生产的商品化、社会化、现代化，要使我国摆脱贫穷和落后，由农业人口占多数的、手工劳动为基础的农业国变为

---

① 邓小平：《邓小平文选》第三卷，人民出版社1993年版，第224页。

② 《沿着有中国特色的社会主义道路前进——在中国共产党第十三次全国代表大会上的报告》（1987年10月25日），《人民日报》1987年11月4日。

非农产业人口占多数的现代化工业国，由自然经济半自然经济占很大比重的国家变为商品经济高度发达的国家。新中国成立以来，中国的经济建设取得了巨大的成就。同时也应该注意到：中国按人口平均的国民生产总值还很低，远落后于发达国家；农业人口仍占大多数，靠手工劳动“吃饭”的局面还没有改变；商品经济和国内市场还很不发达。从这些可以看出，中国工业化的使命并没有完成，国家仍然面临进一步推进工业化的迫切要求。

同时，处在20世纪80年代，我国又面临着世界新技术革命蓬勃兴起的严重挑战。这就决定了现阶段中国的经济建设，既要着重推进以大机器生产和电气化为特征的传统产业革命，又要迎头赶上以信息技术、生物工程、新材料等为特征的世界新技术革命。中共十三大报告提出，实现工业化和商品化、社会化、现代化的具体标志，是使综合反映经济发展水平的人均国民生产总值达到中等发达国家水平，人民过上比较富裕的生活。达到这个目标，尽管人均国民生产总值水平在世界上并不算高，但由于人口众多，使得中国的整体国力将进入世界前列，中国将基本上实现现代化，由一个落后的农业国转变为现代化的工业国。

“三步走”的战略部署，以社会主义初级阶段的主要矛盾的演变为线索，把社会生产的发展水平及其相应的人民生活水平作为标志，来划分经济建设的战略步骤和确定每一步所要达到的目标。这就同过去相当长时期内单纯地用生产发展水平或用某几种产品的产量来规定发展目标的做法不同，它更全面地反映了社会主义经济发展的内在规律和本质要求。

实现“三步走”的战略部署，最重要的是走好第二步。这一步承上启下，既是巩固和发展前阶段经济发展成果的内在要求，又在很大程度上关系到下个世纪初国民经济能否有一个继续前进的良好基础。第二步的总目标，是使国民生产总值比现在再增长一倍，人民生活达到小康水平。

中共十三大的报告根据过去的经验和现实的情况，把实现第二步奋斗目标中必须遵循的经济发展战略归纳为十六个字，即注重效益、提高质量、协调发展、稳定增长。提高经济效益是第一位的，而要提高经济效益，就要大力提高产品质量，讲求比例关系协调，这样才能达到经济长期稳定增长的目的。也就是说，要以提高经济效益为中心，求得国民经济的长期稳定发展。

要执行这一发展战略，要处理好以下几个关系：①正确处理社会生产的数量与质量的关系，要坚持在讲求产品适销对路和提高质量的基础上增加产品数量；②正确处理投入和产出的关系，在努力降低物质消耗和提高劳动生产率上狠下功夫；③正确处理微观效益与宏观效益的关系，在全社会范围内合理配置资源。概括地说，就是要从以粗放经营为主的模式转到以集约经营为主的轨道上来，像邓小平说的那样，走一条速度比较实在、经济效益比较好、使人民能够得到更多实惠的新路子。

要执行这一发展战略，中共十三大提出要着重解决好三个重要问题，即加速科技事业和教育事业的发展，保持社会供求总量基本平衡和合理调整产业结构，更有成效地扩大对外开放。科技、教育的发展和产业结构的优化是提高经济效益的根本途径，而这两方面又都离不开对外开放、对外交流。

一是把发展科学技术和教育事业放在首要位置，使经济建设转到依靠科技进步和提高劳动者素质的轨道上来。

二是保持社会总需求和总供给基本平衡，合理调整和改造产业结构。

三是进一步扩大对外开放的广度和深度，不断发展对外经济技术交流与合作。

实施“三步走”的发展战略，在着重解决好上述三个问题的同时，还必须十分重视人口控制、环境保护和生态平衡，因为这些问题都关系经济和社会发展的全局。同时要继续处理好经济建设与国防建设的关系。

经济发展战略的实现，从根本上说，要依靠经济体制改革的加快和深化。同时，改革的部署和实施又必须为经济发展服务。这样就能够使改革和建设相互适应、相互促进，有力地推动我国社会主义商品经济的健康发展。

第四节　政治体制改革的推进

中共十二大之后，包括新宪法在内的立法工作得到全国人民的极大重视，立法进程明显加快，干部队伍的新老交替开始有秩序地进行，政治体制改革实际上开始启动。但是，由于经济建设和经济体制改革的紧迫性，也由于政治体制改革的复杂性，从稳妥出发，中央没有对政治体制改革进行全面部署。随着经济的发展，特别是经济体制改革的展开和深入，一方面为政治体制改革创造了前提，另一方面又使政治体制的不适应性突显出来。在这种情况下，中共十三大把政治体制改革提上了工作日程。

一、中共十三大对政治体制改革的部署

1987 年 10 月，中共十三大上作出了“把政治体制改革提上全党工作日程的时机已经成熟”的判断，并提出了具体的改革部署。十三大报告指出：“经济体制改革的展开和深入，对政治体制改革提出了愈益紧迫的要求。发展社会主义商品经济的过程，应该是建设社会主义民主政治的过程。不进行政治体制改革，经济体制改革不可能最终得到成功。”“政治体制和经济体制改革的目的，都是为了在党的领导下和社会主义制度下更好地发展社会生产力，充分发挥社会主义制度的优越性。”“进行政治体制改革，就是要兴利除弊，建设有中国特色的社会主义民主政治。改革的长远目标，是建立高度民主、法制完备、富有效率、充满生机和活力的社会主义政治体制。”“改革的近期目标，是建立有利于提高效率、增强活力和调动各方面积

极性的领导体制。”[①]为此，十三大提出实行党政分开、进一步下放权力、改革政府工作机构、改革干部人事制度、建立社会协商对话制度、完善社会主义民主政治的若干制度、加强社会主义法制建设七个方面的改革措施。

中共十三大在提出进行政治体制改革的同时，也明确提出了改革必须遵循的原则。其中最重要的原则是：决不能搞破坏国家法制和社会安定的“大民主”，不能照搬西方的“三权分立”和多党轮流执政。这就为国家政治体制的改革确定了方向。

二、七届全国人大一次会议具体部署政治体制改革

1988 年 3 月 25 日至 4 月 13 日，七届全国人大一次会议在北京召开。3 月 25 日，国务院总理李鹏在会上作了《政府工作报告》，提出了今后五年建设和改革的目标、方针和任务。

李鹏在报告中指出：要加快和深化改革，推动生产力发展，实现第七个五年计划，制订和执行第八个五年计划。到 1992 年，力争在不断提高经济效益的基础上，使国民生产总值达到 15500 亿元，每年增长 7.5% 左右。实现了这个目标，就可以为在本世纪末实现国民生产总值翻两番、人民生活达到小康水平打下牢固的基础。为实现这个奋斗目标，报告提出了大力发展农业生产和加强基础工业、基础设施建设，以及加快科学技术和教育事业的发展和改革、以深化企业改革为中心进行综合配套改革、不失时机地加快实施沿海地区经济发展战略等 10 项主要任务。

会议审议并批准了国务院机构改革方案和关于国务院机构改革方案的说明。会议批准的国务院机构改革方案撤销 12 个部、委，新组建 9 个部、委，保留 32 个部、委、行、署，转为企事业单位 1 个，改革后的国务院组成部委共有 41 个。

---

① 中共中央文献研究室编《十三大以来重要文献选编》（上），人民出版社 1991 年版，第 34、35 页。

会议通过了《中华人民共和国全民所有制工业企业法》《中华人民共和国中外合作经营企业法》《中华人民共和国宪法修正案》。《中华人民共和国宪法修正案》对宪法第十一条增加了规定："国家允许私营经济在法律规定的范围内存在和发展。私营经济是社会主义公有制经济的补充。国家保护私营经济的合法的权利和利益，对私营经济实行引导、监督和管理。"将宪法第十条第四款"任何组织或者个人不得侵占、买卖、出租或者以其他形式非法转让土地"修改为"任何组织或者个人不得侵占、买卖或者以其他形式非法转让土地。土地的使用权可以依照法律的规定转让"。这些修正有利于促进和维护中国以社会主义公有制为主体、多种经济成分并存和共同发展的经济格局。

三、政治体制改革的实施

按照中共十三大和七届全国人大一次会议对政治体制改革的部署，这期间中国的政治体制改革在如下方面进行。

（一）按照党政分开的改革思路进行改革

中共十三大按照党政分开的思路，部署进行政治体制改革。十三大认为，中国共产党是中国社会主义事业的领导核心。在新的形势下，只有改善党的领导制度、领导方式和领导作风，才能加强党的领导作用。为此，十三大报告强调："长期形成的党政不分、以党代政问题还没有从根本上解决。这个问题不解决，党的领导无法真正加强，其他改革措施也难以顺利实施。因此，政治体制改革的关键首先是党政分开。"代表大会通过的报告强调："党政分开即党政职能分开。党领导人民制定了宪法和法律，党应当在宪法和法律的范围内活动。党领导人民建立了国家政权、群众团体和各种经济文化组织，党应当保证政权组织充分发挥职能，应当充分尊重而不是包办群众团体以及企事业单位的工作。党的领导是政治领导，即政治原则、政治方向、重大决策的领导和向国家政权机关推荐重要干部。”[①]

（二）改革党对国家事务实行政治领导的主要方式

加强和改善党的领导方式是中共十三大着力推进政治建设和改革的重要内容。十三大报告指出：“使党的主张经过法定程序变成国家意志，通过党组织的活动和党员的模范作用带动广大人民群众，实现党的路线、方针、政策。党和国家政权机关的性质不同、职能不同、组织形式和工作方式不同。应当改革党的领导制度，划清党组织和国家政权的职能，理顺党组织与人民代表大会、政府、司法机关、群众团体、企事业单位和其他各种社会组织之间的关系，做到各司其职，并且逐步走向制度化。”[②]十三大报告强调中央、地方、基层的情况不同，实行党政分开的具体方式也应有所不同。企业党组织的作用是保证监督，不再对本单位实行“一元化”领导，而应支持厂长、经理负起全面领导责任。事业单位中的党组织，也要随着行政首长负责制的推行，逐步转变为起保证监督作用。关于具体的改革措施，十三大报告提出：“为了适应党的领导方式和活动方式的转变，必须调整党的组织形式和工作机构。今后，各级党委不再设立不在政府任职但又分管政府工作的专职书记、常委。”[③]十三大报告认为：从党政不分到党政分开，是我们党的领导制度的一项重大改革。党政分开才能使党驾驭矛盾，总揽全局，真正发挥协调各方的作用；党政分开才能使党组织较好地行使监督职能，有效地防止和克服官僚主义。从党政不分、以党代政到党政分开，这是中国共产党领导制度的一个根本性的转变。党政分开针对权力过分集中的弊端，官僚主义严重的现象，强调对党委包揽一切、党组织高于一切组织、党员高于一切群众、书记高于一切干部的现象进行改革。

① 《沿着有中国特色的社会主义道路前进——在中国共产党第十三次全国代表大会上的报告》（1987年10月25日），《人民日报》1987年11月4日。

② 《沿着有中国特色的社会主义道路前进——在中国共产党第十三次全国代表大会上的报告》（1987年10月25日），《人民日报》1987年11月4日。

③ 《沿着有中国特色的社会主义道路前进——在中国共产党第十三次全国代表大会上的报告》（1987年10月25日），《人民日报》1987年11月4日。

（三）强调党内正确的权力授受关系

加强党内民主建设，理顺党内权力的授受关系是中共十三大关于领导制度改革的又一个重要内容。十三大报告提出："要从中央做起。主要是：建立中央政治局常委向中央政治局、中央政治局向中央全会定期报告工作的制度；适当增加中央全会每年开会的次数，使中央委员会更好地发挥集体决策作用；建立中央政治局、政治局常委会、中央书记处的工作规则和生活会制度，使集体领导制度化，加强对党的领导人的监督和制约。地方各级党组织也要相应建立和完善有关的议事规则、表决制度和生活会制度。要改革和完善党内选举制度，明确规定党内选举的提名程序和差额选举办法。近期，应当把差额选举的范围首先扩大到各级党代会代表，基层党组织委员、书记，地方各级党委委员、常委和中央委员会委员。要切实保障党章规定的党员民主权利，制定保障党员权利的具体条例。侵犯党员的权利，就是违反党的纪律，必须受到党纪处分。要疏通党内民主渠道和健全民主生活，使党员对党内事务有更多的了解和直接参与的机会。"①

（四）1988 年国务院机构改革

根据中共十三大推进政治体制改革的精神，1988 年七届全国人大一次会议审议和原则批准国务院机构改革方案，随之大规模的机构改革全面展开。这一次机构改革的特点是：提出了机构改革的长远目标是逐步建立一个具有中国特色的功能齐全、结构合理、运转协调、灵活高效的行政管理体制，把转变职能和理顺关系作为机构改革的两大任务，将"定职能、定机构、定编制"的"三定"方案作为机构改革的关键措施。

这次改革的结果是：调整了总体格局，强化了综合部门、经济调节部门、监督部门和社会保障部门，适当弱化了专业经济管理部门。国务院常设机构由 72 个减少为 66 个，非常设机构由 75 个减少到 49 个，改革前实有

---

① 中共中央文献研究室编《十三大以来重要文献选编》（上），人民出版社 1991 年版，第 51 页。

人数为 5.28 万人，改革后为 4.48 万人，人员精简比例约 15%。

这次机构改革，按照党政分开的原则，对党中央直属机构进行了改革，将由政府部门承担的职能移交给政府有关部门，不再设置与国务院职能部门工作重叠的办事机构。党中央原有直属机构和事业单位 26 个，改革后只有 22 个。这次改革与前几次比较，成果显著一些，但仅仅是实现机构改革总体目标过程中的一个步骤，有许多任务没有完成，政府职能的转变没有到位，关系还没有真正理顺。

四、中共十三大后政治体制改革遇到复杂局势和严峻挑战

中共十三大后，中国政治体制改革继续推进，并取得一定成效。但由于政治体制改革从根本的方面来讲，是为了创建新的社会主义民主形式，开通走向法治国家的道路，因而是一项非常复杂、艰巨的系统工程。从现实来讲，政治体制改革实质上是各级、各种权力的调整，涉及的范围很广，涉及的方面很宽，涉及的问题则更为复杂，特别是要触动方方面面的人事关系和利益关系。因此，它在后来改革的进程中不能不遇到各种各样的困难。

1989 年，中国出现了一场严重的政治风波。随后，国际上又出现了东欧剧变和苏联解体。面对这样复杂严峻的国际、国内局势，以及由此带来的严峻挑战，不能不引起中国共产党的慎重应对。为此，中国共产党开始科学地总结经验，强调并妥善处理改革、发展与稳定的关系，规避风险，捍卫中国特色社会主义和改革开放的伟大成果，适时地调整政治体制改革的战略和步骤。

第八章

在严峻考验中深化改革开放

20世纪80年代末和90年代初，中国共产党面临着来自国内和国际的严峻考验。在国内，一是经济波动的考验，二是严重政治风波的考验；在国际上，一是以美国为首的西方发达国家对中国进行制裁，二是东欧剧变、苏联解体，世界社会主义运动出现低潮。以江泽民同志为核心的党中央受命于危难之际，团结带领全党全军全国各族人民应对严峻考验，捍卫和发展了中国社会主义现代化建设的伟大事业，继续推进改革开放向前发展。

第一节　价格“闯关”与治理整顿的决定

1987 年中共十三大以后，中共中央和国务院继续推进改革开放。1988 年 9 月，中共十三届三中全会作出治理经济环境、整顿经济秩序、全面深化改革的决定。治理整顿的三年也是理论工作者特别是经济学家有不同认识并给予不同评价的阶段。从表面来看，治理整顿时期的经济体制改革步伐缓慢下来，经济建设发展的速度与此前的五年相比也形成了明显的反差。但实际上，这三年的治理整顿是中国经济发展走向成熟、改革开放走向深入的转折点，为后来几年经济建设持续、高速、健康发展奠定了重要的基础。治理整顿的决策是中共中央政治局确定、经过两次中央全会特别是七届全国人大二次会议通过的。三年的治理整顿可以划分为两个阶段。

一、治理整顿和深化改革决策的背景

1988 年 9 月至 1991 年底的三年治理整顿，是中国改革开放历史上的一个特殊阶段，可以说是中国共产党在领导改革开放过程中的一件大事。治理整顿、深化改革的方针的制定有一个过程，这个过程体现了中国共产党在领导改革开放过程中探索的艰难。

到 1988 年，中国共产党启动经济体制改革已经进入了第十个年头。十年来，党以经济建设为中心，在社会主义现代化建设特别是经济建设上取得了举世瞩目的辉煌成就，特别是 1984 年至 1988 年的经济发展比较快。正如邓小平所说：“这五年，首先是农村改革带来许多新的变化，农作物大幅度增产，农民收入大幅度增加，乡镇企业异军突起。广大农民购买力增加了，不仅盖了大批新房子，而且自行车、缝纫机、收音机、手表‘四大件’

和一些高档消费品进入普通农民家庭。农副产品的增加，农村市场的扩大，农村剩余劳动力的转移，又强有力地推动了工业的发展。这五年，共创造工业总产值六万多亿元，平均每年增长百分之二十一点七。吃、穿、住、行、用等各方面的工业品，包括彩电、冰箱、洗衣机，都大幅度增长。钢材、水泥等生产资料也大幅度增长。农业和工业，农村和城市，就是这样相互影响、相互促进。这是一个非常生动、非常有说服力的发展过程。可以说，这个期间我国财富有了巨额增加，整个国民经济上了一个新的台阶。”[①]在取得举世瞩目成就的同时，1984年以来，伴随着改革的成就和经济的发展，许多长时期积累的矛盾也趋于尖锐。这些矛盾在改革开放进入第十个年头的时候，已经突出地显露出来。

经济发展过程中的新老矛盾凸显。一是社会总需求超过总供给的矛盾进一步扩大，形成投资需求和消费需求双膨胀的局面，并导致严重的通货膨胀。二是国民经济结构性矛盾明显突出起来，农业再次成为国民经济的薄弱环节。由于人口自然增长率的回升，1987年人口净增1500万，中国人均粮食占有量由1984年的396.5公斤下降到376公斤，大约下降5%，中国再次由粮食出口国成为净进口国。三是当时经济秩序紊乱，国家管理和宏观调控经济的能力减弱。在生产、建设、流通领域均发生了不同程度的混乱现象，特别是流通领域混乱现象非常严重。其突出的表现是各种公司办得过多过滥，达到29万多个，[②]远远超过了正常商品流通的需要。特别是一些官商不分的“官倒”公司，利用价格双轨制从流通中转手倒卖重要紧缺生产资料，牟取暴利，既严重扰乱了经济秩序，又引起人民群众的严重不满。以上几个方面的尖锐矛盾，当时被概括为“四过一乱”，即过旺的社会需求、过快的工业发展速度、过多的信贷和货币投放、过高的物价涨幅，经济秩序混乱。[③]这种情况严重地影响了国民经济的正常发展。

---

① 邓小平：《邓小平文选》第三卷，人民出版社1993年版，第376页。

② 中共中央文献研究室编《十三大以来重要文献选编》（中），人民出版社1991年版，第555页。

③ 陈雪薇主编《十一届三中全会以来重大事件和决策调查》，中共中央党校出版社1998年版，第433页。

二、价格改革“闯关”受挫

价格改革是经济体制改革的重要方面。1984 年，中共十二届三中全会通过的《中共中央关于经济体制改革的决定》指出了价格问题的重要性：价格体系的改革是整个经济体制改革成败的关键。1984 年以前，价格改革以有计划地调整价格为主，重点是提高农副产品收购价格，同时调整一些基础工业品的价格。1984 年以后，价格改革主要以放开价格为主，放调结合。价格改革的重要一步是开始实行生产资料价格的双轨制。1988 年，经济领域暴露出来的尖锐矛盾进一步揭示了改革不合理的价格体系及价格管理体制的必要性和紧迫性。但是由于当时中共党内高层主张价格“闯关”的领导者居于主导地位，在 1988 年经济环境不是很好的情况下，对当时的经济形势的估计过于乐观。1988 年 8 月 17 日，在北戴河召开的中共中央政治局第十次全体会议讨论并原则通过《关于价格、工资改革初步方案》。8 月 19 日，《人民日报》详细地报道了中共中央政治局第十次全体会议的情况和价格改革方案的基本内容。在物价涨幅连月居高不下的情况下（7 月份已达 19.3%），中央政治局通过价格改革方案的消息一经传开，人们误以为 9 月 1 日物价要全面放开，由此再次掀起全国性的抢购商品和挤兑银行存款的风潮。

这场抢购挤兑风潮，是新中国成立以来前所未有的，体现在如下方面：“第一，波及面广。从 8 月中旬开始，北京、上海、天津、重庆、西安、福州、成都等大城市再次突起抢购风潮，瞬间席卷全国城市和部分乡村。第二，抢购品种全。这次抢购的主要对象为常用商品，涉及 50 个大类 500 多种商品，也有部分地区抢购粮食、食油的。就是说，大到几千元的高档商品，小到易消耗的便宜货，均在抢购之列。第三，盲目性大。在这次抢购中，消费者的购买行为已经不是为了消费，而是为了保值，所以，购物时不管品种、不管牌号、不问质量，不讲价格，很多商场积压多年的残次商品，也在这次风潮中被一抢而空。第四，卷入阶层多。面对年初以来的物价持续大幅度的上涨，各阶层群众普遍产生购物保值的心理，一有风吹草动，就会立即卷入到盲目的抢购中去。这次风潮中的抢购者，有工人、教师、机关干部、科技工作者、个体工商业者、农民，几乎遍布社会各个阶层，而以有固定工资收入的居多。第五，零售商品总额增幅高。”[①] 这次抢购风潮的又一特点是与银行储蓄存款的挤兑风潮相伴随。广大民众不但挤兑活期存款，而且挤兑未到期的定期存款。抢购风潮的出现出乎价格改革“闯关”决策者的预料，标志着价格改革“闯关”受挫。

价格改革“闯关”受挫，致使上面所说的几个方面的矛盾进一步激化。首先是社会总需求超过总供给的矛盾更加扩大；其次是在供求总量不足的同时，国民经济结构性矛盾更为突出；再次是物价居高不下，通货膨胀日趋严重；最后，伴随几次物价抢购风潮，经济秩序更加混乱。[②] 这种情况需要中共中央、国务院下决心予以解决。

三、治理整顿、深化改革方针的决定

1988 年 8 月开始出现的遍及全国的抢购商品、银行挤兑风潮和经济领域出现的复杂局势，立刻引起中共中央和国务院的高度重视，并逐步形成治理整顿和深化改革的决策。

（一）初步决定进行治理整顿和深化改革

1988 年 8 月 30 日，国务院召开第二十次常务会议，认真讨论和分析了当前的市场和物价形势，并一致通过了关于做好当前物价工作和稳定市场的若干重要决定。8 月 31 日，《人民日报》立即将会议内容向全社会公布，包括“一、经中共中央政治局第十次会议原则通过的价格、工资改革初步方案中所讲的‘少数重要商品和劳务价格由国家管理，绝大多数商品价格

① 陈雪薇主编《十一届三中全会以来重大事件和决策调查》，中共中央党校出版社 1998 年版，第 439—440 页。

② 陈雪薇主编《十一届三中全会以来重大事件和决策调查》，中共中央党校出版社 1998 年版，第 442—443 页。

放开，由市场调节’，指的是经过五年或更长一点时间的努力才能达到的长远目标。目前改革方案还在进一步修订和完善之中。明年作为实现五年改革方案的第一年，价格改革的步子是不大的，国务院将采取有力措施，确保明年的社会商品零售物价上涨幅度明显低于今年。各地应据此向群众做好宣传解释。二、各地区、各部门必须继续贯彻执行国务院关于今年下半年不出台新的调价措施的决定。国务院有关部门管理的商品价格和收费标准，各地一律不得擅自提高。地方管理的商品价格和收费标准，也不得任意提高。对乱涨价、变相涨价的企业和单位，以违反财经纪律论处，必须严肃追究主要负责人的责任。三、为了稳定市场、稳定金融和保护人民群众的利益，责成中国人民银行开办保值储蓄，使三年以上的存款利息不低于以至略高于物价上涨幅度。具体办法由中国人民银行近期内制定公布”[①]等六项措施。

李鹏总理在会上发表了重要讲话，他说：“国务院在决定放开和调整部分名烟名酒价格时就已经明确宣布，国务院今年下半年不再出台新的调价措施。从现在起，各地政府必须切实负起责任来，采取强有力措施，包括经济的和行政的措施，坚决控制物价上涨。同时，欢迎广大人民群众和舆论机构予以监督。在改革中必须加强和改善宏观控制，做到令行禁止。中央一声令下，全国统一行动，这个好传统不能丢。现在有些部门、有些地区、有些单位有令不行，有禁不止，只考虑本部门、本地区、本单位的局部利益，置国家利益、人民利益于不顾，这是不能容许的。”[②]这次国务院常务会议，还对国务院已经和将要采取的坚决压缩基本建设规模、压缩楼堂馆所等非生产性建设、压缩集团购买力、保持政府机关廉洁和反对铺张奢侈之风、清理和整顿公司等治理经济环境、稳定发展经济的各项措施，做了进一步的检查和落实。

邓小平也高度关注改革过程中出现的这个问题。9 月 12 日，邓小平在

---

① 《国务院常务会分析当前形势决定做好物价工作稳定市场》，《人民日报》1988 年 8 月 31 日。
② 《国务院常务会分析当前形势决定做好物价工作稳定市场》，《人民日报》1988 年 8 月 31 日。

听取李鹏、乔石、胡启立、姚依林等关于价格和工资改革初步方案的汇报时强调："我的中心意思是，中央要有权威。改革要成功，就必须有领导有秩序地进行。赞成边改革、边治理环境整顿秩序。要创造良好的环境，使改革能够顺利进行。但是，治理通货膨胀、价格上涨，无论如何不能损害我们的改革开放政策，不能使经济萎缩，要保持适当的发展速度。""真正建立秩序，不理顺价格不行。价格没有理顺，就谈不上经济改革的真正成功。我们准备用若干年时间把价格初步理顺，最终达到面向世界市场。"①

9月15日至21日，中共中央政治局召开中央工作会议，出席这次中央工作会议的有中央党政军各方面的负责人和各省、市、自治区、各大军区负责人共217人。会议讨论了治理经济环境、整顿经济秩序、全面深化改革的问题。会议认真研究了全面深化改革的指导方针和配套措施。会议认为，深化改革不仅是价格、工资改革，而且是多方面的改革。明后两年要把改革和建设的重点放到治理经济环境、整顿经济秩序上来。这既是深化改革的必要条件，也是深化改革的重要内容。会议分析了当前的经济形势，并提出了坚决抑制通货膨胀、深化改革的若干重要政策建议。②9月24日，中共中央政治局召开第十二次全体会议，讨论并通过了《在中国共产党第十三届中央委员会第三次全体会议上的工作报告》，决定提请党的十三届三中全会审议。报告的主要内容是阐述"治理整顿，深化改革"的指导方针。

（二）中共十三届三中全会作出治理整顿、深化改革的决策

在做了以上比较充分准备的基础上，1988年9月26日至30日，中共十三届三中全会在北京举行。中共中央政治局常委李鹏、乔石、胡启立、姚依林等主持了这次全会。中央委员165人、候补中央委员103人参加全

① 中共中央文献研究室编《邓小平年谱（1975—1997）》（下），中央文献出版社2004年版，第1247页。

② 《中央工作会议在京召开 明后两年重点治理经济环境整顿经济秩序》，《人民日报》1988年9月23日。

会，中央顾问委员会委员 184 人、中央纪律检查委员会委员 67 人、不是上述三个委员会成员的有关方面主要负责同志 63 人列席全会。全会确定：在坚持改革、开放总方向的前提下，把 1989 年和 1990 年两年改革和建设的重点突出地放到治理经济环境和整顿经济秩序上来，以扭转物价上涨幅度过大的态势，创造理顺价格的条件，使经济建设持续、稳步、健康地发展。

中共十三届三中全会审议通过了中央政治局的报告，批准了中央政治局提出的治理经济环境、整顿经济秩序、全面深化改革的指导方针和政策、措施。“全会原则通过《关于价格、工资改革的初步方案》，建议国务院在此后五年或较长一些时间内，根据严格控制物价上涨的要求，并考虑各方面的实际可能，逐步地、稳妥地组织实施。”①

（三）陈云提出八点意见

1988 年 10 月 8 日，中央顾问委员会主任陈云指出，在我们这样一个社会主义国家里，学习西方市场经济的办法，看来困难不少。你们正在摸索，摸索过程中碰到一些问题是难免的，还可以继续摸索，并随时总结经验。陈云还谈了八点意见：

①粮食问题始终是一个大问题。十亿人民要吃饭，农民种地卖粮给国家，天经地义。现在相当大一批农民搞乡镇企业，买粮食吃，不能小看。对乡镇企业要做些调查研究，哪些是有用的，哪些是不行的，以便积极引导，使其健康发展。②种田必须养地；承包工交企业的，必须确保设备完好率。化肥用得越多（超过一定数量），土地就越瘦，今后必须大力提倡施用农家肥。要研究现在农民不重视农家肥的原因，提出有效的解决办法。企业实行承包责任制，有积极的一面，也要看到消极的一面，比如不少企业为了完成承包数，硬拼设备，带病运转。近年来安全事故增多，恐怕与此有关。企业一定要维护好设备，特别是关键设备，四个九不行，必须做

---

① 《中国共产党第十三届中央委员会第三次全体会议公报》（1988 年 9 月 30 日通过），《人民日报》1988 年 10 月 1 日。

到万无一失。总之，要看到，现在无论是农业生产，还是工业生产，都相当普遍地存在着一种掠夺式的使用资源的倾向，应当引起重视。③中央的政治权威，要有中央的经济权威作基础。没有中央的经济权威，中央的政治权威是不巩固的。经济活动中，中央应该集中必须集中的权力。搞活经济是对的，但权力太分散就乱了，搞活也难。现在非生产性建设特别是楼堂馆所建设搞得太多了。④永远不打赤字财政。从全局看，在几大平衡中，最基本的，是财政平衡。要扭转当前混乱的经济局面，首先要靠财政平衡特别是中央财政平衡。现在票子发得太多。票子发行的权力要高度集中，还是要“一支笔”。⑤在历史上起过作用的办法，现在不应该全部照搬，但也不能一概否定。在改革中，不能丢掉有计划按比例发展经济这一条，否则整个国民经济就会乱套。⑥提高人民生活水平，要掌握一定的幅度，不能过高过快。⑦对储蓄搞保值是必要的。国库券也要保值。如果不从根本上采取稳定市场物价措施，提款抢购风潮还会再起。外债可以借，但要尽量少借。借外债要用得好，还得起。⑧目前财政经济遇到一些困难，在克服这些困难的过程中，必须加强和依靠党的领导，特别是党中央的核心领导作用。①

长期主管国务院经济工作、经验丰富的陈云的谈话，对中央进一步推进治理整顿、深化改革，确定治理整顿的内容及具体部署，起到了重要作用。

（四）召开全国计划会议和全国经济体制改革工作会议部署治理整顿

为进一步落实中共中央决定，1988 年 11 月 28 日至 12 月 5 日，国务院在北京同时召开全国计划会议和全国经济体制改革工作会议，讨论安排 1989 年国民经济和社会发展计划，讨论部署 1989 年经济体制改革工作。12 月 5 日，李鹏在闭幕会上作《把建设和改革的重点切实放到治理经济环境和整顿经济秩序上来》的讲话，讲了四个方面的问题：一是坚决把改革和

---

① 中共中央文献研究室编《陈云年谱（1905—1995）》（下卷），中央文献出版社 2000 年版，第 416—417 页。

建设的重点切实地放到治理经济环境、整顿经济秩序上来，确保明年物价上涨幅度明显低于今年；二是当前必须着重把过大的社会总需求压缩下来，同时改善和增加有效供给，以逐步实现社会供需总量和结构的大体平衡；三是切实组织好市场商品供应，严格物价管理，安排好人民生活；四是把深化改革、坚持开放同治理经济环境、整顿经济秩序密切结合起来。① 李鹏强调 1989 年改革要着重抓好以下几个方面：第一，要深化企业改革。继续完善和发展经营承包责任制，加强和改进企业内部管理，提高经济效益。第二，积极推进那些对治理通货膨胀有重大作用的改革。如住房商品化，出售部分国有小企业产权等改革措施。第三，加强和改进宏观经济调控，要通过经济的、行政的、法律的、纪律的和思想政治工作的手段来实现。②

（五）通过国家最高权力机关批准实施治理整顿、深化改革的部署

1989 年 3 月 20 日至 4 月 4 日，七届全国人大二次会议在北京举行。3 月 20 日下午，国务院总理李鹏向大会作《坚决贯彻治理整顿和深化改革的方针》的政府工作报告。李鹏在报告中提出了治理整顿及所要达到的目标：

一是消除经济过热，把发展速度降到比较合理的水平。二是遏制通货膨胀，使 1989 年物价上涨幅度明显低于 1988 年，1990 年以后的上涨幅度进一步下降。三是压缩固定资产投资规模，使之同国力承担的可能相适应；控制消费基金的过快增长，使之同国民收入的增长相适应。四是逐步缓解社会总需求大于总供给的矛盾，实现财政、信贷、物资、外汇的基本平衡。五是认真调整经济结构，使粮、棉、油等主要农产品的产量有较多增加，使能源、交通、原材料供应的紧张状况有所缓和。六是建立健全必要的经济法规以及宏观调控体系和监督体系，积极推进社会主义商品经济新秩序

---

① 中共中央文献研究室编《十三大以来重要文献选编》（上），人民出版社 1991 年版，第 343—353 页。

② 中共中央文献研究室编《十三大以来重要文献选编》（上），人民出版社 1991 年版，第 353—354 页。

的建设。[1]第七届全国人民代表大会第二次会议通过了这个政府工作报告。这标志着国家最高权力机关批准了中共中央和国务院提出的关于治理经济环境、整顿经济秩序、全面深化改革的指导方针和政策、措施。

第二节 应对国内外政治风波的严峻考验与新老领导集体交替

正当治理整顿工作进一步推进时，1988年末至1989年初，在若干大城市特别是在北京，极少数人利用党和政府工作中的失误和人民群众对物价上涨的焦虑，以及人们对一些党员干部中存在腐败现象的不满情绪，进行煽动反对共产党的领导、反对社会主义制度的活动，并演变成一场严重的政治风波。

一、国内政治风波的平息

在国内外各种因素的作用和影响下，1989年春夏之交的中国发生了一场新中国成立以来从未有过的政治风波。这场惊心动魄的政治风波从北京波及全国各大中城市，来势凶猛，把社会主义的中国再次推向紧要关口。

1989年4月15日，胡耀邦逝世。中共中央充分肯定胡耀邦在60年的革命生涯中，为中国革命、建设、改革事业作出的卓越贡献。在中央举行悼念活动期间，极少数人借机散布谣言，蛊惑群众举行示威游行，北京发生聚众冲击中南海新华门的严重事件。其他一些城市也发生不法分子打、砸、抢、烧的犯罪活动。4月24日，中央政治局常委会会议分析研究事态发展，认为一场有计划、有组织的反党、反社会主义的政治动乱已经摆在

① 中共中央文献研究室编《十三大以来重要文献选编》（上），人民出版社1991年版，第428—429页。

面前。4 月 26 日，《人民日报》发表题为《必须旗帜鲜明地反对动乱》的社论，向全党全国人民指出这场斗争的性质。但是，极少数别有用心的人仍煽动群众占据天安门广场，继续进行各种非法活动，最终发展成为一场反革命暴乱。

在关系党和国家生死存亡的关键时刻，中央政治局在邓小平和其他老一辈革命家坚决有力的支持下，依靠人民，旗帜鲜明地反对动乱，于 1989 年 6 月 4 日采取果断措施，平息了北京地区的反革命暴乱。北京和其他大中城市很快恢复正常秩序。这场斗争的胜利，捍卫了中国社会主义性质的国家政权，维护了社会正常秩序和人民根本利益。

这场政治风波是新中国成立后最严重的针对中共中央和政府的事件。在关系到党和国家前途、命运的关键时候，党和政府被迫采取措施予以平息。但风波造成的影响却是巨大的，人们对其严重性的认识，以及如何处理也有不同的看法。在风波平息后的历史反思中，有人根据国内外敌对势力的表现，对中共十一届三中全会以来的路线、方针、政策表现了某种动摇。在这历史的关头，中国将如何继续前进和发展，对中国共产党来说确实是一次严峻的考验。

二、应对东欧剧变、苏联解体

在中国发生严重政治风波之后，由于多种因素的作用和影响，从 1989 年下半年开始，东欧各社会主义国家的政局也发生了剧变。可以说，东欧六国形势剧变，程度之激烈，速度之急遽，不但出乎中国人的意料，也出乎整个西方集团的意料。1989 年 9 月，波兰团结工会在大选中获胜，组建了东欧原社会主义六国中的第一个非共产党（工人党）政府。10 月，匈牙利社会主义工人党分裂，改建为匈牙利社会党，建立议会民主和多党制。10 月 18 日，民主德国执政的德国统一社会党中央总书记、民主德国国务委员会主席和国防委员会主席埃里希·昂纳克辞职。民主德国政府不断改组，于11月17日组成联合政府。11月18日，“柏林墙”向联邦德国开放，标志着具有东西方冷战及不同意识形态象征意义的“柏林墙”倒塌。1990年10月3日，民主德国加入联邦德国，德国宣布正式统一。1989年11月，保加利亚共产党领导人日夫科夫辞职。随后，保共同意讨论组织联合政府，保共失去执政地位。11月，捷克斯洛伐克共产党领导层分裂，随后组建了“民族谅解政府”，由“公民论坛”主要领导人出任总统。12月，罗马尼亚国内发生武装冲突，罗马尼亚共产党当时的总书记、总统齐奥塞斯库和夫人被反对派抓捕，经过“一次简短的审判”后，被枪决，罗马尼亚共产党政府被推翻，反对派“救国阵线”上台实行多党制。1990年，东欧形势依然动荡，阿尔巴尼亚开始实行多党制，劳动党（共产党）失去执政权。南斯拉夫联邦原执政的共产党，在斯洛文尼亚、克罗地亚、波黑、马其顿四个共和国失去执政地位，各共和国之间矛盾日益尖锐，斯洛文尼亚和克罗地亚两个共和国要求独立。

进入20世纪90年代，“十月革命”的故乡、世界第一个社会主义国家苏联已经很难摆脱社会危机。1990年，苏联国民生产总值在战后首次出现负增长，财政状况继续恶化，市场供应匮乏，人民生活水平下降。1991年3月，苏联全民公决保留联盟。4月14日，改国名为“苏维埃主权共和国联盟”。在复杂的背景下，苏联发生了“8·19”事变，虽然这次事变很快就结束，但其结果却是苏共领导人戈尔巴乔夫于8月24日宣布辞去苏共中央总书记职务，并宣布苏共中央委员会自行解散。苏联原来的15个加盟共和国，除波罗的海3国已先分离出去外，其他12国也相继宣告独立，12月8日，3个苏联的共和国——俄罗斯、乌克兰、白俄罗斯签署明斯克协议，宣布成立“独立国家联合体”。12月21日，另外8个共和国同明斯克协议的3国在阿拉木图签署了《关于建立独立国家联合体协议的议定书》和《阿拉木图宣言》，作为“共同创始国”加入“独联体”。随即，“11个主权共和国的领导人致函戈尔巴乔夫，通知他苏联已不复存在，苏联总统的设置也已停止存在”[①]。8月25日7时许，苏联总统戈尔巴乔夫发表电视讲话宣布辞职，“7时25分，戈尔巴乔夫电视讲话结束了，苏联总统府的屋顶上出现了一个身影。人们屏住了呼吸。7时32分，那面为几代苏联人熟睹的镰刀锤子旗开始徐徐下落、下落。7时45分，一面三色的俄罗斯联邦国旗取而代之，升上了克里姆林宫上空。此时此刻，广场上的人们意识到，克里姆林宫已成为俄罗斯的总统府，苏联从地图上消失了”[②]。苏联旗帜落地，标志着苏联模式的社会主义的失败。国际社会主义运动进入了第二次世界大战以来的低谷。

东欧剧变导致这些国家执政的共产党纷纷下台，政权更迭、制度更替。国际共产主义运动的空前挫折，对中国社会主义事业是一次空前的冲击。世界的政治格局发生倾斜。西方的政治势力继续利用这一时机，加大对中国实行“西化”“分化”“弱化”的力度，妄图以其强大的经济、科技、军事实力做后盾，利用其政治、经济、文化、外交等手段，达到“不战而胜”的目的。如何顶住西方的政治、军事、外交、经济、文化的压力，对中国共产党和中国人民又是一个严峻的考验。

三、新一代“实行改革的有希望的领导班子”的建立

在20世纪80年代末至90年代初，国际、国内发生严重政治风波，世界社会主义出现严重曲折，我国社会主义事业发展面临空前巨大的困难和压力。在这个决定党和国家前途命运的重大历史关头，中国共产党需要一个坚强的领导集体应对这一系列的严峻考验。在一段时间里主持中央工作的领导人在推进改革开放、发展经济的同时，未能使反对资产阶级自由化方针得到认真的贯彻执行，资产阶级自由化思潮不但没有受到遏制，反而不断泛滥。党中央决定对中央主要领导进行调整，以捍卫中国特色社会主义伟大事业，进一步推进改革开放。

① 周象光：《俄罗斯等11国首脑在阿拉木图举行会议，宣告成立独立国家联合体，苏联不复存在》，《人民日报》1991年12月22日。

② 周象光：《红场易旗纪实》，《人民日报》1991年12月27日。

（一）邓小平提议换一个“实行改革的有希望的领导班子”

中国的事情能不能办好，社会主义和改革开放能不能坚持，经济能不能快一点发展起来，国家能不能长治久安，从一定意义上说，关键在人，关键在领导核心。邓小平曾经回忆说：“我在一九八九年五月底还说过，现在就是要选人民公认是坚持改革开放路线并有政绩的人，大胆地放进新的领导机构里，使人民感到我们真心诚意搞改革开放。”①

在全国性的政治风波仍在进行之中，以邓小平同志为核心的第二代中央领导集体就开始考虑和推荐第三代核心。1989年5月20日，邓小平“在住地同陈云、李先念、彭真、杨尚昆、王震、李鹏、乔石、姚依林、宋平等开会。提议江泽民任中共中央总书记”②。5月31日，邓小平在会见中共中央政治局常委李鹏、姚依林时指出：“我们确实有些事情要向人民作出交代。主要有两条：第一，要改换领导层。新的中央领导机构要使人民感到面貌一新，感到是一个实行改革的有希望的领导班子。这是最重要的一条。第二，要扎扎实实做几件事情，体现出我们是真正反对腐败，不是假的。我们政治局、政治局常委会、书记处的同志，都是管大事的人，考虑任何问题都要着眼于长远，着眼于大局。许多小局必须服从大局，关键是这个问题。我们党的历史上，真正形成成熟的领导，是从毛刘周朱这一代开始。第二代是我们这一代，现在换第三代。”③这表明，邓小平这位20世纪的卓越政治家已经作出实行新老领导集体交替的重大决策。

邓小平殷切地希望能组成一个继续领导改革开放的新班子。他语重心长地说：一个好班子，搞改革开放的班子，就是要明白地做几件开放的事情，要体现改革开放，大开放。他还说：第三代的领导要取信于民，要得到人民对这个集体的信任，使人民团结在一个他们所相信的党中央领导

① 邓小平：《邓小平文选》第二卷，人民出版社1994年版，第380页。

② 中共中央文献研究室编《邓小平年谱（1975—1997）》（下），中央文献出版社2004年版，第1277页。

③ 中共中央文献研究室编《邓小平年谱（1975—1997）》（下），中央文献出版社2004年版，第1277页。

集体周围。反对资产阶级自由化，坚持四项基本原则，这不能动摇。这一点我任何时候都没有让过步。他要求新的领导眼界要非常宽阔，胸襟要非常宽阔。只要这个领导集体是团结的，坚持改革开放的，即使是平平稳稳地发展几十年，中国也会发生根本的变化。关键在领导核心。邓小平郑重地说："我请你们把我的话带给将要在新的领导机构里面工作的每一个同志。这就算是我的政治交代。"①6月16日，邓小平再次同中央几位负责人谈话，他指出："任何一个领导集体都要有一个核心，没有核心的领导是靠不住的。第三代领导集体也必须有一个核心，就是现在大家同意的江泽民同志。"② 通过以上工作，邓小平实行新老领导交替的意见得到中共中央、中顾委等领导同志的认可。6月19日至21日，中共中央政治局举行扩大会议，"会议批评了赵紫阳的错误，为召开中共十三届四中全会作了准备"③。邓小平21日上午出席会议并讲话。中共中央政治局扩大会议的召开，标志着党内高层思想认识和意见的统一。

（二）实现新老领导集体的交替

经过慎重考虑和选择，经过中共十三届四中全会和五中全会的组织程序，中国共产党实现了新老领导集体的交替。

1. 在中共十三届四中全会上，江泽民当选中共中央总书记

1989年6月23日至24日，中共十三届四中全会在北京举行。在此之前，中共中央政治局于6月9日至21日举行扩大会议，为这次会议做了必要准备。中共十三届四中全会决定撤销赵紫阳所担任的党内一切领导职务。全会选举江泽民为中央委员会总书记，增选江泽民、宋平、李瑞环为中央政治局常委。全会提出，当前要特别注意抓好四件大事：一是彻底制止动

① 中共中央文献研究室编《邓小平年谱（1975—1997）》（下），中央文献出版社2004年版，第1278页。

② 中共中央文献研究室编《邓小平年谱（1975—1997）》（下），中央文献出版社2004年版，第1281页。

③ 中共中央文献研究室编《邓小平年谱（1975—1997）》（下），中央文献出版社2004年版，第1282页。

乱、平息反革命暴乱，严格区分两类不同性质的矛盾，进一步稳定全国局势；二是继续搞好治理整顿，更好地坚持改革开放，促进经济持续、稳定、协调发展；三是认真加强思想政治工作，努力开展爱国主义、社会主义、独立自主、艰苦奋斗的教育，切实反对资产阶级自由化；四是大力加强党的建设，大力加强民主和法制建设，坚决整治腐败，切实做好几件人民普遍关心的事情，决不辜负人民对党的期望。①

新当选的中共中央总书记江泽民发表了讲话，他说："这次中央领导核心作了一些人事调整，但是，党的十一届三中全会以来的路线和基本政策没有变，必须继续贯彻执行。在这个最基本的问题上，我要十分明确地讲两句话：一句是坚定不移，毫不动摇；一句是全面执行，一以贯之。"②

江泽民还说："我们是在党和国家面临生死存亡的关键时刻，召开这次中央全会的。这次全会，将以党的胜利载入史册。但是必须看到，要挽回赵紫阳同志给党的事业造成的巨大损失，解决赵紫阳同志留给我们的重重难题，使中国社会主义现代化建设事业健康发展，保证先烈用生命换来的民族独立不致丧失，保证社会主义现代化建设目标的完满实现，任重而道远。我们决心发扬艰苦奋斗、自力更生的精神，排除任何干扰，克服一切困难，以百倍的努力进行工作。"③中共十三届四中全会选出以江泽民同志为核心的领导集体，这是在中国共产党和社会主义中国处于重大历史关头的重大抉择，历史证明这个重大抉择是正确的。这次会议选举和调整后的中央政治局常委是江泽民、李鹏、乔石、姚依林、宋平、李瑞环，标志着以江泽民同志为核心的新的中央领导集体的产生。

2. 在中共十三届五中全会上，邓小平辞去军委主席与江泽民任军委主席

中共十三届四中全会前后，邓小平多次表示："新的领导班子一经建立

---

① 《中国共产党第十三届中央委员会第四次全体会议公报》（1989 年 6 月 24 日通过），《人民日报》1989 年 6 月 25 日。

② 江泽民：《江泽民文选》第一卷，人民出版社 2006 年版，第 57 页。

③ 江泽民：《江泽民文选》第一卷，人民出版社 2006 年版，第 63 页。

了威信，我坚决退出，不干扰你们的事。”[①]1989年9月4日，邓小平致信中共中央政治局，郑重请求辞去他担任的中共中央军委主席的职务，并表示也将向全国人大提出辞去中央军委主席职务的请求。邓小平说：“党的十三届四中全会选出的以江泽民同志为首的领导核心，现已卓有成效地开展工作。经过慎重考虑，我想趁自己身体还健康的时候辞去现任职务，实现夙愿。”[②]

1989年11月6日至9日，中共十三届五中全会在北京举行。全会讨论并通过《中国共产党第十三届五中全会关于同意邓小平同志辞去中共中央军事委员会主席职务的决定》。全会认为：邓小平同志从党和国家的根本利益出发，在自己身体还健康的时候辞去现任职务，实现他多年来一再提出的从领导岗位上完全退下来的夙愿，表现了一个无产阶级革命家的广阔胸怀。与会的全体同志，对邓小平身体力行地为废除干部领导职务终身制作出的表率，表示崇高的敬意。[③]全会在充分酝酿的基础上，决定江泽民为中共中央军委主席，杨尚昆为第一副主席，刘华清为副主席，杨白冰为秘书长。

通过中共十三届四中全会和中共十三届五中全会，中国共产党实现了两代中央领导集体的顺利交接，形成了以江泽民为总书记的新的中央领导集体。在20世纪80年代末至90年代初，中国共产党面临国际、国内政治风波的严峻考验，中国社会主义事业的发展面临空前巨大的困难和压力的环境下，在决定党和国家前途命运的重大历史关头，以江泽民同志为核心的党的第三代中央领导集体，紧紧依靠全党、全军、全国各族人民，旗帜鲜明地坚持四项基本原则，维护国家的独立、尊严、安全和稳定，毫不动摇地坚持经济建设这个中心，坚持改革开放，捍卫了中国特色社会主义伟大事业，打开了我国改革开放和社会主义现代化建设的新局面。从中共十四大到中共十六大的十年中，在十分复杂的国际、国内形势下，以

---

① 邓小平：《邓小平文选》第三卷，人民出版社1993年版，第301页。

② 邓小平：《邓小平文选》第三卷，人民出版社1993年版，第322—323页。

③ 《中国共产党第十三届中央委员会第五次全体会议公报》（1989年11月9日通过），《人民日报》1989年11月10日。

江泽民同志为核心的中央领导集体，高举邓小平理论伟大旗帜，坚持党的基本路线不动摇，团结带领全党全国各族人民，抓住机遇、深化改革、扩大开放、促进发展、保持稳定，推动中国特色社会主义事业取得了举世瞩目的新进展。

第三节　深化改革开放的重大举措

中共十三届四中全会召开后，以江泽民同志为核心的中共中央全面坚持党的基本路线，继续抓住经济建设这个中心，努力纠正“一手比较硬，一手比较软”的现象，加强思想政治工作和党的建设工作。在国际局势剧变的情况下，党按照冷静观察、沉着应付的方针，坚持把注意力集中在办好我们自己的事情上，相继作出关于进一步治理整顿、深化改革的决定，关于加强党同人民群众联系的决定，关于上海浦东开发开放的决策，关于国民经济和社会发展十年规划和“八五”计划的建议，关于搞好国营大中型企业的决定，关于进一步加强农业和农村工作的决定，推动中国特色社会主义建设和改革开放的继续发展。

一、建立上海、深圳证券交易所

中共十三届四中全会后，在治理经济环境、整顿经济秩序的过程中，改革开放持续推进，并在一些领域取得重大突破。

证券交易所的建立是深化改革具有标志性的举措。邓小平曾深刻地指出：“金融很重要，是现代经济的核心。金融搞好了，一着棋活，全盘皆活。”[①] 而资本市场是金融体系中重要的组成部分。在 1989 年至 1991 年的治理整顿

① 中共中央文献研究室编《邓小平年谱（1975—1997）》（下），中央文献出版社 2004 年版，第 1328 页。

期间，中共中央和国务院作出了有关实行股份制改革并建立证券交易所的决策。这项改革影响重大且深远。

1989 年至 1990 年，上海和深圳进行了股票制试点，带来了股票市场的空前火爆，来自全国各地的资金大量涌向股票市场。这引起各方关注，也引起不少争论。股票市场还要不要继续办下去，这是当时争论的焦点。“当时人民日报《情况汇编》第 346 期发了题为‘深圳股市狂热，潜在问题堪忧’的文章，报送中央。有五位领导同志分别作了批示。有的讲，应该立即关掉；有的则讲，应该制止不规范的股票集资。这些情况反映了当时理论上的禁区和认识上的障碍还没有突破，股票市场被看成是资本主义私有化的产物。”① 这使这项市场化改革有夭折的危险。

1990 年 11 月，江泽民在参加深圳、珠海特区建立 10 周年活动后的回京途中，在飞机上同中国人民银行副行长刘鸿儒就深圳和上海的股票市场问题进行了两个多小时的谈话，参加谈话的有田纪云、温家宝等。在这次谈话最后，江泽民明确表示：“可以把上海、深圳这两个实验点保留下来，继续试验不能撤。但是暂不扩大，谨慎进行，摸索经验。”②随后，中共中央和国务院作出了有关实行股份制改革并建立证券交易所的决策。

1990 年 11 月 26 日，经国务院授权、由中国人民银行批准建立的上海证券交易所正式宣布成立，这是新中国成立以来国家批准的中国（不含港澳台）第一家证券交易所。上海证券交易所是实行会员制的非营利的事业法人，其宗旨是维护国家、企业和公众的合法权益，促进证券市场稳步健康发展。来自上海、山东、江西、安徽、浙江、海南和沈阳等地的 22 家证券经营机构，是交易所的首批会员单位。证交所成立当天，在会员大会上选举产生了交易所的理事会、监事会和总经理。

上海证券交易所成立的消息，震动了深圳市的领导层和相关部门。12

---

① 魏礼群主编《改革开放三十年见证与回顾》，中国言实出版社 2008 年版，第 391 页。
② 魏礼群主编《改革开放三十年见证与回顾》，中国言实出版社 2008 年版，第 393 页。

月 1 日，深圳证券交易所抢先敲响了试营业的钟声。12 月 19 日，上海证券交易所举行开业典礼。上海市市长朱镕基参加了开业典礼。“上午 11 时，当上海市副市长黄菊、香港贸发局主席邓莲如、国家体改委副主任刘鸿儒一起揭下蒙在黄浦路 15 号门口‘上海证券交易所’铜牌上的红绸时，上海证券交易所理事长李祥瑞授权总经理尉文渊在交易大厅敲响了正式开市的第一锤。半小时后前市收市时已成交 49 笔，面额为 5879008 元。”[①] 深圳证券交易所经过半年多的试营业后于 1991 年 7 月 3 日正式开业。全国人大常委会副委员长陈慕华出席了开业典礼。

1991 年 11 月 21 日上午，正在上海考察工作的国务院总理李鹏，在中共上海市委书记吴邦国、市长黄菊的陪同下来到上海证券交易所考察工作并题词：“证券交易为社会主义经济建设服务。”[②]1992 年 1 月 15 日至 18 日，中共中央总书记江泽民在上海考察工作时也到上海证券交易所考察。

国务院批准成立上海证券交易所、深圳证券交易所和全国证券交易自动报价系统后，已经初步形成了以“二所一网”为依托的证券市场体系。城乡居民金融意识增强，一部分群众积极参与了证券投资。证券市场已经成为中国筹措建设资金的一条重要渠道。

建立证券市场这项重大且影响深远的改革，得到了邓小平的肯定。他在 1992 年春的南方谈话中说：“证券、股市，这些东西究竟好不好，有没有危险，是不是资本主义独有的东西，社会主义能不能用？允许看，但要坚决地试。看对了，搞一两年对了，放开；错了，纠正，关了就是了。关，也可以快关，也可以慢关，也可以留一点尾巴。怕什么，坚持这种态度就不要紧，就不会犯大错误。总之，社会主义要赢得与资本主义相比较的优势，就必须大胆吸收和借鉴人类社会创造的一切文明成果，吸收和借鉴当今世界各国包括资本主义发达国家的一切反映现代社会化生产规律的先进

---

① 萧关根：《我国金融市场发展完善重要标志　上海证券交易所正式开业》，《人民日报》1990 年 12 月 20 日。

② 邹爱国、陈毛弟：《总理来到证券交易所》，《人民日报》1991 年 11 月 25 日。

经营方式、管理方法。”[①]

二、开发开放上海浦东新区

1990 年 4 月 18 日，国务院总理李鹏在上海宣布：开发开放浦东，是我们为深化改革、扩大开放作出的又一重大部署。对于上海和全国都是一件具有重要战略意义的事情。[②] 这标志影响整个中国改革开放和发展的重大步骤——浦东开发开放的开始。

改革开放之初，中国在南方的广东、福建两省实行特殊政策和灵活措施，并建立深圳、珠海、汕头、厦门四个经济特区。深圳等经济特区设立后，广东走在中国改革开放的前沿，经济迅猛发展。而具有对外开放的各种优势、作为中国经济发展龙头的上海的发展速度明显慢于广东，这引起了人们的普遍关注。因此，中共中央、国务院及时地作出了开发开放浦东、通过发展上海服务全国、协调区域经济发展、实现中华民族伟大复兴的重大决策。

浦东开发开放一开始是 20 世纪 80 年代的上海提出的地方战略构想。新中国成立后，上海经济经历了一个迅速发展时期。但到 20 世纪 80 年代末，上海黄浦江以西地区的工业发展给环境带来严重污染，上海浦西主城区人口高度聚集，造成了上海住房紧张、交通拥挤、居民居住环境差等严重情况。上海市政府认识到：只有开发开放浦东，通过引进外资，调整产业结构，提高产业层次，借开放加速从计划经济向市场经济的转变，激活经济快速发展，才能解决以上问题。另一方面，开发开放上海浦东有着区位优势和资本、人才、文化技术的优势。首先，上海在长江黄金水道和黄金海岸交会点上，是中国水、陆、空交通的枢纽，是中国近代史上开放最早的通商口岸之一，同海外各地有着广泛的联系。其次，上海一直是新中

---

① 邓小平：《邓小平文选》第三卷，人民出版社 1993 年版，第 373 页。

② 萧关根：《中共中央　国务院同意开发浦东开放浦东实行经济技术开发区和某些经济特区政策》，《人民日报》1990 年 4 月 19 日。

国最大的工业基地、商业金融中心，有优秀管理人才和强大的产业工人队伍，有普通高等院校 30 余所、研究与开发机构 1000 多个，有各类科学技术人员近百万人。鉴于此，1984 年，在上海市政府上报给国务院的《上海经济发展战略汇报提纲》中，首次提出了要创造条件开发浦东、筹划新区的建议。国务院在批复中也肯定了这一重大构想。但这时的构想，仅仅是从上海的发展来考虑的，还没有提到国家经济发展战略决策的高度。1986 年，开发浦东的构想开始深化。国务院在接到上海市政府提交的《上海城市总体规划方案》后，再次批复："当前，特别要注意有计划地建设和改造浦东地区，要尽快修建黄浦江大桥及隧道等工程，在浦东发展金融、贸易、科技、高教和商业服务设施，建设新居住区，使浦东新区成为现代化新区。"① 为落实国务院的两次批示，1987 年 6 月，上海市政府正式成立了浦东新区中外联合咨询小组。这个小组进行了为期一年的可行性研究，形成了浦东开发的规划构想。1988 年 5 月，上海市政府邀请了 100 多名中外专家，在上海举行开发浦东新区国际研讨会。时任市委书记的江泽民和市长朱镕基以及市政府经济顾问汪道涵，与专家学者共商浦东开发大计。江泽民在会上表示，要进行上海城市改造和建设，增强上海作为经济中心的功能和对外对内枢纽的功能，恢复其一度作为亚洲最大的国际贸易中心和金融中心的地位。此后，上海加快了浦东开发的筹备工作。

到了 20 世纪 90 年代，浦东开发开放上升为国家重大发展战略决策的高度。对浦东开发，邓小平多次发表了重要意见。1990 年 2 月 13 日，邓小平同朱镕基谈到开发开放浦东时说：你们搞晚了。但现在搞也快，上海条件比广东好，你们的起点可以高一点。从八十年代到九十年代，我就在鼓动改革开放这件事。胆子要大一点，怕什么。在谈到浦东开发需要优惠政策时说：我赞成，你们应当多向江泽民同志汇报。②2 月 17 日，邓小平同江泽民、杨尚昆、李鹏等谈浦东开发问题，对李鹏说："你是总理，浦东开

① 《当代中国》丛书编辑部编《当代中国的上海》（上），当代中国出版社 1993 年版，第 343 页。
② 中共中央文献研究室编《邓小平年谱（1975—1997）》（下），中央文献出版社 2004 年版，第 1308 页。

发这件事，你要管。”[①]3月3日，同江泽民等谈话时又说：“机会要抓住，决策要及时。比如上海，就是一个大措施。上海是我们的王牌，把上海搞起来是一条捷径。”[②]党和国家领导人如陈云、李先念、杨尚昆等同志也都提出了重要的意见。这些讲话、指示和意见，加快了浦东开发的决策进程。同时，也开阔了上海市领导干部的眼界，使他们站得更高、看得更远，自觉把浦东开发和中国改革开放的全局联系起来思考。

国务院委派邹家华、姚依林率队到上海做实地考察和进行专题研究，并召开国务院会议和政治局会议讨论。经过充分调查研究和论证，于1990年4月正式批准开发开放浦东，在浦东实行经济技术开发区和某些经济特区的政策。1990年4月18日，李鹏总理在上海宣布：开发开放浦东，是我们为深化改革、扩大开放作出的又一重大部署。4月30日，上海市政府宣布开发浦东的十项优惠政策与措施。9月10日，宣布了新区的九项具体政策规定，浦东开发开放进入实质性阶段。中共十四大进一步明确了上海浦东的定位。十四大通过的报告指出：“以上海浦东开发开放为龙头，进一步开放长江沿岸城市，尽快把上海建成国际经济、金融、贸易中心之一，带动长江三角洲和整个长江流域地区经济的新飞跃。”[③]

决策开发开放浦东，向世界显示了中国实行改革开放的决心，有着重大的意义。浦东开发开放以后，将促进上海经济的飞跃发展，有效缓解上海城市发展中的一系列矛盾，将使上海浦东成为中国展现现代化城市新风貌的最重要窗口，成为连接国内、国际市场的纽带，从而对长江三角洲起到巨大的辐射效应，带动沿海、沿江经济发展，促进中国改革开放向纵深发展，为维持中国经济快速增长起到积极作用。浦东开发开放还将在市场

① 中共中央文献研究室编《邓小平年谱（1975—1997）》（下），中央文献出版社2004年版，第1308页。

② 中共中央文献研究室编《邓小平年谱（1975—1997）》（下），中央文献出版社2004年版，第1310页。

③ 江泽民：《加快改革开放和现代化建设步伐　夺取有中国特色社会主义事业的更大胜利——在中国共产党第十四次全国代表大会上的报告》（1992年10月12日），《人民日报》1992年10月21日。

经济体制改革、国有经济结构调整、引进外资和学习外国管理方法等方面在全国起到示范作用，从而为推进全国经济改革开放积累新经验，促进全面开放格局的形成。

第四节　国防和军队改革的部署与成效

1989 年 11 月，中共十三届五中全会决定江泽民同志担任中共中央军委主席。以江泽民同志为核心的中央军委，坚持毛泽东军事思想、邓小平新时期军队建设思想，高度关注世界上军事技术的快速发展变化，在军事战略上进行了一系列重要的理论开拓和创新，提出了“五句话”的军队建设总要求，制定了新时期的军事战略方针和实行“两个根本性转变”，制定了军队建设跨世纪“三步走”的战略构想，提出了以信息化为重点，完成机械化、信息化建设双重历史任务，实现军队建设跨越式发展的战略思想，领导人民解放军在中国特色的精兵之路上阔步前进。

一、提出“五句话”总要求的背景

20 世纪 80 年代末至 90 年代初，国际、国内形势发生了重大变化。国际上，东欧剧变，苏联解体，两极格局瓦解，冷战结束。世界向多极化方向发展，各种力量重新分化组合，形成多方面的制约因素，对国际安全与稳定产生着积极的影响。然而，天下并不安宁，霸权主义、强权政治仍然存在。以美国为首的西方军事同盟，动辄干涉别国内政，甚至以武力相威胁，影响着世界的和平与稳定。

这一时期，经过开展全方位外交工作，以美国为首的西方发达国家对中国的“制裁”逐步被打破。中国周边安全环境相对较好，但仍然面临着一些重大的、现实的和潜在的威胁。西方敌对势力顽固地坚持冷战思维，把中国看成是继苏联之后的最大的潜在敌人。他们加紧对中国进行“西化”“分化”，试图用西方的社会制度、意识形态和价值观念对中国进行“和平演变”。在中国周边，地区霸权主义、民族扩张主义对中国主权和领土完整仍具有威胁，少数西方大国煽动反华情绪，形成对中国的遏制，中国仍面临着被侵略、被颠覆的威胁。

在国内，1989 年国内政治风波平息之后，全国人民坚持以经济建设为中心，坚持四项基本原则，坚持改革开放，治理整顿有序推进并取得成效，实现了社会稳定、政治稳定和经济发展。现代化建设的发展，改革开放的推进，尤其是社会主义市场经济体制开始建立，对军队建设产生着重大而深远的影响。实行这一体制，有利于解放和发展生产力，增强包括国防实力在内的综合国力，有利于形成促进官兵成长和进步的新思想、新道德、新风尚。社会重大转折时期，思想领域的矛盾和斗争不可避免地会反映到军队内部来。以公有制为主体、多种所有制经济共同发展和以按劳分配为主体、多种分配方式并存，使官兵思想观念和价值取向多样化。社会生活中利益驱动作用增大，官兵在实现个人利益与发扬牺牲奉献精神、改善物质生活与保持艰苦奋斗本色等方面遇到的矛盾日趋突出。市场经济的自身弱点和消极影响，与种种腐朽思想文化交织在一起，对官兵思想道德具有很大侵蚀作用。

在这种情况下，坚持人民军队的性质，保持高度集中统一，以及坚持官兵一致、军民一致、军政一致等原则方面面临着更严峻的考验，军队履行根本职能的任务更为艰巨。

现代技术特别是高技术条件下“打得赢”，在改革开放和社会主义市场经济条件下“不变质”，成为军队建设中的两个重大的历史性课题。在这种形势下，从战略的高度对军队建设提出总体要求，使军队各项工作有更加统一明确的标准十分必要。

二、江泽民提出“五句话”总要求，推动军队全面建设

军队建设“五句话”总要求，是在实践中逐步提出、明确和完善起来的。1990 年 7 月 31 日，江泽民发表庆祝中国人民解放军建军 63 周年电视讲话，指出：社会主义现代化建设需要有一个安定的环境，就必须保持一支强大的军队，建设起巩固的国防。要认真学习马克思主义理论，努力提高政治思想素质，不断增强坚持党的基本路线的自觉性，增强抵制资产阶级自由化和其他腐朽思想侵蚀的能力，做到在政治上永远合格。要发扬爱国主义和革命英雄主义精神，为国家安宁和人民幸福，乐于吃苦，勇于牺牲。要努力掌握现代军事科学技术，苦练过硬本领，全面提高战斗力。这一讲话，已经包含了军队要做到政治合格、军事过硬的思想。

1990 年 11 月至 12 月，总参谋部召开工作会议，研究加强全军部队军事训练和管理工作等问题。12 月 1 日，中央军委主席江泽民在全军军事工作会议上向军队提出“政治合格，军事过硬，作风优良，纪律严明，保障有力”[①] 五句话总要求。

总参工作会议结束后，中央军委批转了这次会议的纪要《坚持战斗力标准，开创军事训练和管理工作的新局面，努力实现军事上过硬》，并发出通知指出，全军指战员要紧密团结在以江泽民为核心的中共中央、中央军委周围，努力实现政治上合格、军事上过硬，推进军队革命化、现代化、正规化建设，为完成党和人民赋予的任务作出新的贡献。1991 年 1 月 25 日，江泽民在中央军委扩大会议上再次强调：“我们一定要努力建设一支政治合格、军事过硬、作风优良、纪律严明、保障有力、战斗力很强的人民军队。”[②] 至此，对军队建设的“五句话”的要求已经完整提出。

1991 年 7 月 1 日，在庆祝中国共产党成立 70 周年大会的讲话中，

---

① 江泽民：《江泽民文选》第一卷，人民出版社 2006 年版，第 138 页。

② 中共中央文献研究室编《江泽民论建设有中国特色社会主义（专题摘编）》，中央文献出版社 2002 年版，第 466 页。

江泽民指出："我们要进一步加强思想政治工作，加强军事训练，使全军部队做到政治合格，军事过硬，作风优良，纪律严明，保障有力，努力把我军建设成为一支强大的现代化、正规化革命军队。"[①]9 月，江泽民在检阅北京军区军事训练成果时再次强调，全军部队要紧密团结在中共中央、中央军委周围，按照"政治合格，军事过硬，作风优良，纪律严明，保障有力"的要求，建设一支强大的革命化、现代化、正规化军队，为有效地履行宪法赋予人民军队的神圣职责，为实现社会主义建设第二步战略目标，作出新的更大的贡献。

1991 年 12 月，全军训练管理工作会议召开。会议指出，要坚持毛泽东建军思想和邓小平关于新时期军队建设的原则，按照质量建设的方针，努力实现中央军委江泽民主席提出的"政治合格，军事过硬，作风优良，纪律严明，保障有力"的总要求。这是今后一个时期军事工作始终都要紧紧把握住的重心。至此，"政治合格，军事过硬，作风优良，纪律严明，保障有力"被明确规定为军队建设的总要求。

三、脚踏实地把国防科技搞上去

1991 年的海湾战争是世界军事史上的重大事件。1991 年 6 月 8 日、15 日、25 日，江泽民三次主持中央军委关于海湾战争的座谈会，第一次是专门研究电子技术问题，第二次是专门对海湾战争情况的总体研究，第三次主要针对海湾战争以后我们应该研究的问题进行部署。江泽民在三次座谈会上发表了重要讲话。

（一）关于军事上电子技术的应用等问题

6 月 8 日，江泽民在专门研究电子技术问题的座谈会上说："要看清国际形势的发展变化。世界社会主义处于低潮，我们必须充分警惕，一定要

---

① 中共中央文献研究室编《十三大以来重要文献选编》（下册），人民出版社 1993 年版，第 1650 页。

有这根弦，千万不能麻痹。”[1]

由于担任过电子工业部部长，江泽民对电子技术比较熟悉。在专门对海湾战争情况的总体研究的座谈会上，江泽民说：“今天谈的是电子技术问题。电子技术是领头的，不管是航空，还是导弹等其他有关武器，都与电子技术有关系。在电子技术方面，现在我们同世界先进水平的差距不是越来越小，而是越来越大。”“对整个国际形势的看法，对我国情况的分析，要有自信心。我们不能坐井观天、盲目自满，要采取实事求是的态度，脚踏实地地把国防科技搞上去，使我们能够对付今后可能发生的情况。”[2]

（二）关于对海湾战争情况的总体研究

6月15日，在专门对海湾战争情况的总体研究的座谈会上，江泽民再次发表重要讲话。他说：“这次海湾战争，有很多值得我们深思的东西。实际上，从战争一开始，美国就已经把伊拉克的电磁频谱侦察清楚了。频谱弄清楚了，就可以进行干扰。美国还通过火力侦察，证实是这个频谱，然后进行‘软杀伤’，一下子搅得伊拉克通信紊乱，指挥失灵。伊拉克为什么垮得那么快？我看，一个重要原因就是伊拉克的通信系统被打瘫痪了，各种指挥失灵了，飞机也飞不起来了，特别是伊拉克部队的战斗意志垮了。研究海湾战争给我们的启示，既要分析它的电子技术，也要分析其他战略武器，包括空军、海军等各个方面的，同时还要看到战争的性质和战略决策、战略指导对于战争结局的影响。”[3]“我还是那句话，要尊重科学，重视武器，但人是决定的因素。”[4]“但是，这并不意味着我们可以忽视技术的因素。我们要下大气力发展国防科技，这也是一个重要的战略问题。科技要发展，装备要改善，前提条件是要把经济搞上去。”[5]

---

① 江泽民：《江泽民文选》第一卷，人民出版社2006年版，第142页。
② 江泽民：《江泽民文选》第一卷，人民出版社2006年版，第142页。
③ 江泽民：《江泽民文选》第一卷，人民出版社2006年版，第143页。
④ 江泽民：《江泽民文选》第一卷，人民出版社2006年版，第144页。
⑤ 江泽民：《江泽民文选》第一卷，人民出版社2006年版，第144页。

究竟怎么进一步赶上去，江泽民着重讲了五点意见。

第一，要结合国情，有所赶有所不赶。我们的战略是积极防御，对外不搞霸权，不会侵略别的国家。在发展武器装备的问题上，要考虑到这种战略需求。我们要搞进攻型武器，要有必要的威慑能力，包括核威慑能力，但更要重视发展防御型武器，提高我们的整体防卫能力。

第二，要高度重视体制问题。这个问题很复杂。现在，要简单地恢复过去那样一种国防科研体制恐怕也困难。要很好地研究解决这个问题。

第三，要妥善处理国防经费问题。对国防建设，要适当增加投资力度，但也不能一下子投入很多。国防经费增长，必须与国民经济增长相适应。随着国民经济的发展，国防经费的投入也会逐年有所增加。

第四，要坚持自力更生为主的方针。这是毫无疑问的，但不排除引进某些关键技术。当然，国防科技的关键技术不是拿钱就能买得到的。谁卖给你呀！我们不能花钱买一个现代化，特别是在国防科技方面不可能买一个现代化。

第五，要重视技术的可靠性和先进性。要把技术的可靠性与先进性有机结合起来。不可靠，在技术应用上就没有效益。科学技术是第一生产力，这个思想我们应该强调和贯彻。这也是一种科学态度。

（三）对海湾战争以后应该研究的问题进行部署

6 月 25 日，在主要针对海湾战争以后我们应该研究的问题的座谈会上，江泽民发表了重要讲话，对海湾战争带来的挑战及研究问题进行部署。第一，对海湾战争要有一个正确的认识。第二，要密切注视国际形势的发展变化。现在，国际风云变幻，我们要注重研究。目前，还是要按照邓小平同志讲的，要冷静观察、沉着应付、绝不当头、有所作为。第三，要认真研究国内的情况。国防建设与国内形势也是分不开的。我们现在就是要坚持社会主义、保持国内稳定。坚持社会主义丝毫不能动摇。保持国内稳定，要注意国际敌对势力对我国的渗透。国际敌对势力千方百计对我国也包括对我军搞渗透。军队可不是生活在真空里。对国际敌对势力推行的和平演变战略，我们要始终保持高度警惕，切不可掉以轻心。第四，要注意效益问题。不仅经济建设要讲效益，国防建设也要讲效益。适当的投入必须有相应的产出。我国经济现在还有一些困难，国防经费投入也很有限，这就要管理好、使用好，在重视效益上做文章。第五，要通盘考虑国防和军队建设问题。我们的战略方针是积极防御。对这个方针怎么理解？积极防御是攻守结合，不是单纯地守。这是个很重要的战略问题。在武器装备方面，有许多问题要解决。要想一些办法，提高我军的装备水平。第六，要坚持正确的思想方法。正确的思想方法，就是用辩证唯物主义的观点，科学、全面、实事求是地分析和处理问题。军队是一个庞大的系统，管理是复杂的，有纵向的，有横向的，要用矩阵式管理和系统工程的方法去研究这些问题。

第九章

打破西方发达国家的制裁与坚持扩大对外开放

从1989年6月至1993年11月，中国的对外开放遇到了改革开放以来西方发达国家全面“制裁”的难题。这给中国的改革开放和经济建设带来了较大困难。打破西方国家对中国进行的所谓“制裁”，是1989年以后，尤其是在东欧剧变和苏联解体后中国外交工作的一项重要内容，成为中国继续坚持和扩大开放的重大任务，也是这时期中国外交工作的一项重大成就。

第一节　西方发达国家对中国进行无理“制裁”

1989 年 4 月至 6 月，中国发生了一场严重的政治风波。为维护国家政局稳定，保护中国改革开放和社会主义现代化建设的伟大成果，保护人民民主专政的政权和人民当家作主的社会主义制度，中国共产党和中国政府被迫采取果断措施，依靠人民平息了这场新中国成立以来最严重的政治风波。

一、美国带头对中国进行“制裁”

中国平息国内政治风波，这本应是中国的内政。从各方面来说，一个主权国家都有权反对和制止意在推翻其政权的政治活动。但以美国为首的西方国家，却干涉中国内政，带头对华实施各方面的“制裁”。

以美国为首的西方国家气势汹汹，其“制裁”来势凶猛。中国采取措施平息政治风波的第二天，即 1989 年 6 月 5 日，美国总统布什就宣布对中国实施五项“制裁”：①暂停政府对政府的一切武器销售和商业性出口；②暂停美国和中国军事领导人之间的互访；③同情地重新研究中国留美学生要延长逗留时间的请求；④通过红十字会向那些在突然袭击中受伤的人提供人道主义的医疗援助；⑤在中国的事态不断揭开的同时重新研究我们的双边关系的其他一些方面。6 月 6 日，美国参议院通过决议，要求布什与美国的主要盟国协商，以决定是否对中国实行多边“制裁”。随后，6 月 8 日，美国国防部通知美国格鲁曼飞机公司，下令在该公司工作的 40 名中国工程技术人员离开。6 月 13 日，美国商务部取消了向中国出售价值 5 亿美元的核电厂部件的出口许可证。

6月20日，美国白宫发言人菲茨沃特在一篇书面声明中宣布，布什总统下令对中国采取新的“制裁”措施：“总统今天指示美国政府停止参加与中华人民共和国政府官员的所有高层接触。”“除禁止接触外，美国将寻求国际金融机构推迟考虑向中国提供新的贷款。”[①]美国国会众议院和参议院分别于6月29日、7月14日通过关于“制裁”中国的修正案，除认可了布什总统已对中国采取的“制裁”行动外，还决定对中国实行新的“制裁”措施，包括暂停实施贸易与发展计划、禁止出售警察武器和限制转让高技术与核材料或部件等。据统计，美国国会先后通过20多项干涉中国内政的议案，严重地损害了中美关系。

二、西方发达国家及其国际组织纷纷跟进对中国进行“制裁”

这期间，澳大利亚政府于6月4日，丹麦政府、瑞典政府于6月5日，法国政府、英国政府、西班牙政府、新西兰政府、日本政府于6月6日，加拿大政府于6月12日，联邦德国的有关部门于6月14日，以及其他一些国家，公开宣布对中国进行各类形式的“制裁”。

6月26日，世界银行在一项声明中宣布推迟考虑对中国的几项贷款。

欧洲经济共同体12国政府领导人6月27日在第41届欧共体首脑会议上发表声明，宣布已决定对中国实行一系列的“制裁”措施。这些措施包括：①中断军事合作和禁止军售；②推迟新的合作项目；③停止部长级的高层接触；④把文化、科技交流计划限制到最低限度；⑤推迟审核中国新的信贷要求；⑥在适当的国际机构里提出中国的人权问题；⑦寻求向中国派遣独立的观察员以考察中国所进行的审判和中国的监狱；⑧延长在欧共体国家的中国留学生的签证期限。

7月6日，关贸总协定发言人说：该组织已无限期推迟有关中国申请加

---

① 《美悍然宣布对我实行新“制裁”措施》，《人民日报》1989年6月23日。

入的讨论。

7 月 14 日至 16 日，法国、美国、英国、联邦德国、日本、意大利、加拿大等七国首脑和欧洲共同体委员会主席在法国巴黎召开会议，在其发表的政治宣言中“谴责”中国平息政治风波是所谓“中国违反人权的暴力镇压”[①]。宣称要采取中止对华高层接触及延缓世界银行贷款等“制裁”措施。

以这次巴黎西方七国首脑会议为标志，西方发达国家对中国的“制裁”达到高潮。参与这次“制裁”中国的国家有美国、加拿大、欧共体 12 国、澳大利亚、新西兰、日本等几乎所有的西方发达国家。它们联合起来“制裁”中国，企图在政治上压服中国；中止高层接触以在外交上孤立中国；延缓贷款、撤走技术人员、恶化经济贸易，试图在经济上加重中国的困难；中止高技术和军事方面的合作以在军事上威胁中国，力图达到它们以压促变的目的。但西方国家也不是铁板一块，在这次“制裁”恶浪中，日本首相宇野宗佑 1989 年 7 月就表示，“日本不同意制裁中国”“他的这一主张得到了日本几位前首相的支持”[②]。这说明日本在“制裁”中国这个问题上，态度比较谨慎。从当时实际情况看，在“制裁”中国这个问题上，法国与美国等国比较积极，意大利、西班牙等国不大积极，日本、联邦德国等国比较谨慎。

但是，“制裁”还是让中国遇到了改革开放以来最强大的外部压力。如何打破西方发达国家的无理“制裁”，既维护民族尊严和国家主权，又使受到西方发达国家破坏的双边关系得到恢复和改善，继续为中国改革开放和社会主义现代化建设创造有利的国际环境，确实是对中国政府驾驭复杂局势、处理对外关系能力的考验。

① 《中国的内政不容干涉——评西方七国首脑会议关于中国的声明》，《人民日报》1989 年 7 月 17 日。

② 《日本现任和前任首相反对制裁中国》，《人民日报》1989 年 7 月 11 日。

第二节　中国政府确定正确方针抵制“制裁”

西方国家的政府不顾事实，不顾公认的国际关系准则，对纯属中国内政的事情横加指责，并对中国进行“制裁”，多方施加压力，企图“以压促变”，严重破坏了中国与这些国家的关系。面对西方国家这种来势凶猛的“制裁”，中国政府和人民坚持原则，从维护国家主权和民族尊严出发，理所当然地坚决予以抵制。通过艰难的努力，坚决抵制和逐步打破西方国家的“制裁”。

一、“不怕鬼”泰然处之

在承受巨大压力的关键时候，邓小平凭着他对国际形势的正确分析和判断，以其高度的政治智慧和丰富的斗争经验，在抵制和打破“制裁”的过程中起着中流砥柱的作用。1989 年 6 月 16 日，邓小平对几位中共中央主要负责人说：“现在国际舆论压我们，我们泰然处之，不受他们挑动。”“坚持四项基本原则任何时候我都没有让过步。美国人骂娘，造谣，没什么了不起。”[①]7 月 2 日，邓小平在会见美国总统特使斯考克罗夫特前，对李鹏和钱其琛说：“制裁措施我们不在意，吓不倒我们。”钱其琛对邓小平说：“不久将举行西方七国首脑会议，不知又会宣布对中国采取什么制裁措施。”[②]邓小平语气坚定地说，不要说七国，七十国也没用。9 月，邓小平又对中央负责同志说，世界上希望我们好起来的人很多，想整我们的人也有的是。我们自己要保持警惕，放松不得。要维护我们独立自主、不信邪、不怕鬼的形象。我们决不能示弱。你越怕，越示弱，人家劲头就越大。并不因为你软了人家就对你好一些，反倒是你软了人家看不起你。我们怕什么？战争我们并不怕。可以说，邓小平说这个话，是下了决心，并从最坏处考虑

① 邓小平：《邓小平文选》第三卷，人民出版社 1993 年版，第 311、313 页。
② 钱其琛：《外交十记》，世界知识出版社 2003 年版，第 174 页。

的。邓小平还坚定地说："中国的社会主义是变不了的。中国肯定要沿着自己选择的社会主义道路走到底。谁也压不垮我们。"①同月，邓小平又接见了著名学者李政道教授。邓小平对他说："中国人吓不倒。我们不想得罪人，我们要扎扎实实干自己的事，但谁要干涉或吓唬我们，都会落空。中国人有自信心，自卑没有出路。过去自卑了一个多世纪，在中国共产党领导下站起来了。庞然大物吓唬人，中国人不怕。"②

邓小平在10月26日接见泰国总理时，再次强调："世界上最不怕孤立、最不怕封锁、最不怕制裁的就是中国。"③10月31日，邓小平对被称为老朋友的美国前总统尼克松说："结束过去，美国应该采取主动，也只能由美国采取主动。美国是可以采取一些主动行动的，中国不可能主动。因为强的是美国，弱的是中国，受害的是中国。要中国来乞求，办不到。哪怕拖一百年，中国人也不会乞求取消制裁。"④

二、"不信邪"稳住阵脚

1989年下半年东欧开始发生剧变，1991年12月苏联顷刻解体，国际形势更为复杂多变。美国政府认为，东欧剧变的"多米诺骨牌"的下一个目标将是中国。在随后的时间里，美国加大了对中国制裁的力度。

面对东欧剧变、冷战结束的复杂国际局势，邓小平等老一辈革命家在同西方国家打交道时，不仅具有坚定的原则性，同时也具有灵活性。他们以极大的勇气面对巨大的压力，成为以江泽民同志为核心的中央领导集体的坚强后盾。新的中央领导集体坚定地按照邓小平的指示，扎扎实实把自己的事情做好。这体现了中国共产党把国家和人民的利益放在第一位，"在

---

① 邓小平：《邓小平文选》第三卷，人民出版社1993年版，第320、321页。
② 邓小平：《邓小平文选》第三卷，人民出版社1993年版，第326页。
③ 邓小平：《邓小平文选》第三卷，人民出版社1993年版，第329页。
④ 邓小平：《邓小平文选》第三卷，人民出版社1993年版，第332页。

涉及国家利益和国家主权的问题上，我们决不屈服于任何外来压力”[①]。

为打破西方国家对中国的“制裁”，邓小平提出“对于国际局势，概括起来就是三句话：第一句话，冷静观察；第二句话，稳住阵脚；第三句话，沉着应付。不要急，也急不得。要冷静、冷静、再冷静，埋头实干，做好一件事，我们自己的事”[②]战略策略，提出并实行了“坚持原则，利用矛盾，广交朋友，多做工作，打破制裁，避免孤立”的方针政策。中国坚持改革开放、坚持社会主义现代化建设不动摇的同时，展开全方位的外交工作，加强与世界上广大发展中国家的传统友好合作关系，特别是加强同周边国家的友好关系，逐步打破了西方国家的“制裁”。

三、打破“制裁”的艰难过程

美国既想“制裁”中国，采取以压促变的方针，但看到中国不但没垮，而且在平息政治风波之后又站稳了，从国家的战略利益和经济利益着想，美国又想与中国保持关系，不想两国关系破裂。有着丰富斗争经验的邓小平看透了西方国家领导人的打算，从国家安全和人民利益这个大局出发，中共中央和中国政府与美国政府及其国会进行了一场有理、有利、有节的斗争。

（一）美国宣布对华“制裁”期间主动要求接触中国

美国布什总统在公开场合宣布对中国进行“制裁”，其措施之一是不与中国进行政府副部长以上官员的往来。但看到中国政局稳定后，从其自身的战略利益着想，又想恢复两国的关系。在布什宣布对中国进行“制裁”不到一个月，布什总统“几次私下向中国传递口信，表明他重视中美关系，解释说，目前对中国的制裁，是在美国国会和社会压力下采取的行动，希

① 江泽民：《江泽民文选》第二卷，人民出版社 2006 年版，第 545 页。
② 邓小平：《邓小平文选》第三卷，人民出版社 1993 年版，第 321 页。

望中国领导人能够谅解”[①]。“6月21日，邓小平收到美国总统布什来信，布什在信中要求派特使访华，与邓小平进行完全坦率的谈话。”[②]“第二天，邓小平就复信布什总统，指出中美关系目前面临的严峻挑战，他对此感到担心，因为这种关系是双方多年共同培养起来的。为了避免中美关系继续下滑，邓小平同意布什总统的建议，在双方绝对保密的情况下，欢迎美国总统特使访华，并愿意亲自同他进行真诚坦率的交谈。”[③]随后，美国布什总统派他的特使——美国国家安全事务助理斯考克罗夫特等3人于1989年7月1日访华。邓小平会见了美国特使，美国特使斯考克罗夫特强调美国政府维护中美关系的愿望。邓小平强调说：“现在中美关系确实处在一个很微妙甚至可以说相当危险的地步。中国没有触犯美国，任何一个小问题都没有触犯。问题出在美国，美国在很大范围内直接触犯了中国的利益和尊严。我要明确告诉阁下，中国的内政决不允许任何人加以干涉，不管后果如何，中国都不会让步。中国的内政要由中国来管，什么灾难到来，中国都可以承受，决不会让步。中国领导人不会轻率采取和发表处理两国关系的行动和言论，现在不会，今后也不会，但在捍卫中国的独立、主权和国家尊严方面也决不含糊。”[④]美国总统派特使访华并由副国务卿伊格尔伯格陪同，这实际上是美国政府在采取主动行动。

如果说美国总统特使斯考克罗夫特到中国是秘密行动，而随后美国国务卿贝克的行动则是公开的。1989年7月，美国国务卿贝克请求在巴黎出席柬埔寨国际会议的中国外长钱其琛与其会晤。7月31日，应美国国务卿贝克的邀请，中国外交部长与其见面并会谈，双方就解决柬埔寨问题交换了意见，并对两国在巴黎国际会议上的合作表示满意。会见时，钱其琛介绍了中国的国内形势，强调指出中国独立自主的和平外交政策和改革开放

① 钱其琛：《外交十记》，世界知识出版社2003年版，第170页。

② 中共中央文献研究室编《邓小平年谱（1975—1997）》（下），中央文献出版社2004年版，第1282页。

③ 钱其琛：《外交十记》，世界知识出版社2003年版，第170—171页。

④ 中共中央文献研究室编《邓小平年谱（1975—1997）》（下），中央文献出版社2004年版，第1284页。

不会改变。贝克表示，布什总统十分珍视12年来双方培育起来的中美关系，希望共同努力使这种关系得到维持和发展。9月28日，中国外长在纽约参加第四十四届联合国大会期间，再次应邀与美国国务卿贝克会晤。

（二）中国政府既坚持原则，又采取灵活的方针

在这期间，中国政府也采取灵活的方针，利用各种场合为打破制裁进行工作。1989年10月2日，中国外长钱其琛利用到美国纽约参加联合国大会的时机，到美国对外关系委员会发表讲演。他指出，当前中美关系“正处于一个十字路口”，两国关系的恢复和发展“取决于美国政府的政策和行动”。[①]

10月和11月，美国前总统尼克松和前国务卿基辛格应邀分别访问中国，邓小平10月31日会见了尼克松，11月10日会见了基辛格。12月，美国总统国家安全事务助理斯考克罗夫特再次作为布什总统的特使访问中国，表示布什总统十分重视美中关系，希望把美中关系放在积极的轨道上，而脱离过去几个月的消极轨道。

（三）坚持有理、有利、有节的方针处理与美国的关系

但是，中美关系的恢复相当艰难。这主要是因为美国采取“一方面同中国接触、另一方面又遏制中国”的两手政策。

当中国情况出乎美国政客们的预料而逐渐好转，美国在一些重大国际问题上有求于中国时，它的政策又发生改变，甚至不得不自食其言，突破其所谓的不与中国副部长以上的官员接触的“制裁”措施，邀请中国外长到美国访问。1991年11月15日，应中国外长钱其琛的邀请，美国国务卿贝克到北京进行为期3天的正式访问。这是自1989年6月以来访问中国的美国最高级别的官员。钱其琛与贝克就双边关系举行了正式会谈。钱其琛指出，尽管国际形势急剧变化，中美保持良好关系符合两国人民的根本

---

① 《钱其琛外长在纽约提出改善中美关系四点意见》，《人民日报》1989年10月4日。

利益，也有利于亚太地区乃至世界的和平与稳定。根据贝克访华期间双方达成的有关谅解，美国政府于1992年2月21日宣布，美国政府打算取消1991年6月对华实施的三项“制裁”。这样经过两年多的较量与谈判，美国对华的“制裁”措施虽然还没有完全解除，但在高层互访以及部分经济领域已有突破。

（四）中美关系又出现波折

美国的政治制度和体制决定了它实行的政策没有稳定性。1993年1月，美国克林顿政府上台。在克林顿上台的初期，美国对中国在最惠国待遇问题上、人权问题上、美国售台武器问题上、台湾问题和涉藏问题等政策上又有倒退，中国只能进行坚决的斗争。又由于美国方面于1993年8月制造了“银河号”事件，以及所谓中国同巴基斯坦的某些单位“从事了导弹技术转让”，美国于1993年8月25日宣布对中巴两国实行为期两年的经济制裁等问题，再次加剧了中美之间的对立情绪。除此之外，美国还指责中国继续进行核试验，夸大和渲染中美之间的贸易逆差，继续攻击中国的人权状况，阻挠中国争取奥运会主办权等，从而使克林顿上台后的中美关系一度失控，再次陷入困境。

美国采取强硬政策的目的是让中国屈服，试图迫使中国在人权、贸易、武器等问题上让步，进而实现其“以压促变”的战略。但由于中国进行了有理、有利、有节的斗争，美国非但没有达到目的，反而使它自己陷入被动的局面。这就迫使克林顿政府不得不仔细反省其对华政策的得失。这时美国的一些政界人物、智囊机构和工商界人士纷纷要求美国政府采取一种更加务实的对华政策。克林顿对此已无法再继续置之不理。在这种背景下，美国政府开始调整对华政策。1993年9月中旬，克林顿总统签署了机密的“行动备忘录”，确立了新的对华战略，作出了与中国继续全面接触、提高对话级别、开展广泛交流的决策，意在阻止中美关系不断下滑的趋势。

（五）“制裁”被基本打破

1993年11月18日至21日，亚太经济合作组织领导人非正式会议在美国西雅图召开。中国国家主席江泽民应美国总统克林顿的邀请于18日到美国西雅图，出席于20日在该市举行的这次会议。19日，江泽民与克林顿在西雅图的雷尼尔俱乐部举行了一个半小时的正式会晤。克林顿总统表示欢迎江泽民主席来到美国。他说，中国是一个十分重要的国家，并有光明的未来。他对中国经济上取得的成就十分钦佩。江泽民主席从世界范围和着眼于21世纪的高度，深刻阐述了世界各国领导人对21世纪应负的责任、世界的多样性、经济是基础等重要观点以及中国对中美关系的看法。双方都认为，中美关系非常重要，它不仅是双边关系的问题，而且应该把它放在世界范围内来看，应该着眼于未来，着眼于21世纪。①

中美元首会晤后，美国总统克林顿在随后举行的记者招待会上说，他和中国国家主席都同意建立一种积极的关系。他们的会晤是“富有成果的”，对中美两国人民来说都是“一次重要的会晤”，并称他期待同江泽民主席继续对话。

中美两国领导人借亚太经合组织领导人非正式会议召开之际，在西雅图举行中美元首正式会晤具有重大意义。它标志着中国在顶住了美国在人权等问题上的压力后，成功地迫使美国重新回到高级对话的轨道上来，由此提高了中国的国际地位。这次中美元首会见，双方都认识到，中美是世界上有重大影响的国家，在处理重大国际事务中互有需求，两国在经济上更是可以互相补充，两国之间对话要比对抗和敌视更有利。中美之间所达成的这些共识有利于双方在冷静地认识彼此差异的基础上建立起一种新的相互关系的稳定框架，这将对中美关系的改善与发展产生积极的影响。中美两国元首在西雅图的会晤，标志着美国对中国实行“制裁”的政策基本被打破。

在打破西方“制裁”过程中，有许多值得总结的经验。主要有：第一，

---

① 朱满庭、刘爱成：《江泽民主席克林顿总统正式会晤》，《人民日报》1993年11月21日。

一定要坚持党的基本路线，这是解决国内、国际问题的总纲。要首先把自己的事情办好，这是解决国内、国际问题的基础。第二，一定要坚持原则，坚持独立自主的和平外交路线，为国家的建设赢得一个和平的国际环境，敢于斗争，敢于胜利，不能示弱。正如邓小平所说，示弱并不能解决问题，反而被人家看不起。第三，要制定正确的战略、策略，充分利用各种机遇，既要用政治的、外交的方式，也要用经济的方式。实践证明，经济方式可能更有效，既要利用双边关系，也要利用多边关系和国际舞台进行广泛的、全方位的工作。第四，要坚持有理、有利、有节的方针，充分利用矛盾，广交朋友，避免孤立，打破“制裁”。第五，要抓住重点，既抓主要矛盾，也要抓次要矛盾，对“制裁”中国的主要对手形成一种孤立的态势，促进主要矛盾的解决。

第三节　外交工作新格局与着力为改革开放创造良好环境

当时中国政府全盘工作的重点是在国内实现政治稳定和经济发展，而外交工作的重点是打破“制裁”，为中国的发展和改革开放创造有利的国际条件。这项工作的重点则是在美国。这是因为美国在西方国家中的地位举足轻重，特别是苏联解体后成为唯一的超级大国而野心膨胀，还因为掀起这次“制裁”恶浪的主要国家是美国。通过多方面的工作，中国与广大发展中国家的关系进一步加强，与参与所谓“制裁”的其他西方国家关系不断改善。这迫使美国政府采取主动，逐步放弃对中国实行的所谓“制裁”。

一、发展和巩固同发展中国家的友好合作

从 1989 年至 1993 年期间，中国政府积极主动开展全方位外交工作，巩固与广大发展中国家的传统友谊和合作。

中共中央总书记江泽民、国家主席杨尚昆、国务院总理李鹏、全国人

大常委会委员长万里等在这期间出访几十个国家，进一步发展了中国与广大发展中国家的传统友谊。1990年3月，江泽民访问了朝鲜，与朝鲜领导人金日成举行了会谈，双方确认继续保持友好关系。4月，国务院总理李鹏应邀到苏联进行为期4天的正式访问。这是继1964年周恩来总理访苏以来中国总理首次访苏。国务院总理李鹏受到苏联部长会议主席雷日科夫和夫人的热烈欢迎。5月，全国人大常委会委员长万里对巴基斯坦、伊朗、伊拉克进行了访问。5月，国家主席杨尚昆应邀对墨西哥、巴西、乌拉圭、阿根廷和智利等拉美五国进行友好访问。8月应印度尼西亚总统苏哈托、新加坡总理李光耀和泰国总理差猜·春哈旺的邀请，国务院总理李鹏对印度尼西亚和新加坡进行正式友好访问，对泰国进行工作访问。12月，应马来西亚、菲律宾、老挝、斯里兰卡四国政府和领导人的邀请，国务院总理李鹏对马来西亚、菲律宾、老挝和斯里兰卡四国进行正式友好访问。1990年7月21日，外交部部长钱其琛和沙特阿拉伯王国外交大臣沙特·费萨尔亲王在利雅得共同签署了《中华人民共和国和沙特阿拉伯王国建交公报》，宣布："中华人民共和国政府和沙特阿拉伯王国政府决定两国自1990年7月21日起建立大使级外交关系。"①

1991年5月，中共中央总书记江泽民访问了苏联，这是1989年中苏两国实现关系正常化后，中国领导人对苏联的再次访问。6月，应印度尼西亚总统苏哈托、泰国国王普密蓬·阿杜德的邀请，国家主席杨尚昆对印度尼西亚和泰国进行国事访问。7月，应埃及、约旦、伊朗、沙特阿拉伯、叙利亚和科威特等国领导人的邀请，国务院总理李鹏分别对上述六国进行正式访问。8月，国家主席杨尚昆应邀对蒙古人民共和国进行正式友好访问。10月，国家主席杨尚昆应邀对巴基斯坦、伊朗进行国事访问。12月，国务院总理李鹏应印度总理纳拉辛哈·拉奥的邀请，对印度进行为期5天的正式友好访问。这是中国总理31年来对印度的首次访问，也是对印度已故总理拉·甘地1988年访华的回访。

① 《钱其琛外长和费萨尔外交大臣签署公报　中国和沙特阿拉伯建交》，《人民日报》1990年7月23日。

1992年1月，应新加坡共和国总统黄金辉和马来西亚最高元首苏丹·阿兹兰·沙阿陛下的邀请，国家主席杨尚昆对新加坡和马来西亚进行国事访问。1月，应意大利总理朱利奥·安德烈奥蒂、瑞士联邦政府、葡萄牙总理阿尼巴尔·卡瓦科·席尔瓦和西班牙首相费利佩·冈萨雷斯的邀请，国务院总理李鹏对西欧四国进行正式访问。4月，江泽民访问了日本。这是日本参与西方发达国家对中国进行“制裁”后，在发达国家中积极恢复中日两国高层的互访，在日本首相1991年访华后，日本又邀请中国领导人访日，江泽民就是在这个背景下访问日本的。7月，国家主席杨尚昆应邀对摩洛哥、突尼斯和科特迪瓦三个非洲国家进行国事访问。11月，国务院总理李鹏应越南政府总理武文杰的邀请，对越南进行正式友好访问，受到越南政府和河内群众热烈欢迎。这期间，国务院副总理朱镕基、邹家华、钱其琛（外交部部长）、李岚清等，全国人大常委会副委员长陈慕华等，也应邀到亚洲、非洲、拉丁美洲的许多国家进行访问，进一步增进了中国与这些国家的友好关系。

1993年11月，国家主席江泽民抵达美国西雅图，参加亚太经济合作组织领导人非正式会议。会议结束后，江泽民主席对巴西进行了正式国事访问，并在前往巴西途中对古巴进行短暂访问，还对葡萄牙进行了访问。11月至12月，全国政协主席李瑞环应邀对尼泊尔、印度、巴基斯坦进行正式友好访问。

这一时期，中国也接待了到中国访问的几十个国家的元首和政府首脑。中国与这些国家领导人之间的互访，增进了相互了解，加强了中国与这些国家的友好合作关系。

二、进一步推进与周边国家的友好合作

这期间，中国政府加强与世界上广大发展中国家的传统友好合作关系，特别是加强同中国周边国家的友好关系。中国同东盟的关系全面发展，中

国政府与东盟各国的领导人进行了频繁的互访。1990年7月，印度尼西亚外长阿里·阿拉塔斯访问中国，两国政府签署关于恢复两国外交关系的公报，决定于1990年8月8日起，中国政府与印度尼西亚政府恢复外交关系。1990年10月3日，中国外长钱其琛和新加坡外长黄根成在联合国分别代表两国政府签署联合公报，宣布："中华人民共和国政府和新加坡共和国政府决定，在和平共处五项原则和联合国宪章的原则基础上，自1990年10月3日起建立外交关系，互派大使，并为对方使馆履行公务提供便利。"[①]1992年8月24日，中华人民共和国政府和大韩民国政府从两国人民的利益和愿望出发，经过磋商达成协议，决定正式建立大使级外交关系。以上有成效的工作，既确立了中国与以上周边国家的友好合作关系，也为中国在国际舞台上扩展了外交空间。

1991年11月，应中共中央总书记江泽民和中国国务院总理李鹏的邀请，越共中央总书记杜梅和越南部长会议主席武文杰率领越南高级代表团到中国进行正式访问。江泽民总书记和李鹏总理分别同杜梅、武文杰会谈，双方表示要促进中越关系长期稳定发展，强调在和平共处五项原则基础上建立国际新秩序。双方就双边关系和国际形势等问题交换了意见。双方同意实现两国、两党关系正常化，并就两国、两党发展关系的指导原则达成了一致意见。在1991年李鹏总理访问印度后，1992年5月，印度共和国总统拉马斯瓦米·文卡塔拉曼到中国访问，为中国同印度的关系逐步改善注入动力。

三、妥善处理苏联解体后中国与原苏联各共和国的关系

1991年12月25日苏联解体后，中国政府代表和俄罗斯联邦政府代表举行了会谈，就双边关系的重大问题交换了意见，并签署了会谈纪要。双方确认1989年和1991年中苏两个联合公报所确定的各项原则仍为中俄关系

---

① 《在和平共处五项原则和联合国宪章原则基础上　中国新加坡昨起建交》，《人民日报》1990年10月4日。

的指导原则，双方表示愿意承担苏联和中国签订的条约及协定所规定的义务，双方表示愿以和平共处五项原则为基础进一步发展睦邻友好合作关系。中国政府在国际交往中的一贯立场是，坚决奉行和平共处五项原则，不干涉别国的内政，尊重各国人民自己的选择。从这一立场出发，1991 年 12 月 27 日，中国外交部长钱其琛致电乌克兰、白俄罗斯、哈萨克斯坦、乌兹别克斯坦、塔吉克斯坦、吉尔吉斯斯坦、土库曼斯坦、格鲁吉亚、亚美尼亚、阿塞拜疆、摩尔多瓦等国外长。“告知中国政府决定承认这 11 个国家独立，并准备同他们进行建交谈判。”[①]当时，以中国对外经济贸易部部长李岚清为团长、外交部副部长田曾佩为副团长的中国政府代表团正在对乌克兰、俄罗斯等国进行访问。中国的承认电发出之时，他们正好到莫斯科。代表团在访问期间，承担了与这些国家谈判建立外交关系的新使命。1992 年 1 月 2 日至 6 日，中国分别同乌兹别克斯坦共和国、哈萨克斯坦共和国、乌克兰、塔吉克斯坦共和国、吉尔吉斯斯坦共和国和土库曼斯坦签署了建交公报，宣布建立大使级外交关系。1 月 30 日，中华人民共和国政府和摩尔多瓦共和国政府根据两国人民的利益和愿望，决定两国即日起建立大使级外交关系。4 月 2 日和 4 月 6 日，中国分别同阿塞拜疆共和国和亚美尼亚共和国签署了建交公报，宣布建立大使级外交关系。6 月 9 日，中华人民共和国政府代表和格鲁吉亚共和国政府代表签署了建交公报，宣布即日起建立大使级外交关系。1992 年 1 月 20 日，中华人民共和国政府代表同白俄罗斯共和国政府代表在北京签署了两国建交协议，宣布建立大使级外交关系。这样，中国就迅速完成了与所有的苏联加盟共和国建立外交关系的任务。

四、积极发展与其他发达国家的关系

随着政局的稳定，中国社会和经济开始向好的方面迅速转化。通过积极工作，中国在国际事务中发挥着日益重要的作用，特别是广大发展中国家把中国当作真诚的朋友，视中国为维护世界和平的重要力量。这使西方

① 钱其琛：《外交十记》，世界知识出版社 2003 年版，第 225 页。

国家越来越注意到中国是多极世界上不可忽视的重要一极，也是世界上最有潜力的巨大市场。从自身经济、政治利益出发，参与“制裁”中国的发达国家逐渐放弃对中国进行的“制裁”。从1990年开始，中国与西方国家的关系开始出现积极的变化。

通过积极工作，首先是中国与日本的关系出现好转。1990年1月和6月，中国国务院国务委员邹家华和李铁映应日本政府邀请访问了日本。日本政府在7月正式恢复对中国的第三批政府日元贷款。这之后，西欧国家也逐步恢复对华出口信贷保证、政府贷款、经济合作和科技交流。经过中国政府的积极工作，特别是中国政局稳定、经济稳定和社会各方面工作呈现良好的发展势头后，西方国家内部对中国的态度也逐渐发生变化，尤其是欧盟各国，从自己的利益出发，多数国家改变了对中国的态度。1990年10月，欧共体外长会议决定取消对华限制措施，恢复同中国在政治、经济和文化领域的正常关系。“欧共体会议能够做出这一决定，西班牙和意大利等南欧国家，不能不说是发挥了积极作用。”①

20世纪80年代末，特别是90年代初，美国和西方主要国家经济持续不景气，欧洲货币体系出现危机，日本股市暴跌与经济滑坡互相交织。在这种情况下，它们纷纷看好中国市场，除美国等少数国家外，其他国家逐渐开始改变从1989年6月以后实行的对华政策。中国利用这一有利时机，通过卓有成效的外交工作，局面有了很大改观。1991年，日本首相、英国首相和意大利总理先后访华，英、意、法、日等国外长也先后访华。这标志着中国同这些国家关系的恢复和发展。

1992年，中国总理和副总理先后访问了意大利、瑞士、葡萄牙、西班牙、瑞典、丹麦、挪威、芬兰、荷兰、英国、澳大利亚、新西兰等国。绝大多数的西方国家已恢复向中国提供发展援助、出口信贷，西方国家对华投资也在不断增长。1992年1月24日，中国政府和以色列政府正式签署建

① 钱其琛:《外交十记》，世界知识出版社2003年版，第198页。

交联合公报，决定两国自1992年1月24日起建立大使级外交关系。中以建交，不仅标志着两国交往进入一个新的阶段，也意味着中国同中东地区的所有国家都建立了正常的外交关系。

邓小平在1992年发表南方谈话后，中国经济出现了强劲的发展势头，西方国家特别是德国和日本这两个经济大国从各自的经济、政治利益出发，纷纷看好中国市场。特别是德国总理科尔访华期间，与中国签订了总额达29.27亿美元的有关项目合同后，西方发达国家更加关注中国市场，中国同这些国家的关系也进一步恢复和发展。

第四节　坚持扩大对外开放与“复关”谈判

1989年中国发生政治风波后，以美国为首的西方国家对华实行经济制裁，并把暂时不让中国“复关”作为其经济制裁的一项主要内容，加之中国国内经济也正处在治理整顿阶段，中国“复关”谈判涉及的双边磋商和以日内瓦工作组形式进行的多边谈判事实上均陷入了停顿状态。

一、坚持扩大对外开放

面对着以美国为首的西方发达国家的非法“制裁”，中国政府在采取措施积极打破“制裁”的同时，着力坚持和扩大对外开放。

在1990年4月中共中央和国务院决定同意上海市加快浦东开发开放的基础上，6月，国务院批准设立上海外高桥保税区，规划面积10平方公里。上海外高桥保税区成为全国第一个保税区。保税区发展对外贸易和转口贸易、港口、仓储、出口加工及金融服务等行业，实行诸多关税和税收优惠政策。货物可以在保税区与境外之间自由出入，免征关税和进口环节税，免检许可证件，免除常规的海关监督手续。8月，国务院发布《关于鼓励华侨和香港澳门同胞投资的规定》。1990 年 12 月，国务院发布《关于进一步改革和完善对外贸易体制若干问题的决定》，建立外贸企业自负盈亏的机制。

1991 年 4 月，国务院办公厅转发经贸部等部门《关于经济发展边境贸易和经济合作促进边疆繁荣稳定的意见》，随后首批 14 个沿边开放城市陆续获批，一系列以口岸贸易为主要内容的新政策和新举措相继制定。1992 年 3 月，国务院决定进一步对外开放黑龙江省黑河市、绥芬河市，吉林省珲春市和内蒙古自治区满洲里市等边境城市。6 月，国务院又决定进一步开放南宁市、昆明市，开放凭祥市、东兴镇、畹町市、瑞丽县、河口县。7 月，批复丹东市建立经济合作区，批准进一步开放二连浩特。随后，又提出将新疆的伊宁、博乐、塔城建成各具特色的边境开放城市。

全国人大在这期间也加强立法工作。1991 年 4 月，七届全国人大四次会议审议通过《中华人民共和国外商投资企业和外国企业所得税法》等法规。

二、争取结束“复关”谈判的停顿状态

中国国内政治风波后，美欧等主要发达国家缔约方对中国“复关”采取消极态度，并出于政治考虑对中国故意挑刺，认为中国自 1988 年以来治理整顿的一系列经济政策是改革开放的倒退，企图推翻已在前七次工作组会议上达成的成果，提出要对中国的对外贸易制度进行重新评估。为此，1989 年 11 月，中国政府向关贸总协定提交了《关于中国外贸制度最近情况的说明》，着重阐明了中国改革开放与治理整顿的关系，特别强调指出当时中国经济严重过热，通货膨胀率太高，经济生活中的不正常现象太突出，尤其是双重价格体制造成的负面作用太大；不加以整顿与治理，将会极大地损害中国经济的持续稳定增长，也会严重威胁改革开放已取得的成果，阻碍改革开放的进程，并说明治理整顿后更利于推进改革开放。

原本应在 1989 年 7 月举行的第八次中国工作组会议被推迟了 5 个月后，12 月在日内瓦举行。在这次会议上，中国代表团团长沈觉人就起草中国恢

复缔约国地位议定书问题重申了中国政府的立场，他说："早日恢复中国缔约国地位，必将为巩固多边贸易体制、促进世界经济贸易的发展作出贡献，而且有利于促进中国的进一步改革开放和扩展同各国的经济贸易交往。"①但是，这次会议并没有就任何问题达成更新的、富有成效的结果，其象征意义更大于实际意义。1990 年 9 月 19 日至 20 日，在经过漫长的近 10 个月后，中国"复关"工作组第九次会议终于在日内瓦召开。这次会议最突出的变化是，美欧等主要缔约方对中国"复关"明显带有政治偏见，故意刁难中国"复关"工作组的工作，乃至推翻工作组与各缔约方近 4 年来所取得的谈判成果。

三、谈判出现转机

中国"复关"谈判出现转机是在 1991 年 5 月关贸总协定总干事邓克尔访华以后。5 月 19 日至 21 日，邓克尔应邀出席在北京召开的榨油商协会第六十五届大会。邓克尔在华期间，时任国务院总理的李鹏会见了邓克尔先生。5 月 20 日，邓克尔出席了对外经贸大学 GATT 研究会成立大会并发表了演讲。邀请邓克尔到对外经贸大学出席 GATT 研究会成立大会还有一层考虑，就是想借此机会让他看到中国对关贸总协定的高度重视，进一步加深对中国推进改革开放的印象，让其通过亲身体验更好地做各缔约方的工作，积极支持中国"复关"。

1991 年也是中国政府领导人努力推进中国"复关"谈判的一年。1991 年 10 月 19 日，国务院总理李鹏致函与中国有外交关系的关贸总协定各缔约方首脑和关贸总协定总干事，表明中国政府积极参与多边贸易体制的决心，中国参加关贸总协定既享受权利，也承担一切应承担的义务，以此推动中国恢复总协定缔约国地位的谈判工作，并阐述中国政府对台湾作为中国的单独关税区参加关贸总协定问题的立场。11 月 25 日，中国"复关"首席

① 《关贸总协定继续审议恢复我缔约国地位问题》，《人民日报》1989 年 12 月 15 日。

谈判代表、外经贸部副部长佟志广出访日内瓦，会见了关贸总协定主要缔约方及部分发展中国家的谈判代表、关贸总协定总干事邓克尔、中国工作组主席吉拉德等，向其介绍了我国治理整顿以来的经贸体制改革取得的最新进展，进一步阐明了中国在未来 10 年期间经济体制改革的方向及外贸体制改革与关贸总协定的一致性，希望各缔约方及关贸总协定本身抛弃政治偏见，充分认识中国对“复关”的坚定信念和对多边贸易体制的积极影响，妥善处理好台湾加入关贸总协定涉及敏感的双边乃至全球政治经贸关系的问题，尽可能多地吸纳不同政治与经贸体制的国家或地区加入关贸总协定，以扩大多边贸易体制的代表性，让多边贸易体制真正成为影响全球大多数国家和地区经贸活动的“贸易的交通规则”。

1991 年，中国与关贸总协定及非关贸总协定缔约方的对外经贸关系也有了很大的改善，从国家元首到政府成员，尤其是外经贸部、外交部的领导频繁出访或邀请与中国有经贸合作关系的国家或地区的政府领导人、负责经济贸易事务的政府高官访华，双边经贸外交取得了很大的成就，为中国“复关”工作组第十次会议的召开创造了良好的氛围。

这个阶段的中国“复关”谈判之所以出现波折，几乎陷于停滞，除了关税等方面的原因外，还有以下一些原因：一是冷战期间掩盖、冷战后释放出来的中美双边经贸纠纷，如知识产权保护、纺织品非法转口、贸易不平衡和市场准入等成为多边解决中国“复关”的障碍，解决这些问题成为解决中国“复关”的先决条件，而且美方把双边贸易问题是否妥善解决同中国“复关”谈判挂钩；二是关贸总协定乌拉圭回合谈判因美欧农产品补贴问题陷入僵局，关贸总协定和有关各方无心关注中国“复关”谈判；三是台湾当局于 1991 年元旦以“台澎金马”名义提出加入关贸总协定申请，使台湾这个中美双边关系中的敏感问题卷进了中国“复关”谈判中，使“复关”谈判因 1989 年春夏之交发生的政治风波而政治化倾向日趋加强。所有这些都构成了中国“复关”谈判的阻碍因素。

第十章

治理整顿深化改革和“八五”计划的制订

1989年11月，中共十三届五中全会作出《中共中央关于进一步治理整顿和深化改革的决定》，确定在遏制通货膨胀、稳定经济形势的基础上，从1989年算起，用三年或更长一点时间，基本完成治理整顿的任务。治理整顿是中国改革开放历史上的一个特殊阶段，可以说是中国共产党在领导改革开放过程中的一件大事。

第一节 进一步治理整顿的实施与成效

七届全国人大二次会议召开后不久，由于1989年春夏之交持续两个多月的影响到全国的政治风波，以及随后而来的以美国为首的七国集团等西方国家对中国实行的经济“制裁”，严重地影响了中国治理整顿、深化改革的进行，同时又进一步加剧了经济发展和运行中的困难。

一、进一步实行治理整顿深化改革与果断清理整顿公司

面对1989年国内严重的政治风波及西方发达国家对中国实行经济“制裁”给国民经济带来的新困难，以江泽民同志为核心的中央领导集体牢记邓小平等老一辈领导者的嘱托，坚持以经济建设为中心，千方百计地抓好经济工作。在中共十三届四中全会刚刚当选总书记的江泽民在讲话中就指出：“当前，经济工作的迫切任务，是遵循十三届三中全会确定的方针，继续抓好治理整顿和深化改革。国务院已经制定和将要制定的各项措施，各级党委都要坚决支持和保证贯彻执行。”[①]这表明新的中央领导集体高度关注国民经济的发展问题。

1989年7月，中共中央、国务院发出《关于近期做几件群众关心的事的决定》，明确表示在近期在惩治腐败和带头廉洁奉公、艰苦奋斗方面先做七件事，提出：“一、进一步清理整顿公司。要把清理整顿公司作为惩治腐败、解决分配不公问题的一项重要工作，切实做出成效来。全国现有二十九万多个公司。从我国目前的经济结构和实际经济生活的状况看，流

① 中共中央文献研究室编《十三大以来重要文献选编》（中），人民出版社1991年版，第549—550页。

通领域和金融领域里相当数量的公司没有存在的必要。必须从宏观调控的角度，制定清理整顿的方针，下决心砍掉一大批公司，重点是砍流通领域中过多、过滥的从事商业、外贸、物资供应的公司和金融性公司。清理整顿工作首先从国务院所属公司做起，决定：撤销康华发展总公司、中国工商经济开发公司，其中有的业务移交有关部门处理；中国农村信托投资公司并入国家农业投资公司；保留中国国际信托投资公司，但要重新核定经营范围和资金，把金融和投资分开；对光大实业公司提出进一步整顿的方案。同时，尽快将对这五家公司的审计情况向社会公布。”① “二、坚决制止高干子女经商。首先从中央政治局、书记处成员和国务院常务会议组成人员做起，实行回避政策，他们的配偶、子女及其配偶，不得从事流通领域的经营活动；不得在流通领域公司任职、兼职，凡有任职、兼职的必须于一九八九年九月一日前退出，另行安排工作。领导同志不得利用职权为亲友经商提供任何方便条件。这个决定表明了以江泽民同志为核心的新的领导集体的明确态度和决心，有力地推进了治理整顿工作的进行。”②

1989 年 9 月 29 日，江泽民在庆祝中华人民共和国成立 40 周年大会上代表中共中央发表讲话。在党和国家刚刚经过一场严重的政治风波考验之后，这篇被看成是党和国家新的领导集体的政治宣言的讲话中，江泽民在谈到治理整顿深化改革问题时强调：“当前必须坚定不移地继续贯彻治理整顿、深化改革的方针，力争用三年或者更多一些时间，从根本上缓解社会总需求超过总供给的矛盾，逐步消除通货膨胀，使国民经济走出困境。”③这表明中共中央把原定的治理整顿时间为 1989 年、1990 年延长为三年（1989 年、1990 年、1991 年）。

江泽民在讲话中还强调：“在治理整顿期间，更要强调适当集中，逐步提高国家财政收入在国民收入中的比重，提高中央财政收入在国家财政收

---

① 中共中央文献研究室编《十三大以来重要文献选编》（中），人民出版社 1991 年版，第 555 页。
② 中共中央文献研究室编《十三大以来重要文献选编》（中），人民出版社 1991 年版，第 556 页。
③ 中共中央文献研究室编《十三大以来重要文献选编》（中），人民出版社 1991 年版，第 619 页。

入中的比重。中央不掌握必要的财力，就不可能保证重点建设和治理整顿任务的实现。必须加强中央的权威，反对分散主义，以利于领导国民经济持续、稳定、协调发展。治理整顿绝不是倒退，绝不是不要改革。治理整顿不仅为深化改革和保证改革健康发展创造条件，而且它本身也需要改革的配合。任何把治理整顿同改革分割开来、对立起来的观点和行为都是不正确的，对治理整顿不积极也就是对改革不积极。”①从这里可以了解到新的中央领导集体根据实际，开始调整治理整顿的时间和部署。

二、中共十三届五中全会通过《关于进一步治理整顿和深化改革的决定》

1989 年 11 月 6 日至 9 日，中共十三届五中全会在北京举行。全会审议并通过《中共中央关于进一步治理整顿和深化改革的决定》。全会肯定中共十三届三中全会决定对国民经济进行治理整顿是正确的。经过一年来的努力，整个经济在治理整顿中继续发展。在国务院采取的以控制需求、调整结构为重点的一系列政策措施发挥了积极作用的基础上，“我们现在面临的经济困难，突出地表现在通货膨胀明显加剧，总量不平衡，结构不合理，经济秩序混乱。这种困难绝不是这一两年突然出现的，而是多年积累的一些深层次问题的集中反映”②。

这些主要问题是：第一，社会总需求远远超过社会总供给，现有国力和社会生产能力已支撑不了庞大的建设规模和严重膨胀的社会消费需求。投资需求和消费需求的双膨胀，有相当部分是靠吃老本，靠打赤字和大量发票子，靠举借内债和动用结存外汇来支持的。现在，内债余额高达八百亿元，将进入偿债高峰，货币流通量大大超过经济增长的合理需要，这种情况再也不能继续下去了。第二，工农业比例关系严重失调，现有农业已

① 中共中央文献研究室编《十三大以来重要文献选编》(中)，人民出版社 1991 年版，第 619—620 页。

② 中共中央文献研究室编《十三大以来重要文献选编》(中)，人民出版社 1991 年版，第 681 页。

支撑不了过大的工业生产规模。第三，基础工业、基础设施与加工工业的比例关系严重失调，能源、交通、原材料的供应能力已支撑不了过大的加工工业。第四，资金、外汇、物资的分配权过度分散，国家宏观调控能力严重削弱。国民收入分配过分地向企业和个人倾斜，国家可以支配的资金和物资越来越少。第五，生产、建设、流通领域中普遍存在着高消耗、低效益，高投入、低产出，高消费、低效率的现象，各方面浪费严重。许多企业产品质量低劣，物质消耗升高，成本增大，亏损增加，成为国家财政的沉重负担。基本建设项目过多，战线过长，许多工程不能及时投产，长期占用大量财力物力而形不成生产能力，这种状况是我国经济的致命伤，也是当前经济生活中困难重重的症结所在。①

全会通过的决定指出："党中央、国务院对我国经济生活中出现的困难和问题负有重要责任，应当从中吸取深刻的经验教训。"② 全会认为："十三届三中全会由于受到当时情况的限制，对经济生活中存在的问题、困难及其产生的原因分析不够，因此不少地方、部门和单位对治理整顿的必要性、紧迫性和艰巨性缺乏认识，很多措施没有得到有效贯彻，加上时间比较短，国民经济中许多深层次问题还没有得到解决，难关尚未渡过。在治理整顿过程中，近来出现了市场销售疲软、某些企业产品滞销、工业速度回落过猛等现象。"③

全会认为，继续坚定不移地执行治理整顿和深化改革的方针，是克服当前经济困难，实现国民经济持续、稳定、协调发展的根本途径。中央决定：包括 1989 年在内，用三年或者更长一些时间基本完成治理整顿任务。努力缓解社会总需求超过社会总供给的矛盾，逐步减少通货膨胀，使国民经济基本转上持续、稳定、协调发展的轨道，为到本世纪末实现国民生产总值翻两番的战略目标打下良好的基础。治理整顿的主要目标是：逐步降

① 中共中央文献研究室编《十三大以来重要文献选编》（中），人民出版社 1991 年版，第 681—682 页。

② 中共中央文献研究室编《十三大以来重要文献选编》（中），人民出版社 1991 年版，第 683 页。

③ 中共中央文献研究室编《十三大以来重要文献选编》（中），人民出版社 1991 年版，第 684 页。

低通货膨胀率，使全国零售物价上涨幅度逐步下降到10%以下；扭转货币超经济发行的状况，逐步做到当年货币发行量与经济增长的合理需求相适应；努力实现财政收支平衡，逐步消灭财政赤字；在着力于提高经济效益、经济素质和科技水平的基础上，保持适度的经济增长率，争取国民生产总值平均每年增长5%至6%；改善产业结构不合理状况，力争主要农产品的生产逐步增长，能源、原材料供应紧张和运力不足的矛盾逐步缓解；进一步深化和完善各项改革措施，逐步建立符合计划经济与市场调节相结合原则的，经济、行政、法律手段综合运用的宏观调控体系。①

全会强调治理整顿工作必须抓住的四个重要环节。“一是，继续压缩社会总需求，解决国民收入超分配问题；二是，大力调整产业结构，增加有效供给，增强经济发展后劲；三是，整顿经济秩序，克服生产、建设、流通、分配领域的严重混乱现象；四是，深入开展增产节约、增收节支运动，大力提高各个方面的经济效益。必须强调，在抓紧这四个重要环节进行治理整顿的整个过程中，都要坚持把教育和科技放在优先发展的战略地位，加强国防建设和国防教育，严格控制人口的增长和努力提高人口素质，注意合理利用资源和保护生态环境，并且把加强这些方面的工作同治理整顿很好地结合起来。”②

中共十三届五中全会讨论和审议通过的《中共中央关于进一步治理整顿和深化改革的决定》，全面分析了当前的经济形势，充分肯定了10年来建设和改革的成就，如实估计了当时经济工作中面临的困难，提出了进一步治理整顿和深化改革的指导方针、主要任务和基本措施。这标志着中共中央进一步治理整顿、深化改革决策的确立，对于中国国民经济走出困境、实现健康发展产生了重大作用。

---

① 中共中央文献研究室编《十三大以来重要文献选编》(中)，人民出版社1991年版，第686页。

② 中共中央文献研究室编《十三大以来重要文献选编》(中)，人民出版社1991年版，第686—687页。

三、治理整顿的实施与成效

从1988年8月开始到1991年底，治理整顿这段延续三年的历史，根据其实施过程可以分为初步实施阶段和进一步实施阶段。

（一）治理整顿、深化改革的初步实施阶段

治理整顿、深化改革的第一阶段是初步实施阶段。这个阶段的侧重点是压缩需求，降低速度，实行信贷和货币“双紧”政策。

1988年9月，中共十三届三中全会批准中共中央政治局关于“治理经济环境、整顿经济秩序、全面深化改革”的指导方针，确定了1989年、1990年要把建设和改革的重点放到治理整顿上来的部署。1989年3月20日，国务院总理李鹏在第七届全国人民代表大会第二次会议上作了《坚决贯彻治理整顿和深化改革的方针》的政府工作报告。李鹏在报告中提出了治理整顿、深化改革的目标，指出：“为了贯彻落实这样的方针和部署，必须把稳定、改革和发展统一起来，在稳定中推进改革和求得发展。从今年起，我们要用两年或者更长一些的时间，努力实现治理整顿所要达到的目标：①消除经济过热，把发展速度降到比较合理的水平；②遏制通货膨胀，使1989年以后的物价上涨幅度明显低于1988年，1990年以后的上涨幅度进一步下降；③压缩固定资产投资规模，使它同国力承担的可能相适应，控制消费基金的过快增长，使它同国民收入的增长相适应；④逐步缓解社会总需求大于总供给的矛盾，实现财政、信贷、物资、外汇的基本平衡；⑤认真调整经济结构，使粮、棉、油等主要农产品的产量有较多增加，使能源、交通、原材料供应的紧张状况有所缓解；⑥建立必要的经济法规以及宏观调控体系和监督体系，积极推进社会主义商品经济新秩序的建设。”[①]

从这六项治理整顿的目标可以看出，最初的治理整顿的侧重点在于压

---

① 中共中央文献研究室编《十三大以来重要文献选编》（中），人民出版社1991年版，第428—429页。

缩投资需求和消费需求，为过热的经济降温。为了实现上述目标，国务院及其有关部门主要采取了如下措施：第一，加强对物价的调控；第二，调整银行的利率；第三，压缩社会集团的购买力；第四，压缩基建规模；第五，清理整顿各类公司；第六，定期公布八项重要经济指标资料，以加强和改善国家对宏观经济的调控能力；第七，制定国家产业政策，作为调整产业结构的依据。①

1988 年 9 月 24 日，国务院发出《国务院关于清理固定资产投资在建项目、压缩投资规模、调整投资结构的通知》，指出：为了抑制通货膨胀，为价格、工资改革创造条件，也为国民经济的发展保持必要的后劲，国务院决定开展一次全社会固定资产投资的清理工作。通过全面清理在建项目，做到大幅度压缩投资规模，进一步调整投资结构。这次清理对象包括全社会固定资产投资项目。

10 月 3 日，为贯彻中共十三届三中全会精神，中共中央、国务院作出《关于清理整顿公司的决定》，指出：“近几年来，全国成立了一大批新的公司，在生产、流通领域中起了一定的作用，但其中有相当一部分公司政企不分，官商不分，转手倒卖，牟取暴利。这些问题的存在和发展，损害国家和群众的利益，造成社会分配不公，扰乱经济秩序，败坏社会风气，严重干扰和阻碍改革。为了治理经济环境，整顿经济秩序，加强对商品流通的管理，保障改革的顺利进行，必须对各类公司进行清理整顿。”②“这次清理整顿的重点是 1986 年下半年以来成立的公司，特别是综合性、金融性和流通领域的公司。在此之前成立的公司，凡问题严重的，也要进行清理整顿。通过清理整顿，主要解决政企不分、官商不分、转手倒卖、牟取暴利等问题，进一步明确经营方针、经营范围，使之走上健康发展的轨道。”③

---

① 陈雪薇主编《十一届三中全会以来重大事件和决策调查》，中共中央党校出版社 1998 年版，第 448 页。

② 中共中央文献研究室编《十三大以来重要文献选编》(上)，人民出版社 1991 年版，第 290 页。

③ 中共中央文献研究室编《十三大以来重要文献选编》(上)，人民出版社 1991 年版，第 290 页。

10月6日，国务院颁布《关于从严控制社会集团购买力的决定》，作出九项决定，要求对1988年和1989年两年的社会集团购买力，在上年实际支出的基础上，按实际可比口径计算，每年压缩20%。

10月24日，国务院作出《关于加强物价管理严格控制物价上涨的决定》，指出：目前市场价格尚未完全稳住，一些商品的价格涨势未减。国务院要求进一步采取坚决有力的措施，加强物价管理，整顿市场秩序，严格控制物价上涨，确保1989年的物价上涨幅度明显低于1988年。为此，国务院作出九条规定。一是坚决稳定群众生活基本必需品的价格。同群众日常生活密切相关的棉纱、涤棉纱、棉布、涤棉布、食盐、食糖、民用煤、洗衣粉、肥皂、卫生纸、火柴等工业品，要安排好生产和供应，不能断档脱销。二是坚决制止农用生产资料乱涨价。三是严格执行计划外重要生产资料的最高限价。四是对已经放开的工业消费品价格，也要进行管理和引导。五是整顿流通领域的价格，取缔中间盘剥。重点是整顿经营批发业务的各类公司。六是整顿城市公用事业和服务行业收费。同群众生活关系密切的公用事业和服务行业收费，明年不得提高。七是严肃物价法纪。国家统一安排的调价项目，必须严格按照国务院规定的调价范围、幅度和时间执行。八是依靠广大群众，搞好物价检查。要重点查处生产资料、紧俏消费品和生活必需品的转手倒卖、哄抬物价和乱涨价行为。九是1989年物价上涨幅度要明显低于今年。①

（二）治理整顿初见成效

通过这一阶段的治理整顿，中国的经济形势发生了较大的变化。李鹏总理在七届全国人大二次会议上对此进行了分析，他说：中共十三届三中全会以后的半年来，国务院和各级政府为治理经济环境和整顿经济秩序，做了大量的工作，取得了初步成效。第一，大力压缩固定资产投资规模。截至今年二月底，全国已经停建缓建固定资产投资项目一万八千个，可压

---

① 中共中央文献研究室编《十三大以来重要文献选编》（上），人民出版社1991年版，第309—312页。

缩今后几年的投资六百四十七亿元，占全部项目剩余工作量的百分之十二。但是，清理、压缩的目标尚未达到，任务还十分艰巨。第二，控制信贷规模、增加储蓄和稳定金融。由于实行了紧缩金融的方针，信贷规模得到控制。银行两次提高储蓄利率和开展保值、有奖储蓄，发挥经济杠杆的作用，全国城乡居民储蓄存款逐步回升。现在，一方面全国货币发行量仍然过大，另一方面不少地方和企业又感到资金紧缺，这需要在坚持紧缩金融的前提下通过调整信贷结构等措施认真加以解决。第三，压缩社会集团购买力。专项控制商品由十九种扩大到三十二种，去年的零售额比上年下降百分之九点一。第四，开展了全国性的财务、税收、物价大检查，共查出应上缴财政的违纪金额七十四点一亿元，已上交五十六点五亿元。通过检查，处理了一批偷税漏税、截留利润、乱涨价乱收费和贪污受贿、监守自盗等违法案件，初步加强了税收、财务和物价管理。第五，整顿流通领域的秩序。各类公司的清理整顿正在抓紧进行，重点清查了一九八六年以来新成立的公司和流通领域的公司。截至今年一月底，已撤并不具备条件和不该办的公司一万七千零九十二个，在党政机关办的二万四千一百八十七个公司中，已有近两万个撤并或同机关脱钩，约占百分之八十。党政机关经商办企业的现象，已基本得到制止。在清理中查处了一批违法违纪案件，其中包括一些大案要案。第六，努力增加有效供给。在压缩社会总需求的同时，从资金、物资、外汇和运输等各个方面，大力支持粮、棉、油、肉、禽、蛋、蔬菜等农副产品的生产，支持人民生活必需的日用工业品的生产，支持市场紧俏商品和出口创汇产品的生产，基本上保证了国内市场的供应和发展对外贸易的需要。今年元旦和春节的节日市场，货源比较充足，商品比较丰富。①

这说明经过初步治理整顿，过旺的社会需求得到有效的控制，过高的工业发展速度降了下来，农业获得较好收成，固定资产投资有所控制，物价上涨势头趋于缓和，货币回笼情况比较好，整个经济在治理整顿中继续

① 中共中央文献研究室编《十三大以来重要文献选编》（上），人民出版社 1991 年版，第 429—430 页。

发展。国务院采取的以控制需求、调整结构为重点的一系列政策措施发挥了积极作用。但是，由于“刹车”过猛，也带来负面效应，主要是市场疲软、企业效益下滑。根据这种情况，中央对于治理整顿的侧重点和压缩力度及时做了调整，治理整顿也由此进入新的阶段。

（三）进一步治理整顿阶段

第二阶段是进一步治理整顿和深化改革的阶段。中共十三届五中全会通过的《中共中央关于进一步治理整顿和深化改革的决定》（以下简称《决定》），标志着进一步治理整顿和深化改革的开始。这个阶段大致从 1989 年 11 月至 1991 年 12 月。

中共十三届五中全会通过的决定同十三届三中全会通过的决定及七届全国人大二次会议的有关决定相比，对治理整顿的部署做了重要的补充和修改。

第一，对问题的认识比较准确和深刻。中共中央和国务院还对中国经济生活中出现的困难和问题承担了责任。《决定》指出：“党中央、国务院对我国经济生活中出现的困难和问题负有重要责任，应当从中吸取深刻的经验教训。十一届三中全会以来，党中央、国务院在执行正确路线方针政策的过程中，对经济建设和改革开放的具体指导也有失误。”①

第二，全会对治理整顿的指导思想做了重要调整。《决定》指出：“在治理整顿过程中，近来出现了市场销售疲软、某些企业产品滞销、工业速度回落过猛等现象。总的来看，这种情况对进一步治理整顿是有利的，但也存在着值得注意的消极影响，需要认真研究，具体分析，不能掉以轻心。一方面，应当抓住有利时机，变市场对企业的压力为动力，积极调整经济结构，努力提高企业的效益和效率。另一方面，也要在宏观上采取必要的疏导措施，积极开拓国内国际市场，努力增加有效供给，保证经济稳定发

① 《中共中央关于进一步治理整顿和深化改革的决定（摘要）》（1989 年 11 月 9 日中国共产党第十三届中央委员会第五次全体会议通过），《人民日报》1990 年 1 月 17 日。

展。”“任何时候都坚持从我国的基本国情出发，牢固树立持续、稳定、协调发展的指导思想，坚决防止片面追求过高的发展速度，始终把不断提高经济效益放到经济工作的首要位置上来。”①

第三，考虑到治理整顿的艰巨性，提出治理整顿需要三年或更长一些时间。《决定》指出：“十三届三中全会由于受到当时情况的限制，对经济生活中存在的问题、困难及其产生的原因分析不够，因此不少地方、部门和单位对治理整顿的必要性、紧迫性和艰巨性缺乏认识，很多措施没有得到有效贯彻，加上时间比较短，国民经济中许多深层次问题还没有得到解决，难关尚未渡过。”“由于目前存在的困难和问题还很多，解决起来难度很大，治理整顿不能急于求成，时间短了不行。中央决定，包括今年在内，用三年或者更长一些时间，努力缓解社会总需求超过社会总供给的矛盾，逐步减少通货膨胀，使国民经济基本转上持续稳定协调发展的轨道，为到本世纪末实现国民生产总值翻两番的战略目标打下良好的基础。”②

第四，根据既要控制总量，又要适度发展的指导思想，全会修订和充实了治理整顿的目标。坚决控制社会总需求仍然是治理整顿的首要任务，但适当调整了收缩力度，提出在坚持实行从紧的财政信贷政策的前提下，根据新的情况，采取必要的灵活措施，按照产业政策有重点地解决某些方面资金困难的问题，以利于促进生产的稳定增长，一些重要指标更加具体。提出深化和完善改革的具体任务，如计划、企业、价格、金融、财政等方面的体制改革，提出坚持对外开放，使对外开放和治理整顿相互促进，要求在治理整顿时，坚持把教育和科技放在优先发展的战略地位。

（四）进一步治理整顿与深化改革的实施

中共十三届五中全会确定进一步治理整顿和深化改革的目标，这就是

① 《中共中央关于进一步治理整顿和深化改革的决定（摘要）》（1989 年 11 月 9 日中国共产党第十三届中央委员会第五次全体会议通过），《人民日报》1990 年 1 月 17 日。

② 《中共中央关于进一步治理整顿和深化改革的决定（摘要）》（1989 年 11 月 9 日中国共产党第十三届中央委员会第五次全体会议通过），《人民日报》1990 年 1 月 17 日。

在控制总量的前提下，适当调整紧缩力度，争取国民经济的适度发展，并逐步把经济工作的重点放在调整产业结构、提高经济效益上来。

第一，控制总量、适当调整紧缩力度，争取经济适度发展。1989年6月16日，邓小平在同江泽民、李鹏、乔石、姚依林、宋平、李瑞环、杨尚昆、万里谈话时就从战略和政治高度强调："第一，经济不能滑坡。凡是能够积极争取的发展速度还是要积极争取，当然不要求像过去想得那么高。""要在今后的十一年半中争取一个比较满意的经济发展速度。如果再翻一番，没有水分的翻一番，那时候人民就会看到我们的国家、我们的社会主义事业是兴旺发达的。"[①]这之后，邓小平又多次从战略和政治高度谈到不能让经济滑坡的问题。以江泽民为核心的中共中央，这期间采取了多项措施，争取国民经济有适度的发展。第一，加大对于基础产业的投入，以改善经济结构。根据十三届五中全会的精神，1989年11月27日，国务院作出《关于依靠科技进步振兴农业加强农业科技成果推广工作的决定》，加大了对农业的投入。1989年12月，国务院成立国务院生产委员会，加强对国有大型骨干企业的生产协调和全国的生产调度工作。1990年初，国务院批准《关于对二百三十四户重点骨干企业试行"双保"办法的报告》，要求各地区、各部门要高度重视，加强领导与协作，各负其责，认真抓好"企业保证完成对国家承担的任务，国家基本保证企业外部生产条件"，即"双保"的工作，为完成1990年的工交生产计划，实现国民经济持续、稳定、协调发展做出切实的努力。2月，中国人民银行决定向国家9个重点行业234户骨干企业增加80亿元信贷资金，用于生产急需。

第二，在坚持总量控制的前提下，适当调整紧缩力度，以启动市场。1990年3月14日，中国人民银行、中国工商银行、中国农业银行、中国银行、中国人民建设银行召开全国银行电话会议，分析了当时的国内经济形势，对金融工作作出部署，以进一步支持生产适度发展，搞活流通，稳定经济。中国人民银行决定在金融方面采取以下措施："适当增加上半年银

① 邓小平：《邓小平文选》第三卷，人民出版社1993年版，第312页。

行贷款规模。这是在控制全年贷款规模总量的前提下所做的适当调剂，贷款规模使用的时间适当提前了。新增贷款的主要投向：一是用于支持国家确定的二百三十四户‘双保’大中型骨干企业，缓解目前资金短缺的困难；二是支持春耕生产，争取今年农业丰收；三是支持外贸进出口以及商业物资部门收购的资金需要；四是支持国家计划内固定资产贷款项目的合理资金需要；五是支持经济效益好、产品关系国计民生、适销对路的中小型企业和城镇集体企业、乡镇企业及‘三资’企业的生产，促其健康发展。适当降低银行贷款利率。从3月21日起，贷款利率下调一点二六个百分点。贷款利率下调后，仍继续实行差别利率，对已确定实行优惠利率的贷款继续执行优惠利率。各专业银行和其他金融机构都必须认真执行国家统一规定的利率。恢复托收承付结算方式。从今年四月一日起，恢复托收承付结算方式，以帮助承担国家指定性计划生产任务较多的大中型骨干企业收回货款。同时对无理拖欠贷款的企业，通过加罚滞纳金的办法，使拖欠方承担拖欠贷款的利息。对于国家明令限制的企业和产品，不能恢复托收承付方式。继续办好保值储蓄业务。切实加强银行安全保卫工作。”①

第三，继续整顿经济秩序，为生产的正常运转和经济的持续稳定发展创造良好条件。这方面中共中央、国务院采取了如下措施：一是进一步清理整顿公司。从1990年开始，国务院及各部门以煤炭市场为突破口，清理整顿各类依靠生产资料价格“双轨制”而层层盘剥、转手倒卖、牟取暴利的公司。到1990年底，全国撤销公司10万多个，占原有公司的35.2%。②二是清理“三角债”。企业“三角债”从1988年下半年以来日渐突出。这是经济过热的一个后遗症，也是治理整顿过程的一种负效应。由于一段时间里市场疲软、产品积压，企业流通资金不足的矛盾很尖锐，造成企业之间互相拖欠货款的情况十分严重，1989年全国拖欠总数已达1000亿元，进入1990年以后继续呈上升趋势。“三角债”现象妨碍了生产的正常运转，同时

① 施明慎：《全国银行电话会议部署上半年金融工作》，《人民日报》1990年3月15日。
② 陈雪薇主编《十一届三中全会以来重大事件和决策调查》，中共中央党校出版社1998年版，第456页。

也损害了社会信誉，破坏了经济秩序。1990 年 4 月，国务院决定在全国范围内开展清理“三角债”的工作，决定成立以邹家华为组长的国务院清理“三角债”领导小组，负责组织领导这项工作。1991 年 7 月 31 日，国务院在沈阳召开东北三省四市清理“三角债”试点工作会议。国务院副总理朱镕基在会上提出，清理“三角债”要做到“三清”：“两头清”，即一头清理债权、一头清理债务；“两手清”，即一手清理固定资产投资拖欠，一手清理流动资金拖欠；“思想清”，即各级政府和企业应高度重视“清欠”工作，消除试点工作的阻力。①8 月 31 日至 9 月 4 日，国务院召开全国清理“三角债”工作会议。会议提出：要把清理“三角债”作为搞活国营大中型企业、提高经济效益的突破口，立足于治本清源，从解决“三角债”的源头入手，努力做到防止新的投资缺口，防止新的亏损，防止新的产成品积压，从而防止新的拖欠。三是在市场疲软、价格回落的情况下，抓住时机出台一系列价格改革措施，以缩小生产资料“双轨制”造成的差价。

重点转向调整产业结构、提高经济效益。一系列的改革措施起到了作用，国民经济开始向好的方面发展。但是，国民经济并未完全转入正常发展的轨道。主要表现是：一是市场有所复苏，但结构性疲软状况没有改变，表现出需求不足；二是资金投放和占压并存留定资金紧张；三是产品结构和产业结构的调整进展缓慢，产品技术层次较低；四是经济效益差的状况尚未好转；五是产品质量差的现象十分严重，已经成为工业发展的致命弱点；六是国家财政仍存在较大的困难。②鉴于以上情况，中共中央、国务院决定把治理整顿、深化改革的侧重点逐步转到调整结构、提高经济效益上来。

1990 年 8 月，李鹏总理在全国工业生产工作会议上强调，“治理整顿还没有到位，明年还要继续治理整顿，但是主要任务可以有变化，要在压缩

① 《在东北三省四市试点工作会上强调清理“三角债”要做到“三清”》，《人民日报》1991 年 8 月 4 日。

② 陈雪薇主编《十一届三中全会以来重大事件和决策调查》，中共中央党校出版社 1998 年版，第 457—458 页。

投资规模的基础上，把重点逐步地切切实实地转到提高经济效益、调整结构上来”[①]。12月25日至30日，中共十三届七中全会在北京举行。中央委员171人，候补中央委员107人。列席这次会议的中央顾问委员会委员161人、中央纪律检查委员会委员67人，有关方面负责同志78人出席这次中央全会。全会强调：“1991年是‘八五’计划的头一年，也是继续治理整顿和深化改革的一年，我们要集中精力抓好经济工作，解决突出矛盾和关键问题，特别是搞活国营大中型企业和保持农业稳步发展的问题。要把全部经济工作切实转到提高经济效益的轨道上来，力争工业生产的质量、品种、效益有一个明显进步。”[②]1992年2月，国务院发出《关于开展“质量、品种、效益年”活动的通知》，指出开展这一活动的目的是提高企业的经济素质和经济效益，使企业逐步走上投入少、产出多、质量好、消耗低的效益型发展轨道。为加强对这一活动的组织领导，成立了以邹家华为组长的领导小组。调整产结构、提高经济效益关键在搞活企业。为此，从1990年底开始，国务院先后采取了一系列增强企业活力的措施，有重点地搞活企业。1991年5月30日，《人民日报》发表了《国务院关于进一步增强国营大中型企业活力的通知》，指出：为了改善企业的外部环境，自去年年底以来，国务院先后采取了一系列增强企业活力的政策措施，有重点地搞活国营大中型企业。根据前一段的工作实践和经验，现将这些政策措施归纳为十一项，并进一步予以明确，特通知如下：①适当增加企业技术改造的投入。②酌情减少部分企业的指令性计划任务，扩大其产品自销权。③适当提高部分企业的折旧率，逐步完善折旧制度。④适当增加新产品开发基金。⑤补充一些企业的自有流动资金。⑥适当降低贷款利率。⑦给予部分企业外贸自主权。⑧进一步做好若干国营大中型企业的“双保”工作。⑨继续清理“三角债”。⑩选择一百个左右大型企业集团分期分批进行试点。企业集团的核心企业对紧密层成员企业要逐步实行统一管理。⑪切实减轻企业负担。[③]

---

① 李鹏：《努力启动市场促进生产适度发展》，《人民日报》1990年10月9日。

② 《中共十三届中央委员会召开第七次全会审议通过〈中共中央关于制定国民经济和社会发展十年规划和“八五”计划的建议〉》，《人民日报》1990年12月31日。

③ 《国务院发出通知　进一步增强国营大中型企业活力》，《人民日报》1991年5月30日。

（五）治理整顿如期结束及其成效和意义

1992年3月20日，李鹏总理在七届全国人大五次会议上宣布治理整顿如期结束。他说："经过全国各族人民三年来的艰苦努力，通货膨胀得到控制，经济秩序好转；经济持续增长，农业连年丰收；市场商品丰富，人民安居乐业。这些成绩是在打破一些国家对我国实行经济制裁的情况下取得的，是来之不易的。我国目前的经济状况表明，治理整顿的主要任务已经基本完成，作为经济发展的一个特定阶段可以如期结束。"①这标志着治理整顿任务的基本完成。经过三年的治理整顿，扭转了原来出现的"四过一乱"（经济发展过热、货币发行过多、消费基金增长过快、物价增长过大，流通领域混乱）的经济形势。创造了一个相对宽松的经济环境，为国民经济走上持续、稳定、协调发展的轨道，特别是为1992年以后经济的持续、高速、健康发展，打下了良好的基础，为加强宏观调控积累了有益的经验。治理整顿的成效主要在以下几个方面：第一，经济基本上恢复了正常的发展速度；第二，投资需求和消费需求双膨胀的局面明显缓解，严重的通货膨胀得到有效控制；第三，流通领域的混乱现象得到整顿，经济秩序明显好转；第四，对外开放取得较大进展；第五，产业结构调整取得一定的成绩；第六，在治理整顿期间，一些领域的改革有了新的进展。总的来说，治理整顿的主要目标已经实现。

但是，治理整顿要求调整结构、提高经济效益的任务，却没有取得明显的成效。还有一个值得注意的现象，就是人们对治理整顿时期采取的一些行政干预措施和计划手段显现成效，产生了一种错觉和误解，认为还是计划经济有较大的优越性。由此，在治理整顿的过程中，中国经济理论界在改革目标模式这个关键问题上产生了分歧，出现了"市场取向"和"计划取向"之争。有人主张放弃中共十三大提出的"国家调控市场，市场引导企业"这个公式，在改革中加大计划经济的分量。这种认识成为继续深化改革、扩大开放的思想理论障碍。

---

① 《国务院发出通知　进一步增强国营大中型企业活力》，《人民日报》1991年5月30日。

第二节　在调整改革中制订十年规划和“八五”计划

尽管治理整顿期间中国经济发展的速度有所放慢，但因为有前几年的加速发展和治理整顿中的适度发展，到1990年底，“七五”计划所规定的国民经济和社会发展的各项目标，绝大部分都已完成或超额完成。在此基础上，中共中央、国务院开始研究制订“八五”计划和十年规划，以加快推进改革开放和现代化建设事业，推动国民经济和社会发展迈上新的台阶。

一、邓小平在制订“八五”计划中对改革与发展的思考

作为“中国改革开放总设计师”和伟大的战略家，邓小平仍然在思考改革开放和社会主义现代化建设的发展，也在关注正在研究和制订之中的“八五”计划。他主要从政治上和战略上思考两大问题。

（一）经济不能滑坡

邓小平强调，要用宏观战略的眼光分析问题，指示经济不能滑坡。1990年3月，在中央决定着手制订“八五”计划时，邓小平在驻地同江泽民、李鹏、杨尚昆等谈话，他说：“现在特别要注意经济发展速度滑坡的问题，我担心滑坡。世界上一些国家发生问题，从根本上说，都是因为经济上不去。如果经济发展老是停留在低速度，生活水平就很难提高。人民现在为什么拥护我们？就是这十年有发展，发展很明显。”① 邓小平还说：“假设我们有五年不发展，或者是低速度发展，例如百分之四、百分之五，甚至百分之二、百分之三，会发生什么影响？这不只是经济问题，实际上是个政治问题。所以，我们要力争在治理整顿中早一点取得适度的发展。”② 他强调说：“适度的要求就是确实保证这十年能够再翻一番。要按一九八〇年的

① 中共中央文献研究室编《邓小平年谱（1975—1997）》（下），中央文献出版社2004年版，第1310页。

② 邓小平：《邓小平文选》第三卷，人民出版社1993年版，第354页。

固定价格，没有水分的，还要把人口增长的因素计算在内。这样算，究竟每年增长速度要达到多少？我们现在的算法究竟准不准确，可不可靠？年增百分之六的速度是不是真正能实现第二个翻番？这个要老老实实地计算，要最终体现到人民生活水平上。”[①] 作为战略家，邓小平高瞻远瞩地说：“要实现适当的发展速度，不能只在眼前的事务里面打圈子，要用宏观战略的眼光分析问题，拿出具体措施。机会要抓住，决策要及时，要研究一下哪些地方条件更好，可以更广大地开源。比如抓上海，就算一个大措施。上海是我们的王牌，把上海搞起来是一条捷径。”[②] “总之，经济能不能避免滑坡，翻两番能不能实现，是个大问题。使我们真正睡不着觉的，恐怕长期是这个问题，至少十年。中国能不能顶住霸权主义、强权政治的压力，坚持我们的社会主义制度，关键就看能不能争得较快的增长速度，实现我们的发展战略。”[③]

（二）解放思想，处理好计划与市场的关系

受 1989 年政治风波及反“和平演变”的影响，在制订“八五”计划的过程中，许多人对于实行什么样的经济体制，又回到“计划经济与市场经济相结合”的提法。例如，中共中央关于“八五”计划和十年远景规划的建议，1992 年 2 月 25 日李鹏在第七届全国人民代表大会第四次会议上作《关于国民经济和社会发展十年规划和第八个五年计划纲要的报告》等文献中也是这个提法。该报告说：“继续探索计划经济与市场调节相结合的具体途径和形式。按照发展有计划商品经济的要求，建立计划经济与市场调节相结合的经济运行机制，是深化经济体制改革的基本方向。根据多年来的理论探索和实践经验，对计划经济与市场调节相结合，大体形成了以下一些共同认识：实行计划经济，可以从总体上保持国民经济按比例发展和资源合理配置，避免无政府状态；可以在全社会范围内动员和集中必要的财

① 邓小平：《邓小平文选》第三卷，人民出版社 1993 年版，第 354—355 页。
② 邓小平：《邓小平文选》第三卷，人民出版社 1993 年版，第 355 页。
③ 邓小平：《邓小平文选》第三卷，人民出版社 1993 年版，第 355—356 页。

力物力进行重大建设，防止大的重复建设造成的浪费；可以较好地调节收入分配，走共同富裕的道路，保持社会公正。实行市场调节，有利于开展竞争，发挥优胜劣汰机制的作用，按照市场需要从事生产经营，做到产需结合，促进技术进步和经营管理水平的提高。实行计划经济与市场调节相结合，就是要充分发挥两者的优点和长处，更好地发展社会生产力。改革开放以来，我国在这个方面进行了积极的探索和实践，证明这个原则是符合中国国情的，是正确的。计划经济与市场调节必须结合，而且能够结合，这一点在制定和执行政策时，不应当再有怀疑和动摇。现在的问题，不是要不要结合，能不能结合，而是要进一步研究和探索怎样把两者结合得更好的问题。”①

这期间，邓小平对计划与市场的关系问题发表了若干次讲话。1990 年 12 月 24 日，邓小平同江泽民、杨尚昆、李鹏谈话，他强调：“我们必须从理论上搞懂，资本主义与社会主义的区分不在于是计划还是市场这样的问题。社会主义也有市场经济，资本主义也有计划控制。不要以为搞点市场经济就是资本主义道路，没有那么回事。计划和市场都得要。不搞市场，连世界上的信息都不知道，是自甘落后。”②1991 年 1 月 28 日至 2 月 18 日，邓小平在上海考察时对上海市的负责同志说：“不要以为，一说计划经济就是社会主义，一说市场经济就是资本主义，不是那么回事，两者都是手段，市场也可以为社会主义服务。”③

邓小平对中央领导集体能够统一思想制订出坚持改革开放和发展的“八五”计划的建议发表了意见。1990 年 12 月 24 日，邓小平对江泽民、杨尚昆、李鹏等说：“对一年半以来中央的工作，我满意。对这次统一思想，制定出新的五年计划和十年规划，我完全赞成。看来我们农业的潜力大得

---

① 李鹏：《关于国民经济和社会发展十年规划和第八个五年计划纲要的报告——1991 年 3 月 25 日在第七届全国人民代表大会第四次会议上》，《人民日报》1991 年 4 月 11 日。

② 中共中央文献研究室编《邓小平年谱（1975—1997）》（下），中央文献出版社 2004 年版，第 1323 页。

③ 邓小平：《邓小平文选》第三卷，人民出版社 1993 年版，第 367 页。

很，要一直抓下去。钢要有一亿到一亿二千万吨才够用，这是个发展战略问题。核电站我们还是要发展，油气田开发、铁路公路建设、自然环境保护等，都很重要。本世纪末实现翻两番，要稳扎稳打。”①

以上情况的出现，说明了在改革开放过程中探索适合中国情况的经济体制的艰难，也说明了在这个过程中由于遇到困难或突发事件，人们的认识还会出现反复。但是，改革开放由于符合中国最广大人民群众的根本利益，是历史的大趋势，是不会因为出现某种曲折而停顿的。

二、十年规划和“八五”计划对改革开放的部署

1991 年 4 月 9 日，第七届全国人民代表大会第四次会议批准了《中华人民共和国国民经济和社会发展十年规划和第八个五年计划纲要》（以下简称为《纲要》）。《纲要》的序言指出：本世纪最后十年，在我国社会主义现代化建设的历史进程中，是非常关键的时期。今后十年在已经取得巨大成就的基础上，进一步促进经济振兴和社会进步，直接关系到我国社会主义制度的巩固与发展，关系到中华民族的前途和命运。因此，根据《中共中央关于制定国民经济和社会发展十年规划和“八五”计划的建议》，正确制定并实施国民经济和社会发展十年（1991—2000 年）规划和第八个五年（1991—1995 年）计划，具有十分重要的意义。

（一）关于十年规划和“八五”计划奋斗目标和主题蓝图

《纲要》规划的 1991—2000 年的奋斗目标是：实现我国社会主义现代化建设的第二步战略目标，把国民经济的整体素质提高到一个新的水平。第一，在大力提高经济效益和优化经济结构的基础上，使国民生产总值按不变价格计算，到本世纪末比 1980 年翻两番。按照这个目标要求，到 2000 年，以 1990 年价格计算的国民生产总值达到 31100 亿元，十年平均每年增

① 中共中央文献研究室编《邓小平年谱（1975—1997）》（下），中央文献出版社 2004 年版，第 1323 页。

长6%。[①]第二，人民生活从温饱达到小康，生活资料更加丰裕，消费结构趋于合理，居住条件明显改善，文化生活进一步丰富，健康水平继续提高，社会服务设施不断完善。第三，发展教育事业，推动科技进步，改善经济管理，调整经济结构，加强重点建设，为二十一世纪初叶我国经济和社会的持续发展奠定物质技术基础。第四，初步建立适应以公有制为基础的社会主义有计划商品经济发展的、计划经济和市场调节相结合的经济体制和运行机制。第五，社会主义精神文明建设达到新的水平，社会主义民主和法制进一步健全。[②]

按照以上奋斗目标的要求，到2000年，我国国民经济和社会发展将出现多方面的重大变化：整个国家的经济实力显著增强，国民生产总值在世界的位次进一步提前，主要工农业产品产量将有较大增长；产业结构明显改善，生产门类更加齐全，地区经济布局趋于合理；科学技术和管理水平将有较大提高，一批行业的主要生产技术达到或接近世界较先进的水平，若干高新技术领域取得重大突破，并形成一批高新技术产业；全民族的科学文化素质和思想道德素质明显提高；国防现代化建设将达到新的水平；人民生活将发生由温饱上升到小康的阶段性变化，人民的健康水平、营养状况、平均寿命和识字率等生活质量指标，达到或超过中等收入国家水平；社会主义新的经济体制初步确立，社会主义制度进一步完善；社会秩序安定，社会风气更加健康向上。总之，我国政治、经济、社会取得全面发展和进步，社会主义中国将以新的姿态进入又一个新的发展阶段。

（二）十年规划和“八五”计划关于改革的规划部署

实现第二步战略目标，必须坚定不移地继续深化改革，进一步扩大对外开放。《纲要》规定，今后十年，要坚持计划经济与市场调节相结合的原

① 李鹏：《关于国民经济和社会发展十年规划和第八个五年计划纲要的报告——1991年3月25日在第七届全国人民代表大会第四次会议上》，《人民日报》1991年4月11日。每年增长6%的目标，1993年调整为8%—9%。

② 李鹏：《关于国民经济和社会发展十年规划和第八个五年计划纲要的报告——1991年3月25日在第七届全国人民代表大会第四次会议上》，《人民日报》1991年4月11日。

则，围绕解决社会经济生活中的主要问题，有领导有步骤地全面推进改革，初步建立社会主义有计划商品经济的新体制。基本要求是：一是坚持以社会主义公有制为主体，适当发展个体经济、私营经济和其他经济成分，按照生产力发展水平的要求，完善所有制结构。二是实行政企职责分工、所有权与经营权适当分离，逐步使绝大多数国营企业真正成为自主经营、自负盈亏、自我约束、自我发展的社会主义商品生产者和经营者，探索公有制经济多种有效的实现形式，建立富有活力的国营企业管理体制和运行机制。三是进一步完善消费资料市场，扩大生产资料市场，发展资金市场、技术市场、信息市场、房产市场和劳务市场，建立健全在国家指导和管理下的全国统一的市场体系。四是理顺国家、集体和个人以及中央和地方之间的分配关系，形成合理的国民收入分配格局。坚持以按劳分配为主体，其他分配方式为补充，逐步完善个人收入分配制度。五是综合运用经济、行政、法律手段，特别是运用价格、税收、利率、汇率等经济手段调节经济运行，建立和健全直接调控与间接调控相结合的中央与省、自治区、直辖市两级经济调控体系。① 在七届全国人大四次会议通过的《纲要》中，对“八五”期间经济体制改革的主要任务和措施做了部署和安排。主要涉及十个领域：一是完善以公有制为主体的所有制结构；二是改革企业体制；三是发展社会主义市场体系；四是改革价格体制；五是改革财政税收体制；六是改革金融体制；七是改革工资制度；八是改革住房制度和社会保障制度；九是改革计划体制和投资体制；十是加强经济调控体系建设。这就是按照《纲要》的基本要求，协调配套地搞好企业、流通、价格、财政、税收、金融、外贸、计划、投资、劳动工资、住房、医疗和社会保障等方面的体制改革。

（三）十年规划和“八五”计划关于开放的规划部署

《中共中央关于制定国民经济和社会发展十年规划和“八五”计划的建

---

① 李鹏：《关于国民经济和社会发展十年规划和第八个五年计划纲要的报告——1991 年 3 月 25 日在第七届全国人民代表大会第四次会议上》，《人民日报》1991 年 4 月 11 日。

议》中提出：“继续坚持对外开放的基本国策。今后十年和‘八五’期间，应当按照平等互利的原则，进一步扩大对外经济技术交流与合作，在对外贸易、利用外资、引进技术和人才等方面取得更大的进展，以利于我国到本世纪末经济和社会发展目标的实现。”①同时，从努力扩大出口和增加外汇收入、实行有利于扩大出口的政策和措施、合理安排进口和调整进口结构、积极有效地利用外资、进一步贯彻沿海地区经济发展战略、积极发展外向型经济、改革外贸和外汇管理体制等方面对进一步扩大对外开放提出原则性建议。

七届全国人大四次会议通过的《纲要》对扩大对外开放做了部署和安排，指出：“继续实行和完善对外开放政策。经过十多年来的努力，对外开放已经全面铺开，基本格局已经形成。今后在国际环境更加复杂，国际经济竞争日趋激烈的情况下，进一步扩大对外经济技术交流，最重要的是在保持数量稳步增长的同时，更加注重质量和效益的提高，立足于现有基础，把对外贸易、利用外资、引进技术和智力等方面的工作提高到一个新的水平。”②

一是出口贸易，要把工作重点放在改善出口商品结构和提高出口商品质量上。今后的任务：逐步实现由粗加工制成品出口为主向精加工制成品出口为主的转变，努力增加附加价值高的机电产品、轻纺产品和高技术商品的出口，鼓励那些在国际市场有发展前景、竞争力强的拳头产品出口，做到主要依靠提高出口商品的质量、档次和信誉来增加外汇收入；积极发展国际旅游、劳务输出、对外承包工程和海外投资，增加非贸易外汇收入；要努力巩固已有的市场，积极开拓新的市场，积极发展同周边国家的经济技术合作与交流。为了我国建设的需要和保持国际的正常贸易往来，我们要保持适度的进口规模，调整进口商品结构，把有限的外汇集中用于引进

---

① 《中共中央关于制定国民经济和社会发展十年规划和“八五”计划的建议》（1990年12月30日中国共产党第十三届中央委员会第七次全体会议通过），《人民日报》1991年1月29日。

② 李鹏：《关于国民经济和社会发展十年规划和第八个五年计划纲要的报告——1991年3月25日在第七届全国人民代表大会第四次会议上》，《人民日报》1991年4月11日。

先进技术和关键设备。

二是要进一步完善法律法规，改善投资环境。为了提高利用外资的效益，按照国家产业政策，正确引导外资投向，支持办出口创汇型、技术先进型企业，以及一些大中型基础工业和基础设施项目。注意把吸收外商投资与加快企业技术改造结合起来，推动我国传统产业的技术进步和产品的升级换代。

三是充分发挥沿海地区在对外开放中的优势，进一步发展外向型经济，促进和带动全国经济的发展。“八五”期间，除办好已有的经济特区、对外开放城市和开放地区外，要集中力量，搞好上海浦东新区的开发和开放。要保持对外开放政策的连续性和稳定性，已出台的政策要保持基本不变，并不断加以完善。经济特区、开放城市和地区，要从国民经济全局出发，结合本地优势，合理确定经济发展的方向、重点和布局，发展各具特色的产业，逐步形成合理的地域分工。

四是为了适应对外开放和外贸发展的需要，对外贸体制进行重大的改革。要在继续发挥中央、地方和企业三方面积极性的前提下，促使外贸逐步走上统一政策、平等竞争、自主经营、自负盈亏、工贸结合、推行代理制、联合统一对外的轨道。这项改革的意义重大，是保证我国对外贸易稳步发展的根本措施，要精心组织，认真落实。

第三节　邓小平发表南方谈话

为了在重大历史关头进一步推动改革开放的伟大事业，邓小平在1992年春发表南方谈话。这个谈话精辟地分析了当时国际、国内形势，科学地总结了中共十一届三中全会以来党的基本实践和基本经验，明确地回答了这些年来经常困扰和束缚我们思想的许多重大认识问题。谈话强调基本路线要管一百年，动摇不得，强调思想更解放一点，改革开放的胆子更大一点，建设的步子更快一点，要抓住机遇，加快发展。邓小平南方谈话是又一个关于改革开放的宣言书，以这次谈话和中共十四大为标志，中国改革开放进入了新阶段。

一、复杂特殊的谈话背景

从 1989 年下半年开始，东欧的波兰、匈牙利、民主德国、捷克斯洛伐克、保加利亚、罗马尼亚、南斯拉夫、阿尔巴尼亚等社会主义国家的共产党或工人党先后丢掉执政地位，国家制度也迅速改变。1991 年 12 月 25 日，世界上第一个社会主义国家、超级大国苏联顷刻间解体，世界原有的两极格局以苏联的解体而结束，这也标志着国际社会主义运动进入第二次世界大战以来的最低潮。世界上开始出现“马克思主义不灵了，社会主义垮台了”的思潮。以美国为首的西方发达国家继续对中国实行各种“制裁”，妄图以压促变，变中国为所谓下一张倒下的“多米诺骨牌”。中国的社会主义面临着改革开放以来最严峻的考验。

在这个历史紧要关头，这样一些尖锐的问题摆在了人们的面前：马克思主义还灵不灵，社会主义还是不是必然要代替资本主义？中国的现代化建设是继续前进还是向后退？执政党是继续以经济建设为中心还是以“保卫政权，防止和平演变”为中心？是继续推进市场取向的改革，还是退回计划经济的旧体制？是继续扩大开放还是退回到原来的路子？特别是中共十四大即将召开，究竟以什么作为十四大的指导思想，这是一些需要郑重明确回答的重大问题。

在这个重大历史关头，中共中央明确表态坚定不移地坚持十一届三中全会以来的路线、方针、政策。1989 年 6 月 9 日，北京政治风波刚刚平息，邓小平在举世关注的公开场合指出：中共十三大确定的中国共产党在社会主义初级阶段“一个中心、两个基本点”的基本路线没有错，要坚持下去。确定的“三步走”基本实现现代化的战略目标没有错，也要继续坚持。邓小平还强调：“我们原来制定的基本路线、方针、政策，照样干下去，坚定不移地干下去。除了个别语言有的需要变动一下，基本路线和基本方针、政策都不变。”①6月23日至24日，中共中央召开的十三届四中全会也有针对性地进一步强调：“要继续坚决执行党的十一届三中全会以来的路线、方针和政策，继续坚决执行党的十三大确定的‘一个中心、两个基本点’的基本路线。四项基本原则是立国之本，必须毫不动摇、始终一贯地加以坚持；改革开放是强国之路，必须坚定不移、一如既往地贯彻执行，绝不回到闭关锁国的老路上去。”②受命于危难之际的新当选的中共中央总书记江泽民在这次全会上更是鲜明地强调：“党的十一届三中全会以来的路线和基本政策没有变，必须继续贯彻执行。”③这一系列的讲话，表明了新老中央领导核心明确的态度。

但有人要重提以阶级斗争或以反对“和平演变”为中心，而且是在执政党高层的会议上。尽管邓小平和江泽民多次强调以经济建设为中心不能动摇，但有人还是不能正确认识坚持经济建设为中心与反对“和平演变”的关系。

也有人认为中国国内政治风波的产生主要是资产阶级自由化造成的，强调资产阶级自由化的主要危险来自经济领域，国内媒体一度出现了批判“市场经济”的局面。由此在当时的理论界掀起一轮市场经济姓“资”姓“社”的争论。

还有人认为多一个“三资”（中外合资企业、中外合作企业和外方独资企业）企业就多一分资本主义。1991年2月，邓小平在上海大众汽车公司考察。当时任上海市委书记的朱镕基说到还有不少人认为合资企业不是民

---

① 邓小平：《邓小平文选》第三卷，人民出版社1993年版，第307页。

② 《中国共产党第十三届中央委员会第四次全体会议公报》（1989年6月24日通过），《人民日报》1989年6月25日。

③ 中共中央文献研究室编《十三大以来重要文献选编》（中），人民出版社1993年版，第547页。

族工业，害怕它的发展时，邓小平明确表态：“说‘三资’企业不是民族经济，害怕它的发展，这不好嘛。发展经济，不开放是很难搞起来的。世界各国的经济发展都要搞开放，西方国家在资金和技术上就是互相融合、交流的。”①可见，已经退下来的邓小平，仍然在排除思想干扰，以其巨大的影响为改革开放鼓劲。

但是，各种理论观点在媒体上仍然进行着激烈的争论，这种争论现在看来并没有什么太大意义，但在当时因为上纲上线到所谓姓“资”姓“社”的原则高度，造成人们思想上的困惑，影响着改革开放迈开新的步伐。作为执政党，有必要在理论上给予明确回答。

二、采取措施推进改革开放和现代化建设但仍有不小阻力

在这个紧要的历史关头，中共中央带领全党认真科学地总结进行改革开放和社会主义现代化建设的历史经验，全面坚持党在社会主义初级阶段的基本路线，继续抓住经济建设这个中心不动摇。努力纠正“一手比较硬，一手比较软”的现象，加强思想政治工作和党的建设工作。在国际局势剧变的情况下，按照冷静观察、沉着应付的方针，坚持把注意力集中在办好中国自己的事情上。这期间，中共中央相继作出关于加强党风廉政建设的决定，关于进一步治理整顿、深化改革的决定，关于加强党同人民群众联系的决定，关于开发开放上海浦东的决策，向全国人民代表大会提出国民经济和社会发展十年规划和“八五”计划（1991—1995年）的建议，关于搞好国营大中型企业的决定，关于进一步加强农业和农村工作的决定。同时坚决顶住国际上的种种压力，经过艰苦工作和有理、有利、有节的斗争，妥善处理国际问题，打破孤立、制裁中国的图谋和行动。这些努力捍卫了中国特色社会主义的伟大事业，为继续推进改革开放和社会主义现代化建设创造了有利条件。

---

① 中共中央文献研究室编《邓小平年谱（1975—1997）》（下），中央文献出版社2004年版，第1326页。

在 1991 年 12 月出现苏联解体后西方发达国家加大对中国施压的严重局势时，以江泽民同志为核心的中共中央领导集体审时度势，于 1992 年 1 月确定了中共中央政治局常委会 1992 年工作要点，并以 1992 年中共中央一号文件下发。这个 1 月 13 日下发的“一号文件”强调：“邓小平同志建设有中国特色社会主义的理论和党的‘一个中心、两个基本点’的基本路线，是指引我们进行社会主义现代化建设的强大思想武器，必须以此来武装全党，进一步统一思想，坚定信念，增强团结，振奋精神。”①这个工作要点还强调三年治理整顿的任务已经基本完成，1992 年要加快改革开放的步伐等。

1991 年底，国内经过三年的治理整顿取得预期效果后，国务院作出治理整顿的任务基本完成的判断，提出 1992 年要加快改革开放的步伐。1992 年 1 月 6 日至 10 日，中共中央和国务院在北京召开全国经济体制改革工作会议。国务院总理李鹏在会上指出：“治理整顿的任务基本完成。通过治理整顿，为改革创造了一个比较宽松的环境，并且使改革有所前进。在这种形势下，要加快改革的步伐，适当加大改革的分量。”“改革的方向，是建立起社会主义有计划的商品经济新体制和计划经济与市场调节相结合的运行机制。要在如何结合得更好的方面有进一步发展，总结出更多更好的经验。”②

为落实中共中央 1992 年的工作要点，坚持“一个中心、两个基本点”的基本路线，加快改革开放的步伐，1 月 15 日至 18 日，中共中央总书记江泽民到上海考察工作。他重点考察了浦东新区、闵行经济技术开发区和漕河泾高技术开发区，实地察看了南浦大桥和杨浦大桥、地铁、污水治理工程工地等重大基础设施，以及宝钢、上钢三厂、马桥乡旗忠村等，还考察了上海证券交易所。江泽民希望上海各级党政领导坚定不移地继续贯彻执行中共十一届三中全会以来的路线、方针、政策，牢牢把握党的“一个

① 中共中央文献研究室编《十三大以来重要文献选编》（下），人民出版社 1992 年版，第 1894—1895 页。

② 《李鹏在经济体制改革工作会上谈今年改革重点是转换国营企业经营机制使企业逐步自主经营自负盈亏面向市场》，《人民日报》1992 年 1 月 12 日。

中心、两个基本点”的基本路线，带领全市人民努力奋斗，在深化改革、扩大开放、推进“两个文明”建设方面迈出新步伐。他强调：“全党要始终不渝地全面贯彻党的基本路线，进一步解放思想，加快改革开放的步伐，转变作风，狠抓落实，一心一意把经济建设搞上去。”[①]他要求各级党政领导机关一定要精兵简政，精简会议，提高工作效率。他说，现在中央的大政方针已定，关键在于狠抓落实。各级干部要切实转变思想作风和工作作风，深入实际，多办实事，不求形式，务求实效。江泽民还与金融、财政等部门的部分工作人员进行了座谈讨论，强调进一步发挥金融、财政、税收、保险等经济手段的宏观调控作用，是中国经济稳定发展中必须解决好的一个重要问题。随着改革的深入，经济的发展，需要不断地总结经验，探索和建立一整套具有中国特色的宏观经济调控体系。这个问题应当引起各级领导的高度重视。

以江泽民为核心的中央领导集体这一系列行动和举措的目的非常明确，就是按照1992年中共中央政治局常委工作要点部署工作，即坚定不移地坚持中国共产党在社会主义初级阶段“一个中心、两个基本点”的基本路线，在治理整顿的任务已经基本完成的基础上，抓住时机，加快改革开放的步伐，全面推进社会主义现代化建设。但是在推进各方面的工作中，特别是加快改革开放的步伐，仍存在着不小的阻力需要排除。

三、邓小平视察南方发表重要谈话

为了明确回答在东欧剧变特别是苏联解体、世界格局发生新变化后，社会主义的前途命运如何，建设有中国特色的社会主义事业怎样才能坚持下去并保持旺盛的生命力；为了明确回答一个时期以来，尤其是平息1989年政治风波以来社会上的种种议论，进一步解放思想冲破束缚；为了在20世纪90年代乃至下个世纪中国经济面临良好机遇和严峻挑战的情况下，能

① 《江泽民考察上海时强调全党要始终不渝全面贯彻党的基本路线进一步解放思想加快改革开放步伐转变作风，狠抓落实，一心一意把经济建设搞上去》，《人民日报》1992年1月20日。

抓住机遇，加速发展，继续实行“三步走”的经济发展战略，实现中华民族的振兴，并向更宏伟的目标前进；为了能加快治理整顿的步伐，进一步解决中国经济生活中面临的深层次的问题和矛盾，深化改革、扩大开放、加快发展；为了表示对新一代中央领导集体的支持，为即将召开的关系到党和国家前途和命运的中共十四大作思想上、政治上、组织上的全面准备，邓小平以 88 岁的高龄踏上了视察南方之路。

在中共中央总书记江泽民到上海考察的过程中，1992 年 1 月 17 日，邓小平乘专列离开北京，前往深圳、珠海、上海等地进行不同寻常的“休息”。说是“休息”，而实际上一个推动中国进步和发展，对中国共产党历史、中华人民共和国历史产生重大影响的行动开始了。

（一）邓小平到武昌、长沙

1 月 18 日上午，邓小平抵达华中重镇武昌。湖北省委书记关广富等省委主要领导到车站迎送。邓小平在车站站台上对他们说：“经济发展要快，不要慢，只要是稳定协调发展，就不怕。”①从这一天、从这里开始，邓小平发表了一系列重要谈话。18 日下午 4 时，邓小平的专列抵达南方名城湖南省会城市长沙。他对前来迎送的湖南省委书记熊清泉等省委主要领导讲：改革开放的胆子要大一些，经济发展要快一点，总要力争隔几年上一个台阶。

（二）邓小平到深圳

19 日上午 8 时许，邓小平来到深圳这个迅速崛起的经济特区。广东省和深圳市的领导谢非、李灏等在车站等候迎接邓小平。在深圳迎宾馆桂园小憩后，邓小平随即开始了视察深圳的行程。在深圳，邓小平围绕着坚持建设有中国特色社会主义理论，着重强调：“要坚持党的十一届三中全会以来的路线、方针、政策，关键是坚持‘一个中心、两个基本点’，不坚持社

---

① 李鹏：《市场与调控——李鹏经济日记》（中），新华出版社、中国电力出版社 2007 年版，第 905 页。

会主义，不改革开放，不发展经济，不改善人民生活，只能是死路一条。基本路线要管一百年，动摇不得。”[①]“社会主义的本质，是解放生产力，发展生产力，消灭剥削，消除两极分化，最终达到共同富裕。”[②]走社会主义道路，就要逐步实现共同富裕。共同富裕的构想是这样提出来的：一部分地区有条件先发展起来，一部分地区发展慢点，先发展起来的地区带动后发展的地区，最终达到共同富裕。如果富的愈来愈富，穷的愈来愈穷，两极分化就会产生，而社会主义制度就应该而且能够避免两极分化。[③]

（三）邓小平到珠海

23日，邓小平乘船来到珠海经济特区。在珠海，邓小平对陪同他的谢飞、梁广大再次强调：“要争取时间，抓住机遇，大胆地试，大胆地闯。”“实践是检验真理的唯一标准，我们相信毛主席讲的实事求是，过去我们打仗靠这个，现在搞建设、搞改革也靠这个，我们讲了一辈子马克思主义，其实马克思主义并不玄奥，马克思主义是很朴实的东西，很朴实的道理。”[④]

（四）邓小平到鹰潭

30日下午3时40分，邓小平从广东乘车到江西鹰潭。在车站，他对中共江西省委和江西省人民政府的领导毛致用、吴官正等说：“稳定发展我赞成，但是，只要能快一点还是争取快一点，胆子要更大一点，放得更开一点。不能胆子没有了，雄心壮志也没有了。有机遇能跳还是要跳。”[⑤]

---

① 中共中央党史研究室科研局编《再造中华辉煌——邓小平纪事》，中共党史出版社1994年版，第338页。

② 中共中央党史研究室科研局编《再造中华辉煌——邓小平纪事》，中共党史出版社1994年版，第342页。

③ 陈锡添：《东方风来满眼春——邓小平同志在深圳纪实》，《人民日报》1992年3月31日。

④ 中共中央党史研究室科研局编《再造中华辉煌——邓小平纪事》，中共党史出版社1994年版，第346页。

⑤ 中共中央党史研究室科研局编《再造中华辉煌——邓小平纪事》，中共党史出版社1994年版，第354页。

（五）邓小平到上海

1月31日至2月19日，邓小平在上海“休息”。2月8日，邓小平对上海市主要负责人吴邦国、黄菊说：21世纪是年轻人的。干部要年轻化，用人也要解放思想，胆子要大一点。人无完人，年轻人有这样那样的缺点，老同志就没缺点？老同志也是这样走过来的。年轻化要从基层搞起来，现在的基层比过去更大，宝钢也算是一个基层。要提拔一批年轻人，这样才能后继有人。2月12日，邓小平在谈话时指出：到本世纪末，上海浦东和深圳要回答一个问题，姓“社”不姓“资”，两个地方都要做标兵。要回答改革开放有利于社会主义，不利于资本主义。这是个大原则。要用实践来回答。农村改革是一大创举。家庭联产承包责任制的问题是用实践来回答的，城市改革的问题也要用实践来回答。实践这个标准最硬，它不会作假。要用上百上千的事实来回答改革开放姓“社”不姓“资”，有利于社会主义，不利于资本主义。上海要回答这个问题，要靠大家努力。2月17日，邓小平又说：“浦东开发晚了，但可以借鉴广东的经验，可以搞得好一点，搞得现代化一点，起点可以高一点。起点高，关键是思想起点要高。后来居上，我相信这一点。”①

邓小平强调：改革开放要有新思路，中共十一届三中全会的路线要管一百年。他还以一个雄才大略的政治家的坦荡胸怀开诚布公地说：“回过头看，我的一个大失误就是搞四个经济特区时没有加上上海。要不然，现在长江三角洲，整个长江流域，乃至全国改革开放的局面，都会不一样。”②邓小平再次强调了他长期以来主张的观点，他指出：计划多一点还是市场多一点，不是社会主义与资本主义的本质区别。计划和市场都是经济手段。社会主义的本质，是解放生产力，发展生产力，消灭剥削，消除两极分化，最终达到共同富裕。就是要对大家讲这个道理。

---

① 中共中央文献研究室编《邓小平年谱（1975—1997）》（下），中央文献出版社2004年版，第1340页。

② 邓小平：《邓小平文选》第三卷，人民出版社1993年版，第376页。

（六）邓小平经南京回到北京

2月20日，邓小平乘专列离开上海，途经南京、蚌埠时做短暂停留。在南京火车站，他对江苏省负责人沈达人、陈焕友说：要抓住时机，把经济搞上去，步子可以快一点。我现在就怕丧失时机。当听到江苏经济去年的增长幅度高于全国平均数时，他又说：江苏应该比全国平均速度快一点。[①]

2月21日，邓小平回到北京，结束了这次具有历史意义的南方之行。

邓小平南方之行结束了，但对中国和世界的影响却开始了，中国改革开放和社会主义现代化建设也翻开了新的篇章。

四、南方谈话的主要精神

邓小平在国际、国内政治风波严峻考验的重大历史关头发表的南方谈话，深刻回答了长期束缚人们思想的许多重大认识问题，是把改革开放和现代化建设推进到新阶段的政治纲领。这次具有历史意义谈话的主要内容有：

（一）重申解放思想、实事求是，强调社会主义本质和“三个有利于”标准

在南方谈话中，邓小平反复重申解放思想、实事求是的思想路线，创造性地提出了社会主义本质论和“三个有利于”的标准以破除姓“资”姓“社”的疑虑。邓小平说：改革开放迈不开步子，不敢闯，说来说去就是怕资本主义的东西多了，走了资本主义道路。要害是姓“资”还是姓“社”的问题。为了解决这个严重束缚人们思想的重大认识问题，邓小平提出：社会主义的本质，是解放生产力，发展生产力，消灭剥削，消除两极分化，最终达到共同富裕。同时，提出著名的“三个有利于”的标准，即“判断的标准，应该主要看是否有利于发展社会主义的生产力，是否有利于增强

---

① 中共中央文献研究室编《邓小平年谱（1975—1997）》（下），中央文献出版社2004年版，第1340—1341页。

社会主义国家的综合国力，是否有利于提高人民的生活水平”[①]。社会主义本质论和“三个有利于”标准的提出，极大地解放了人们的思想，解决了一个非常重大的理论问题和实践问题。

（二）毫不动摇地坚持中国共产党在社会主义初级阶段的基本路线

邓小平郑重地指出：我们说党的基本路线要管一百年，要长治久安，就要靠这一条。真正关系到大局的是这个事。这是眼前的一个问题，并不是已经解决了，希望解决得好。邓小平有针对性地说，要坚持党的十一届三中全会以来的路线、方针、政策，关键是坚持“一个中心、两个基本点”。不坚持社会主义，不改革开放，不发展经济，不改善人民生活，只能是死路一条。要坚持党的基本路线，关键在人。关键是中国共产党内部要搞好。他认为，中国要出问题，还是出在共产党内部。对这个问题要清醒，要坚持住十一届三中全会的路线，要正确选拔和培养干部，要按照“革命化、年轻化、知识化、专业化”的标准，选拔德才兼备的人进班子。要选人民公认是坚持改革开放路线并有政绩的人，大胆地放在新的领导机构里，使人民感到我们真心诚意搞改革开放，使人民看到还是社会主义好，还是改革开放好，我们的事业就会万古长青。邓小平强调，要把中国共产党搞好，一是要在整个改革开放过程中都要反对腐败，反复强调两手抓，两手都要硬，要靠法制来反对腐败。对于干部和共产党人来说，廉政建设要作为大事来抓。二是在中国要警惕右，但主要防止“左”。邓小平强调：现在有右的东西影响我们，也有“左”的东西影响我们，但根深蒂固的还是“左”的东西。“左”的东西在我们党的历史上可怕呀！一个好好的东西，一下子被他搞掉了。右可以葬送社会主义，“左”也可以葬送社会主义。

邓小平关于坚持“一个中心、两个基本点”的基本路线的讲话，特别是他斩钉截铁地强调坚持一百年不动摇的决心和意志，可以说与以江泽民

---

① 邓小平：《邓小平文选》第三卷，人民出版社 1993 年版，第 372 页。

为核心的中共中央领导集体一直强调的在基本路线问题上“坚定不移，毫不动摇；全面执行，一以贯之”等认识和行动一起，结束了从1989年政治风波以来，中国共产党内关于“党的中心工作”的争论，保证了中国共产党在社会主义初级阶段基本路线的继续贯彻执行。

（三）抓住机遇，加快发展，发展是硬道理

这是邓小平在南方谈话中特别强调和谈得最多的一部分内容。邓小平认为：中国的经济正面临着严峻的挑战和发展的机遇。20世纪80年代中国经济发展的第一步战略目标已经实现，20世纪90年代要实现第二步战略目标，任务还是很艰巨的。而20世纪90年代对实现第三步战略目标又是一个关键时期。面对中国周边地区一个时期以来经济发展比中国快，西方一些国家对中国实行“制裁”政策和措施，东欧剧变和苏联解体的严峻国际局势，邓小平指出：中国如果不发展，或者发展得太慢，老百姓一比较就有问题了。同时，在和平与发展的国际大趋势中，亚太地区相对稳定，中国与周边国家都建立了友好合作关系。而一些发达国家经济却先后出现衰退，为摆脱这种状况，发达国家不能忽视中国这个大市场，特别是一个潜在的巨大市场。这对中国的改革开放和社会主义现代化建设，又是一个难得的机遇。在挑战和机遇并存的形势下，中国只有抓住机遇，加快发展经济，提高综合国力，才能增强国际地位，才能巩固社会主义。邓小平在谈话中明确地指出：革命是解放生产力，改革也是解放生产力。他说，改革开放胆子要大一些，敢于试验，看准了的，就大胆地试，大胆地闯。能发展就不要阻挡，有条件的地方要尽可能搞快点。

围绕发展这个主题，邓小平从以下几个方面做了精辟的论述。一是突破计划经济和市场经济的僵化观念，再次强调计划多一点还是市场多一点，不是社会主义与资本主义的本质区别。他说，计划经济不等于社会主义，资本主义也有计划，市场经济不等于资本主义，社会主义也有市场。计划和市场都是经济手段。社会主义要赢得与资本主义相比较的优势，就必须大胆地吸收和借鉴人类生活创造的一切文明成果，吸收和借鉴当今世界各

国包括资本主义发达国家的一切反映现代社会化生产规律的先进经营方式、管理方法。二是强调经济发展快一点，必须依靠科技和教育。邓小平指出：我说过科学技术是第一生产力。近一二十年来，世界科学技术发展多快啊！高科技领域的一个突破，带动一批产业的发展。要提倡科学，靠科学才有希望。他殷切希望，每一行都要树立一个明确的目标，一定要打赢。高科技领域，中国也要占有一席之地。三是抓住时机，加大改革开放的力度。邓小平以博大的胸怀一再对自己在设置深圳、珠海、厦门、汕头四个经济特区时没有加上上海做自我批评，认为是一个失误。他认为上海在人才、技术和管理方面有明显的优势，并且辐射面宽。他表示支持上海开发开放浦东的决策，上海加快加大改革开放的步伐，将带动长江三角洲，带动整个长江流域，乃至全中国的改革开放。他一再鼓励上海的领导和人民思想更解放一点，胆子更大一点，步子更快一点。

（四）坚定社会主义信念，沿着建设有中国特色的社会主义道路前进

在这次谈话中，邓小平坚信世界上赞成马克思主义的人会多起来的，社会主义经历一个长过程发展后必然代替资本主义。这是社会历史发展不可逆转的总趋势，但道路是曲折的。他强调说：三中全会以来的路线、方针、政策是正确的，谁想变也变不了。他指出："我们要在建设有中国特色的社会主义道路上继续前进。如果从建国起，用一百年时间把中国建成中等水平的发达国家，那就很了不起！从现在起到下世纪中叶，将是很紧要的时期，我们要埋头苦干。我们肩上的担子重，责任大啊！"[①]

历史已经证明，邓小平的南方谈话精辟地分析了国际、国内形势，科学地总结了十一届三中全会以来党的基本经验，明确地回答了一个时期以来经常困扰着人们思想的许多重大认识问题，使建设有中国特色的社会主义理论更加系统，标志着邓小平理论的发展进入了新的境界，已经形成了科学体系。这个谈话已经成为《邓小平文选》第三卷的封篇之作，成为他对中国共

① 邓小平：《邓小平文选》第三卷，人民出版社 1993 年版，第 370—383 页。

产党和中国人民的政治交代。谈话中那些闪光的思想，将长久地指导中国的社会主义事业不断地走向成功。仅就思想解放这个层面的深远意义，就如江泽民在中共十五大报告中所说：“一九七八年邓小平《解放思想，实事求是，团结一致向前看》这篇讲话，是在‘文化大革命’结束以后，中国面临向何处去的重大历史关头，冲破‘两个凡是’的禁锢，开辟新时期新道路、开创建设有中国特色社会主义新理论的宣言书。一九九二年邓小平南方谈话，是在国际国内政治风波严峻考验的重大历史关头，坚持十一届三中全会以来的理论和路线，深刻回答长期束缚人们思想的许多重大认识问题，把改革开放和现代化建设推进到新阶段的又一个解放思想、实事求是的宣言书。”①

南方谈话，使邓小平一生的光辉业绩达到新的高度。邓小平同志是全党全军全国各族人民公认的享有崇高威望的卓越领导人，伟大的马克思主义者，伟大的无产阶级革命家、政治家、军事家、外交家，中国社会主义改革开放和现代化建设的总设计师，中国特色社会主义道路的开创者，邓小平理论的主要创立者。如果没有邓小平，中国人民就不可能有今天的新生活，中国就不可能有今天改革开放的新局面和社会主义现代化的光明前景。作为一代伟人，邓小平作出的光辉业绩、创立的科学理论，已经并将继续改变和影响着中国和世界。②

第四节　抓住难得机遇全面推进改革开放和现代化建设

“东方风来满眼春”，邓小平的南方之行和重要谈话，对中国的历史产生了重大影响，新一轮思想解放和改革开放的高潮再次涌起。

---

① 江泽民：《高举邓小平理论伟大旗帜，把建设有中国特色社会主义事业全面推向二十一世纪——在中国共产党第十五次全国代表大会上的报告》（1997 年 9 月 12 日），《人民日报》1997 年 9 月 22 日。

② 《中国共产党简史》编写组编《中国共产党简史》，人民出版社、中共党史出版社 2021 年版，第 281—282 页。

一、全面落实邓小平南方谈话精神

以江泽民同志为核心的中央领导集体抓住这个难得的机遇，积极部署落实邓小平南方谈话精神，着力推动改革开放和社会主义现代化建设快速、持续、健康发展。

（一）中共中央及时传达邓小平南方谈话精神

邓小平还没有回到北京，他在南方之行途中的谈话就被及时传回北京。中共中央政治局常委、国务院总理李鹏在 1992 年 2 月 11 日的日记中写道："中央召开扩大会议，传达小平同志在深圳、武昌、鹰潭的讲话。在深圳是 1 月 19—21 日讲的，在鹰潭是 1 月 30 日讲的。"① 这说明邓小平发表南方谈话时，中共中央高层就给予高度重视，并召开中共中央政治局扩大会议及时传达和讨论。

1992 年 2 月 21 日，也就是中共中央政治局扩大会议传达邓小平在深圳等地的讲话 10 天后，邓小平回到北京。中共中央立即派郑必坚、逄先知、龚育之等整理邓小平南方谈话的要点。经邓小平审阅同意后，28 日中共中央发出《关于传达学习邓小平同志重要谈话的通知》（以下简称《通知》），印发了邓小平南方谈话的要点，即中共中央 1992 年二号文件。《通知》要求各地将邓小平同志重要谈话尽快地传达到全体党员、干部。《通知》还要求全党尤其是党的领导干部，要认真学习邓小平的重要谈话，全面深刻领会谈话的实质，紧密结合实际，认真贯彻落实。从这里，可以看到中共中央 1992 年二号文件与 1992 年 1 月 13 日下发的中共中央 1992 年一号文件有着历史的逻辑联系。这就是两个文件都强调坚持"一个中心、两个基本点"的基本路线不动摇，强调加快改革开放的步伐，强调经济发展，等等。

3 月 2 日，中共中央党校在大礼堂举行 1992 年春季开学典礼。中共中

① 李鹏：《市场与调控——李鹏经济日记》（中），新华出版社、中国电力出版社 2007 年版，第 904 页。

央政治局常委、中央党校校长乔石向来自全国各地、各部门的2000多名学员和中央党校教职工传达了邓小平南方谈话的要点。乔石校长喜悦的情绪感染了在场的全体学工人员。开学典礼刚结束，学员们纷纷通过各种办法和渠道，立即把邓小平的南方谈话精神报告给自己的单位。可以说，把邓小平南方谈话传向全国，中央党校这个阵地、中央党校的教员和学员起到了特殊作用。

3月2日，李鹏在国务院第十三次全体会议上强调抓住有利时机加快改革开放，集中精力把经济建设搞上去。他说：“我们在改革开放中，要立足实际，积极探索，大胆试验，及时总结经验，成功的要积极推广。”“我们应该有这样的雄心壮志，经过每隔几年的努力，就能使经济上一个新台阶。当然，一定要扎扎实实，讲求效益，注意稳定协调发展。”“在进行经济体制改革的同时，政治体制改革也要配套进行。一个重要问题，就是进行政府机构改革，进一步精简机构，核心是转变职能。政府的工作重点是要抓好宏观调控，把企业真正推向市场。”[①]这可以说在国务院系统传达了邓小平南方谈话中加快改革开放和发展的主要精神，引起了人们的共鸣。国务院还按照邓小平南方谈话精神修改即将提交七届全国人大五次会议审议的《政府工作报告》。

（二）中共中央政治局召开专门会议落实南方谈话精神

3月9日和10日，中共中央政治局召开全体会议，根据邓小平的南方谈话，讨论中国改革开放和发展的若干重大问题。江泽民总书记主持会议。政治局会议表示完全赞同邓小平的南方谈话，认为谈话不仅对中国当前的改革和建设，对开好中共十四大，具有十分重要的指导作用，而且对中国整个社会主义现代化事业具有重大而深远的意义。会议认为，解放和发展生产力，是中国共产党领导人民建设社会主义的根本任务。为此，必须始终不渝地坚持以经济建设为中心，坚持四项基本原则，坚持改革开放。这

---

① 《李鹏在国务院第13次全体会议上强调抓住有利时机加快改革开放集中精力把经济建设搞上去》,《人民日报》1992年3月3日。

是党的十一届三中全会以来，在邓小平同志建设有中国特色社会主义思想的指导下，我们党带领亿万人民在实践中得出的最为宝贵的经验，是社会主义中国这十几年间发生巨大变化的根本原因。牢牢把握党的“一个中心、两个基本点”的基本路线，一百年不动摇，国家就能长治久安，中国就大有希望。

会议强调，改革开放胆子要大一些，勇于创新，敢于试验。必须进一步解放思想，坚持实事求是。我们不仅要在社会主义条件下发展生产力，而且要通过改革解放生产力。判断姓“社”姓“资”，应该主要看是否有利于发展社会主义社会的生产力，是否有利于增强社会主义国家的综合国力，是否有利于提高人民的生活水平。要加快改革开放的步伐。看准了的，就大胆地试，大胆地闯。计划和市场，都是经济手段。要善于运用这些手段，加快发展社会主义商品经济。要大胆吸收和借鉴人类社会创造的一切文明成果，吸收和借鉴当今世界各国包括西方发达国家的先进经营方式和管理方式。会议指出，抓住当前的有利时机，努力发展自己，特别是把经济建设搞上去，对巩固和发展社会主义，有着特殊重要的意义。会议指出，坚持党的基本路线，加快改革和建设步伐，关键在于狠抓各项工作的落实。要特别注意抓住改革和建设中牵动全局的重大问题，深入调查研究，确定今后一个时期的战略思想和政策主张，并认真组织实施。

按照会议关于加快改革开放和现代化建设的研究和部署。在中共中央的带领下，各级领导干部认真学习邓小平同志关于建设有中国特色的社会主义的一系列重要论述，进一步提高全面贯彻执行党的基本路线的自觉性。在实际工作中贯彻邓小平提出的力戒形式主义和官僚主义，腾出主要精力多办实事。要警惕右，但主要是防止“左”。坚持两手抓，加强社会主义精神文明建设和民主法制建设，巩固和发展安定团结的政治局面。以中共中央政治局为代表的中央领导层思想统一，促进了全国各级领导的行动。这为全面推进改革开放和现代化建设事业，为开好七届全国人大五次会议、迎接中共十四大的胜利召开创造了重要条件，营造了良好的氛围。

二、中国改革开放和现代化建设进入新阶段

以 1992 年邓小平南方谈话和中共十四大为标志，中国的改革开放和现代化建设进入了一个新的发展阶段。

邓小平南方谈话后，中国人民的思想解放达到了一个新的高度。适应时代发展的人们冲破各种束缚，特别是冲破一个时期以来甚嚣尘上的，企图改变中国共产党在社会主义初级阶段的基本路线的“左”的错误思想的干扰，这表现在人们对社会主义本质的认识和社会主义市场经济的认识的突破。人们不再纠缠姓“资”姓“社”的争论，而坚持“三个有利于”的标准，大胆借鉴和吸收世界上一切先进的文明成果，认真学习和利用资本主义先进的东西，利用和吸收一切有利于发展社会生产力的管理方式和经营方式。人们进一步冲破不合时宜的条条、框框、本本的束缚，冲破旧的习惯势力，为改革开放和现代化建设的进一步发展创造了最基本的思想准备。

邓小平南方谈话后，中国的改革开放又达到了一个新水平。明确了改革的目标是建设社会主义市场经济，中国社会已经进入建立社会主义市场经济体制、对外更加开放的新阶段。1992 年以来，中共中央和国务院决定以转换企业经营机制为重点，进一步把企业推向市场。同时，积极推进各项配套改革。改革的步伐进一步加快。这些改革包括：国有企业改革、财税改革、金融改革、住房改革、建立社会保障制度以及公务员制度等项改革。这个阶段改革的突出特点是在宏观调控下加速发展，在全面攻坚、整体配套中重点突破。中国进一步向世界敞开大门，形成沿海、沿江、沿边的大开放格局，进一步实施沿海、沿江、沿边和省会城市的开放战略，外向型经济有了较大发展。中国进一步走向世界，世界也进一步涌向中国。外资投入达到了空前规模。1992 年，全国吸引外资达 110 亿美元，比 1991 年的 43 亿美元增加 1 倍多，1993 年又增加到 275 亿美元。对外贸易也以每年百分之十几的速度增长，中华民族受到全世界的重视。

邓小平南方谈话后，中国经济发展进入了快车道。从南到北，从东到西，一切都在发生着新的变化，中华民族巨大的社会生产力、巨大力量短时间内出人意料地呈现出来。1992 年，国内生产总值比上年增长了 12.8%，令世人赞叹。以经济建设为中心真正成为全社会的主旋律。此后，中国经济多年来一直以 10%以上的速度增长，进入了中国各族人民长期期望达到的持续、高速、健康发展的轨道。

第十一章

改革开放成就与经验的初步总结

从1978年的中共十一届三中全会到1992年的中共十四大的14年，是真正集中力量进行社会主义现代化建设的14年，是人民生活水平提高最快的14年，开创了历史的新局面，取得了举世瞩目的成就。党也因此赢得了广大人民群众的拥护。

第一节　在探索和总结中提出建立社会主义市场经济体制

把建立社会主义市场经济体制确定为中国经济体制改革的目标，是中共十四大标志性的贡献。确立这种新的经济体制，既对中华人民共和国的发展产生了深远影响，也对世界经济发展和国际社会主义运动产生了重大影响。确定社会主义市场经济体制为中国经济体制改革的目标，实际上也是中国共产党和中国政府经过长期探索后，为中国经济寻找的一种充满生机和活力的发展体制和机制，为中华民族迅速实现经济振兴寻找的符合经济发展规律的正确道路。

对社会主义到底实行什么样的经济体制进行真正的理论研究和创新，是以中共十一届三中全会前后为起点的。从那时开始到中共十四大，人们的认识大致经历了三次大的演进，改革的目标也随之发生三次大的变动，并最终在中共十四大确定中国经济体制改革的目标是建立社会主义市场经济体制。

一、邓小平强调社会主义可以搞市场经济

1979 年 11 月 26 日，邓小平在一次接见外宾的谈话中，第一次对市场经济从理论上做了阐述。他说："说市场经济只存在于资本主义社会，只有资本主义的市场经济，这肯定是不正确的。社会主义为什么不可以搞市场经济，这个不能说是资本主义。"[①]1979 年，在无锡召开的经济理论讨论会上，有人也提出"有商品经济就有市场经济，社会主义的市场经济"等等。这可以看成是思想解放过程中，理论工作者对经济体制的探讨。在国内外

① 邓小平：《邓小平文选》第二卷，人民出版社 1994 年版，第 236 页。

的理论界长期盛行把计划经济与社会主义、市场经济与资本主义画等号的背景下，这些观点无疑是一次重要的突破。

此后，邓小平等人又多次谈到社会主义可以搞市场经济。1985年10月，邓小平进一步提出“社会主义和市场经济不存在根本矛盾”①。1987年2月6日，邓小平有针对性地同几位中共中央负责同志说：为什么一谈市场就说是资本主义，只有计划才是社会主义呢？计划和市场都是方法嘛。他又说：我们以前是学苏联的，搞计划经济。后来又讲计划经济为主，现在不要再讲这个了。②

在1992年的南方谈话中，邓小平就“市场经济”是不是必然姓“资”，以及与此相联系的社会主义可不可以搞市场经济的问题，作了一个清楚明白、透彻精辟的总回答。这就为中共十四大确立社会主义市场经济的目标，奠定了理论基础。

二、理论工作者的探索成果与争论

1989年发生了政治风波之后，市场经济和市场取向的改革一度成为某些理论家批评和批判的对象。尽管邓小平在6月9日说：“我们要继续坚持计划经济与市场调节相结合，这个不能改。”③但是，这并没有平息一些理论家对“市场经济”的批判，仍有文章认为市场经济是资本主义的，计划经济是社会主义的。吴敬琏在一篇文章中说：“1990年7月5日，中共中央政治局常委会邀请一些经济学家座谈经济形势和对策，出席会议的有薛暮桥、刘国光、苏星、吴树青、有林、袁木、许毅、吴敬琏等十多人。座谈会一开始，就在改革应当‘计划取向’还是‘市场取向’这个问题上发生了激

① 邓小平：《邓小平文选》第三卷，人民出版社1993年版，第148页。
② 中共中央文献研究室编《邓小平年谱（1975—1997年）》（下），中央文献出版社2004年版，第1168页。
③ 邓小平：《邓小平文选》第三卷，人民出版社1993年版，第306页。

烈争论。”[①] 他还说：“1991 年 10 月到 12 月间，中央领导邀请一些经济学家讨论有关建设有中国特色社会主义的理论问题。”“与会的大部分经济学家在发言中不约而同地用这种或那种方式反驳了当时甚嚣尘上的开倒车论调，捍卫了改革的市场方向。”[②] 可见当时争论的激烈程度。

第二节 确定建立社会主义市场经济体制的改革目标

把建立社会主义市场经济确定为经济体制改革的目标，是以江泽民同志为代表的中国共产党人继承邓小平关于社会主义可以搞市场经济的论述，从中国实际出发，认真进行调查、研究和总结实践，大胆展开理论创新的结果。

一、江泽民深入研究计划经济和市场经济

在这期间，以江泽民同志为核心的中央领导集体，也认为应对改革的方向等重大问题进行专门研究。1990 年 8 月，受命出任国家体改委主任的陈锦华忆述：他布置体改委的同志整理两个材料，一个是国内关于计划与市场关系的争论资料，一个是国外关于计划与市场的综合资料。其中 1990 年 9 月 30 日国家体改委国外经济体制司江春泽整理的一篇题为《国外关于计划与市场问题的争论和实践以及对中国的计划与市场关系的评论》的材料，扼要地介绍了从 1902 年意大利经济学家帕累托开始，西方学术界对是以中央计划机关还是以市场作为未来社会资源配置的主要方式，进行了一个世纪的争论的情况。这个材料表明，最先提出用中央计划机关取代市场来配置资源的学者是意大利经济学家、社会学家帕累托，他和他的追随者都不是马克思主义者，更不是共产党员，而是西方研究社会主义经济的学

① 张卓元等主编《20 年经济改革回顾与展望》，中国计划出版社 1998 年版，第 15 页。
② 张卓元等主编《20 年经济改革回顾与展望》，中国计划出版社 1998 年版，第 17 页。

者。在这个问题的争论初期，社会主义制度还没有诞生，主张计划经济或是市场经济，同坚持或反对社会主义制度根本没有关联。“材料清楚地表明，计划不是社会主义制度的‘特产’，市场也不应是资本主义的‘专利’，资本主义可以用‘计划’，社会主义应当用‘市场’。”陈锦华说，他“立即把这个材料报送中央领导同志参阅。江泽民看了以后特地给我来电话说：‘材料很好，我看了两遍，并批示印发中央领导同志参阅。’李鹏还批示党的十三届七中全会文件起草小组参考”①。

这种争论不仅仅限于党内和国内理论界，1991 年 9 月，江泽民会见到中国访问的英国前首相撒切尔夫人。江泽民在同撒切尔夫人就国际形势和共同关注的问题进行广泛、友好、坦率交换意见的同时，双方也谈到了社会主义与市场经济的关系问题，“撒切尔夫人认为，社会主义和市场经济不可能兼容，社会主义不可能搞市场经济，要搞市场经济就必须实行资本主义制度，必须私有化”②。撒切尔夫人执政期间是以推行私有化著称的，她的观点可以说代表了当时西方的主流思想。江泽民不同意撒切尔夫人的观点，并同其进行了讨论。从这可以了解到要实现社会主义与市场经济相结合，还要突破西方经济学的框框。

二、江泽民主持 11 次当时未做公开报道的系列座谈会

1991 年是国际局势动荡的一年，东欧剧变、苏联解体、海湾战争等使得国际局势变得愈加复杂，国内政治、经济、社会面临许多挑战，内政、外交、国防工作头绪极多。作为党和国家的主要领导人，江泽民要处理的日常公务十分繁重。③

尽管如此，江泽民在不到两个月的时间里，从 1991 年 10 月 17 日到 12

---

① 陈锦华：《国事忆述》，中共党史出版社 2005 年版，第 215 页。

② 陈锦华：《国事忆述》，中共党史出版社 2005 年版，第 247 页。

③ 曲青山、吴德刚主编《改革开放四十年口述史》，中国人民大学出版社 2019 年版，第 296 页。

月 14 日，主持了 11 次未做公开报道的系列座谈会，这些座谈会用了 11 个半天。参加座谈会的有中国社科院、国家体改委、中国银行、国家计委的专家，以及熟悉国际经济和国别情况的专家等。系列座谈会按顺序讨论三个题目：10 月 17 日、18 日上午各召开一次座谈会，讨论战后西方资本主义国家发展的现状，为什么资本主义“垂而不死”；12 月 6 日、9 日召开了两天座谈会，讨论苏东演变及其教训；12 月 10 日、12 日、13 日下午以及 14 日全天分别讨论如何搞好中国特色的社会主义经济。[①] 可以说，座谈会上研讨的三个题目既互相关联又意味深长，也可以说实际上是酝酿对社会主义市场经济的论证和解释。

据参加过这 11 次座谈会的郭树清回忆，这 11 次座谈中江泽民要求与会者畅所欲言，实事求是，怎么想就怎么说，会议也不做结论，主要是听大家的意见。会议从分析战后资本主义国家发展开始，先后分析研究讨论了如下问题：一定要睁开眼睛看世界，如何吸取苏联、东欧的教训？核心问题是处理好计划与市场的关系，从多个角度研究经济改革的市场取向，处理好着眼长远的发展战略问题，温故知新有利于迎接挑战，等等。[②]

在讨论一些重要的方针政策问题上，江泽民有意识地引导大家进行反复议论和磨合，真正地做到了陈云所倡导的“不唯上、不唯书、只唯实”和“交换、比较、反复”。江泽民也非常注重联系学者专家，包括体改部门和研究机构的专家。他曾经亲自给国家体改委主持工作的常务副主任贺光辉打电话，了解国内外有关经济改革的情况。江泽民还前后几次给体改委主任陈锦华打电话，专门布置有关计划与市场关系问题的调研。[③]

---

① 陈君、洪南编《江泽民与社会主义市场经济体制的提出——社会主义市场经济 20 年回顾》，中央文献出版社 2012 年版，第 55 页。

② 曲青山、吴德刚主编《改革开放四十年口述史》，中国人民大学出版社 2019 年版，第 282—295 页。

③ 曲青山、吴德刚主编《改革开放四十年口述史》，中国人民大学出版社 2019 年版，第 296 页。

三、酝酿提出“社会主义市场经济”的概念

1992年4月1日晚上11点钟，江泽民总书记打电话找时任国家经济体制改革委员会主任的陈锦华，在电话中说：“现在改革开放正处在一个非常重要的时刻，下一步该怎么办，大家都在等待，也有点着急，体改委好好研究下，向中央提出建议。”4月15日，国家体改委主任陈锦华邀请广东、江苏、山东、辽宁、四川5个经济大省的体改委主任，到北京用3个半天专门座谈下一步改革的设想，主要议题是计划与市场的关系。上面5个省的体改委主任明确提出“建立和发展社会主义市场经济”。会后，陈锦华写了报告直接交江泽民和李鹏。①

1992年4月30日，中共中央召开政治局常委会会议，提出中共十四大在计划与市场的关系上要前进一步，这是关系改革开放和现代化建设全局的一个重大问题。5月28日的政治局常委会会议正式决定，在中共十四大上要对计划与市场的关系作出新的论述，并决定在中共中央党校召开干部会议。②这期间，江泽民在6月9日到中共中央党校讲话前找刘国光谈了一次话，对刘国光说他个人倾向于使用“社会主义市场经济”的提法，问刘国光的意见。刘说赞成，但同时又提了个意见：不提“有计划”，这方面容易被人忽略，而“有计划”对于社会主义经济是非常重要的。江泽民总书记说：“有计划的商品经济也就是有计划的市场经济。社会主义经济从一开始就是有计划的，这在人们头脑里和认识上一直是很清楚的，不会因为提法上不出现‘有计划’三个字，就发生了是不是取消了计划性的疑问。”③这也体现了江泽民经过深思熟虑，把建立社会主义市场经济体制确立为中国经济体制改革的目标的决心和意志。

---

① 陈锦华：《国事忆述》，中共党史出版社2005年版，第208页。

② 江泽民：《江泽民文选》第二卷，人民出版社2006年版，第528页。

③ 魏礼群主编《改革开放三十年见证与回顾》，中国言实出版社2008年版，第74页。

四、江泽民明确提出倾向于使用“社会主义市场经济体制”的提法

1992 年 6 月 9 日，江泽民在中共中央党校省部级干部进修班上作《深刻领会和全面落实邓小平同志的重要谈话精神，把经济建设和改革开放搞得更快更好》的讲话。这个讲话讲了 9 个重大问题，其中经济体制问题引起党内外的高度关注。在这个讲话中，对建立新经济体制的讨论中提出的“建立计划与市场相结合的社会主义商品经济体制”“建立社会主义有计划的市场经济体制”“社会主义市场经济体制”等意见，江泽民表示：“我个人的看法，比较倾向于使用‘社会主义市场经济体制’这个提法。”①

6 月 12 日，江泽民去看邓小平。邓小平表示赞成使用“社会主义市场经济体制”这个提法。他说：实际上我们是在这样做，深圳就是社会主义市场经济。不搞市场经济，没有竞争没有比较，连科学技术都发展不起来。产品总是落后，也影响消费，影响到对外贸易和出口。他还说：在党校的讲话可以先发内部文件，反映好的话，就可以讲。这样十四大也就有了一个主题了。②随后中共中央征求 30 个省、市、自治区（当时重庆还不是直辖市）的意见，大家都同意“社会主义市场经济体制”这个提法。

以上反映了中国共产党关于社会主义市场经济认识的发展历程，既说明认识是有发展规律的，也说明只有与时俱进，社会主义经济理论才能对实践有指导作用。

在这期间，以江泽民同志为核心的中央领导集体也认为应对改革的方向等重大问题进行研究，并提出倾向于使用“社会主义市场经济体制”的提法，并在取得全党共识的基础上把建立社会主义市场经济体制确定为经济体制改革的目标。

① 江泽民：《江泽民文选》第一卷，人民出版社 2006 年版，第 202 页。
② 中共中央文献研究室编《邓小平年谱（1975—1997 年）》（下），中央文献出版社 2004 年版，第 994 页。

五、中共十四大确定经济体制改革的目标

经过精心准备，中国共产党第十四次全国代表大会于1992年10月召开。这次大会是中共历史上非常重要的会议。大会对全党进一步解放思想，加快改革开放和社会主义现代化建设的进程起到了重要作用。会议的一个重大的标志性贡献是确定中国经济体制改革的目标是建立社会主义市场经济体制。

江泽民代表第十三届中央委员会向这次大会作题为《加快改革开放和现代化建设步伐，夺取有中国特色社会主义事业的更大胜利》的报告。该报告指出："邓小平同志今年初重要谈话进一步指出，计划经济不等于社会主义，资本主义也有计划；市场经济不等于资本主义，社会主义也有市场。计划和市场都是经济手段。计划多一点还是市场多一点，不是社会主义与资本主义的本质区别。这个精辟论断，从根本上解除了把计划经济和市场经济看作属于社会基本制度范畴的思想束缚，使我们在计划与市场关系问题上的认识有了新的重大突破。"① 江泽民在报告中强调："实践的发展和认识的深化，要求我们明确提出，中国经济体制改革的目标是建立社会主义市场经济体制，以利于进一步解放和发展生产力。"②这标志着中国共产党正式提出中国经济体制改革的目标是建立社会主义市场经济体制。

江泽民又进一步阐述要建立的社会主义市场经济的基本要求。他说：我们要建立的社会主义市场经济体制，就是要使市场在社会主义国家宏观调控下对资源配置起基础性作用，使经济活动遵循价值规律的要求，适应供求关系的变化；通过价格杠杆和竞争机制的功能，把资源配置到效益较好的环节中去，并给企业以压力和动力，实现优胜劣汰；运用市场对各种经济信号反应比较灵敏的优点，促进生产和需求的及时协调。同时也要看

---

① 江泽民：《加快改革开放和现代化建设步伐，夺取有中国特色社会主义事业的更大胜利——在中国共产党第十四次全国代表大会上的报告》（1992年10月12日），《人民日报》1992年10月21日。

② 江泽民：《加快改革开放和现代化建设步伐，夺取有中国特色社会主义事业的更大胜利——在中国共产党第十四次全国代表大会上的报告》（1992年10月12日），《人民日报》1992年10月21日。

到市场有其自身的弱点和消极方面，必须加强和改善国家对经济的宏观调控。我们要大力发展全国的统一市场，进一步扩大市场的作用，并依据客观规律的要求，运用好经济政策、经济法规、计划指导和必要的行政管理，引导市场健康发展。

1993 年 3 月召开的八届全国人大一次会议，对《中华人民共和国宪法》进行了修改，“国家实行社会主义市场经济”被写进《中华人民共和国宪法修正案》的第七条中。这表明“社会主义市场经济体制”通过国家根本大法被确定为国家的经济体制。

第三节　改革开放的若干成就

1992 年召开的中共十四大，是中国共产党历史上十分重要的一次全国代表大会。这次代表大会是在邓小平发表南方谈话的背景下召开的。在大会上，江泽民作题为《加快改革开放和现代化建设步伐，夺取有中国特色社会主义事业的更大胜利》的报告。这次大会以作出三项具有深远意义的决策载入史册。一是抓住机遇，加快发展，集中精力把经济建设搞上去。二是确定我国经济体制改革的目标是建立社会主义市场经济体制。三是提出用邓小平同志建设有中国特色社会主义的理论武装全党的任务。

在大会报告中，江泽民总结了中国改革开放 14 年的伟大成就。他高度概括地指出：十一届三中全会以来，在邓小平同志建设有中国特色社会主义理论的指导下，我们党和人民锐意改革，努力奋斗，整个国家焕发出了勃勃生机，中华大地发生了历史性的伟大变化。社会生产力获得新的解放。安定团结的政治局面不断巩固。十一亿人民的温饱问题基本解决，正在向小康迈进。我国经济建设上了一个大台阶，人民生活上了一个大台阶，综合国力上了一个大台阶。在世界风云急剧变幻的情况下，中国的社会主义制度经受住严峻的考验，显示了强大的生命力。[①]

一、经济建设上了一个大台阶

从中共十一届三中全会到中共十四大，是中国共产党团结和带领全国各族人民，解放思想、实事求是，同心同德、锐意进取，进行建设有中国特色社会主义的历史性创造活动的14年。这14年来，在新中国成立以后取得的重大成就的基础上，改革开放和精神文明建设又取得举世瞩目的巨大成就。

国民经济持续发展。国内生产总值由1979年的4038.2亿元增长到1992年的26638亿元。农村经济全面发展，结构逐步调整。粮食、经济作物和农副产品全面增长。“菜篮子”工程的实施，保证了城市居民的副食供应。乡镇企业保持旺盛发展势头，1987年至1992年五年间产值增长两倍，已吸纳农村劳动力一亿多人，成为国民经济的一支重要力量。植树造林、水利和农田基本建设取得新进展。工业生产有较大增长。

1993年3月，李鹏总理在八届全国人大一次会议的《政府工作报告》中说：“五年间，工业总产值平均每年增长百分之十五。1992年同1987年相比，钢产量增长百分之四十二，达到8000万吨；原煤产量增长百分之二十，达到11亿吨；发电装机增长百分之四十六，达到16500万千瓦；原油产量继续增长，达到1.42亿吨。农用工业产品持续增长。消费品工业产品更新换代加快，花色品种增多。”[②]“交通运输和邮电通信有新的发展。铁路货运周转量增长百分之二十三，达到11620亿吨公里；沿海港口货物吞吐量增长百分之五十九，达到5.9亿吨；公路货运周转量增长百分之三十六，

---

① 江泽民：《加快改革开放和现代化建设步伐，夺取有中国特色社会主义事业的更大胜利——在中国共产党第十四次全国代表大会上的报告》（1992年10月12日），《人民日报》1992年10月21日。

② 李鹏：《政府工作报告——1993年3月15日在第八届全国人民代表大会第一次会议上》，《人民日报》1993年4月2日。

达到3617亿吨公里；城乡电话总容量增长1.1倍，达到2860万门。”①

基本建设和技术改造取得新成就，五年全社会固定资产投资完成26000亿元。一批大型基础工业和基础设施重点项目相继建成，地质勘查取得新成果，为今后经济发展增添了后续力量。城市建设有新的进展，面貌发生很大变化。

二、改革开放取得重大成就

新时期最鲜明的特点是改革开放。改革开放从中共十一届三中全会起步，十二大以后全面展开。它经历了从农村改革到城市改革、从经济体制的改革到各方面体制的改革、从对内搞活到对外开放的波澜壮阔的历史进程。

这期间，中国共产党领导全国各族人民始终坚持改革的社会主义方向，始终强调改革是社会主义制度的自我完善和发展，是要在坚持社会主义基本制度的前提下自觉调整和改革生产关系同生产力、上层建筑同经济基础不相适应的方面和环节，促进生产力发展和社会各项事业全面进步。这期间的改革开放呈现出既坚持大胆探索、勇于创新，又坚持从实际出发，由浅入深，循序渐进，总体上保持了社会稳定和全面进步。

在农村，以家庭联产承包为主的责任制和统分结合的双层经营体制继续稳定和完善。在城市，为增强国有大中型企业活力，以转换企业经营机制和转变政府职能为重点，采取了新的改革措施。在巩固和发展公有制经济的同时，个体经济、私营经济、合资经济、外资经济等多种经济成分进一步发展。宏观经济调控有所改善，市场机制的作用明显增强，消费品和生产资料市场扩大，金融、技术、劳务、信息和房地产等各类市场开始形成。转换国有企业经营机制取得新进展。价格改革有新的突破，市场作用进一步增强。其他方面的改革也有许多重要举措。价格改革迈出较大步伐，

① 李鹏：《政府工作报告——1993年3月15日在第八届全国人民代表大会第一次会议上》，《人民日报》1993年4月2日。

粮食实现了购销同价，部分地区价格已经放开；其他农副产品和工业消费品的价格，绝大部分已经放开；生产资料价格大部分也已放开，“双轨制”范围显著缩小。“总起来说，这期间由市场决定价格的比重，已经由五年前（1987 年）的百分之五十左右扩大到百分之八十左右。住房制度和社会保障制度的改革在较大范围内进入实施阶段。”① 全面改革有序推进，政治体制、科技体制、教育体制等方面的改革也取得重要成效。

14 年来，在十分复杂和严峻的国际环境中，中国共产党团结带领中国各族人民毫不动摇地始终坚持对外开放的基本国策。对外开放的范围和领域显著扩大，初步形成沿海、沿江、沿边和内陆省会城市全方位开放的格局。经济特区、沿海开放城市和开放地区、经济技术开发区取得显著成绩，上海浦东开发开放步伐加快。到 1992 年，“新开放了 5 个沿江城市、18 个省会城市、13 个沿边城市，增加了 34 个开放口岸，形成了全方位开放的新格局。利用外资是改革开放以来最多的一年。”“外贸体制实行自负盈亏和打破垄断经营的改革，取消外贸出口补贴，对一批企业赋予进出口经营权，促进了对外贸易持续增长。”“5 年间，进出口总额增长 1 倍，1992 年达到 1656 亿美元。外汇储备有一定增加。五年共利用外资 609 亿美元，相当于前九年总和的 1.6 倍。”②

三、精神文明建设和各项社会事业取得新进步

从中共十一届三中全会到中共十四大，中国共产党团结带领中国各族人民取得了改革开放的伟大成就，同时促进了物质文明建设和精神文明建设的发展，两个文明建设呈现相互促进的局面，社会主义精神文明建设和各项社会事业取得新进步。

---

① 李鹏：《政府工作报告——1993 年 3 月 15 日在第八届全国人民代表大会第一次会议上》，《人民日报》1993 年 4 月 2 日。

② 李鹏：《政府工作报告——1993 年 3 月 15 日在第八届全国人民代表大会第一次会议上》，《人民日报》1993 年 4 月 2 日。

（一）科学技术事业和教育事业等成绩显著

这期间，科学技术事业成绩显著，重大科技成果比上一个五年大幅度增加，某些领域达到或接近世界先进水平。正负电子对撞机投入使用，“银河－Ⅱ”巨型计算机研制成功，我国航天工业进入国际发射市场。创办一批国家级的高新技术产业开发区，科技成果商品化和产业化步伐加快。教育事业有较大发展，五年来国家财政和社会各方面对教育事业的投入达 3200 亿元，比上一个五年增加 1710 亿元。全国已有 76% 的县普及了小学教育，多数城市普及了初中教育。高等教育有新的发展，五年共培养本科和专科毕业生 584 万人，研究生 17.2 万人。教育结构有重大调整，职业教育、成人教育迅速发展，中等职业技术学校在校学生已接近高中阶段学生人数的 50%。教育改革逐步深入，教育质量有所提高。计划生育成绩明显，出生率下降 5 个千分点，相当于五年少生 1500 万人左右。体育事业有新的发展，成功地举办了第十一届亚运会，在奥运会和重大国际比赛中取得优异成绩。文化艺术、新闻出版、广播影视、社会科学、医药卫生、环境保护等方面，都取得新的成绩。

在进行物质文明和精神文明建设的同时，社会主义民主和法制建设也取得了新的进展。①

（二）精神文化领域呈现出开放和繁荣景象

这期间，国家出版领域出版的图书品种日渐丰富，各种专业类、综合类和娱乐类的报纸杂志如雨后春笋般发展起来，与此同时也大量引进国外书籍。社会上出现了“读书热”和“外语热”。大学校园流行着“哲学热”“美学热”“文学热”“诗歌热”等，各种思想和学术论争随之兴起。在这一时期，阅读和欣赏文学作品、观看电影和电视剧、听流行歌曲日益成为大众热衷的文化生活方式。《四世同堂》《蹉跎岁月》《北方的河》《绿化树》

---

① 李鹏：《政府工作报告——1993 年 3 月 15 日在第八届全国人民代表大会第一次会议上》，《人民日报》1993 年 4 月 2 日。

《钟鼓楼》《沉重的翅膀》《黄河东流去》《花园街五号》《棋王》《平凡的世界》等文学作品，《少林寺》《牧马人》《四渡赤水》《高山下的花环》《黄土地》《血战台儿庄》《芙蓉镇》《红高粱》《开国大典》等电影，《今夜有暴风雪》《西游记》《红楼梦》等电视剧，《在那桃花盛开的地方》《我的中国心》《十五的月亮》《大海啊故乡》《在希望的田野上》《军港之夜》《黄土高坡》《一无所有》《冬天里的一把火》等歌曲，深受人民群众喜爱。

中央电视台从1983年起开始举办的春节联欢晚会，连续十年丰富多彩的春晚，成为中国人过大年必看的节目。[①]

四、改革开放推动人民生活水平上了一个大台阶

在改革开放和社会主义现代化建设的推动下，城乡居民的生活水平、生活理念和生活方式都发生了历史性巨变，中国城乡社会生活呈现新的气象。

（一）城乡居民收入大幅度增加

城乡居民收入大幅度增加，基本扭转了过去消费品长期匮乏的局面。农民人均收入1982年为270元，1987年提高到463元，扣除物价上涨因素，平均每年增长8.6%；城镇居民人均收入1982年为494.5元，1987年提高到916元，扣除物价上涨因素，平均每年增长6.3%。[②]1992年同1987年相比，城镇居民人均收入增加910元，达到1826元；农村居民人均纯收入增加321元，达到784元。城乡居民储蓄大幅度增加。城镇新建居民住宅9.2亿平方米，农村新建住房36亿平方米，居住条件逐步改善。[③]十亿人口绝大多数过上了温饱生活，部分地区开始向小康生活迈进。1982年，农产

---

① 《中华人民共和国史》编写组编《中华人民共和国史》（第二版），高等教育出版社、人民出版社2022年版，第277页。

② 中共中央文献研究室编《十三大以来重要文献选编》（上），人民出版社1991年版，第134—135页。

③ 李鹏:《政府工作报告——1993年3月15日在第八届全国人民代表大会第一次会议上》,《人民日报》1993年4月2日

品流通领域开始了市场化改革；1985 年，中央决定对粮食和棉花取消统购，改为合同订购与国家计划购销相结合，逐渐放开了猪、牛、羊、水果、水产品及蔬菜等农副产品的价格，城乡市场日益繁荣兴旺，市场供应大为改观。1992 年，我国蛋类、肉类、食用植物油的人均消费量已相当或接近世界平均水平，城镇电视机、电冰箱等耐用消费品的普及率达到中等收入国家水平。我国人口的平均期望寿命已经达到 70 岁左右，这是人民生活质量提高的综合反映。① 粮票、油票、肉票、布票等票证在广大城乡地区尽管尚未完全退出历史舞台，但发挥的作用较以往已大为减弱，城乡居民的消费水平显著提高。农民生活水平明显提高，一些比较富裕的农户开始兴建楼房，购买自行车、缝纫机、手表、收音机“四大件”等日用消费品，电视机、冰箱、洗衣机逐步进入居民家庭。

（二）家庭结构开始发生变化

20 世纪 80 年代，计划生育作为一项基本国策开始强有力地影响着中国城乡居民的家庭和婚姻生活。1980 年 9 月 25 日，中共中央向全体共产党员和共青团员发出关于控制人口增长问题的公开信，号召一对夫妇只生育一个孩子。从此，在城市户籍人口中开始提倡晚婚、晚育，少生、优生，从而有计划地控制人口增长，使人口的增长同经济和社会发展计划相适应。针对农村和少数民族地区的实际情况，允许农村群众和少数民族居民有条件地生育第二胎。计划生育政策的实施，对中国人口和发展问题的积极作用十分显著，同时由于绝大多数家庭孩子数量明显减少，家庭规模小型化逐步成为中国家庭结构变化的最重要特征。②

（三）就业观念和方式日趋多元

在城镇，随着经济体制改革的加快和致富渠道的增多，不少人开始告

① 李鹏:《政府工作报告——1993 年 3 月 15 日在第八届全国人民代表大会第一次会议上》,《人民日报》1993 年 4 月 2 日。

② 《中华人民共和国史》编写组编《中华人民共和国史》（第二版），高等教育出版社、人民出版社 2022 年版，第 276 页。

别“铁饭碗”，纷纷“下海”，成为先富起来的个体户老板和私营企业主。随着国门打开，出国潮开始涌动，大批青年人到国外留学或工作。从20世纪80年代中后期起，国家开始调整统分统配的大学毕业生分配制度，逐步实行大学毕业生自主择业、用人单位择优录取的双向选择办法，大学生就业逐步开始自主化和市场化。农村富余劳动力问题在这一时期已开始凸显，大批农民离开家乡进城打工，掀起了社会上广泛关注的“民工潮”，每年春节前后的农民工返乡和入城高峰，成为当代中国社会人口流动的独特景观。这种“离土又离乡”的就业模式，不但为农村富余劳动力创造了广阔的就业空间，而且强烈冲击着城乡户籍制度，推动着城乡二元体制的变革。与此同时，中国社会保障体制和社会福利体制改革也进行了相应的探索。①

（四）生活方式和生活观念发生很大变化

20世纪80年代，人们在衣食住行、日常交往中逐步告别了保守、单调和贫乏，越来越开放并注重个性，追求时尚。随着社会思想的解放和消费能力的提高，人们的爱美之心充分释放。着装颜色告别了以往单调的蓝色、灰色、绿色，变得日益丰富多彩。服装样式从以往比较单一的中山装、军装、工装中解放出来，日趋多样化、时尚化和个性化。时装模特开始走上T型台，并逐渐为人们接受。喇叭裤、红裙子、文化衫、蝙蝠衫等服装样式都风靡一时，西装、运动装、夹克衫、牛仔装等则逐渐成为大众化的日常服装。交谊舞进入校园、城市公园和社区，麦当劳、肯德基、可口可乐等洋品牌很快兴起，传呼机、大哥大成为拥有财富的象征，卡拉OK开始进入宾馆及普通饭店，转呼啦圈、跳迪斯科等群众健身娱乐活动成为街道社区、公园里的一道亮丽风景。②

改革开放以来，中国城乡居民生活水平、生活方式和价值观念的巨大

① 《中华人民共和国史》编写组编《中华人民共和国史》（第二版），高等教育出版社、人民出版社2022年版，第276页。

② 《中华人民共和国史》编写组编《中华人民共和国史》（第二版），高等教育出版社、人民出版社2022年版，第277页。

变化，凸显出改革后人民生活质量的迅速提升和生活形态的丰富多彩。这种变化是建立在改革开放后中国经济发展和国力增强的基础之上的，是改革开放和思想解放的必然结果。

五、改革开放推动综合国力上了一个大台阶

综合国力或称国力，从广义上说，是指一个主权国家生存和发展的全部实力（物质力和精神力）以及影响力的合力，包括人口、领土、资源力、经济力、科技力、教育力、国防力、文化力和外交力等要素。

在世界范围内横向比较，1979—1991 年，我国国民生产总值年平均增长率为 8.6%，居世界第 2 位。我国是世界上人口众多的国家。1978 年，我国谷物、棉花、肉类人均产量均低于世界平均水平，1990 年则接近或略超过世界平均水平。

我国学者运用“综合国力动态方程”测算，1949 年我国综合国力居世界第 13 位，1961 年上升到第 10 位。1962—1969 年，由于经济出现困难，技术进步受挫，加上其他因素，我国综合国力呈下降状态。中共十一届三中全会以后，我国改革开放不断取得成绩，1980 年我国综合国力上升到第 8 位，1990 已上升到第 6 位。[①] 当时中国在世界上所占位置分别是：

一是资源力（包括物力资源和人力资源）。我国居世界第 5 位。

二是经济力。它主要测算国民生产总值、国民收入、主要工农业产品产量等指标，世界经济排列次序，中国列第 8 位。

三是科技力。测算科技力包括国家重大科技成果、科研人员情况等项指标，处于第 9 位。

四是教育力。我国居世界第 10 位。

---

① 《我国的综合国力》，《人民日报》1990 年 10 月 8 日。

五是文化力。我国文化力已由50年代占世界第15位上升到第8位。

六是国防力。位于美苏两国之后，居于世界第3位。

七是外交力。总的来说，我国外交力居于世界第8位。①

第四节　中国共产党对改革开放经验的初步总结

以江泽民同志为核心的中央领导集体善于科学、全面、及时地总结历史经验，通过党的最高领导机关即党的全国代表大会总结基本经验，通过党的中央全会总结历史经验，以提高其权威性和指导性；还通过全国人民代表大会主要是历届代表大会的第一次会议总结社会主义建设的经验，特别在每个国民经济和社会发展“五年计划”完成、部署下一个“五年计划”的全国代表大会上总结历史经验，这同样具有权威性和指导性；还通过重大历史纪念日发表重要讲话的方式总结经验。

一、将改革开放的基本理论和基本实践总结概括为“十二条”原则

1990年12月，中共十三届七中全会在北京举行。全会通过的《中共中央关于制定国民经济和社会发展十年规划和“八五”计划的建议》，提出了1991年至2000年我国国民经济和社会发展的基本任务和方针政策，并将建设有中国特色社会主义的基本理论和基本实践，概括为十二条主要原则。1991年4月9日，七届全国人大四次会议通过《中华人民共和国国民经济和社会发展十年规划和第八个五年计划纲要》。

《中共中央关于制定国民经济和社会发展十年规划和“八五”计划的建议》指出：

① 《我国综合国力在世界上的名次》，《人民日报》1991年4月7日。

坚持走建设有中国特色的社会主义道路，是实现第二步战略目标的根本保证。在邓小平同志倡导下，我们党从十一届三中全会开始，经过十二大和十三大，根据马克思主义普遍真理同中国具体实际相结合的原则，在深刻总结历史的和当前的实践经验的基础上，作出了我国处于社会主义初级阶段的科学论断，形成了以经济建设为中心、坚持四项基本原则、坚持改革开放的基本路线，以及一系列行之有效的方针政策，全党对建设有中国特色社会主义的基本理论和基本实践取得了共同认识。概括起来主要是：

——坚持工人阶级领导的以工农联盟为基础的人民民主专政，不断完善人民代表大会制度，不断完善共产党领导的多党合作和政治协商制度，不断巩固和发展最广泛的爱国统一战线，努力加强社会主义民主和社会主义法制建设。

——坚持把发展社会生产力作为社会主义的根本任务，专心致志地搞好现代化建设，不断提高人民的物质文化生活水平。

——通过改革不断完善社会主义的经济、政治体制和其他领域的管理体制，充分调动中央、地方、企业和广大劳动人民的主动性、积极性和创造性。

——采取发展对外经济贸易关系、利用外资和引进先进技术等多种形式，通过举办经济特区、经济开放区和实行必要的特殊政策与灵活措施，不断扩大对外开放。

——坚持以社会主义公有制为主体的多种经济成分并存的所有制结构，发挥个体经济、私营经济和其他经济成分对公有制经济的有益的补充作用，并对它们加强正确的管理和引导。

——积极发展社会主义的有计划商品经济，实行计划经济与市场调节相结合，努力促进国民经济持续、稳定、协调发展。

——实行以按劳分配为主体、其他分配方式为补充的分配制度，允许和支持一部分人、一部分地区通过诚实劳动和合法经营先富起来，鼓励先富起来的帮助未富起来的，以利于全体人民和各个地区逐步实现共同富裕。

——坚持以马克思列宁主义、毛泽东思想为指导，继承和发扬祖国优秀文化遗产，借鉴和吸收世界上一切优秀文化成果，不断提高全民族的思想道德和科学文化素质，建设社会主义精神文明。

——建立和发展平等互助、团结合作、共同繁荣的社会主义民族关系，坚持和完善民族区域自治制度，反对民族歧视、民族压迫和民族分裂。

——按照“一个国家、两种制度”的构想和实践，促进祖国统一大业的逐步实现。

——坚持独立自主的和平外交政策，在和平共处五项原则的基础上发展同一切国家的友好关系，反对霸权主义和强权政治，支持被压迫民族和被压迫人民的正义斗争，维护世界和平和促进人类进步。

——坚持共产党的领导，不断改善党的领导制度、领导作风和领导方法，加强党的政治、思想、理论和组织建设，使党始终成为社会主义事业的坚强领导核心。①

中共十一届三中全会以来，中国共产党带领全国各族人民就是按照这条道路走过来的，因而在实践中取得了举世瞩目的成就。中共十三届四中全会以来，在以江泽民同志为核心的党中央领导下，认真总结经验教训，正确的加以坚持，不足的加以完善，失误的加以纠正，正在努力使上述原则在实践中得到进一步的具体落实和丰富发展。这十二条原则的提出，标志着党对建设有中国特色的社会主义在认识上的进一步深化。

二、提出五条“坚定不移”基本指导方针

1991 年 3 月 25 日至 4 月 9 日，七届全国人大四次会议审议通过《国民

---

① 《中共中央关于制定国民经济和社会发展十年规划和“八五”计划的建议》（1990 年 12 月 30 日中国共产党第十三届中央委员会第七次全体会议通过），《人民日报》1991 年 1 月 29 日。

经济和社会发展十年规划和第八个五年计划纲要》。这个纲要提出五条基本指导方针。

——坚定不移地走建设有中国特色的社会主义道路。最根本的，是要全面贯彻执行党在社会主义初级阶段的基本路线，以及一系列行之有效的方针政策，并在实践中加以具体化、制度化。

——坚定不移地推进改革开放。要按照生产力发展的要求，使改革不断深化、开放进一步扩大；同时，坚持改革开放的社会主义方向，使改革开放成为我国经济和社会发展强大的推动力。

——坚定不移地保持国民经济持续、稳定、协调发展，始终把提高经济效益作为全部经济工作的中心。要坚持经济总量的基本平衡，努力优化经济结构，加速科技进步，改善经济管理，千方百计提高经济整体素质和效益。

——坚定不移地执行独立自主、自力更生、艰苦奋斗、勤俭建国的方针。把利用国外资金、技术和智力更好地同发展我国经济和增强自力更生能力结合起来。发扬艰苦创业、勤俭节约的精神，节约一切可以节约的财力、物力和人力，大力克服各个领域中严重存在的铺张浪费现象。

——坚定不移地贯彻物质文明建设和精神文明建设一起抓的方针。坚持不懈地进行坚持四项基本原则，反对资产阶级自由化的教育和斗争。切实加强思想政治工作，繁荣社会主义文化事业，不断提高全民族的思想道德素质和科学文化素质。

从 1978 年 12 月中共十一届三中全会召开到中共十四大。这一阶段，1978 年 12 月，中共十一届三中全会作出了把党和国家工作重心转移到现代化建设上来和实行改革开放的伟大决策。以邓小平同志为主要代表的中国共产党人支持和领导了关于实践是检验真理唯一标准问题的大讨论，纠正“两个凡是”错误方针，在全党重新确立了实事求是的思想路线，开始创立邓小平理论，走向改革开放新的伟大历程。全国各族人民在中国共产党领导下，在理论和实践上进行了不断探索，推动了改革开放向各个领域全面展开。中国共产党总结新中国成立以来的历史经验，1982年9月，中共十二大确立了“走自己的路、建设有中国特色的社会主义”的主题，制定了全面开创社会主义现代化建设新局面的奋斗纲领。12月，五届全国人大五次会议通过了《中华人民共和国宪法》。随后，全党全国各族人民围绕十二大确定的主题和纲领，把改革开放全面向前推进。1987年10月至11月召开的中共十三大以加快改革开放为主题，大会报告系统地阐述了社会主义初级阶段理论，确定了以“一个中心、两个基本点”为主要内容的社会主义初级阶段基本路线，全面推进改革开放。中共十三届四中全会以来，以江泽民同志为主要代表的中国共产党人领导中国各族人民经受住了国内政治风波和国际形势剧变的严峻考验，捍卫了中国特色社会主义和改革开放的伟大事业。1992年邓小平发表南方谈话，引领中国特色社会主义的航船沿着正确方向继续推进改革开放走向深入。

以邓小平南方谈话和中共十四大为标志，中国改革开放和社会主义现代化建设事业进入了新的发展阶段。